MÉMOIRES DE GUERRE

L'APPEL

1940-1942

OUVRAGES DE CHARLES DE GAULLE
CHEZ POCKET

CHARLES DE GAULLE

MÉMOIRES DE GUERRE

L'APPEL

1940-1942

PLON

La présente édition reproduit le texte rigoureusement intégral de l'édition originale du premier tome des " Mémoires du guerre " du Général de Gaulle. Il n'a été retenu des documents qui l'accompagnaient qu'un choix de ceux qui ont été rédigés par l'auteur.

Copyright 1954 by Librairie Plon.
Droits de reproduction et de traduction réservée
pour tous pays, y compris l'U.R.S.S.
ISBN : 2-266-09526-9

LA PENTE

Toute ma vie, je me suis fait une certaine idée de la France... Le sentiment me l'inspire aussi bien que la raison. Ce qu'il y a, en moi, d'affectif imagine naturellement la France, telle la princesse des contes ou la madone aux fresques des murs, comme vouée à une destinée éminente et exceptionnelle. J'ai, d'instinct, l'impression que la Providence l'a créée pour des succès achevés ou des malheurs exemplaires. S'il advient que la médiocrité marque, pourtant, ses faits et gestes, j'en éprouve la sensation d'une absurde anomalie, imputable aux fautes des Français, non au génie de la patrie. Mais aussi, le côté positif de mon esprit me convainc que la France n'est réellement elle-même qu'au premier rang ; que, seules, de vastes entreprises sont susceptibles de compenser les ferments de dispersion que son peuple porte en lui-même ; que notre pays, tel qu'il est, parmi les autres, tels qu'ils sont, doit, sous peine de danger mortel, viser haut et se tenir droit. Bref, à mon sens, la France ne peut être la France sans la grandeur.

Cette foi a grandi en même temps que moi dans le milieu où je suis né. Mon père, homme de pensée, de culture, de tradition, était imprégné du sentiment de la dignité de la France. Il m'en a découvert l'Histoire. Ma mère portait à la patrie une passion intransigeante à l'égal de sa piété religieuse. Mes trois frères, ma sœur, moi-même, avions pour seconde nature une certaine fierté

anxieuse au sujet de notre pays. Petit Lillois de Paris, rien
ne me frappait davantage que les symboles de nos gloires :
nuit descendant sur Notre-Dame, majesté du soir à
Versailles, Arc de Triomphe dans le soleil, drapeaux
conquis frissonnant à la voûte des Invalides. Rien ne me
faisait plus d'effet que la manifestation de nos réussites
nationales : enthousiasme du peuple au passage du Tsar
de Russie, revue de Longchamp, merveilles de l'Exposi-
tion, premiers vols de nos aviateurs. Rien ne m'attristait
plus profondément que nos faiblesses et nos erreurs
révélées à mon enfance par les visages et les propos :
abandon de Fachoda, affaire Dreyfus, conflits sociaux,
discordes religieuses. Rien ne m'émouvait autant que le
récit de nos malheurs passés : rappel par mon père de la
vaine sortie du Bourget et de Stains, où il avait été blessé ;
évocation par ma mère de son désespoir de petite fille à la
vue de ses parents en larmes : « Bazaine a capitulé ! »

   Adolescent, ce qu'il advenait de la France, que ce fût le
sujet de l'Histoire ou l'enjeu de la vie publique, m'intéressait par-dessus tout. J'éprouvais donc de l'attrait, mais
aussi de la sévérité, à l'égard de la pièce qui se jouait, sans
relâche, sur le forum ; entraîné que j'étais par l'intelligence, l'ardeur, l'éloquence qu'y prodiguaient maints
acteurs et navré de voir tant de dons gaspillés dans la
confusion politique et les divisions nationales. D'autant
plus qu'au début du siècle apparaissaient les prodromes
de la guerre. Je dois dire que ma prime jeunesse imaginait
sans horreur et magnifiait à l'avance cette aventure
inconnue. En somme, je ne doutais pas que la France dût
traverser des épreuves gigantesques, que l'intérêt de la vie
consistait à lui rendre, un jour, quelque service signalé et
que j'en aurais l'occasion.

   Quand j'entrai dans l'armée, elle était une des plus
grandes choses du monde. Sous les critiques et les
outrages qui lui étaient prodigués, elle sentait venir avec
sérénité et, même, une sourde espérance, les jours où tout
dépendrait d'elle. Après Saint-Cyr, je fis, au 33e Régiment
d'Infanterie, à Arras, mon apprentissage d'officier. Mon

premier colonel : Pétain, me démontra ce que valent le don et l'art de commander. Puis, tandis que l'ouragan m'emportait comme un fétu à travers les drames de la guerre : baptême du feu, calvaire des tranchées, assauts, bombardements, blessures, captivité, je pouvais voir la France, qu'une natalité déficiente, de creuses idéologies et la négligence des pouvoirs avaient privée d'une partie des moyens nécessaires à sa défense, tirer d'elle-même un incroyable effort, suppléer par des sacrifices sans mesure à tout ce qui lui manquait et terminer l'épreuve dans la victoire. Je pouvais la voir, aux jours les plus critiques, se rassembler moralement, au début sous l'égide de Joffre, à la fin sous l'impulsion du « Tigre ». Je pouvais la voir, ensuite, épuisée de pertes et de ruines, bouleversée dans sa structure sociale et son équilibre moral, reprendre d'un pas vacillant sa marche vers son destin, alors que le régime, reparaissant tel qu'il était naguère et reniant Clemenceau, rejetait la grandeur et retournait à la confusion.

Pendant les années suivantes, ma carrière parcourut des étapes variées : mission et campagne en Pologne, professorat d'histoire à Saint-Cyr, Ecole de guerre, cabinet du Maréchal, commandement du 19e Bataillon de Chasseurs à Trèves, service d'état-major sur le Rhin et au Levant. Partout, je constatais le renouveau de prestige que ses succès récents valaient à la France et, en même temps, les doutes qu'éveillaient, quant à l'avenir, les inconséquences de ses dirigeants. Au demeurant, je trouvais, dans le métier militaire, l'intérêt puissant qu'il comporte pour l'esprit et pour le cœur. Dans l'armée, tournant à vide, je voyais l'instrument des grandes actions prochaines.

Il était clair, en effet, que le dénouement de la guerre n'avait pas assuré la paix. L'Allemagne revenait à ses ambitions, à mesure qu'elle recouvrait ses forces. Tandis que la Russie s'isolait dans sa révolution ; que l'Amérique se tenait éloignée de l'Europe ; que l'Angleterre ménageait Berlin pour que Paris eût besoin d'elle ; que les Etats nouveaux restaient faibles et désaccordés, c'est à la France seule qu'il incombait de contenir le Reich. Elle s'y efforçait, en effet, mais d'une manière discontinue. C'est ainsi que notre politique avait, d'abord, usé de la contrainte sous la conduite de Poincaré, puis tenté la réconciliation à l'instigation de Briand, cherché, enfin, un refuge dans la Société des Nations. Mais l'Allemagne se gonflait de menaces. Hitler approchait du pouvoir.

A cette époque, je fus affecté au Secrétariat général de la défense nationale, organisme permanent dont le président du Conseil disposait pour la préparation à la guerre de l'Etat et de la nation. De 1932 à 1937, sous quatorze ministères, je me trouvai mêlé, sur le plan des études, à toute l'activité politique, technique et administrative, pour ce qui concernait la défense du pays. J'eus, notamment, à connaître des plans de sécurité et de limitation des armements qu'André Tardieu et Paul-Boncour présentèrent respectivement à Genève ; à fournir au cabinet Doumergue des éléments pour ses décisions, quand il choisit de prendre une autre voie après l'avènement du Führer ; à tisser la toile de Pénélope du projet de loi d'organisation de la nation pour le temps de guerre ; à m'occuper des mesures que comportait la mobilisation des administrations civiles, des industries, des services publics. Les travaux que j'avais à faire, les délibérations auxquelles j'assistais, les contacts que je devais prendre, me montraient l'étendue de nos ressources, mais aussi l'infirmité de l'Etat.

Car c'est l'inconsistance du pouvoir qui s'étalait en ce domaine. Non, certes, que les hommes qui y figuraient manquassent d'intelligence ou de patriotisme. Au contraire, je voyais passer à la tête des ministères d'indiscutables valeurs et, parfois, de grands talents. Mais le jeu du régime les consumait et les paralysait. Témoin réservé, mais passionné, des affaires publiques, j'assistais à la répétition continuelle du même scénario. A peine en fonction, le président du Conseil était aux prises avec d'innombrables exigences, critiques et surenchères, que toute son activité s'employait à dérouter sans pouvoir les maîtriser. Le Parlement, loin de le soutenir, ne lui offrait qu'embûches et défections. Ses ministres étaient ses rivaux. L'opinion, la presse, les intérêts, le tenaient pour une cible désignée à tous les griefs. Chacun, d'ailleurs — lui-même tout le premier —, savait qu'il n'était là que pour une courte durée. De fait, après quelques mois, il lui fallait céder la place. En matière de défense nationale, de telles conditions interdisaient aux responsables cet ensemble de desseins continus, de décisions mûries, de mesures menées à leur terme, qu'on appelle une politique.

C'est pourquoi, le corps militaire, auquel l'Etat ne donnait d'impulsions que saccadées et contradictoires, s'enfermait dans son conformisme. L'armée se figeait dans les conceptions qui avaient été en vigueur avant la fin de la dernière guerre. Elle y était d'autant plus portée que ses chefs vieillissaient à leur poste, attachés à des erre-ments qui avaient, jadis, fait leur gloire.

Aussi, l'idée du front fixe et continu dominait-elle la stratégie prévue pour une action future. L'organisation, la doctrine, l'instruction, l'armement, en procédaient direc-tement. Il était entendu qu'en cas de guerre la France mobiliserait la masse de ses réserves et constituerait un nombre aussi grand que possible de divisions, faites, non pas pour manœuvrer, attaquer, exploiter, mais pour tenir des secteurs. Elles seraient mises en position le long de la frontière française et de la frontière belge — la Belgique nous étant, alors, explicitement alliée —, et y attendraient l'offensive de l'ennemi.

Quant aux moyens : tanks, avions, canons mobiles et pivotants, dont les dernières batailles de la grande guerre avaient montré qu'ils permettaient, déjà, la surprise et la rupture et dont la puissance n'avait cessé de grandir depuis lors, on n'entendait s'en servir que pour renforcer la ligne et, au besoin, la rétablir par des contre-attaques locales. Les types d'engins étaient fixés en conséquence : chars lents, armés de pièces légères et courtes, destinés à l'accompagnement de l'infanterie et non point aux actions rapides et autonomes ; avions de chasse conçus pour la défense du ciel, auprès desquels l'armée de l'air comptait peu de bombardiers et aucun appareil d'assaut ; pièces d'artillerie faites pour tirer à partir d'une position fixe avec un étroit champ d'action horizontal, mais non pas pour pousser à travers tous les terrains et faire feu dans tous les azimuts. Au surplus, le front était, à l'avance, tracé par les ouvrages de la ligne Maginot que prolongeaient les fortifications belges. Ainsi, serait tenue par la nation en armes une barrière à l'abri de laquelle elle attendrait, pensait-on, que le blocus eût usé l'ennemi et que la pression du monde libre l'acculât à l'effondrement.

Une telle conception de la guerre convenait à l'esprit du régime. Celui-ci, que la faiblesse du pouvoir et les discordes politiques condamnaient à la stagnation, ne pouvait manquer d'épouser un système à ce point statique. Mais aussi, cette rassurante panacée répondait trop bien à l'état d'esprit du pays pour que tout ce qui voulait être élu, applaudi ou publié n'inclinât pas à la déclarer bonne. L'opinion, cédant à l'illusion qu'en faisant la guerre à la guerre on empêcherait les belliqueux de la faire, conservant le souvenir de beaucoup de ruineuses attaques, discernant mal la révolution apportée, depuis, à la force par le moteur, ne se souciait pas d'offensive. En somme, tout concourait à faire de la passivité le principe même de notre défense nationale.

Pour moi, une telle orientation était aussi dangereuse que possible. J'estimais qu'au point de vue stratégique elle remettait à l'ennemi l'initiative en toute propriété. Au point de vue politique, je croyais qu'en affichant l'intention de maintenir nos armées à la frontière, on poussait l'Allemagne à agir contre les faibles, dès lors isolés : Sarre, Pays rhénans, Autriche, Tchécoslovaquie, Etats baltes, Pologne, etc. ; qu'on détournait la Russie de se lier à nous ; qu'on assurait à l'Italie que, quoi qu'elle fît, nous n'imposerions pas un terme à sa malveillance. Au point de vue moral, enfin, il me paraissait déplorable de donner à croire au pays qu'éventuellement la guerre devait consister, pour lui, à se battre le moins possible.

A vrai dire, la philosophie de l'action, l'inspiration et l'emploi des armées par l'Etat, les rapports du gouvernement et du commandement, m'occupaient depuis longtemps. A cet égard, j'avais déjà manifesté ma pensée par quelques publications : *La Discorde chez l'ennemi, Le Fil de l'épée,* un certain nombre d'articles de revue. J'avais fait en public, par exemple à la Sorbonne, des conférences sur la conduite de la guerre. Mais, en janvier 1933, Hitler devenait le maître du Reich. Dès lors, les choses ne pouvaient que se précipiter. Faute que personne proposât rien qui répondît à la situation, je me sentis tenu d'en appeler à l'opinion et d'apporter mon propre projet. Mais, comme l'affaire risquait d'avoir des conséquences, il me fallait m'attendre à ce qu'un jour se posent sur moi les projecteurs de la vie publique. C'est avec peine que j'en pris mon parti après vingt-cinq ans passés sous les normes militaires.

Sous le titre : *Vers l'armée de métier,* je lançai mon plan et mes idées. Je proposais de créer d'urgence une armée de manœuvre et de choc, mécanique, cuirassée, formée d'un personnel d'élite, qui s'ajouterait aux grandes unités fournies par la mobilisation. En 1933, un article de la *Revue politique et parlementaire* me servit d'entrée en matière. Au printemps de 1934, je fis paraître le livre qui exposait les raisons et la conception de l'instrument qu'il s'agissait de construire.

Pourquoi ? Traitant, d'abord, de la couverture de la France, je montrais que la géographie qui organise l'invasion de notre territoire par le nord et le nord-est, la nature du peuple allemand qui le porte aux grandes ambitions, le sollicite vers l'ouest et lui trace comme direction : Paris, à travers la Belgique, le caractère du peuple français qui l'expose à être surpris au début de chaque conflit, nous commandaient de tenir une fraction de nos forces toujours en éveil, prête à se déployer tout entière, à tout instant. « Nous ne pouvons, écrivais-je, nous en remettre, pour supporter le premier choc, à la défensive hâtive de formations mal assurées. Le moment est venu d'ajouter à la masse de nos réserves et de nos recrues, élément principal de la résistance nationale, mais lente à réunir et lourde à mettre en œuvre, un instrument de manœuvre capable d'agir sans délai, c'est-à-dire permanent, cohérent, rompu aux armes. »

Ensuite, j'invoquais la technique. Depuis que la machine dominait l'ordre guerrier, comme le reste, la qualité de ceux qui avaient à mettre en œuvre les machines de guerre devenait un élément essentiel du rendement de l'outillage. Combien était-ce vrai, surtout, pour les engins nouveaux : chars, avions, navires, que le moteur avait engendrés, qui allaient se perfectionnant à un rythme très rapide et qui ressuscitaient la manœuvre ! Je notais : « Il est de fait, dorénavant, que sur terre, sur mer et dans les airs, un personnel de choix, tirant le maximum d'un matériel extrêmement puissant et varié, possède sur des masses plus ou moins confuses une supériorité terrible. » Je citais Paul Valéry : « On verra se développer les entreprises d'hommes choisis, agissant par équipes, produisant en quelques instants, à une heure, dans un lieu, imprévus, des événements écrasants. »

Abordant les conditions que la politique, à son tour, imposait à la stratégie, je constatais que celle-ci ne saurait se borner à la stricte défense du territoire puisque celle-là devait étendre son champ d'action au-delà des frontières. « Bon gré, mal gré, nous faisons partie d'un certain ordre établi dont tous les éléments se trouvent solidaires... Ce qu'il advient, par exemple, de l'Europe centrale et orientale, de la Belgique, de la Sarre, nous touche essentiellement... De combien de sang et de larmes payâmes-nous l'erreur du Second Empire qui laissa faire Sadowa sans porter l'armée sur le Rhin ?... Nous devons donc être prêts à agir au-dehors, à toute heure, en toute occasion. Comment, pratiquement, le faire, s'il faut, pour entreprendre quoi que ce soit, mobiliser nos réserves ?... » Au surplus, dans la concurrence qui renaissait entre l'Allemagne et nous au point de vue de la puissance guerrière, nous ne pouvions manquer d'être distancés sur le terrain de la masse. Par contre, « étant donné nos dons d'initiative, d'adaptation, d'amour-propre, il ne tenait qu'à nous de l'emporter quant à la qualité ». Je concluais ce Pourquoi ? comme suit : « Un instrument de manœuvre préventif et répressif, voilà de quoi nous devons nous pourvoir. »

Comment ? Le moteur fournissait les éléments de la réponse ; « le moteur qui s'offre à porter ce que l'on veut, où il le faut, à toutes les vitesses et distances ;... le moteur qui, s'il est cuirassé, possède une telle puissance de feu et de choc que le rythme du combat s'accorde avec celui des évolutions ». Partant de là, je fixais le but à atteindre : « Six divisions de ligne et une division légère, motorisées tout entières, blindées en partie, constitueront l'armée propre à créer l'événement ».

La composition qu'il convenait de donner à cette armée était nettement précise. Chacune des divisions de ligne devait comporter : une brigade blindée à deux régiments, l'un de chars lourds, l'autre de chars moyens, et un bataillon de chars légers ; une brigade d'infanterie, comprenant deux régiments et un bataillon de chasseurs et portée en véhicules tous terrains ; une brigade d'artillerie, pourvue de pièces tous-azimuts, formée de deux régiments servant respectivement des canons courts et des canons longs et complétée par un groupe de défense contre avions. Pour seconder ces trois brigades, la division aurait encore : un régiment de reconnaissance ; un bataillon du génie ; un bataillon de transmissions ; un bataillon de camouflage ; des services. La division légère, destinée à l'exploration et à la sûreté éloignée, serait dotée d'engins plus rapides. En outre, l'armée elle-même disposerait de réserves générales : chars et canons très lourds, génie, transmissions, camouflage. Enfin, une forte aviation d'observation, de chasse et d'assaut serait organiquement attachée à ce grand corps : un groupe pour chaque division, un régiment pour le tout, sans préjudice des actions d'ensemble que mènerait l'armée mécanique de l'air en conjugaison avec celles de l'armée mécanique au sol.

Mais, pour que l'armée de choc fût à même de tirer le meilleur rendement possible du matériel complexe et coûteux dont elle serait équipée, pour qu'elle puisse agir soudain, sur n'importe quel théâtre, sans attendre des compléments, ni procéder à des apprentissages, il faudrait la composer d'un personnel professionnel. Effectif total : 100 000 hommes. La troupe serait donc formée d'engagés. Servant six ans dans le corps d'élite, ils se trouveraient, pendant ce temps, façonnés par la technique, l'émulation, l'esprit de corps. Ils fourniraient, ensuite, des cadres aux contingents et aux réserves.

Alors, était décrit l'emploi de ce bélier stratégique pour la rupture d'une résistance bien établie. Mise en place effectuée à l'improviste, en une seule nuit, ce que rendraient possible la motorisation de tous les éléments, leur capacité d'évoluer dans tous les terrains, l'utilisation du camouflage actif et passif. Attaque déclenchant 3 000 chars, disposés en plusieurs échelons sur un front moyen de 50 kilomètres, suivis et appuyés de près par l'artillerie décentralisée, rejoints sur les objectifs successifs par les fantassins portés avec leurs moyens de feu et d'organisation du sol, le tout étant articulé en deux ou trois corps d'armée, éclairé et soutenu par l'aviation propre aux divisions et à l'armée. Progression de tout le système atteignant normalement une cinquantaine de kilomètres au cours d'une journée de bataille. Après quoi et si l'adversaire persistait à opposer une résistance continue, regroupement général, soit pour élargir latéralement la brèche, soit pour reprendre l'effort vers l'avant, soit pour tenir le terrain conquis.

Mais, une fois la muraille percée, de plus vastes perspectives pourraient, soudain, se découvrir. L'armée mécanique déploierait, alors, l'éventail de l'exploitation. J'écrivais, à ce sujet : « Souvent, le succès remporté, on se hâtera d'en cueillir les fruits et de pousser dans la zone des trophées. On verra l'exploitation devenir une réalité, quand elle n'était plus qu'un rêve... Alors, s'ouvrira le chemin des grandes victoires, de celles qui, par leurs effets profonds et rapidement étendus, provoquent chez l'ennemi un ébranlement général, comme la rupture d'un pilier fait, quelquefois, crouler la cathédrale... On verra des troupes rapides courir au loin derrière l'ennemi, frapper ses points sensibles, bouleverser son dispositif... Ainsi, sera restaurée cette extension stratégique des résultats d'ordre tactique qui constituait, jadis, la fin suprême et comme la noblesse de l'art... » Mais le peuple et l'État adverses, à un certain point de détresse et dans l'anéantissement de l'appareil de leur défense, pourraient, eux-mêmes, s'effondrer.

D'autant plus et d'autant plus vite que « cette aptitude à la surprise et à la rupture se conjuguait parfaitement bien avec les propriétés, désormais essentielles, des aviations de combat ». J'évoquais l'armée de l'air préparant et prolongeant par ses bombardements les opérations menées au sol par l'armée mécanique et, réciproquement, celle-ci conférant, par l'irruption dans les zones ravagées, une utilité stratégique immédiate aux actions destructrices des escadres aériennes.

Une si profonde évolution de l'art exigeait celle du commandement. Ayant mis en relief le fait que, désormais, la radiophonie donnait le moyen de relier entre eux les éléments de l'armée future, je terminais l'ouvrage en montrant quels procédés le commandement devait employer pour mener l'instrument nouveau. Pour les chefs, il ne s'agirait plus de diriger, par ordres anonymes, à partir de postes enterrés, une lointaine matière humaine. Au contraire, la présence, le coup d'œil, l'exemple, redeviendraient essentiels au milieu du drame mouvant, rempli d'aléas imprévus et d'occasions instantanées, que serait le combat des forces mécaniques. La personnalité du chef importerait beaucoup plus que les recettes codifiées. « Serait-ce pas tant mieux, demandais-je, si l'évolution devait ainsi favoriser l'élévation de ceux qui, dans les heures tragiques, où la rafale balaie les conventions et les habitudes, se trouvent seuls debout et, par là, nécessaires ? »

Pour finir, j'en appelais à l'Etat. Pas plus qu'aucun autre corps, l'armée, en effet, ne se transformerait d'elle-même. Or, le corps spécialisé devant amener de profonds changements dans l'institution militaire, en même temps que dans la technique et la politique de la guerre, c'était aux pouvoirs publics qu'il incombait de le créer. Certes, il y faudrait, cette fois encore, un Louvois ou un Carnot. D'autre part, une pareille réforme ne pouvait être qu'une partie d'un tout, un élément dans l'effort de rénovation du pays. « Mais, si cette refonte nationale devait commencer par l'armée, il n'y aurait là rien que de conforme à l'ordre naturel des choses. Alors, dans le dur travail qui doit rajeunir la France, son armée lui servira de recours et de ferment. Car l'épée est l'axe du monde et la grandeur ne se divise pas. »

Pour dresser ce projet d'ensemble, j'avais, naturellement, mis à profit les courants d'idées déclenchés à travers le monde par l'apparition du moteur combattant. Le général Estienne, apôtre et premier Inspecteur des chars, imaginait, dès 1917, d'en faire agir un bon nombre à grande distance en avant de ceux qui accompagnaient l'infanterie. C'est pour cela, qu'à la fin de 1918, d'énormes engins de 60 tonnes commençaient à sortir des usines. Mais l'armistice avait arrêté la fabrication et confiné la théorie dans la formule de l' « action d'ensemble » complétant celle de l' « accompagnement ». Les Anglais, qui s'étaient montrés des précurseurs en engageant le Royal Tank Corps, à Cambrai en 1917, dans une action massive et profonde, continuaient à nourrir la conception du combat autonome de détachements cuirassés, conception dont le général Fuller et M. Liddell Hart étaient les protagonistes. En France, en 1933, le commandement, réunissant au camp de Suippes des éléments épars, mettait à l'essai un embryon de division légère pour la sûreté et la découverte.

D'autres voyaient plus large encore. Le général von

Seeckt, dans son ouvrage : *Pensées d'un soldat,* paru en 1929, évoquait les possibilités qu'une armée de qualité, — sous-entendu la Reichswehr de 100 000 hommes servant à long terme, — possédait par rapport à des masses sans cohésion, — dans son esprit, celles des Français. Le général italien Douhet, calculant les effets que les bombardements aériens pourraient produire sur les centres de l'industrie et de la vie, jugeait l'armée de l'air capable d'emporter, à elle seule, la décision. Enfin, le « Plan maximum », soutenu à Genève par M. Paul-Boncour en 1932, proposait d'attribuer à la Société des Nations une force professionnelle, disposant de tous les chars et de tous les avions d'Europe et qui serait chargée de la sécurité collective. Mon plan visait à bâtir en un tout et pour le compte de la France ces vues fragmentaires mais convergentes.

L'ouvrage souleva, d'abord, de l'intérêt mais point d'émotion. Tant que *Vers l'armée de métier* parut n'être qu'un livre remuant des idées dont la hiérarchie userait à son gré, on voulut bien y voir une originale théorie. Il ne venait à l'esprit de personne que notre organisation militaire pût en être modifiée. Si j'avais eu l'impression que rien ne pressait, en effet, j'aurais pu m'en tenir à faire valoir ma thèse dans les milieux spécialisés, comptant que, l'évolution aidant, mes arguments feraient leur chemin. Mais Hitler, lui, n'attendait pas.

Dès octobre 1933, il rompait avec la Société des Nations et prenait, d'office, sa liberté d'action en matière d'armements. Les années 1934 et 1935 voyaient le Reich déployer un immense effort de fabrication et de recrutement. Le régime national-socialiste affichait sa volonté de briser le traité de Versailles en conquérant le « Lebensraum ». Il fallait à cette politique un appareil militaire offensif. Certes, Hitler préparait la levée en masse. Peu après son avènement, il instaurait le service du travail et, ensuite, la conscription. Mais, en outre, il avait besoin d'un instrument d'intervention pour trancher les nœuds gordiens, à Mayence, à Vienne, à Prague, à

Varsovie, et pour que la lance germanique, pourvue d'une pointe aiguisée, fût en mesure de pénétrer d'un seul coup au cœur de la France.

Les renseignés, d'ailleurs, n'ignoraient pas que le Führer entendait imprimer sa marque à la nouvelle armée allemande ; qu'il écoutait volontiers les officiers naguère groupés autour du général von Seeckt, tels Keitel, Rundstedt, Guderian, partisans de la manœuvre, de la vitesse, de la qualité et, de ce fait, orientés vers les forces mécaniques ; qu'enfin, adoptant les théories de Gœring, il voulait une aviation dont l'action pût être directement liée à la bataille terrestre. Je fus, bientôt, avisé que lui-même s'était fait lire mon livre, dont ses conseillers faisaient cas. En novembre 1934, on apprit que le Reich créait les trois premières Panzerdivisions. Un ouvrage, publié à cette époque par le colonel Nehring, de l'état-major de la Wehrmacht, spécifiait qu'elles auraient une composition pour ainsi dire identique à celle que je proposais pour nos futures divisions cuirassées. En mars 1935, Gœring annonçait que le Reich était en train de se donner une puissante armée de l'air et que celle-ci comprendrait, outre beaucoup de chasseurs, de nombreux bombardiers et une forte aviation d'assaut. D'ailleurs, bien que ces mesures fussent autant de violations flagrantes des traités, le monde libre se bornait à y opposer la protestation platonique de la Société des Nations.

Il m'était insupportable de voir l'ennemi du lendemain se doter des moyens de vaincre, tandis que la France en restait privée. Pourtant, dans l'incroyable apathie où était plongée la nation, aucune voix autorisée ne s'élevait pour réclamer qu'on fît le nécessaire. L'enjeu était tel qu'il ne me parut pas permis de me réserver, si minces que fussent mon importance et ma notoriété. La responsabilité de la défense nationale incombait aux pouvoirs publics. Je décidai de porter le débat devant eux.

Je fis, d'abord, alliance avec André Pironneau, rédacteur en chef de *L'Echo de Paris,* puis directeur de *L'Epoque.* Il prit à tâche de faire connaître le projet d'armée mécanique et de tenir le pouvoir en haleine par l'aiguillon d'un grand organe de presse. Liant sa campagne à l'actualité, André Pironneau publia quarante articles de fond qui rendirent le sujet familier. Chaque fois que les événements tournaient l'attention du public vers la défense nationale, mon amical collaborateur démontrait dans son journal la nécessité de créer le corps spécialisé. Comme on savait que l'Allemagne portait l'essentiel de son effort d'armement sur les engins d'attaque et d'exploitation, Pironneau poussait les cris d'alarme qu'ailleurs l'indifférence étouffait obstinément. Il prouva, à vingt reprises, que la masse cuirassée allemande, appuyée par l'aviation, pourrait faire crouler soudain notre défense et jeter dans notre peuple une panique qu'il ne surmonterait pas.

Tandis qu'André Pironneau faisait sa bonne besogne, d'autres journalistes et critiques posaient, tout au moins, la question. Tels : Rémy Roure et le général Baratier, dans *Le Temps*, Jean-Marie Bourget, les généraux de Cugnac et Duval dans *Le Journal des Débats*, Emile Buré et Charles Giron dans *L'Ordre*, André Lecomte dans *L'Aube*, le colonel Emile Mayer, Lucien Nachin, Jean Auburtin, dans diverses revues, etc. Cependant, le bloc des faits acquis était trop compact pour qu'on pût l'entamer à coups d'articles de presse. Il fallait faire saisir du problème les instances politiques du pays.

M. Paul Reynaud me parut, par excellence, qualifié pour cette entreprise. Son intelligence était de taille à en embrasser les raisons ; son talent, à les faire valoir ; son courage, à les soutenir. En outre, tout notoire qu'il fût, M. Paul Reynaud donnait l'impression d'être un homme qui avait son avenir devant soi. Je le vis, le convainquis et, désormais, travaillai avec lui.

A la tribune de la Chambre des députés, il fit, le 15 mars 1935, une intervention saisissante, montrant pourquoi et comment notre organisation militaire devait être complétée par une armée mécanique de qualité. Peu après, comme le gouvernement demandait le vote des deux ans, M. Paul Reynaud, tout en donnant son accord, déposa une proposition de loi tendant à « la création immédiate d'un corps spécialisé de six divisions de ligne, une division légère, des réserves générales et des services, formé de militaires servant par contrat et qui devrait être complètement mis sur pied au plus tard le 15 avril 1940 ». Pendant trois ans, M. Paul Reynaud affirma sa position par plusieurs discours qui remuèrent profondément la pâte parlementaire, par un ouvrage intitulé : *Le Problème militaire français,* par de vigoureux articles et interviews, enfin par des entretiens sur le sujet avec des politiques et des militaires importants. Ainsi prenait-il la figure d'un homme d'Etat novateur et résolu, naturellement désigné pour exercer le pouvoir en cas de difficultés graves.

Comme je croyais bon que la mélodie fût jouée sur des instruments divers, je m'appliquai à mettre d'autres hommes publics dans le jeu. M. Le Cour Grandmaison, séduit par ce qui, dans l'armée de métier, répondait à nos traditions, s'en fit noblement l'apôtre. Trois députés de gauche : Philippe Serre, Marcel Déat, Léo Lagrange, dont le talent convenait pour mettre en relief le côté révolutionnaire de l'innovation, acceptèrent d'entrer en ligne. Le premier le fit, en effet, et d'une manière si brillante qu'il prit rang de grand orateur et, peu après, entra au gouvernement. Le second, sur les dons de qui je comptais particulièrement, fut, après son échec aux élections de 1936, attiré dans une voie opposée. Le troisième se trouva empêché, par le parti, dont il était membre, d'affirmer ses convictions. Mais, bientôt, des hommes aussi considérables que M. Paul-Boncour à la Chambre et le président Millerand au Sénat me firent entendre qu'ils étaient, à leur tour, favorables à la réforme.

Cependant, les organismes officiels et leurs soutiens officieux, plutôt que de reconnaître d'évidentes nécessités et d'accepter le changement, quitte à en aménager la formule et les modalités, s'accrochèrent au système en vigueur. Malheureusement, ils le firent d'une manière si catégorique qu'ils se fermèrent à eux-mêmes la voie de la résipiscence. Pour combattre la conception de l'armée mécanique, ils s'appliquèrent à la défigurer. Pour contredire l'évolution technique, ils s'employèrent à la contester. Pour résister aux événements, ils affectèrent de les ignorer. Je vérifiai, à cette occasion, que la confrontation des idées, dès lors qu'elle met en cause les errements accoutumés et les hommes en place, revêt le tour intransigeant des querelles théologiques.

Le général Debeney, glorieux commandant d'armée de la grande guerre, qui, en 1927, en sa qualité de Chef d'état-major général, avait élaboré les lois d'organisation militaire, condamnait formellement le projet. Dans la *Revue des Deux Mondes,* il exposait avec autorité que tout conflit européen serait tranché, en définitive, sur notre frontière du nord-est et que le problème consistait à tenir solidement celle-ci. Il ne voyait donc rien à changer aux lois, ni à la pratique, insistant seulement pour que l'on renforçât le système qui en était issu. Le général Weygand intervenait à son tour dans la même *Revue des Deux Mondes.* Admettant, à priori, que ma conception séparerait l'armée en deux tronçons : « A aucun prix, deux armées ! » protestait-il. Quant au rôle que j'assignais au corps spécialisé, il n'en niait pas l'intérêt, mais affirmait qu'il pouvait être rempli par des éléments déjà constitués : « Nous avons, expliquait-il, une réserve mécanisée, motorisée et montée. Rien n'est à créer, tout existe. » Le 4 juillet 1939, parlant en public à Lille, le général Weygand devait proclamer encore qu'à son avis il ne nous manquait rien.

Le maréchal Pétain crut devoir entrer en ligne. Il le fit dans une préface au livre du général Chauvineau : *Une invasion est-elle encore possible ?* Le Maréchal y professait que les chars et les avions ne modifiaient pas les données de la guerre et que l'élément principal de la sécurité française était le front continu étayé par la fortification. *Le Figaro* publiait, sous la signature de Jean Rivière, une série d'articles inspirés et rassurants : *Les chars ne sont pas invincibles, La faiblesse des chars, Quand les hommes politiques s'égarent,* etc. Dans le *Mercure de France,* un général « Trois étoiles » rejetait le principe même de la motorisation : « Les Allemands, déclarait-il, étant naturellement offensifs, doivent naturellement avoir des Panzerdivisions. Mais la France, pacifique et défensive, ne peut être que contre-motorisatrice. »

D'autres critiques usaient de la raillerie. Celui d'une grande revue littéraire écrivait : « On est gêné pour apprécier, avec la courtoisie qu'on voudrait, des idées qui avoisinent l'état de délire. Disons simplement que M. de Gaulle a été devancé, il y a nombre d'années, par le père Ubu, qui était grand tacticien, lui aussi, avec des idées modernes. " Comme nous serons de retour de Pologne, disait-il, nous imaginerons, au moyen de notre science en physique, une machine à vent pour transporter toute l'armée. " »

Si le conformisme du parti de la conservation se montrait foncièrement hostile, celui du parti du mouvement n'était pas mieux disposé. Léon Blum, dans *Le Populaire,* de novembre-décembre 1934, exprimait sans ménagements l'aversion et l'inquiétude que lui inspirait mon plan. En plusieurs articles : *Soldats de métier et armée de métier, Vers l'armée de métier ?, A bas l'armée de métier !,* il se dressait, lui aussi, contre le corps spécialisé. Il le faisait, non point en invoquant l'intérêt de la défense nationale, mais au nom d'une idéologie qu'il intitulait démocratique et républicaine, et qui, dans ce qui était militaire, voulait traditionnellement voir une menace pour le régime. Léon Blum jetait donc l'anathème contre un corps de professionnels, dont, à l'en croire, la composition, l'esprit, les armes, mettraient automatiquement la République en danger.

Ainsi étayées à droite et à gauche, les instances officielles se refusèrent à tout changement. Le projet de M. Paul Reynaud fut rejeté par la commission de l'armée de la Chambre. Le rapport, présenté à ce sujet par M. Senac et rédigé avec la collaboration directe de l'état-

major de l'armée, concluait que la réforme proposée
« était inutile, non souhaitable, et qu'elle avait contre elle
la logique et l'Histoire ». A la tribune de l'assemblée, le
général Maurin, ministre de la Guerre, répondait aux
orateurs favorables au corps de manœuvre : « Quand nous
avons consacré tant d'efforts à construire une barrière
fortifiée, croit-on que nous serions assez fous pour aller,
en avant de cette barrière, à je ne sais quelle aventure ? » Il
ajoutait : « Ce que je vous dis là, c'est la pensée du
gouvernement qui, tout au moins en ma personne,
connaît parfaitement le plan de guerre. » Ces paroles, qui
réglaient le sort du corps spécialisé, prévenaient, en même
temps, les bons entendeurs d'Europe que, quoi qu'il
advînt, la France n'entreprendrait rien d'autre que de
garnir la ligne Maginot.

Comme il était à prévoir, la réprobation ministérielle
s'étendait à ma personne. Toutefois, ce fut par éclats
épisodiques, non par formelle condamnation. C'est ainsi
qu'à l'Elysée, à la fin d'une séance du Conseil supérieur de
la défense nationale dont j'assurais le secrétariat, le
général Maurin m'interpella vivement : « Adieu, de
Gaulle ! Là où je suis, vous n'avez plus votre place ! »
Dans son cabinet, il criait à des visiteurs qui lui parlaient
de moi : « Il a pris un porte-plume : Pironneau, et un
phonographe : Paul Reynaud. Je l'enverrai en Corse ! »
Cependant, tout en faisant gronder le tonnerre, le général
Maurin eut la hauteur d'âme de ne pas le lancer. Peu
après, M. Fabry, qui le remplaçait rue Saint-Dominique,
et le général Gamelin, qui succédait au général Weygand
comme Chef d'état-major général tout en restant à la tête
de l'état-major de l'armée, adoptèrent à l'égard du projet
la politique négative de leurs prédécesseurs et, vis-à-vis de
moi, la même attitude gênée et irritée.

Au fond, les hommes responsables, tout en maintenant
le *statu quo,* ne laissaient pas d'être secrètement sensibles à
mes raisons. Ils étaient, d'ailleurs, trop avertis pour
ajouter entièrement foi à leurs propres objections. Quand
ils déclaraient excessives les idées que je répandais au sujet

des possibilités de la force mécanique, ils n'en étaient pas moins inquiets devant celle que se forgeait le Reich. Quand ils prétendaient suppléer aux sept divisions de choc par autant de grandes unités ordinaires de type défensif et quand ils appelaient celles-ci : motorisées, parce qu'elles seraient transportées en camions, ils savaient, mieux que personne, qu'il y avait là, simplement, un jeu de mots. Quand ils alléguaient qu'en adoptant le corps spécialisé on couperait notre armée en deux, ils affectaient de méconnaître que le service de deux ans, voté depuis qu'avait paru mon livre, permettait, au besoin, d'introduire dans le corps d'élite une certaine proportion de soldats du contingent ; qu'il existait une marine, une aviation, une armée coloniale, une armée d'Afrique, une gendarmerie, une garde mobile, qui étaient spécialisées, sans dommage pour la cohésion de l'ensemble ; enfin, que ce qui fait l'unité des diverses forces nationales, c'est non pas l'identité de leur matériel et de leur personnel mais le fait de servir la même patrie, sous les mêmes lois, autour du même drapeau.

C'était donc avec chagrin que je voyais ces hommes éminents se faire, en vertu d'une sorte de loyalisme à l'envers, non point des guides exigeants, mais des porte-parole rassurants. Pourtant, sous leur apparente conviction, je sentais leur nostalgie des horizons qui leur étaient ouverts. Premier épisode d'une longue série d'événements, où une part de l'élite française, condamnant chacun des buts que je serais amené à poursuivre, mais, au fond d'elle-même, désolée de s'en tenir à l'impuissance, m'accorderait, à travers ses blâmes, le triste hommage de ses remords.

Le destin suivait son cours. Hitler, sachant maintenant à quoi s'en tenir sur notre compte, ouvrait la série des coups de force. Déjà, en 1935, à l'occasion du plébiscite de la Sarre, il avait créé une atmosphère si menaçante que le gouvernement français abandonnait la partie avant qu'elle ne fût jouée et qu'ensuite les Sarrois, attirés et intimidés par le déchaînement germanique, votaient en

masse pour le IIIe Reich. Mussolini, de son côté, bravant
les sanctions de Genève grâce à l'appui du ministère Laval
et à la tolérance du cabinet Baldwin, passait à la conquête
de l'Ethiopie. Soudain, le 7 mars 1936, l'armée allemande
franchit le Rhin.

Le traité de Versailles interdisait aux troupes du Reich
l'accès des territoires de la rive gauche, que l'accord de
Locarno avait, en outre, neutralisés. En droit strict, nous
pouvions les réoccuper, dès lors que l'Allemagne reniait sa
signature. Si le corps spécialisé avait existé, ne fût-ce
qu'en partie, avec ses engins rapides et son personnel prêt
à marcher sur l'heure, la force naturelle des choses
l'aurait, du coup, porté sur le Rhin. Comme nos alliés,
Polonais, Tchèques, Belges, étaient prêts à nous soutenir
et les Anglais engagés d'avance, Hitler eût certainement
reculé. Il était, en effet, au début de son effort d'armement et encore hors d'état d'affronter un conflit générali-
sé. Mais, pour lui, un tel échec, infligé par la France, à
cette époque, sur ce terrain, risquait d'avoir, dans son
propre pays, des conséquences désastreuses. En jouant un
pareil jeu, il pouvait, d'un seul coup, tout perdre.

Il gagna tout. Notre organisation, la nature de nos
moyens, l'esprit même de notre défense nationale, sollici-
tèrent vers l'inaction un pouvoir qui n'y était que trop
porté et nous empêchèrent de marcher. Puisque nous
n'étions prêts qu'à tenir notre frontière en nous interdi-
sant à nous-mêmes de la franchir en aucun cas, il n'y avait
pas à attendre une riposte de la France. Le Führer en était
sûr. Le monde entier le constata. Le Reich, au lieu de se
voir contraint de retirer ses troupes aventurées, les établit,
sans coup férir, dans tout le territoire rhénan, au contact
immédiat de la France et de la Belgique. Dès lors,
M. Flandin, ministre des Affaires étrangères, pouvait
bien, l'âme ulcérée, se rendre à Londres pour s'informer
des intentions de l'Angleterre ; M. Sarraut, président du
Conseil, pouvait bien déclarer que le gouvernement de
Paris « n'admettrait pas que Strasbourg fût à portée du
canon allemand » ; la diplomatie française pouvait bien

obtenir de la Société des Nations un blâme de principe pour Hitler, ce n'étaient là que gestes et mots en face du fait accompli.

A mon sens, l'émotion que l'événement provoqua dans l'opinion pouvait être salutaire. Les pouvoirs publics étaient en mesure d'en profiter pour combler de mortelles lacunes. Bien qu'on fût absorbé, en France, par les élections et par la crise sociale qui les suivit, tout le monde se trouvait d'accord pour renforcer la défense du pays. Si l'effort était porté sur la création de l'instrument qui nous manquait, l'essentiel pouvait être sauvé. Il n'en fut rien. Les crédits militaires considérables, ouverts en 1936, furent employés à compléter le système existant, mais non à le modifier.

J'avais eu, pourtant, quelque espoir. Dans le grand trouble qui agitait, alors, la nation et que la politique encadrait dans une combinaison électorale et parlementaire intitulée : front populaire, il y avait, me semblait-il, l'élément psychologique qui permettait de rompre avec la passivité. Il n'était pas inconcevable qu'en présence du national-socialisme triomphant à Berlin, du fascisme régnant à Rome, du phalangisme approchant de Madrid, la République française voulût, tout à la fois, transformer sa structure sociale et réformer sa force militaire. Au mois d'octobre, Léon Blum, président du Conseil, m'invita à venir le voir. Il se trouva que notre entretien eut lieu l'après-midi même du jour où le roi des Belges avait déclaré mettre fin à l'alliance avec la France et avec l'Angleterre. Le roi alléguait que, si son pays était attaqué par l'Allemagne, cette alliance ne le protégerait pas. « En effet, proclamait-il, étant donné les possibilités des forces mécaniques modernes, nous serions seuls, en tout état de cause. »

Avec chaleur, Léon Blum m'assura de l'intérêt qu'il portait à mes idées. « Pourtant, lui dis-je, vous les avez combattues. » — « On change d'optique, répondit-il, quand on devient chef du gouvernement. » Nous parlâmes, d'abord, de ce qui se passerait si, comme il fallait le prévoir, Hitler marchait sur Vienne, sur Prague ou sur Varsovie. « C'est très simple, fis-je observer. Suivant l'occurrence, nous rappellerons nos disponibles ou nous mobiliserons nos réserves. Alors, regardant par les créneaux de nos ouvrages, nous assisterons passivement à l'asservissement de l'Europe. » — « Eh ! quoi ? s'écria Léon Blum, voudriez-vous que nous portions un corps expéditionnaire en Autriche, en Bohême, en Pologne ? » — « Non ! dis-je. Mais, si la Wehrmacht s'avance le long du Danube ou de l'Elbe, que n'irions-nous au Rhin ? Tandis qu'elle déboucherait sur la Vistule, pourquoi n'entrerions-nous pas dans la Ruhr ? Au reste, le fait seul que nous serions capables de ces ripostes empêcherait, sans doute, les agressions. Mais notre actuel système nous interdit de bouger. Au contraire, le corps cuirassé nous y déterminerait. N'est-il pas vrai qu'un gouvernement peut trouver quelque soulagement à se sentir orienté d'avance ? » Le président du Conseil en convint de bonne grâce, mais déclara : « Il serait, certes, déplorable que nos amis d'Europe centrale et orientale soient, momentanément, submergés. Toutefois, en dernier ressort, rien ne serait fait, pour Hitler, tant qu'il ne nous aurait pas abattus. Comment y parviendrait-il ? Vous conviendrez que notre système, mal conformé pour l'attaque, est excellent pour la défense. »

Je démontrai qu'il n'en était rien. Rappelant la déclaration publiée le matin par Léopold III, je fis remarquer que c'était l'infériorité où nous plaçait, par rapport aux Allemands, l'absence d'un corps d'élite mécanique qui nous coûtait l'alliance belge. Le chef du gouvernement ne le contesta pas, bien qu'il pensât que l'attitude de Bruxelles n'eût pas seulement des motifs stratégiques. « En tout cas, dit-il, notre front défensif et nos ouvrages fortifiés protégeraient notre territoire. » — « Rien n'est moins sûr, lui répondis-je. Déjà, en 1918, il n'y avait plus de front inviolable. Or, quels progrès ont faits, depuis, les chars et les avions ! Demain, l'action concentrée d'un nombre suffisant d'engins sera susceptible de rompre, dans un secteur choisi, n'importe quelle barrière défensive. Une fois la brèche ouverte, les Allemands seront en mesure de pousser, loin derrière nos lignes, une masse rapide et cuirassée appuyée par leur armée de l'air. Si nous en avons autant, tout pourra être réparé. Sinon, tout sera perdu. »

Le président du Conseil me déclara que le gouvernement, approuvé par le Parlement, avait décidé d'engager, en dehors du budget ordinaire, de grandes dépenses pour la défense nationale et qu'une part importante des crédits devait être consacrée aux chars et à l'aviation. J'appelai son attention sur le fait que, parmi les avions dont la construction était prévue, presque tous seraient destinés à l'interception et non à l'attaque. Quant aux chars, il s'agissait, pour les neuf dixièmes, de « Renault » et de « Hotchkiss » du type 1935, modernes dans leur genre, mais lents, lourds, armés de petits canons courts, faits pour accompagner le combat de l'infanterie, mais pas du tout pour constituer un ensemble autonome de grandes unités. Au reste, on n'y songeait pas. Notre organisation resterait donc ce qu'elle était. « Nous allons, remarquai-je, construire autant d'engins et dépenser autant d'argent qu'il en faudrait pour l'armée mécanique et nous n'aurons pas cette armée. » — « L'emploi des crédits affectés au département de la Guerre, observa le Président, est l'affaire de M. Daladier et du général Gamelin. » — « Sans doute, répondis-je. Permettez-moi, cependant, de penser que la défense nationale incombe au gouvernement. »

Pendant notre conversation, le téléphone avait sonné dix fois, détournant l'attention de Léon Blum sur de menues questions parlementaires ou administratives. Comme je prenais congé et qu'on l'appelait encore, il fit un grand geste las. « Voyez, dit-il, s'il est facile au chef du gouvernement de se tenir au plan que vous tracez quand il ne peut rester cinq minutes avec la même idée ! »

J'appris bientôt que le président du Conseil, quoique frappé par notre entretien, n'ébranlerait pas les colonnes du temple et que l'on appliquerait, tel quel, le plan prévu antérieurement. Désormais, notre chance d'équilibrer, en temps voulu, la force nouvelle du Reich me semblait fort compromise. J'étais convaincu, en effet, que le caractère d'Hitler, sa doctrine, son âge, l'impulsion qu'il avait donnée au peuple allemand, ne lui permettaient pas d'attendre. Les choses iraient, maintenant, trop vite pour que la France rattrapât son retard, ses dirigeants l'eussent-ils voulu.

Le 1er mai 1937, défilait, à travers Berlin, une Panzerdivision complète, survolée par des centaines d'avions. L'impression produite sur les spectateurs et, d'abord, sur M. François-Poncet, ambassadeur de France, et sur nos attachés militaires fut celle d'une force que rien, sauf une force semblable, ne pourrait arrêter. Mais leurs rapports ne firent pas modifier les dispositions prises par le gouvernement de Paris. Le 11 mars 1938, Hitler réalisait l'Anschluss. Il lançait sur Vienne une division mécanique, dont le seul aspect ralliait le consentement général et avec laquelle, le soir même, il entrait triomphalement dans la capitale autrichienne. En France, loin de tenir compte de cette rude démonstration, on s'appliqua à rassurer le public par la description ironique des pannes subies par quelques chars allemands au cours de cette marche forcée. On ne se laissait pas davantage éclairer par les leçons de la guerre civile espagnole, où les tanks italiens et les avions d'assaut allemands, si réduit que fût leur nombre, jouaient le rôle principal dans tout combat où ils paraissaient.

En septembre, le Führer, avec la complicité de Londres, puis de Paris, exécutait la Tchécoslovaquie. Trois jours avant Munich, le chancelier du Reich, parlant au Palais des Sports de Berlin, avait mis les points sur les i, au milieu des rires de joie et des hourras d'enthousiasme. « Maintenant, criait-il, je puis avouer publiquement ce que, déjà, vous savez tous. Nous avons réalisé un armement tel que le monde n'en a jamais vu ! » Le 15 mars 1939, il arrachait au Président Hacha l'abdication

définitive et entrait à Prague le même jour. Après quoi,
dès le 1ᵉʳ septembre, il se lançait sur la Pologne. Dans ces
actes successifs d'une seule et même tragédie, la France
jouait le rôle de la victime qui attend son tour.

Pour moi, j'assistais à ces événements sans surprise,
mais non sans douleur. Après avoir, en 1937, participé
aux travaux du Centre des Hautes Etudes Militaires,
j'avais reçu le commandement du 507ᵉ Régiment de chars,
à Metz. Mes obligations de colonel et mon éloignement de
Paris me privaient des facilités et des contacts nécessaires
pour soutenir ma grande querelle. D'autre part, M. Paul
Reynaud était entré, au printemps de 1938, dans le
cabinet Daladier, avec la charge de la Justice, puis celle
des Finances. Outre que la solidarité ministérielle le liait,
dorénavant, le rétablissement de notre équilibre économique et monétaire constituait une tâche si pressante qu'elle
absorbait le ministre. Surtout, l'obstination montrée par
le pouvoir à cultiver un système militaire statique pendant
que le dynamisme allemand se déployait sur l'Europe,
l'aveuglement d'un régime qui poursuivait ses jeux absur-
des en face d'un Reich prêt à bondir sur nous, la stupidité
des badauds qui acclamaient l'abandon de Munich
n'étaient, en vérité, que les effets d'un profond renoncement national. A cela, je ne pouvais rien. Toutefois, en
1938, sentant se lever la tempête, je publiai *La France et
son armée*. J'y montrais comment, de siècle en siècle,
l'âme et le sort du pays se reflètent constamment au miroir
de son armée ; ultime avertissement que, de ma modeste
place, j'adressais à la patrie à la veille du cataclysme.

Quand, en septembre 1939, le gouvernement français, à
l'exemple du cabinet anglais, accepta d'entrer dans le
conflit déjà commencé en Pologne, je n'eus pas le moindre
doute qu'il le faisait avec l'illusion qu'en dépit de l'état de
guerre on ne se battrait pas à fond. Comme commandant
des chars de la 5ᵉ Armée, en Alsace, c'est sans aucun
étonnement que je vis nos forces mobilisées s'établir dans
la stagnation, tandis que la Pologne était foudroyée en
deux semaines par les Panzerdivisions et les escadres

aériennes. Il est vrai que l'intervention soviétique hâtait l'écrasement des Polonais. Mais, dans l'attitude de Staline, faisant, tout à coup, cause commune avec Hitler, on discernait sa conviction que les Français resteraient immobiles, qu'ainsi le Reich avait les mains libres et qu'il était préférable de partager avec lui la proie, plutôt que d'être la sienne. Tandis que les forces ennemies se trouvaient, presque en totalité, employées sur la Vistule, nous ne faisions rien, en effet, à part quelques démonstrations, pour nous porter sur le Rhin. Nous ne faisions rien, non plus, pour mettre l'Italie hors de cause en lui donnant le choix entre l'invasion française et la cession de gages de sa neutralité. Nous ne faisions rien, enfin, pour réaliser tout de suite la jonction avec la Belgique en gagnant Liège et le canal Albert.

Encore, l'école dirigeante voulait-elle voir dans cet attentisme une fructueuse stratégie. A la radio, les gouvernants, en premier lieu le président du Conseil, et, dans la presse, maints notables, s'appliquaient à faire valoir les avantages de l'immobilité, grâce à laquelle, disaient-ils, nous maintenions sans pertes l'intégrité du territoire. M. Brisson, directeur du *Figaro*, s'informant de mon opinion au cours d'une visite qu'il me faisait à Wangenbourg et m'entendant regretter la passivité de nos forces, s'exclamait : « Ne voyez-vous pas que nous avons, d'ores et déjà, gagné la Marne blanche ? » Passant à Paris, en janvier, et dînant rue de Rivoli chez M. Paul Reynaud, j'y rencontrai Léon Blum. « Quels sont vos pronostics ? » me dit celui-ci. — « Le problème, répondis-je, est de savoir si, au printemps, les Allemands attaqueront vers l'Ouest pour prendre Paris ou vers l'Est pour atteindre Moscou. » — « Y pensez-vous ? s'étonna Léon Blum. Les Allemands attaquer à l'Est ? Mais pourquoi iraient-ils se perdre dans les profondeurs des terres russes ? Attaquer à l'Ouest ? Mais que pourraient-ils faire contre la ligne Maginot ? » Le Président Lebrun visitant la 5ᵉ Armée, je lui présentai mes chars. « Vos idées me sont connues, me dit-il aimablement. Mais, pour que l'ennemi les applique, il semble bien qu'il soit trop tard. »

C'est pour nous qu'il était trop tard. Le 26 janvier, toutefois, je tentai un dernier effort. Aux 80 principales personnalités du gouvernement, du commandement, de la politique, j'adressai un mémorandum destiné à les convaincre que l'ennemi prendrait l'offensive avec une force mécanique, terrestre et aérienne, très puissante ; que, de ce fait, notre front pouvait être, à tout moment, franchi ; que, faute de disposer nous-mêmes d'éléments de riposte équivalents, nous risquions fort d'être anéantis ; qu'il fallait décider, tout de suite, la création de l'instrument voulu ; que, tout en poussant les fabrications nécessaires, il était urgent de réunir, en un corps de réserve mécanique, celles des unités existantes ou en cours de formation qui, à la rigueur, pouvaient y figurer.

Je concluais : « A aucun prix, le peuple français ne doit tomber dans l'illusion que l'immobilité militaire actuelle serait conforme au caractère de la guerre en cours. C'est le contraire qui est vrai. Le moteur confère aux moyens de destruction modernes une puissance, une vitesse, un rayon d'action, tels que le conflit présent sera, tôt ou tard, marqué par des mouvements, des surprises, des irruptions , des poursuites, dont l'ampleur et la rapidité dépasseront infiniment celles des plus fulgurants événements du passé... Ne nous y trompons pas ! Le conflit qui est commencé pourrait bien être le plus étendu, le plus complexe, le plus violent de tous ceux qui ravagèrent la terre. La crise, politique, économique, sociale, morale, dont il est issu, revêt une telle profondeur et présente un tel caractère d'ubiquité qu'elle aboutira fatalement à un bouleversement complet de la situation des peuples et de la structure des Etats. Or, l'obscure harmonie des choses procure à cette révolution un instrument militaire, — l'armée des machines, — exactement proportionné à ses colossales dimensions. Il est grand temps que la France en tire la conclusion. »

Mon mémorandum ne provoqua pas de secousse.

Pourtant, les idées lancées et les preuves étalées finissaient par faire quelque effet. A la fin de 1939, il existait deux divisions légères mécaniques et on en formait une troisième. Toutefois, il ne s'agissait que d'unités de découverte, qui eussent été très utiles pour éclairer les manœuvres d'une masse cuirassée, mais dont le rendement serait faible dès lors que cette masse n'existait pas. Le 2 décembre 1938, le Conseil supérieur de la guerre, sur l'insistance du général Billotte, avait décidé la création de deux divisions cuirassées. L'une était formée au début de 1940. L'autre devait l'être au mois de mars. Des chars de 30 tonnes du type B, dont les premiers exemplaires existaient depuis quinze ans et dont on fabriquait, enfin ! trois centaines, armeraient ces divisions. Mais chacune, quelle que fût la qualité des engins, serait très loin d'avoir la puissance que j'avais proposée. Elle comprendrait 120 chars ; j'en aurais voulu 500. Elle disposerait d'un seul bataillon d'infanterie se déplaçant en camions ; suivant moi, il en fallait 7 en véhicules tous-terrains. Elle posséderait 2 groupes d'artillerie ; c'étaient 7 groupes, dotés de pièces tous-azimuts, que je jugeais nécessaires. Elle n'aurait pas de groupe de reconnaissance ; à mon sens, elle en avait besoin. Enfin, je ne concevais l'emploi des unités mécaniques que sous la forme d'une masse autonome, organisée et commandée en conséquence. Au contraire, il n'était question que d'affecter les divisions cuirassées à divers corps d'armée d'ancien type, autrement dit de les fondre dans le dispositif général.

Les mêmes velléités de changement, qui, à défaut de volonté, apparaissaient sur le plan militaire, se faisaient jour dans le domaine politique. L'espèce d'euphorie que la drôle de guerre avait, d'abord, entretenue dans le personnel dirigeant, commençait à s'effacer. En mobilisant des millions d'hommes, en consacrant l'industrie à la fabrication des armes, en engageant d'énormes dépenses, on amorçait dans la nation des bouleversements dont les effets apparaissaient, déjà, aux politiques alarmés. Rien, d'ailleurs, n'annonçait chez l'ennemi l'affaiblissement progressif que l'on attendait du blocus. Sans qu'on préconisât tout haut une autre politique de guerre, dont on n'avait pas les moyens, chacun tournait, cependant, son malaise et ses aigreurs contre celle qui était pratiquée. Conformément aux habitudes, le régime, incapable d'adopter les mesures qui eussent assuré le salut, mais cherchant à donner le change à lui-même et à l'opinion, ouvrit une crise ministérielle. Le 21 mars, la Chambre renversait le cabinet Daladier. Le 23, M. Paul Reynaud formait le gouvernement.

Appelé à Paris par le nouveau président du Conseil, je rédigeai, à sa demande, une déclaration nette et brève, qu'il adopta telle quelle pour la lire au Parlement. Puis, tandis que, déjà, les intrigues bruissaient dans les coulisses, je fus au Palais-Bourbon assister d'une tribune à la séance de présentation.

Celle-ci fut affreuse. Après la déclaration du gouvernement, lue par son chef devant une Chambre sceptique et morne, on n'entendit guère, dans le débat, que les porte-parole des groupes ou des hommes qui s'estimaient lésés dans la combinaison. Le danger couru par la patrie, la nécessité de l'effort national, le concours du monde libre, n'étaient évoqués que pour décorer les prétentions et les rancœurs. Seul, Léon Blum, à qui, pourtant, nulle place n'avait été offerte, parla avec élévation. Grâce à lui, M. Paul Reynaud l'emporta, quoique d'extrême justesse. Le ministère obtint la confiance à une voix de majorité. « Encore, devait me dire plus tard M. Herriot, président de la Chambre, je ne suis pas très sûr qu'il l'ait eue. »

Avant de regagner mon poste, à Wangenbourg, je demeurai quelques jours auprès du président du Conseil installé au Quai d'Orsay. C'était assez pour apercevoir à quel point de démoralisation le régime était arrivé. Dans tous les partis, dans la presse, dans l'administration, dans les affaires, dans les syndicats, des noyaux très influents étaient ouvertement acquis à l'idée de cesser la guerre. Les renseignés affirmaient que tel était l'avis du maréchal Pétain, ambassadeur à Madrid, et qui était censé savoir,

par les Espagnols, que les Allemands se prêteraient
volontiers à un arrangement. « Si Reynaud tombe, disait-
on partout, Laval prendra le pouvoir avec Pétain à ses
côtés. Le Maréchal, en effet, est en mesure de faire
accepter l'armistice par le Commandement. » Par milliers
d'exemplaires, circulait un dépliant, portant sur ses trois
pages l'image du Maréchal, d'abord en chef vainqueur de
la grande guerre avec la légende : « Hier, grand soldat !... » ensuite en ambassadeur : « Aujourd'hui, grand
diplomate !... » enfin en personnage immense et indis-
tinct : « Demain ?... »

Il faut dire que certains milieux voulaient voir l'ennemi
bien plutôt dans Staline que dans Hitler. Ils se souciaient
des moyens de frapper la Russie, soit en aidant la
Finlande, soit en bombardant Bakou, soit en débarquant
à Stamboul, beaucoup plus que de la façon de venir à bout
du Reich. Beaucoup professaient tout haut l'admiration
qu'ils éprouvaient à l'égard de Mussolini. Quelques-uns,
au sein même du gouvernement, travaillaient à obtenir
que la France achetât les bonnes grâces du Duce en lui
cédant Djibouti, le Tchad, une part d'un condominium
sur la Régence tunisienne. De leur côté, les communistes,
qui s'étaient bruyamment ralliés à la cause nationale tant
que Berlin s'opposait à Moscou, maudissaient la guerre
« capitaliste » dès l'instant où s'étaient accordés Molotov
et Ribbentrop. Quant à la masse, désorientée, sentant
qu'à la tête de l'Etat rien ni personne n'était en mesure de
dominer les événements, elle flottait dans le doute et
l'incertitude. Il était clair qu'un revers grave susciterait
dans le pays une vague de stupeur et d'effroi qui risquerait
de tout emporter.

Dans cette atmosphère délétère, M. Paul Reynaud
s'efforçait d'établir son autorité. C'était d'autant plus
difficile qu'il se trouvait en conflit permanent avec
M. Daladier, auquel il succédait à la présidence du
Conseil, mais qui restait au gouvernement comme ministre de la Défense nationale et de la Guerre. Cette situation
étrange ne pouvait être modifiée, car le parti radical, sans

la tolérance duquel le ministère serait tombé, exigeait que son chef y demeurât en attendant d'en reprendre la tête à la première occasion. D'autre part, M. Paul Reynaud, dans son désir d'élargir son infime majorité, tâchait de dissoudre les préventions des modérés à son égard. Opération délicate, car une large fraction de la droite souhaitait la paix avec Hitler et l'entente avec Mussolini. Le président du Conseil se trouva ainsi conduit à appeler auprès de lui, comme sous-secrétaire d'Etat, M. Paul Baudouin, très actif dans ces milieux, et à le nommer secrétaire du Comité de guerre qu'il venait d'instituer.

A la vérité, M. Paul Reynaud avait pensé me confier cette fonction. Le Comité de guerre, qui assurait la conduite du conflit et réunissait, à cette fin, les principaux ministres ainsi que les commandants en chef de l'armée, de la marine et de l'air, pouvait jouer un rôle capital. Préparer ses délibérations, assister à ses séances, notifier ses décisions et en suivre l'exécution, c'était la charge de son secrétaire. Beaucoup de choses pourraient dépendre de la manière dont elle serait exercée. Mais, si M. Paul Reynaud paraissait souhaiter qu'elle le fût par moi, M. Daladier, lui, ne voulait pas y consentir. Au messager du président du Conseil, qui venait, rue Saint-Dominique, lui parler de ce désir, il répondait, tout de go : « Si de Gaulle vient ici, je quitterai ce bureau, je descendrai l'escalier et je téléphonerai à Paul Reynaud qu'il le mette à ma place. »

M. Daladier n'était nullement hostile à ma personne. Il l'avait prouvé, naguère, en prenant lui-même, comme ministre, la décision de m'inscrire au tableau d'avancement, dont la cabale des bureaux essayait de m'écarter. Mais M. Daladier, qui, depuis plusieurs années, portait la responsabilité de la défense nationale, avait épousé le système en vigueur. Sentant que les événements allaient trancher, d'un jour à l'autre, assumant à l'avance les conséquences de leur arbitrage, estimant que, de toute façon, il était trop tard pour changer l'organisation, il tenait, plus que jamais, aux positions qu'il avait prises.

Mais, pour moi, assurer le secrétariat du Comité de guerre malgré l'opposition du ministre de la Défense nationale était, évidemment, impossible. Je repartis pour le front.

Auparavant, j'avais été voir le général Gamelin qui me convoquait à son quartier du château de Vincennes. Il s'y trouvait dans un cadre semblable à celui d'un couvent, entouré de peu d'officiers, travaillant et méditant sans se mêler au service courant. Il laissait le général Georges commander le front Nord-Est, ce qui pouvait aller tant qu'il ne s'y passait rien, mais deviendrait, sans doute, insoutenable si la bataille s'engageait. Le général Georges était, quant à lui, installé à la Ferté-sous-Jouarre avec une partie de l'état-major, tandis que d'autres bureaux fonctionnaient à Montry sous la direction du général Doumenc, major général. En fait, l'organe du commandement suprême était coupé en trois tronçons. Dans sa thébaïde de Vincennes, le général Gamelin me fit l'effet d'un savant, combinant en laboratoire les réactions de sa stratégie.

Il m'annonça, tout d'abord, qu'il voulait porter de deux à quatre le nombre des divisions cuirassées et me fit connaître sa décision de me donner le commandement de la 4e, laquelle serait formée à partir du 15 mai. Quels que fussent les sentiments que m'inspirait, du point de vue général, notre retard, peut-être irrémédiable, quant aux forces mécaniques, j'éprouvai une grande fierté à me voir appelé comme colonel au commandement d'une division. Je le dis au général Gamelin. Il me répondit simplement : « Je comprends votre satisfaction. Quant à votre inquiétude je ne la crois pas justifiée. »

Le Généralissime me parla, alors, de la situation, telle qu'il la voyait. Dévoilant une carte où étaient portés le dispositif de l'ennemi et le nôtre, il me dit qu'il s'attendait à l'attaque prochaine des Allemands. Celle-ci, d'après ses prévisions, serait dirigée principalement sur la Hollande et la Belgique et viserait le Pas-de-Calais pour nous couper des Anglais. Divers indices lui donnaient à penser que l'ennemi exécuterait, au préalable, une opération de

couverture ou de diversion vers les pays scandinaves. Lui-
même se montrait, non seulement confiant dans ses
propres dispositions et dans la valeur de ses forces, mais
satisfait et impatient, même, de les voir mettre à
l'épreuve. A l'entendre, je me convainquis, qu'à force de
porter en lui-même un certain système militaire et d'y
appliquer son labeur, il s'en était fait une foi. Je crus
sentir aussi que, se reportant à l'exemple de Joffre, dont il
avait été, dans les débuts de la grande guerre, le collaborateur immédiat et, quelque peu, l'inspirateur, il s'était
convaincu qu'à son échelon l'essentiel était d'arrêter, une
fois pour toutes, sa volonté sur un plan défini et de ne s'en
laisser ensuite détourner par aucun avatar. Lui, dont
l'intelligence, l'esprit de finesse, l'empire sur soi, atteignaient un très haut degré, ne doutait certainement pas
que, dans la bataille prochaine, il dût finalement l'emporter.

C'est avec respect, mais aussi quelque malaise, que je
quittai ce grand chef, s'apprêtant, dans son cloître, à
assumer tout à coup une responsabilité immense, en
jouant le tout pour le tout sur un tableau que j'estimais
mauvais.

Cinq semaines après, éclatait la foudre. Le 10 mai,
l'ennemi, ayant auparavant mis la main sur le Danemark
et presque toute la Norvège, entamait sa grande offensive.
Celle-ci serait, de bout en bout, menée par les forces
mécaniques et par l'aviation, la masse suivant le mouvement sans qu'il fût jamais besoin de l'engager à fond. En
deux groupements : Hoth et Kleist, dix divisions cuirassées et six motorisées se ruaient vers l'ouest. Sept de ces
dix Panzers, traversant l'Ardenne, atteignaient la Meuse
en trois jours. Le 14 mai, elles l'avaient franchie, à
Dinant, Givet, Monthermé, Sedan, tandis que quatre
grandes unités motorisées les appuyaient et les couvraient,
que l'aviation d'assaut les accompagnait sans relâche et
que les bombardiers allemands, frappant derrière notre
front les voies ferrées et les carrefours, paralysaient nos
transports. Le 18 mai, ces sept Panzers étaient réunies

autour de Saint-Quentin, prêtes à foncer, soit sur Paris, soit sur Dunkerque, ayant franchi la ligne Maginot, rompu notre dispositif, anéanti l'une de nos armées. Pendant ce temps, les trois autres, accompagnées de deux motorisées et opérant dans les Pays-Bas et le Brabant, où les alliés disposaient de l'armée hollandaise, de l'armée belge, de l'armée britannique et de deux armées françaises, jetaient dans cet ensemble de 800 000 combattants un trouble qui ne serait pas réparé. On peut dire qu'en une semaine le destin était scellé. Sur la pente fatale où une erreur démesurée nous avait, de longtemps, engagés, l'armée, l'Etat, la France, roulaient, maintenant, à un rythme vertigineux.

Il existait, pourtant, 3 000 chars français modernes et 800 automitrailleuses. Les Allemands n'en avaient pas plus. Mais les nôtres étaient, comme prévu, répartis dans les secteurs du front. Ils n'étaient, d'ailleurs, pour la plupart, nullement construits, ni armés, pour faire partie d'une masse de manœuvre. Même, les quelques grandes unités mécaniques portées à l'ordre de bataille furent engagées séparément. Les trois divisions légères, jetées vers Liège et vers Breda à la découverte, durent refluer rapidement et furent, alors, étalées pour tenir un front. La 1re Division cuirassée, remise à un corps d'armée et lancée seule à la contre-attaque, le 16 mai, à l'ouest de Namur, fut enveloppée et détruite. Le même jour, la 2e, transportée en chemin de fer vers Hirson, voyait ses éléments, à mesure de leur débarquement, successivement engloutis dans la confusion générale. La veille, au sud de Sedan, la 3e Division, qui venait d'être constituée, disloquée tout aussitôt entre les bataillons d'une division d'infanterie, s'enlisait par fragments dans une contre-attaque avortée. Eussent-elles été, d'avance, réunies, ces unités mécaniques, en dépit de leurs déficiences, auraient pu porter à l'envahisseur des coups redoutables. Mais, isolées les unes des autres, elles n'étaient plus que lambeaux six jours après la mise en marche des groupements cuirassés allemands. Quant à moi, discernant la vérité à travers des bribes de nouvelles, il n'était rien que je n'eusse donné pour avoir eu tort.

Mais la bataille, fût-elle désastreuse, arrache le soldat à lui-même. Celle-ci me saisit à mon tour. Le 11 mai, je reçois l'ordre de prendre le commandement de la 4ᵉ Division cuirassée, qui, d'ailleurs, n'existe pas, mais dont les éléments, venus de points très éloignés, seront mis, peu à peu, à ma disposition. Du Vésinet, où est d'abord fixé mon poste, je suis appelé, le 15 mai, au Grand Quartier Général pour y recevoir ma mission.

Celle-ci m'est notifiée par le Major général. Elle est large. « Le commandement, me dit le général Doumenc, veut établir un front défensif sur l'Aisne et sur l'Ailette pour barrer la route de Paris. La VIᵉ Armée, commandée par le général Touchon et formée d'unités prélevées dans l'Est, va s'y déployer. Avec votre division, opérant seule en avant dans la région de Laon, vous avez à gagner le temps nécessaire à cette mise en place. le général Georges, Commandant en chef sur le front Nord-Est, s'en remet à vous des moyens à employer. D'ailleurs, vous dépendrez de lui seul et directement ; le commandant Chomel assurera la liaison. »

Le général Georges me reçoit, calme, cordial, mais visiblement accablé. Il me confirme ce qu'il attend de moi et ajoute : « Allez, de Gaulle ! Pour vous, qui avez, depuis longtemps, les conceptions que l'ennemi applique, voilà l'occasion d'agir. » Les bureaux font, ensuite, diligence pour diriger vers Laon, à mesure que ce sera possible, les éléments qui me sont destinés. Je constate que l'état-major, submergé par les innombrables problèmes de mouvements et de transports que posent, partout, la surprise et le bouleversement subis dans ces terribles jours, s'acquitte au mieux de sa tâche. Mais on sent que l'espoir s'en va et que le ressort est cassé.

Je file jusqu'à Laon, établis mon poste à Bruyères, au sud-est de la ville, et parcours les environs. En fait de troupes françaises, il n'y a, dans la région, que quelques éléments épars appartenant à la 3ᵉ Division de Cavalerie, une poignée d'hommes qui tient la citadelle de Laon et le 4e Groupe autonome d'Artillerie, chargé d'un éventuel emploi d'engins chimiques, oublié là par hasard. Je m'annexe ce groupe, formé de braves gens qui n'ont d'armes que des mousquetons, et les dispose, pour la sûreté, le long du canal de Sissonne. Le soir même, les patrouilles ennemies prennent, déjà, leur contact.

Le 16, rejoint par un embryon de mon état-major, je fais des reconnaissances et recueille des informations. L'impression que j'en retire est que de grosses forces allemandes, qui ont débouché des Ardennes par Rocroi et par Mézières, marchent, non pas vers le sud, mais vers l'ouest pour gagner Saint-Quentin, en se couvrant à gauche par des flancs-gardes portées au sud de la Serre. Sur toutes les routes venant du nord, affluent de lamentables convois de réfugiés. J'y vois, aussi, nombre de militaires désarmés. Ils appartiennent aux troupes que l'offensive des Panzers a mises en débandade au cours des jours précédents. Rattrapés dans leur fuite par les détachements mécaniques de l'ennemi, ils en ont reçu l'ordre de jeter leurs fusils et de filer vers le sud pour ne pas encombrer les routes. « Nous n'avons pas, leur a-t-on crié, le temps de vous faire prisonniers ! »

Alors, au spectacle de ce peuple éperdu et de cette déroute militaire, au récit de cette insolence méprisante de l'adversaire, je me sens soulevé d'une fureur sans bornes. Ah ! c'est trop bête ! La guerre commence infiniment mal. Il faut donc qu'elle continue. Il y a, pour cela, de l'espace dans le monde. Si je vis, je me battrai, où il faudra, tant qu'il faudra, jusqu'à ce que l'ennemi soit défait et lavée la tache nationale. Ce que j'ai pu faire, par la suite, c'est ce jour-là que je l'ai résolu.

Pour commencer, j'attaquerai demain matin avec les forces, quelles qu'elles soient, qui me seront parvenues. Avançant vers le nord-est d'une vingtaine de kilomètres, je tâcherai d'atteindre, sur la Serre, Montcornet, nœud des routes vers Saint-Quentin, Laon et Reims. Ainsi, je couperai la première, que l'ennemi ne pourra plus utiliser

dans sa marche à l'ouest, et je barrerai les deux autres qui,
autrement, le mèneraient tout droit au front ténu de la
VIᵉ Armée. A l'aube du 17 mai, j'ai reçu 3 bataillons de
chars : un du type B (46ᵉ Bataillon), renforcé d'une
compagnie du type D2 et appartenant à la 6ᵉ Demi-
brigade ; les 2 autres du type Renault 35 (2ᵉ et 24ᵉ Bataillons) formant la 8ᵉ Demi-brigade. Je les lance en avant
sitôt que paraît le jour. Culbutant sur leur route les
éléments ennemis qui, déjà, envahissent le terrain, ils
atteignent Montcornet. Jusqu'au soir, ils combattent aux
abords et à l'intérieur de la localité, réduisant maints nids
de résistance et attaquant au canon les convois allemands
qui tâchent de passer. Mais, sur la Serre, l'ennemi est en
force. Nos chars que rien ne soutient, ne peuvent,
évidemment, la franchir.

Dans la journée, arrive le 4ᵉ Bataillon de Chasseurs. A
peine débarqué, je l'emploie à réduire, près de Chivres,
une avant-garde adverse qui a laissé passer nos chars et
s'est, ensuite, révélée. C'est bientôt fait. Mais, depuis le
nord de la Serre, l'artillerie allemande tire sur nous. La
nôtre est loin d'être en place. Tout l'après-midi, les
Stukas, fondant du ciel et revenant sans cesse, bombardent en piqué nos chars et nos camions. Nous n'avons rien
pour leur répondre. Enfin, des détachements mécaniques
allemands, de plus en plus nombreux et actifs, escarmou-
chent sur nos arrières. Enfants perdus à 30 kilomètres en
avant de l'Aisne, il nous faut mettre un terme à une
situation pour le moins aventurée.

La nuit venue, je place au contact de l'ennemi le
régiment de reconnaissance, 10ᵉ Cuirassiers, qui vient de
me rejoindre et je ramène vers Chivres les chars et les
chasseurs. Il y a, sur le terrain, plusieurs centaines de
morts allemands et nombre de camions ennemis brûlés.
Nous avons fait 130 prisonniers. Nous n'avons pas perdu
200 hommes. A l'arrière, sur les routes, des réfugiés ont
cessé de fuir. Certains, même, rebroussent chemin. Car le
bruit court dans leurs tristes colonnes que les troupes
françaises ont avancé.

Maintenant, c'est, non plus au nord-est, mais au nord de Laon, qu'il faut agir, car d'importantes forces ennemies, venant de Marle et allant vers l'ouest, se dirigent sur La Fère en longeant le cours de la Serre. En même temps, les flancs-gardes allemandes commencent à se répandre au sud et menacent d'atteindre l'Ailette. La 4e Division cuirassée emploie la nuit du 18 au 19 mai à se mettre en place aux débouchés nord de Laon. Entre-temps, j'ai reçu des renforts : le 3e Cuirassiers, soit 2 escadrons de chars Somua, et le 322e Régiment d'Artillerie à 2 groupes de 75. En outre, le général Petiet, commandant la 3e Division légère de Cavalerie, m'a promis l'appui de ses canons mis en batterie à hauteur de Laon.

Il est vrai que, sur quelque 150 chars dont je dispose, à présent, 30 seulement sont du type B et armés de 75, une quarantaine du type D2 ou de marque Somua avec de petits canons de 47, et que le reste : Renault 35, n'a que des pièces courtes de 37, efficaces tout au plus jusqu'à 600 mètres. Il est vrai que, pour les Somua, chaque équipage est formé d'un chef de char qui n'a jamais tiré le canon et d'un conducteur qui n'a pas fait quatre heures de conduite. Il est vrai que la division comporte un seul bataillon d'infanterie, transporté, d'ailleurs, en autobus et, de ce fait, vulnérable à l'extrême au cours de ses déplacements. Il est vrai que l'artillerie vient d'être constituée au moyen de détachements fournis par de multiples dépôts et que beaucoup d'officiers font la connaissance de leurs hommes littéralement sur le champ de bataille. Il est vrai qu'il n'y a pas, pour nous, de réseau-radio et que je ne puis commander qu'en dépêchant des motocyclistes aux échelons subordonnés et, surtout, en allant les voir. Il est vrai qu'il manque à toutes les unités beaucoup des moyens de transport, d'entretien, de ravitaillement qu'elles devraient, normalement, comporter. Cependant, il se dégage, déjà, de cet ensemble improvisé, une impression d'ardeur générale. Allons ! les sources ne sont pas taries.

Le 19, à l'aube, en avant ! Les chars de la division, par

objectifs successifs, sont dirigés sur Crécy, Mortiers et Pouilly. Ils doivent y atteindre les ponts et couper à l'ennemi la route de La Fère. L'artillerie les accompagne. A droite, le régiment de reconnaissance et le bataillon de chasseurs assurent la couverture sur la rivière du Baranton et une découverte est portée vers Marle. La matinée se passe bien. Nous arrivons sur la Serre, après avoir mis en fuite divers éléments adverses qui s'infiltraient dans la région. Mais, au nord de la rivière, l'ennemi est en position. Il tient en force les passages et détruit ceux de nos chars qui tentent de les aborder. Son artillerie lourde entre en ligne. En fait, nous sommes au contact des grandes unités allemandes qui affluent vers Saint-Quentin. Pour pouvoir franchir le cours d'eau et pousser nos chars plus avant, il nous faudrait de l'infanterie, que nous n'avons pas, et une artillerie plus puissante. Au cours de ces heures difficiles, je ne puis m'empêcher d'imaginer ce qu'eût pu faire l'armée mécanique dont j'avais si longtemps rêvé. Qu'elle eût été là, ce jour-là, pour déboucher soudain vers Guise, l'avance des Panzerdivisions était arrêtée du coup, un trouble grave jeté dans leurs arrières, le groupe d'armées du Nord en mesure de se ressouder à ceux du Centre et de l'Est.

Mais, il n'y a, au nord de Laon, que de bien pauvres moyens. Ce sont donc les Allemands qui passent la Serre. Ils le font, depuis la veille, à Montcornet où nous ne sommes plus. A partir de midi, ils le font également à Marle. Avec nombre de blindés, de canons automoteurs, de mortiers portés en auto, de fantassins motorisés, ils attaquent notre droite sur la rivière du Baranton et nos arrières à Chambry. Voici, maintenant, les Stukas ! Jusqu'à la nuit ils vont nous bombarder, redoutables aux véhicules qui ne peuvent sortir des routes et aux pièces d'artillerie à découvert. Au début de l'après-midi, le général Georges m'envoie l'ordre de ne pas poursuivre. Le déploiement de la VIᵉ Armée est accompli et ma division doit être, incessamment, employée à d'autres tâches. Je décide de retarder l'ennemi d'un jour encore, en regroupant la division, pour la nuit, autour de Vorges, prête à l'attaquer dans son flanc s'il veut pousser de Laon sur Reims ou sur Soissons, et en repassant l'Aisne seulement le lendemain.

Le mouvement s'exécute en ordre, bien que, partout, l'adversaire tente de nous accrocher. Pendant la nuit, la guérilla ne cesse pas aux issues des cantonnements. Le 20 mai, la 4ᵉ Division cuirassée se dirige vers Braine, littéralement au milieu des Allemands qui foisonnent sur le parcours, tiennent de multiples points d'appui et attaquent nos colonnes avec de nombreux blindés. Grâce aux chars, qui, à mesure, nettoient chemins et abords, nous atteignons l'Aisne sans accident grave. Cependant, à Festieux, le 10ᵉ Cuirassiers, régiment de reconnaissance, qui forme l'arrière-garde avec un bataillon de chars, ne se dégage qu'avec peine et, sur le plateau de Craonne, les trains de la division, violemment pris à partie, doivent laisser sur place des camions incendiés.

Tandis que la 4ᵉ Division cuirassée opérait dans le Laonnais, plus au nord les événements suivaient leur cours au rythme rapide de la marche des Panzerdivisions. Le commandement allemand, ayant décidé de liquider les armées alliées du Nord avant d'en finir avec celles du Centre et de l'Est, poussait vers Dunkerque ses forces mécaniques. Celles-ci reprennent l'offensive, à partir de Saint-Quentin, en deux colonnes : l'une allant droit à l'objectif par Cambrai et Douai, l'autre filant le long de la côte par Etaples et Boulogne. Entre-temps, deux Panzer-divisions s'emparent d'Amiens et d'Abbeville et y installent, au sud de la Somme, des têtes de pont qui serviront plus tard. Du côté des Alliés, le 20 mai au soir, l'armée hollandaise a disparu, l'armée belge recule vers l'ouest, l'armée britannique et la Iʳᵉ Armée française se voient coupées de la France.

Sans doute, le commandement français manifeste-t-il l'intention de rétablir le contact entre les deux tronçons de ses forces, en portant à l'attaque le groupe d'armées du Nord à partir d'Arras vers Amiens et la gauche du groupe

d'armées du Centre à partir d'Amiens vers Arras. Le 19,
c'est cela qu'a prescrit le général Gamelin. Le général
Weygand, qui le remplace, le 20 mai, et qui, le lendemain, se rendra en Belgique, reprend l'idée à son compte.
Théoriquement, ce plan est logique. Mais, pour qu'il soit
exécuté, il faudrait que le commandement lui-même ait
encore l'espérance et la volonté de vaincre. Or, l'écroulement de tout le système de doctrines et d'organisation,
auquel nos chefs se sont attachés, les prive de leur ressort.
Une sorte d'inhibition morale les fait, soudain, douter de
tout et, en particulier, d'eux-mêmes. Dès lors, les forces
centrifuges vont, bientôt, se révéler. Le roi des Belges ne
tardera pas à envisager la reddition ; Lord Gort, le
rembarquement ; le général Weygand, l'armistice.

Pendant que, dans le désastre, se dissout le commandement, la 4ᵉ Division cuirassée marche vers l'ouest.
D'abord, il a été question de lui faire franchir la Somme
pour prendre la tête de l'attaque que l'on projette vers le
nord. Mais l'idée est abandonnée. On a ensuite envisagé
de l'employer, avec d'autres forces, à refouler les Allemands qui ont passé la Somme à Amiens. Mais on renonce
à la faire concourir à cette tentative, pour laquelle on lui
prend, cependant, un de ses bataillons de chars. Finalement, au cours de la nuit du 26 au 27 mai, le commandant
de la division, — nommé général l'avant-veille, — reçoit
du général Robert Altmayer, commandant la Xᵉ Armée
qui groupe les forces portées hâtivement sur la basse
Somme, l'ordre de prendre, sans délai, la direction
d'Abbeville et d'attaquer l'adversaire qui a installé, au sud
de la cité, une tête de pont solidement tenue.

A ce moment, la division stationne autour de Grandvil-
liers. Mise en route le 22 mai, par Fismes, Soissons,
Villers-Cotterêts, Compiègne, Montdidier, Beauvais, elle
a, en cinq jours, parcouru 180 kilomètres. On peut dire
que, depuis sa naissance dans les champs de Montcornet,
elle n'a pas cessé de combattre ou de marcher. L'état des
chars s'en ressent. Il en est resté une trentaine sur
l'itinéraire. Par contre, de précieux compléments nous ont

rejoints en chemin : un bataillon de chars B (47e Bataillon) ; un bataillon du type D2 (19e Bataillon), doté d'engins de 20 tonnes, qu'il m'a fallu, malheureusement, détacher devant Amiens ; le 7e Régiment de Dragons portés ; un groupe d'artillerie de 105 ; une batterie de défense contre avions ; cinq batteries de 47 antichars. Sauf le bataillon D2, toutes ces unités ont été improvisées. Mais elles sont, dès leur arrivée, saisies par l'ambiance d'ardeur qui flotte sur la division. Enfin, pour l'opération qui vient de m'être prescrite, le 22e Régiment d'Infanterie coloniale et l'artillerie de la 2e Division de Cavalerie sont mis à ma disposition. Au total 140 chars en état de marche et six bataillons d'infanterie, appuyés par six groupes d'artillerie, vont donner l'assaut au front Sud de la tête de pont.

Je décide d'attaquer le soir même. Car les avions allemands ne cessent d'épier la division et il n'y a de chance d'obtenir quelque effet de surprise qu'en hâtant le déclenchement. Les Allemands, en fait, nous attendent de pied ferme. Depuis une semaine, ils tiennent, face au sud, Huppy à l'ouest, Bray-les-Mareuil, sur la Somme, à l'est, et, entre ces deux villages, les bois de Limeux et de Bailleul. En arrière, ils ont organisé : Bienfay, Villers, Huchenneville, Mareuil. Enfin, le Mont Caubert, qui, de la même rive de la Somme, commande Abbeville et ses ponts, sert de réduit à leur défense. Ces trois lignes successives sont les trois objectifs que je fixe à la division.

Celle-ci s'engage à 18 heures : la 6e Demi-brigade, chars lourds, avec le 4e Bataillon de Chasseurs, sur Huppy ; la 8e Demi-brigade, chars légers, avec le 22e Colonial, sur les bois de Limeux et de Bailleul ; le 3e Cuirassiers, chars moyens, avec le 7e Dragons, sur Bray. C'est le centre qu'appuie principalement l'artillerie. A la nuit tombée, le premier objectif est pris. Dans Huppy, s'est rendu ce qui reste du bataillon allemand qui l'occupait. Près de Limeux, nous avons capturé, entre autres, plusieurs batteries antichars et retrouvé les carcasses des engins de la brigade mécanique anglaise qu'elles avaient détruits quelques jours plus tôt.

Avant l'aurore, nous repartons. La gauche doit prendre : Moyenneville et Bienfay ; le centre : Huchenneville et Villers ; la droite : Mareuil ; le « clou » de l'attaque étant l'action des Chars B, qui, obliquant de l'ouest vers l'est, ont mission de cisailler l'arrière de la ligne allemande. Pour tout le monde, le but final est le Mont Caubert. La journée est très dure. L'ennemi, renforcé, s'acharne. Son artillerie lourde, installée sur la rive droite de la Somme, nous bombarde violemment. D'autres batteries, tirant du Mont Caubert, nous font également souffrir. Le soir, l'objectif est atteint. Seul, le Mont Caubert tient toujours. Il y a, sur le terrain, un grand nombre de morts des deux camps. Nos chars sont très éprouvés. Une centaine, à peine, est encore en état de marche. Mais, pourtant, un air de victoire plane sur le champ des combats. Chacun tient la tête haute. Les blessés ont le sourire. Les canons tirent allégrement. Devant nous, dans une bataille rangée, les Allemands ont reculé.

Dans son ouvrage *Abbeville,* historique de la division allemande Blümm qui tenait la tête de pont, le major Gehring devait écrire quelques semaines plus tard :

« Que s'était-il passé, dans l'ensemble, le 28 mai ?

« L'ennemi nous avait attaqués avec de puissantes forces blindées. Nos unités antichars s'étaient battues héroïquement. Mais les effets de leurs coups avaient été considérablement réduits par la valeur des cuirasses. L'ennemi était donc parvenu à percer avec ses chars entre Huppy et Caumont. Notre défense antichars étant écrasée, l'infanterie avait cédé le terrain...

« Tandis que les nouvelles alarmantes affluent à l'état-major de la division et que, sous le feu incessant de l'artillerie française, il n'y a plus moyen de communiquer avec aucun des bataillons en ligne, le général commandant la division se porte lui-même vers l'avant... Il rencontre la troupe en déroute, la regroupe, la remet en ordre et la conduit sur les positions de défense préparées à quelques kilomètres en arrière des premières lignes...

« Mais une profonde terreur des chars a pénétré les membres des soldats... Les pertes sont lourdes... Il n'est pour ainsi dire personne qui n'ait perdu des camarades bien chers... »

Cependant, des renforts arrivent aux Allemands. Au cours de la nuit du 27 au 28, ils ont pu relever toutes leurs unités en ligne. Cadavres et prisonniers nous en fournissent les preuves. Dans la nuit du 28 au 29, nouvelle relève. Ce sont donc des troupes intactes que nous allons rencontrer, le troisième jour comme le deuxième. A nous, il ne parvient rien. Il faudrait, pourtant, peu de chose pour achever le succès. Tant pis ! le 29 mai, tels que nous sommes, nous attaquerons encore une fois.

Ce jour-là, assaut du Caubert ; notre principal effort étant porté par ses glacis ouest. De Moyenneville et de Bienfay doivent partir nos derniers chars B, ainsi que les Somua passés de la droite à la gauche. Le bataillon de chasseurs réduit de plus de moitié, le régiment de reconnaissance diminué des deux tiers, un bataillon de dragons, ont à les suivre. De Villers, seront lancés les Renault qui nous restent avec le 22e Colonial. Pour nous aider, le général Altmayer a prescrit à la 5e Division légère de Cavalerie, étirée le long de la Somme en aval de la tête de pont, de pousser sa droite sur Cambron. Mais elle ne pourra progresser. Il a demandé le concours de l'aviation de bombardement pour agir sur les issues d'Abbeville, mais les avions sont ailleurs. A 17 heures, notre action se déclenche. Les pentes du Mont sont atteintes, mais la crête reste à l'ennemi. Quand la nuit tombe, les Allemands, appuyés par une artillerie puissante, contre-attaquent sur les villages de Moyenneville et de Bienfay sans réussir à les reprendre.

Le 30 mai, la 51e Division écossaise, commandée par le général Fortune et récemment arrivée en France, vient, toute gaillarde et pimpante, relever la 4e Division cuirassée. Celle-ci se regroupe près de Beauvais. Avec moi, les colonels : Sudre, Simonin, François, pour les chars ; de Ham, pour le régiment de reconnaissance ; Bertrand, pour les chasseurs ; Le Tacon, pour les coloniaux ; de Longuemare, pour les dragons ; Chaudesolle et Ancelme, pour l'artillerie ; Chomel, pour l'état-major, font le bilan de l'opération. Nous n'avons pu liquider entièrement la tête de pont d'Abbeville, réduite, pourtant, des trois quarts. Telle qu'elle est, à présent, l'ennemi ne peut en déboucher en force, à moins, d'abord, de la reconquérir. Nos pertes sont lourdes ; moindres, toutefois, que celles de l'adversaire. Nous ramenons 500 prisonniers, qui s'ajoutent à ceux de Montcornet, et une grande quantité d'armes et de matériel tombés entre nos mains.

Hélas ! au cours de la bataille de France, quel autre terrain fut ou sera conquis que cette bande profonde de 14 kilomètres ? Mis à part les équipages d'avions abattus dans nos lignes, combien d'autres Allemands auront été faits prisonniers ? Au lieu et place d'une pauvre division, faible, incomplète, improvisée, isolée, quels résultats n'eût pas obtenus, pendant ces derniers jours de mai, un corps d'élite cuirassé dont nombre d'éléments existaient, d'ailleurs, bel et bien, quoique contrefaits et dispersés ? Que l'Etat eût joué son rôle ; qu'il eût, lorsqu'il en était temps, orienté son système militaire vers l'entreprise, non la passivité ; que nos chefs eussent, en conséquence, disposé de l'instrument de choc et de manœuvre qui fut souvent proposé au pouvoir et au commandement ; alors nos armes avaient leur chance et la France retrouvait son âme.

Mais, le 30 mai, la bataille est virtuellement perdue. L'avant-veille, le roi et l'armée belges ont capitulé. A Dunkerque, l'armée britannique commence son rembarquement. Ce qu'il reste des troupes françaises dans le Nord essaie d'en faire autant ; retraite forcément désastreuse. Avant peu, l'ennemi entamera vers le sud la deuxième phase de son offensive contre un adversaire réduit d'un tiers et dépourvu, plus que jamais, des moyens de riposter aux forces mécaniques allemandes.

Dans mon cantonnement de Picardie, je ne me fais pas d'illusions. Mais j'entends garder l'espérance. Si la situation ne peut être, en fin de compte, redressée dans la métropole, il faudra la rétablir ailleurs. L'Empire est là, qui offre son recours. La flotte est là, qui peut le couvrir. Le peuple est là qui, de toute manière, va subir l'invasion, mais dont la République peut susciter la résistance, terrible occasion d'unité. Le monde est là, qui est susceptible de nous fournir de nouvelles armes et, plus tard, un puissant concours. Une question domine tout : les pouvoirs publics sauront-ils, quoi qu'il arrive, mettre l'Etat hors d'atteinte, conserver l'indépendance et sauvegarder l'avenir ? Ou bien vont-ils tout livrer dans la panique de l'effondrement ?

A cet égard, — je le prévois sans peine, — beaucoup de choses dépendront de l'attitude du Commandement. Que celui-ci se refuse à abaisser le drapeau tant que, suivant les termes du règlement militaire, « n'auront pas été épuisés tous les moyens que commandent le devoir et l'honneur », bref, qu'il adopte, en dernier ressort, la solution africaine, il peut devenir, dans le naufrage, la bouée de sauvetage de l'Etat. Qu'au contraire, s'abandonnant lui-même, il pousse à la reddition un pouvoir sans consistance, quel argument va-t-il fournir à l'abaissement de la France !

Ces réflexions hantent mon esprit, tandis que, le 1er juin, je me rends à la convocation que m'adresse le général Weygand. Le Commandant en chef me reçoit au château de Montry. Il montre, comme d'habitude, ce don de clarté et ce ton de simplicité qui lui sont caractéristiques. Il me fait, d'abord, son compliment au sujet de l'opération d'Abbeville, pour laquelle il vient de m'attribuer une très élogieuse citation. Puis, il me demande mon avis sur ce qu'il conviendrait de faire des quelque 1 200 chars modernes dont nous disposons encore.

J'indique au Généralissime que, suivant moi, ces chars devraient, sans délai, être réunis en deux groupements : le principal, au nord de Paris ; l'autre, au sud de Reims ; ce qui subsiste des divisions cuirassées en fournirait les noyaux. Pour le commandement du premier, j'avance le nom du général Delestraint, Inspecteur des chars. A ces groupements seraient accolées respectivement trois et deux divisions d'infanterie, dotées de moyens de transport, avec une artillerie doublée. On aurait ainsi un moyen d'infortune pour agir dans le flanc de tel ou tel des corps mécaniques allemands, quand, poussant dans leur direction de marche, après rupture de notre front, ils se trouveraient, plus ou moins, disloqués en largeur et étirés en profondeur. Le général Weygand prend acte de mes propositions. Après quoi, il me parle de la bataille.

« Je serai, dit-il, attaqué, le 6 juin, sur la Somme et sur l'Aisne. J'aurai sur les bras deux fois plus de divisions allemandes que nous n'en avons nous-mêmes. C'est dire que les perspectives sont bouchées. Si les choses ne vont pas trop vite ; si je puis récupérer, à temps, les troupes françaises échappées de Dunkerque ; si j'ai des armes à leur donner ; si l'armée britannique revient prendre part à la lutte, après s'être rééquipée ; si la Royal Air Force consent à s'engager à fond dans les combats du continent ; alors, il nous reste une chance. » Et le Commandant en chef ajoute en hochant la tête : « Sinon !… »

Je suis fixé. L'âme lourde, je quitte le général Weygand.

D'un seul coup, était tombée sur ses épaules une charge écrasante qu'au surplus il n'était pas fait pour porter. Quand il avait, le 20 mai, pris le commandement suprême, c'était trop tard, sans nul doute, pour gagner la bataille de France. On peut penser que le général Weygand s'en aperçut avec surprise. Comme il n'avait jamais envisagé les possibilités réelles de la force mécanique, les effets immenses et subits des moyens de l'adversaire l'avaient frappé de stupeur. Pour faire tête au malheur, il eût fallu qu'il se renouvelât ; qu'il rompît, du jour au lendemain, avec des conceptions, un rythme, des procédés, qui ne s'appliquaient plus ; qu'il arrachât sa stratégie au cadre étroit de la métropole ; qu'il retournât l'arme de la mort contre l'ennemi qui l'avait lancée et mît dans son propre jeu l'atout des grands espaces, des grandes ressources et des grandes vitesses, en y englobant les territoires lointains, les alliances et les mers. Il n'était pas homme à le faire. Son âge, sans doute, s'y opposait ainsi que sa tournure d'esprit, mais, surtout, son tempérament.

Weygand était, en effet, par nature, un brillant second. Il avait, à ce titre, admirablement servi Foch. Il avait, en 1920, fait adopter par Pilsudski un plan qui sauva la Pologne. Il avait, comme Chef d'état-major général, fait valoir avec intelligence et courage, auprès de plusieurs ministres et sous leur autorité, les intérêts vitaux de l'armée. Mais, si les aptitudes requises pour le service d'état-major et celles qu'exige le commandement ne sont nullement contradictoires, elles ne sauraient être confondues. Prendre l'action à son compte, n'y vouloir de marque que la sienne, affronter seul le destin, passion âpre et exclusive qui caractérise le chef, Weygand n'y était, ni porté, ni préparé. D'ailleurs, qu'il y eût en cela l'effet de ses propres tendances ou d'un concours de circonstances, il n'avait, au cours de sa carrière, exercé aucun commandement. Nul régiment, nulle brigade, nulle division, nul corps d'armée, nulle armée, ne l'avaient vu à leur tête. Le choisir pour prendre le plus grand risque qu'ait connu notre histoire militaire, non parce qu'on l'en savait capable, mais sous prétexte « qu'il était un drapeau », ce fut le fait de l'erreur, — habituelle à notre politique, — qui s'appelle : la facilité.

Du moins, dès qu'il fut reconnu que le général Weygand n'était pas l'homme pour la place, il eût fallu qu'il la quittât, soit qu'il demandât sa relève, soit que le gouvernement en prît, d'office, la décision. Il n'en fut rien. Dès lors, le Généralissime, emporté par un courant qu'il renonçait à maîtriser, allait chercher l'issue à sa portée, savoir : la capitulation. Mais, comme il n'entendait pas en assumer la responsabilité, son action consisterait à y entraîner le pouvoir. Il y trouva le concours du Maréchal qui, pour des raisons différentes, exigeait la même solution. Le régime, sans foi ni vigueur, opta pour le pire abandon. La France aurait donc à payer, non seulement un désastreux armistice militaire, mais aussi l'asservissement de l'Etat. Tant il est vrai que, face aux grands périls, le salut n'est que dans la grandeur.

Le 5 juin, j'apprends que l'ennemi reprend l'offensive. Dans la journée, je vais demander ses ordres au général Frère, commandant la VIIe Armée, dans la zone de qui se trouve ma division. Tandis qu'autour de lui on dépouille des rapports alarmants et que, sous les dehors du sang-froid professionnel, percent les doutes et les réticences, ce bon soldat me dit : « Nous sommes malades. Le bruit court que vous allez être ministre. C'est bien tard pour la guérison. Ah ! du moins, que l'honneur soit sauvé ! »

LA CHUTE

C'EST dans la nuit du 5 au 6 juin que M. Paul Reynaud, en remaniant son gouvernement, m'y fit entrer comme sous-secrétaire d'État à la Défense nationale. La nouvelle me fut annoncée le matin par le général Delestraint, Inspecteur des chars, qui l'avait entendue à la radio. Quelques instants après, un télégramme officiel m'en donnait confirmation. Ayant fait mes adieux à ma division, je pris la route de Paris.

En arrivant rue Saint-Dominique, je vis le président du Conseil. Il était, comme à son ordinaire, assuré, vif, incisif, prêt à écouter, prompt à juger. Il m'expliqua pourquoi il avait cru devoir, quelques jours plus tôt, embarquer dans son cabinet le maréchal Pétain, dont nous ne doutions, ni l'un ni l'autre, qu'il fût le paravent de ceux qui voulaient l'armistice. « Mieux vaut, dit M. Paul Reynaud employant la formule d'usage, l'avoir dedans que dehors. »

« Je crains, lui répondis-je, que vous n'ayez à changer d'avis. D'autant plus que les événements vont aller, maintenant, très vite et que le défaitisme risque de tout submerger. Entre nos forces et celles des Allemands le déséquilibre est tel, qu'à moins d'un miracle, nous n'avons plus aucune chance de vaincre dans la métropole, ni même de nous y rétablir. D'ailleurs le Commandement, foudroyé par la surprise, ne se ressaisira plus. Enfin, vous connaissez mieux que personne de quelle atmosphère d'abandon est enveloppé le gouvernement. Le Maréchal et ceux qui le poussent vont avoir, désormais, beau jeu. Cependant, si la guerre de 40 est perdue, nous pouvons en gagner une autre. Sans renoncer à combattre sur le sol de l'Europe aussi longtemps que possible, il faut décider et préparer la continuation de la lutte dans l'Empire. Cela implique une politique adéquate : transport des moyens vers l'Afrique du Nord, choix de chefs qualifiés pour diriger les opérations, maintien de rapports étroits avec les Anglais, quelques griefs que nous puissions avoir à leur égard. Je vous propose de m'occuper des mesures à prendre en conséquence. »

M. Paul Reynaud me donna son accord. « Je vous demande, ajouta-t-il, d'aller à Londres au plus tôt. Au cours des entretiens que j'ai eus, les 26 et 31 mai, avec le gouvernement britannique, j'ai pu lui donner l'impression que nous n'excluions pas la perspective d'une armistice. Mais, à présent, il s'agit, au contraire, de convaincre les Anglais que nous tiendrons, quoi qu'il arrive, même outre-mer s'il le faut. Vous verrez M. Churchill et vous lui direz que le remaniement de mon cabinet et votre présence auprès de moi sont les marques de notre résolution. »

Outre cette démarche d'ordre général, je devais agir à Londres pour tâcher d'obtenir, à mon tour, que la Royal Air Force — spécialement l'aviation de chasse, — continuât de participer aux opérations de France. Enfin, j'avais à réclamer, comme l'avait précédemment fait le président du Conseil, des précisions quant aux délais dans lesquels les unités britanniques échappées au désastre de Dunkerque pouvaient être réarmées et renvoyées sur le continent. La réponse à ces deux questions comportait des éléments techniques, que les états-majors étaient en mesure de fournir, mais aussi des décisions qui revenaient à M. Winston Churchill en sa qualité de ministre de la Défense.

Tandis que les organismes de liaison arrangeaient les entretiens que je devais avoir dans la capitale britannique, je fus, le 8 juin, prendre contact avec le général Weygand au château de Montry. Je trouvai le Commandant en chef calme et maître de lui. Mais quelques instants de conversation suffirent à me faire comprendre qu'il était résigné à la défaite et décidé à l'armistice. Voici, presque textuellement, ce que fut notre dialogue, dont les termes sont — et pour cause ! — restés gravés dans mon esprit.

« Vous le voyez, me dit le Commandant en chef, je ne m'étais pas trompé quand je vous ai, il y a quelques jours, annoncé que les Allemands attaqueraient sur la Somme le 6 juin. Ils attaquent, en effet. En ce moment, ils passent la rivière. Je ne puis les en empêcher.

— Soit ! ils passent la Somme. Et après ?

— Après ? C'est la Seine et la Marne.

— Oui. Et après ?

— Après ? Mais c'est fini !

— Comment ? Fini ? Et le monde ? Et l'Empire ? » Le général Weygand éclata d'un rire désespéré.

« — L'Empire ? Mais c'est de l'enfantillage ! Quant au monde, lorsque j'aurai été battu ici, l'Angleterre n'attendra pas huit jours pour négocier avec le Reich. » Et le Commandant en chef ajouta en me regardant dans les yeux : « Ah ! si j'étais sûr que les Allemands me laisseraient les forces nécessaires pour maintenir l'ordre !... »

La discussion eût été vaine. Je partis, après avoir dit au général Weygand que sa manière de voir était à l'opposé des intentions du gouvernement. Celui-ci n'abandonnerait pas la lutte, même si les combats devaient être malheureux. Il ne fit aucune observation nouvelle et se montra fort courtois quand je pris congé de lui.

Avant de reprendre la route de Paris, je causai quelque temps avec des officiers de divers états-majors venus, ce matin-là, au rapport du général Weygand et que je connaissais. Ils me confirmèrent dans l'impression qu'aux échelons élevés du Commandement on tenait la partie pour perdue et que, tout en s'acquittant mécaniquement de ses attributions, chacun envisageait tout bas et, bientôt, souhaitait tout haut qu'il fût mis fin, n'importe comment, à la bataille de France. Pour orienter les esprits et les courages vers la continuation de la guerre dans l'Empire, l'intervention catégorique du gouvernement était immédiatement nécessaire.

Je le déclarai, dès mon retour, à M. Paul Reynaud et l'adjurai de retirer le commandement au général Weygand qui avait renoncé à vaincre. « C'est impossible pour le moment, me répondit le président du Conseil. Mais nous devons songer à la suite. Qu'en pensez-vous ?

— En fait de suite, lui dis-je, je ne vois maintenant qu'Huntziger. Bien qu'il n'ait pas tout pour lui, il est capable, à mon avis, de s'élever jusqu'au plan d'une stratégie mondiale. »

M. Paul Reynaud agréa, en principe, ma suggestion sans vouloir, toutefois, la mettre aussitôt en pratique.

Pourtant, résolu à poser la question de nouveau et à bref délai, je m'attelai à l'élaboration du plan du transport en Afrique du Nord de tous les éléments possibles. Déjà, l'état-major de l'Armée, en liaison avec la Marine et l'Air, avait commencé de préparer l'évacuation au-delà de la Méditerranée de tout ce qui n'était pas engagé dans la bataille. Il s'agissait, en particulier, des deux classes de recrues qui s'instruisaient dans les dépôts de l'Ouest et du Midi et des fractions du personnel des unités mécaniques qui avaient pu échapper au désastre du Nord ; en tout, 500 000 hommes de qualité. Par la suite, les débris de nos armées refluant vers les côtes, beaucoup d'éléments combattants pourraient sans doute être embarqués. En tout cas, ce qui resterait de l'aviation de bombardement, à laquelle le rayon d'action de ses appareils permettait de franchir la mer, les survivants des groupes de chasse, le personnel des bases aériennes, les dépôts des équipages de la flotte, enfin et surtout notre flotte elle-même, auraient à rallier l'Afrique. La Marine, à qui revenait la mission d'exécuter ces transports, évaluait à 500 000 tonnes le renfort de navires de charge qui lui était nécessaire et qui devrait s'ajouter aux bateaux français dont elle disposait déjà. C'est à l'Angleterre qu'il faudrait demander ce concours.

Le 9 juin, de bonne heure, un avion m'amena à Londres. J'avais avec moi mon aide de camp Geoffroy de Courcel et M. Roland de Margerie, Chef du cabinet diplomatique du président du Conseil. C'était dimanche. La capitale anglaise offrait l'aspect de la tranquillité, presque de l'indifférence. Les rues et les parcs remplis de promeneurs paisibles, les longues files à l'entrée des cinémas, les autos nombreuses, les dignes portiers au seuil des clubs et des hôtels, appartenaient à un autre monde que celui-ci qui était en guerre. Sans doute, les journaux laissaient-ils transparaître la situation réelle, malgré les nouvelles édulcorées et les puériles anecdotes dont les remplissait, comme à Paris, l'optimisme officieux. Sans doute, les affiches qu'on lisait, les abris qu'on creusait, les masques qu'on portait, évoquaient-ils les grands périls possibles. Cependant, il sautait aux yeux que la masse de la population ne mesurait pas la gravité des événements de France, tant leur rythme était rapide. On pouvait voir, en tout cas, qu'au sentiment des Anglais, la Manche était encore large.

M. Churchill me reçut à Downing Street. C'était la première fois que je prenais contact avec lui. L'impression que j'en ressentis m'affermit dans ma conviction que la Grande-Bretagne, conduite par un pareil lutteur, ne fléchirait certainement pas. M. Churchill me parut être de plain-pied avec la tâche la plus rude, pourvu qu'elle fût aussi grandiose. L'assurance de son jugement, sa grande culture, la connaissance qu'il avait de la plupart des sujets, des pays, des hommes, qui se trouvaient en cause, enfin sa passion pour les problèmes propres à la guerre, s'y déployaient à leur aise. Par-dessus tout, il était, de par son caractère, fait pour agir, risquer, jouer le rôle, très carrément et sans scrupule. Bref, je le trouvai bien assis à sa place de guide et de chef. Telles furent mes premières impressions.

La suite ne fit que les confirmer en me révélant, en

outre, l'éloquence propre à M. Churchill et l'usage qu'il savait en faire. Quel que fût son auditoire : foule, assemblée, conseil, voire interlocuteur unique, qu'il se trouvât devant un micro, à la tribune, à table, ou derrière un bureau, le flot original, poétique, émouvant, de ses idées, arguments, sentiments lui procurait un ascendant presque infaillible dans l'ambiance dramatique où haletait le pauvre monde. En politique éprouvé, il jouait de ce don angélique et diabolique pour remuer la lourde pâte anglaise aussi bien que pour frapper l'esprit des étrangers. Il n'était pas jusqu'à l'humour dont il assaisonnait ses gestes et ses propos et à la manière dont il utilisait tantôt la bonne grâce et tantôt la colère qui ne fissent sentir à quel point il maîtrisait le jeu terrible où il était engagé.

Les incidents rudes et pénibles qui se produisirent à maintes reprises entre nous, en raison des frictions de nos deux caractères, de l'opposition de certains intérêts de nos pays respectifs, des abus que l'Angleterre commit au détriment de la France blessée, ont influé sur mon attitude à l'égard du Premier ministre, mais non point sur mon jugement. Winston Churchill m'apparut, d'un bout à l'autre du drame, comme le grand champion d'une grande entreprise et le grand artiste d'une grande Histoire.

Ce jour-là, j'exposai au Premier britannique ce que le président du Conseil français m'avait chargé de lui dire quant à la volonté de notre gouvernement de continuer la lutte, même s'il le fallait dans l'Empire. M. Churchill manifesta la vive satisfaction que lui causait cette résolution. Mais serait-elle suivie d'effet ? Il me laissa penser qu'il n'en était pas convaincu. En tout cas, il ne croyait plus à la possibilité d'un rétablissement militaire en France métropolitaine et me le fit voir en refusant catégoriquement le concours du gros de son aviation.

Depuis le rembarquement de l'armée anglaise à Dunkerque, la Royal Air Force ne coopérait plus à la bataille que d'une manière épisodique. D'ailleurs, à l'exception d'un groupe de chasse qui suivait encore le destin de notre aviation, les escadrilles britanniques, ayant leurs bases en Grande-Bretagne, se trouvaient trop éloignées pour agir au profit d'un front qui reculait sans cesse vers le sud. A ma demande pressante de transférer sur les terrains au sud de la Loire tout au moins une partie de l'aviation anglaise de coopération, M. Churchill fit une réponse formellement négative. Quant aux forces de terre, il promit l'envoi en Normandie d'une division canadienne, qui arrivait de son pays, et le maintien de la 51e Division écossaise ainsi que des débris de la brigade mécanique qui combattaient encore avec nous. Mais il déclara ne pouvoir indiquer, même approximativement, vers quelle date le corps expéditionnaire, qui venait d'échapper à la destruction en Belgique, — non sans y laisser son matériel, — serait susceptible de retourner à la bataille.

Ainsi donc, l'union stratégique se trouvait pratiquement rompue entre Londres et Paris. Il avait suffi d'un revers sur le continent pour que la Grande-Bretagne voulût s'absorber dans sa propre défense. C'était la réussite du plan germanique, dont Schlieffen, par-delà la mort, demeurait l'inspirateur et qui, après les échecs allemands de 1914 et de 1918, aboutissait enfin à séparer les forces françaises et les forces anglaises et, du même coup, à diviser la France et l'Angleterre. Il n'était que trop aisé d'imaginer quelles conclusions le défaitisme allait en tirer chez nous.

En dehors de cet entretien avec M. Churchill, j'avais dans la même journée pris contact avec M. Eden ministre de la Guerre, M. Alexander Premier lord de l'Amirauté, Sir Archibald Sinclair ministre de l'Air, le général Sir John Dill chef d'état-major impérial. J'avais, d'autre part, conféré avec M. Corbin, notre ambassadeur, M. Monnet, « chairman » du Comité franco-britannique de coordination pour les achats de matériel, et les chefs de nos missions : militaire, navale, aérienne. Il était clair que si, à Londres, le calme régnait sur la foule, au contraire l'angoisse du désastre et le doute quant à la fermeté des pouvoirs publics français remplissaient les esprits avertis.

Dans la soirée, l'avion me ramena malaisément au Bourget dont le terrain venait d'être bombardé.

Au cours de la nuit du 9 au 10 juin, M. Paul Reynaud me fit appeler à son domicile. Des renseignements graves venaient de lui parvenir. L'ennemi avait atteint la Seine en aval de Paris. D'autre part, tout donnait à penser que, d'une heure à l'autre, les forces blindées allemandes allaient passer à l'attaque décisive en Champagne. La capitale était donc immédiatement menacée par l'ouest, l'est et le nord. Enfin, M. François-Poncet annonçait de Rome qu'il s'attendait à tout instant à recevoir du gouvernement italien la déclaration de guerre. Devant ces mauvaises nouvelles, je n'avais qu'une suggestion à faire : adopter le parti du plus grand effort et aller au plus tôt en Afrique en épousant, dans toutes ses conséquences, la guerre de coalition.

Pendant les quelques fractions de jour et de nuit que je passai rue Saint-Dominique, je n'eus que trop de raisons de renforcer ma conviction qu'il n'y avait rien d'autre à faire. Les choses allaient trop vite pour qu'on pût les ressaisir sur place. Tout ce qu'on envisageait prenait aussitôt le caractère de l'irréalité. On se reportait aux précédents de la guerre 14-18 qui ne s'appliquaient plus du tout. On affectait de penser qu'il y avait encore un front, un commandement actif, un peuple prêt aux sacrifices ; ce n'étaient là que rêves et souvenirs. En fait, au milieu d'une nation prostrée et stupéfaite, derrière une armée sans foi et sans espoir, la machine du pouvoir tournait dans une irrémédiable confusion.

Rien ne me le fit mieux sentir que les rapides visites protocolaires que je rendis aux principaux personnages de la République : d'abord le président Lebrun, à qui je fus présenté en même temps que les nouveaux ministres, ensuite les présidents des Assemblées, enfin les membres du gouvernement. Tous montraient du calme et de la dignité. Mais il était clair que, dans le décor où les installait l'usage, ils n'étaient plus que des figurants. Au milieu du cyclone, les conseils des ministres, les instruc-

tions lancées vers le bas, les comptes rendus reçus en
haut, les déclarations publiques, le défilé des officiers,
fonctionnaires, diplomates, parlementaires, journalistes,
qui avaient à rapporter ou à demander quelque chose,
donnaient l'impression d'une sorte de fantasmagorie sans
objet et sans portée. Sur les bases et dans le cadre où l'on
se trouvait engagé, il n'y avait aucune issue, excepté la
capitulation. A moins de s'y résigner — ce que faisaient
déjà certains, et non des moindres —, il fallait à tout prix
changer de cadre et de bases. Le redressement dit « de la
Marne » était possible, mais sur la Méditerranée.

Le 10 juin fut une journée d'agonie. Le gouvernement
devait quitter Paris le soir. Le recul du front s'accélérait.
L'Italie déclarait la guerre. Désormais, l'évidence de
l'effondrement s'imposait à tous les esprits. Mais, au
sommet de l'État, la tragédie se jouait comme dans un
rêve. Même, à de certains moments, on eût pu croire
qu'une sorte d'humour terrible pimentait la chute de la
France roulant du haut de l'Histoire jusqu'au plus
profond de l'abîme.

C'est ainsi que, dans la matinée, l'ambassadeur d'Italie,
M. Guariglia, vint faire, rue Saint-Dominique, une visite
assez étrange. Il fut reçu par Baudouin qui rapportait
comme suit les propos du diplomate : « Vous verrez que
la déclaration de guerre va finalement éclaircir les relations entre nos deux pays ! Elle crée une situation dont, au
bout du compte, il sortira un grand bien... »

Peu après, entrant moi-même chez M. Paul Reynaud,
j'y trouvai M. W. Bullitt. Je pensais que l'ambassadeur
des États-Unis apportait au président du Conseil, de la
part de Washington, quelque encouragement pour l'avenir. Mais non ! Il était venu faire ses adieux. L'ambassadeur demeurait à Paris dans l'intention d'intervenir, à
l'occasion, en faveur de la capitale. Mais, si louable que
fût le motif qui inspirait M. Bullitt, il n'en restait pas
moins qu'au cours des journées suprêmes il n'y aurait pas
d'ambassadeur d'Amérique auprès du Gouvernement
français. La présence de M. D. Biddle, chargé des

relations avec les gouvernements réfugiés, quelles que fussent les qualités de cet excellent diplomate, n'ôterait pas à nos officiels l'impression que les États-Unis ne donnaient plus cher de la France.

Cependant, tandis que M. Paul Reynaud préparait hâtivement une déclaration qu'il allait faire à la radio et au sujet de laquelle il était en train de me consulter, le général Weygand arriva rue Saint-Dominique. A peine annoncé, il entra, tout de go, dans le bureau du président du Conseil. Comme celui-ci marquait quelque étonnement, le Commandant en chef répondit qu'il avait été convoqué. « Pas par moi ! » dit M. Paul Reynaud. — « Ni par moi ! » ajoutai-je. — « Alors, c'est un malentendu ! poursuivit le général Weygand. Mais l'erreur est utile car j'ai à faire une importante communication. » Il s'assit et se mit à exposer la situation telle qu'il la voyait. Sa conclusion était transparente. Nous devions, sans délai, demander l'armistice. « Les choses en sont au point, déclara-t-il en déposant un papier sur la table, que les responsabilités de chacun doivent être nettement établies. C'est pourquoi j'ai rédigé mon avis et je remets cette note entre vos mains. »

Le président du Conseil, bien qu'il fût talonné par l'obligation de prononcer dans un très bref délai l'allocution qui était annoncée, entreprit de discuter l'opinion du Généralissime. Celui-ci n'en démordait pas. La bataille dans la métropole était perdue. Il fallait capituler. « Mais il y a d'autres perspectives », dis-je à un certain moment. Alors, Weygand d'un ton railleur :

« Avez-vous quelque chose à proposer ?

— Le gouvernement, répondis-je, n'a pas de propositions à faire, mais des ordres à donner. Je compte qu'il les donnera. »

M. Paul Reynaud finit par congédier le Commandant en chef et l'on se sépara dans une atmosphère très lourde.

Les dernières heures de présence du gouvernement dans la capitale furent remplies par les dispositions qu'impliquait un pareil exode. A vrai dire, beaucoup de choses avaient été préparées en vertu d'un plan de repli établi par le Secrétariat général de la Défense nationale. Mais il restait tout l'imprévu. D'autre part, l'arrivée imminente des Allemands sous les murs de Paris posait de cruels problèmes. J'avais moi-même, dès mon entrée en fonction, préconisé que la capitale fût défendue et demandé au président du Conseil, ministre de la Défense nationale et de la Guerre, qu'il nommât gouverneur, dans cette intention, un chef résolu. Je proposai le général de Lattre, qui venait de se distinguer à la tête d'une division dans les combats autour de Rethel. Mais, bientôt, le Commandant en chef déclarait Paris « ville ouverte » et le Conseil des ministres l'approuvait. Cependant, il fallait, à l'improviste, organiser l'évacuation d'une masse de choses et d'une foule de gens. Je m'en occupai jusqu'au soir, tandis que partout on emballait des caisses, que bruissaient du haut en bas de l'immeuble les visiteurs du dernier moment et que sonnaient sans arrêt des téléphones désespérés.

Vers minuit, M. Paul Reynaud et moi montâmes dans la même voiture. Le voyage fut lent, sur une route encombrée. A l'aurore, nous étions à Orléans et entrions à la Préfecture où le contact fut pris par fil avec le Grand Quartier qui s'installait à Briare. Peu après, le général Weygand téléphonait, demandant à parler au président du Conseil. Celui-ci prit l'appareil et, à sa vive surprise, s'entendit annoncer que M. W. Churchill arriverait dans l'après-midi. Le Commandant en chef, par la liaison militaire, l'avait prié de venir d'urgence à Briare.

« Il faut, en effet, ajoutait le général Weygand, que M. Churchill soit directement informé de la situation réelle sur le front.

— Eh quoi ? dis-je au chef du gouvernement, admettez-vous que le Généralissime convoque ainsi de son propre mouvement le Premier ministre britannique ? Ne voyez-vous pas que le général Weygand poursuit, non point un plan d'opérations, mais une politique, et que celle-ci n'est pas la vôtre ? Le gouvernement va-t-il le laisser plus longtemps en fonction ?

— Vous avez raison ! répondit M. Paul Reynaud. Cette situation doit cesser. Nous avons parlé du général Huntziger comme successeur possible de Weygand. Allons tout de suite voir Huntziger ! »

Mais, les voitures étant avancées, le président du Conseil me dit : « A la réflexion, il vaut mieux que vous alliez seul chez Huntziger. Pour moi, je vais préparer les entretiens de tout à l'heure avec Churchill et les Anglais. Vous me retrouverez à Briare. »

Je trouvai à Arcis-sur-Aube, son poste de commandement, le général Huntziger, commandant le groupe d'armées du Centre. Au même moment, ce groupe d'armées était attaqué et percé sur le front de Champagne par le corps blindé de Guderian. Cependant, je fus frappé par le sang-froid d'Huntziger. Il m'informa de sa mauvaise situation. Je le mis au courant de l'ensemble des affaires. En conclusion, je lui dis : « Le gouvernement voit bien que la bataille de France est virtuellement perdue, mais il veut continuer la guerre en se transportant en Afrique avec tous les moyens qu'il est possible d'y faire passer. Cela implique un changement complet dans la stratégie et dans l'organisation. L'actuel généralissime n'est plus l'homme qui puisse le faire. Vous, seriez-vous cet homme-là ?

— Oui ! répondit simplement Huntziger.

— Eh bien, vous allez recevoir les instructions du gouvernement. »

Pour gagner Briare, je pris par Romilly et Sens, afin de prendre contact avec divers commandants de grandes unités. Partout, s'étalaient des signes de désordre et de panique. Partout, refluaient vers le sud des éléments de troupes, pêle-mêle avec des réfugiés. Mon modeste équipage fut arrêté une heure près de Méry, tant la route était encombrée. Un étrange brouillard, — que beaucoup confondaient avec une nappe de gaz, — augmentait l'angoisse de la foule militaire, tel un troupeau sans berger.

Au Grand Quartier de Briare, j'allai à M. Paul Reynaud et le mis au courant de la réponse d'Huntziger. Mais je vis bien que, pour le président du Conseil, le remplacement immédiat de Weygand n'était plus dans sa perspective et qu'il avait épousé, de nouveau, l'idée de poursuivre la route de la guerre avec un généralissime qui voulait prendre celle de la paix. En passant dans la galerie, je saluai le maréchal Pétain, que je n'avais pas vu depuis 1938. « Vous êtes général ! me dit-il. Je ne vous en félicite pas. A quoi bon les grades dans la défaite ? » — « Mais, vous-même, monsieur le Maréchal, c'est pendant la retraite de 1914 que vous avez reçu vos premières étoiles. Quelques jours après, c'était la Marne. » Pétain grogna : « Aucun rapport ! » Sur ce point, il avait raison. Le Premier ministre britannique arrivait. On entra en conférence.

Au cours de cette séance se confrontèrent ouvertement les conceptions et les passions qui allaient dominer la nouvelle phase de la guerre. Tout ce qui avait, jusqu'alors, servi de base à l'action et aux attitudes n'appartenait plus qu'au passé. La solidarité de l'Angleterre et de la France, la puissance de l'armée française, l'autorité du Gouvernement, le loyalisme du Commandement, cessaient d'être des données acquises. Chacun des participants se comportait déjà, non plus en tant que partenaire dans un jeu mené en commun, mais comme un homme qui, désormais, s'oriente et joue pour son compte.

Le général Weygand fit voir que son souci, à lui, était de liquider au plus vite la bataille et la guerre. S'aidant des témoignages des généraux Georges et Besson, il déroula devant la conférence le tableau d'une situation militaire sans espoir. Le Commandant en chef, qui, au surplus, avait été Chef d'Etat-Major général de 1930 à 1935, exposait les raisons de la défaite des armées sous ses ordres du ton posé, quoique agressif, de quelqu'un qui en tire des griefs sans en porter la responsabilité. Sa conclusion fut qu'il fallait terminer l'épreuve, car le dispositif militaire pourrait s'effondrer tout à coup, ouvrant carrière à l'anarchie et à la révolution.

Le Maréchal intervint en renfort du pessimisme. M. Churchill, voulant détendre l'atmosphère, lui dit d'un ton enjoué :

« Voyons ! Monsieur le maréchal, rappelez-vous la bataille d'Amiens, en mars 1918, quand les affaires allaient si mal. Je vous ai fait visite, alors, à votre Quartier Général. Vous m'indiquiez votre plan. Quelques jours après, le front était rétabli. »

Alors le Maréchal, durement :

« — Oui, le front fut rétabli. Vous, les Anglais, étiez enfoncés. Mais, moi, j'ai envoyé 40 divisions pour vous tirer d'affaire. Aujourd'hui, c'est nous qui sommes mis en pièces. Où sont vos 40 divisions ? »

Le président du Conseil français, tout en répétant que la France ne se retirerait pas de la lutte et tout en pressant les Anglais d'envoyer à notre aide le gros de leur aviation, montra qu'en dépit de tout il ne se séparait pas de Pétain et de Weygand, comme s'il espérait les voir un jour se rallier à sa politique. M. Churchill parut imperturbable, plein de ressort, mais se tenant vis-à-vis des Français aux abois sur une cordiale réserve, saisi déjà, et non peut-être sans une obscure satisfaction, par la perspective terrible et magnifique d'une Angleterre laissée seule dans son île et que lui-même aurait à conduire dans l'effort vers le salut. Quant à moi, pensant à la suite, je mesurais ce que ces palabres avaient de vain et de conventionnel, puisqu'elles n'avaient pas pour objet la seule solution valable : se rétablir outre-mer.

Après trois heures de discussions, qui n'aboutirent à rien, on se mit à dîner autour de la même table. J'étais à côté de Churchill. Notre conversation fortifia la confiance que j'avais dans sa volonté. Lui-même en retint, sans doute, que de Gaulle, bien que démuni, n'était pas moins résolu.

L'amiral Darlan, qui ne s'était pas manifesté pendant la

conférence, parut après le repas. Poussant devant lui le
général Vuillemin, Chef d'état-major général de l'Air, il
vint à M. Paul Reynaud. L'objet de sa démarche donnait
fort à penser. Une opération combinée de la flotte et de
l'aviation de bombardement avait été préparée contre
Gênes. D'après le plan, l'exécution devait se déclencher
au cours de la nuit. Mais Darlan, s'étant ravisé, voulait
donner le contrordre en se couvrant des perplexités du
général Vuillemin qui redoutait les réactions italiennes
contre les dépôts d'essence de Berre. Toutefois, l'amiral
demandait l'accord du gouvernement. « Qu'en pensez-
vous ? » me dit M. Paul Reynaud. — « Au point où nous
en sommes, répondis-je, le plus raisonnable est, au
contraire, de ne rien ménager. Il faut exécuter l'opération
prévue. »

Darlan l'emporta, cependant, et le contrordre fut
donné. Par la suite, Gênes fut, tout de même, bombardé
par une faible fraction navale avec trois jours de retard sur
les prévisions. Cet incident me fit comprendre que
Darlan, lui aussi, jouait maintenant son propre jeu.

Au cours de la journée du 12, logé au château de
Beauvais, propriété de M. Le Provost de Launay, je
travaillai avec le général Colson au plan de transport en
Afrique du Nord. A vrai dire, les événements auxquels
j'avais assisté la veille et l'isolement où j'étais à présent
laissé me donnaient à craindre que l'esprit d'abandon
n'eût gagné trop de terrain et que le plan ne s'appliquât
jamais. Cependant, j'étais résolu à faire tout ce qui était en
mon pouvoir pour que le gouvernement le prît à son
compte et l'imposât au commandement.

Ayant achevé l'essentiel, je me rendis à Chissay, où
résidait M. Paul Reynaud. Il était tard. Le président du
Conseil, sortant du Conseil des ministres qui s'était tenu
à Cangé et auquel je n'étais pas convié, arriva vers
11 heures du soir, accompagné de Baudouin. Tandis
qu'ils dînaient avec leur entourage, je m'assis près de la
table et posai nettement la question de l'Afrique du Nord.
Mais mes interlocuteurs ne voulaient parler que d'un

problème, connexe d'ailleurs et très urgent, que le Conseil des ministres venait d'évoquer. Quelle devait être la prochaine destination du gouvernement ? En effet, les Allemands, ayant franchi la Seine, atteindraient bientôt la Loire. Deux solutions étaient envisagées : Bordeaux ou Quimper ? Il s'ensuivit, autour des assiettes, une discussion que la fatigue et l'énervement rendirent confuse et mouvementée. Aucune décision formelle ne fut prise et M. Paul Reynaud se retira en me donnant rendez-vous pour le matin.

J'étais, naturellement, pour Quimper. Non pas que j'eusse d'illusions quant à la possibilité de tenir en Bretagne, mais, si le gouvernement s'y repliait, il n'aurait pas, tôt ou tard, d'autre issue que de prendre la mer. Car, les Allemands devant nécessairement occuper la péninsule pour agir contre les Anglais, il ne pourrait y avoir de « zone libre » en Bretagne. Une fois embarqués, les ministres prendraient, selon toute vraisemblance, la direction de l'Afrique, soit directement, soit après avoir fait halte en Angleterre. De toute façon, Quimper était l'étape vers les décisions énergiques. Aussi, quand M. Paul Reynaud, dès mon entrée au gouvernement, m'avait parlé du projet de « réduit breton », je m'y étais rallié. Inversement, c'est pour des motifs inspirés par leur politique et non — quoi qu'ils pussent prétendre — par l'art militaire, que s'y opposaient ceux qui, tels Pétain, Weygand, Baudouin, poussaient à la capitulation.

Le 13, de bonne heure, je retournai à Chissay. Après un long débat et malgré mes arguments, le président du Conseil prit la décision de transférer les pouvoirs publics à Bordeaux, alléguant que tel était l'avis émis la veille par les ministres. Je n'en fus que plus acharné à réclamer, tout au moins, la signature d'un ordre prescrivant au Commandant en chef de prévoir et de préparer les transports en Afrique. C'était bien là, je le savais, l'intention ultime de M. Paul Reynaud. Mais, si pressantes et lassantes étaient les intrigues et influences contraires qui accédaient constamment à lui, que je voyais, heure par heure, disparaître ce suprême espoir.

Cependant, le Président du Conseil signa, ce jour-là, vers midi, une lettre adressée au général Weygand et dans laquelle il lui précisait ce que le gouvernement attendait désormais de lui. D'abord : « Tenir aussi longtemps que possible dans le Massif central et en Bretagne. » Ensuite : « Si nous échouions,... nous installer et organiser la lutte dans l'Empire en utilisant la liberté des mers. » Cette lettre marquait, assurément, une intention salutaire. Mais elle n'était pas, suivant moi, l'ordre catégorique qu'imposaient les circonstances. D'ailleurs, une fois signée, elle se trouvait remise en cause dans les coulisses et ne fut, en définitive, expédiée que le lendemain.

Au cours de la même matinée du 13, M. Jeanneney, président du Sénat, et M. Herriot, président de la Chambre, étaient venus à Chissay. Le premier, promenant un maintien résolu au milieu de l'agitation, invoquait l'exemple de Clemenceau, dont il avait été, dans les grands moments de 1917 et 1918, le collaborateur direct et intime au gouvernement. Le second, affable et disert, exprimait avec éloquence les émotions multiples dont il était traversé. L'un et l'autre se montraient favorables au président du Conseil, opposés à la capitulation, tout prêts à se transporter à Alger avec les pouvoirs publics. Il m'apparut, une fois de plus, que M. Paul Reynaud, quelles que fussent autour de lui les cabales de l'abandon, pouvait rester maître du jeu pourvu qu'il ne concédât rien.

J'étais à Beauvais au début de l'après-midi, quand M. de Margerie, Chef du cabinet diplomatique de M. Paul Reynaud, m'appela au téléphone. « Une conférence va s'ouvrir dans un instant, à la Préfecture de Tours, entre le président du Conseil et M. W. Churchill qui vient d'arriver avec plusieurs de ses ministres. Je vous en préviens en hâte comme j'en suis moi-même prévenu. Bien que vous ne soyez pas convoqué, je suggère que vous y veniez. Baudouin est à l'œuvre et mon impression n'est

pas bonne. » Telle fut la communication de M. de
Margerie.

Je roulai vers Tours, sentant bien tout ce qu'il y avait
d'inquiétant dans cette réunion inopinée, dont le président du Conseil, auprès de qui je venais de passer
plusieurs heures, n'avait pas cru devoir me parler. La
cour et les couloirs de la Préfecture étaient remplis d'une
foule de parlementaires, fonctionnaires, journalistes,
accourus aux nouvelles et qui formaient comme le chœur
tumultueux d'une tragédie près de son terme. J'entrai
dans le bureau où se trouvait M. Paul Reynaud encadré
par Baudouin et Margerie. La conférence était suspendue.
Mais M. Churchill et ses collègues revenaient tout justement. Margerie m'indiqua rapidement que les ministres
britanniques, s'étant concertés dans le parc, allaient
donner leur réponse à cette question posée par les
Français : « Malgré l'accord du 28 mars 1940, qui exclut
toute suspension d'armes séparée, l'Angleterre accepte-
rait-elle que la France demandât à l'ennemi quelles
seraient, pour elle-même, les conditions d'un armistice ? »

M. Churchill s'assit. Lord Halifax, lord Beaverbrook,
Sir Alexander Cadogan prirent place, ainsi que le général
Spears qui les accompagnait. Il y eut un moment de
silence écrasant. Le Premier ministre prit la parole en
français. D'un ton égal et triste, dodelinant de la tête,
cigare à la bouche, il commença par exprimer sa commisération, celle de son gouvernement, celle de son peuple,
quant au sort de la nation française. « Nous voyons bien,
dit-il, où en est la France. Nous comprenons que vous
vous sentiez acculés. Notre amitié pour vous reste intacte.
Dans tous les cas, soyez sûrs que l'Angleterre ne se
retirera pas de la lutte. Nous nous battrons jusqu'au bout,
n'importe comment, n'importe où, même si vous nous
laissez seuls. »

Abordant la perspective d'un armistice entre Français
et Allemands, dont je pensais qu'elle le ferait bondir, il
exprima, au contraire, une compréhension apitoyée. Mais
soudain, passant au sujet de la flotte, il se montra très

précis et très rigoureux. De toute évidence, le gouvernement anglais redoutait à tel point de voir livrer aux
Allemands la flotte française qu'il inclinait, tandis qu'il en
était temps encore, à marchander son renoncement à
l'accord du 28 mars contre des garanties quant au sort de
nos navires. Telle fut, en fait, la conclusion qui se dégagea
de cette affreuse conférence. M. Churchill, avant de
quitter la salle, demanda en outre, avec insistance, que si
la France cessait le combat elle remît auparavant à
l'Angleterre les 400 aviateurs allemands qui étaient prisonniers. Cela lui fut aussitôt promis.

Conduits par M. Paul Reynaud, les Britanniques
passèrent alors dans la pièce voisine, où se trouvaient les
présidents des assemblées, ainsi que plusieurs ministres.
Là, le ton fut très différent. MM. Jeanneney, Herriot,
Louis Marin, notamment, ne parlèrent que de continuer
la guerre. J'allai à M. Paul Reynaud et lui demandai, non
sans vivacité : « Est-il possible que vous conceviez que la
France demande l'armistice ? » — « Certes, non ! me dit-
il. Mais il faut impressionner les Anglais pour obtenir
d'eux un concours plus étendu. » Je ne pouvais, évidemment, tenir cette réponse pour valable. Après qu'on se fut
séparé, au milieu du brouhaha, dans la cour de la
Préfecture, je rentrai atterré à Beauvais, tandis que le
président du Conseil télégraphiait au président Roosevelt
pour l'adjurer d'intervenir, faisant comprendre que, sans
cela, tout était pour nous bien perdu. Dans la soirée,
M. Paul Reynaud déclarait à la radio : « S'il faut un
miracle pour sauver la France, je crois au miracle. »

Il me paraissait acquis que tout serait bientôt
consommé. De même qu'une place assiégée est bien près
de la reddition dès lors que le gouverneur en parle, ainsi la
France courait à l'armistice, puisque le chef de son
gouvernement l'envisageait officiellement. Ma présence
dans le Cabinet, si secondaire qu'y fût ma place, allait
devenir une impossibilité. Cependant, au moment même
où, au cours de la nuit, j'allais envoyer ma lettre de

démission, Georges Mandel, averti par mon chef de cabinet, Jean Laurent, me fit demander d'aller le voir.

André Diethelm m'introduisit auprès du ministre de l'Intérieur. Mandel me parla sur un ton de gravité et de résolution dont je fus impressionné. Il était, tout autant que moi, convaincu que l'indépendance et l'honneur de la France ne pouvaient être sauvegardés qu'en continuant la guerre. Mais c'est à cause de cette nécessité nationale qu'il me recommanda de rester encore au poste où je me trouvais. « Qui sait, dit-il, si finalement nous n'obtiendrons pas que le gouvernement aille, tout de même, à Alger ? » Il me raconta ce qui, après le départ des Anglais, s'était passé au Conseil des ministres où, disait-il, la fermeté avait prévalu en dépit de la scène que Weygand était venu y faire. Il m'annonça que, dans l'instant les premiers éléments allemands entraient à Paris. Puis, évoquant l'avenir, il ajouta : « De toute façon, nous ne sommes qu'au début de la guerre mondiale. Vous aurez de grands devoirs à remplir, Général ! Mais avec l'avantage d'être, au milieu de nous tous, un homme intact. Ne pensez qu'à ce qui doit être fait pour la France et songez que, le cas échéant, votre fonction actuelle pourra vous faciliter les choses. » Je dois dire que cet argument me convainquit d'attendre avant de me démettre. C'est à cela qu'a peut-être tenu, physiquement parlant, ce que j'ai pu faire par la suite.

Le 14 juin : repli du gouvernement ! Je fis mes adieux à mes hôtes Le Provost de Launay. Ils ne partiraient pas, eux, et entourés de tout ce qui n'était, parmi les leurs, ni mobilisé, ni mobilisable, attendraient dans leur maison les combats de la retraite, puis l'arrivée de l'envahisseur. Vers la fin de l'après-midi, après un sombre voyage sur la route encombrée par des convois de réfugiés, j'atteignis Bordeaux et me fis conduire au siège de la région militaire où était prévue la résidence de M. Paul Reynaud. Le député-maire de la ville, M. Marquet, était là et me donna la primeur des propos décourageants qu'il s'apprêtait à tenir au président du Conseil.

Celui-ci étant arrivé, je lui dis : « Depuis trois jours, je mesure avec quelle vitesse nous roulons vers la capitulation. Je vous ai donné mon modeste concours, mais c'était pour faire la guerre. Je me refuse à me soumettre à un armistice. Si vous restez ici, vous allez être submergé par la défaite. Il faut gagner Alger au plus vite. Y êtes-vous, oui ou non, décidé ? » — « Oui ! » répondit M. Paul Reynaud. — « Dans ce cas, repris-je, je dois aller moi-même tout de suite à Londres pour arranger le concours des Anglais à nos transports. J'irai demain. Où vous retrouverai-je ? » — Et le Président du Conseil : « Vous me retrouverez à Alger. »

Il fut convenu que je partirais dans la nuit et passerais, d'abord, en Bretagne pour voir ce qu'on pouvait y faire embarquer. M. Paul Reynaud me demanda, enfin, de convoquer Darlan auprès de lui pour le lendemain matin. Il voulait, me dit-il, lui parler de la flotte.

Darlan était en route pour gagner La Guéritoulde. Dans la soirée, je l'eus au bout du fil et lui fixai le rendez-vous. Une voix mauvaise me répondit : « Aller à Bordeaux, demain ? Je ne sais ce que peut bien y faire le président du Conseil. Mais je commande, moi, et n'ai pas de temps à perdre. » Finalement, il obtempéra. Cependant, le ton pris par Darlan découvrait de tristes perspectives. Quelques minutes après, je mesurais l'évolution de certains esprits au cours d'une brève conversation avec Jean Ybarnegaray, ministre d'Etat, qui s'était montré, jusque-là, partisan de la lutte à outrance. Il vint à moi à l'hôtel « Splendide » où je dînais à la hâte en compagnie de Geoffroy de Courcel. — « Pour moi, dit-il, ancien combattant, rien ne compte que d'obéir à mes chefs : Pétain et Weygand ! » — « Peut-être verrez-vous un jour, répondis-je, que, pour un ministre, le salut de l'Etat doit l'emporter sur tous les sentiments. » Au maréchal Pétain, qui dînait dans la même salle, j'allai en silence adresser mon salut. Il me serra la main, sans un mot. Je ne devais plus le revoir, jamais.

Quel courant l'entraînait et vers quelle fatale destinée !

Toute la carrière de cet homme d'exception avait été un long effort de refoulement. Trop fier pour l'intrigue, trop fort pour la médiocrité, trop ambitieux pour être arriviste, il nourrissait en sa solitude une passion de dominer, longuement durcie par la conscience de sa propre valeur, les traverses rencontrées, le mépris qu'il avait des autres. La gloire militaire lui avait, jadis, prodigué ses caresses amères. Mais elle ne l'avait pas comblé, faute de l'avoir aimé seul. Et voici que, tout à coup, dans l'extrême hiver de sa vie, les événements offraient à ses dons et à son orgueil l'occasion, tant attendue ! de s'épanouir sans limites ; à une condition, toutefois, c'est qu'il acceptât le désastre comme pavois de son élévation et le décorât de sa gloire.

Il faut dire que, de toute manière, le Maréchal tenait la partie pour perdue. Ce vieux soldat, qui avait revêtu le harnois au lendemain de 1870, était porté à ne considérer la lutte que comme une nouvelle guerre franco-allemande. Vaincus dans la première, nous avions gagné la deuxième, celle de 1914-1918, avec des alliés sans doute, mais qui jouaient un rôle secondaire. Nous perdions maintenant la troisième. C'était cruel, mais régulier. Après Sedan et la chute de Paris, il n'était que d'en finir, traiter et, le cas échéant, écraser la Commune, comme, dans les mêmes circonstances, Thiers l'avait fait jadis. Au jugement du vieux maréchal, le caractère mondial du conflit, les possibilités des territoires d'outre-mer, les conséquences idéologiques de la victoire d'Hitler, n'entraient guère en ligne de compte. Ce n'étaient point là des choses qu'il eût l'habitude de considérer.

Maigré tout, je suis convaincu qu'en d'autres temps, le maréchal Pétain n'aurait pas consenti à revêtir la pourpre dans l'abandon national. Je suis sûr, en tout cas, qu'aussi longtemps qu'il fut lui-même, il eût repris la route de la guerre dès qu'il put voir qu'il s'était trompé, que la victoire demeurait possible, que la France y aurait sa part. Mais, hélas ! les années, par-dessous l'enveloppe, avaient rongé son caractère. L'âge le livrait aux manœuvres de gens habiles à se couvrir de sa majestueuse lassitude. La vieillesse est un naufrage. Pour que rien ne nous fût épargné, la vieillesse du maréchal Pétain allait s'identifier avec le naufrage de la France.

C'est à cela que je pensais en roulant dans la nuit vers la Bretagne. En même temps, je fortifiais ma résolution de continuer la guerre, où que cela pût me conduire. Arrivé à Rennes le matin du 15 juin, j'y vis le général René Altmayer, qui commandait les éléments divers engagés à l'est de la Mayenne, le général Guitry, commandant la Région militaire, et le préfet d'Ille-et-Vilaine. Tous trois faisaient de leur mieux dans leurs domaines respectifs. Je m'efforçai d'organiser la coordination de leurs efforts et de leurs moyens pour la défense du terrain. Puis, je gagnai Brest, en doublant des convois anglais qui allaient s'y réembarquer. A la Préfecture maritime, j'étudiai avec l'amiral Traub et « l'Amiral-Ouest » de Laborde les possibilités et les besoins de la marine quant à l'embarquement des troupes dans les ports de Bretagne. L'après-midi, je montai à bord du contre-torpilleur *Milan* qui devait m'amener à Plymouth, en compagnie d'une mission de chimistes conduite par le général Lemoine et que M. Raoul Dautry, ministre de l'Armement, envoyait mettre « l'eau lourde » à l'abri en Angleterre. En quittant la rade de Brest, le *Richelieu* me rendit les honneurs, paré à gagner Dakar. De Plymouth, je me rendis à Londres, où j'arrivai le 16 au lever du jour.

Quelques minutes après, dans la chambre de l'Hôtel « Hyde Park », où je faisais ma toilette, entrèrent MM. Corbin et Monnet. L'ambassadeur m'annonça, d'abord, que les divers rendez-vous que je devais avoir avec les Anglais pour traiter l'affaire des transports étaient arrangés pour la matinée. Il était, en outre, entendu, qu'à moins d'une demande d'armistice de la France à l'Allemagne, M. Churchill rencontrerait M. Paul Reynaud, à Concarneau, le lendemain matin, pour prescrire en commun l'exécution des embarquements. Puis, mes interlocuteurs passèrent à un autre sujet.

« Nous savons, dirent-ils, qu'à Bordeaux, l'esprit d'abandon progresse rapidement. D'ailleurs, pendant que vous étiez en route pour venir ici, le gouvernement français a confirmé par télégramme la demande faite oralement, le 13, à M. W. Churchill par M. Paul Reynaud et tendant à obtenir que la France fût dégagée de l'accord du 28 mars. Nous n'avons pas encore connaissance de la réponse que feront les Anglais et qu'ils doivent adresser ce matin. Mais nous pensons qu'ils vont accepter, moyennant des garanties concernant la flotte. On approche donc des derniers moments. D'autant que le Conseil des ministres doit se réunir à Bordeaux dans la journée et que, suivant toute vraisemblance, ce Conseil sera décisif.

« Il nous a semblé, ajoutaient MM. Corbin et Monnet, qu'une sorte de coup de théâtre, jetant dans la situation un élément tout nouveau, serait de nature à changer l'état des esprits et, en tout cas, à renforcer M. Paul Reynaud dans son intention de prendre le chemin d'Alger. Nous avons donc préparé avec Sir Robert Vansittart, Secrétaire permanent du Foreign Office, un projet qui semble saisissant. Il s'agirait d'une proposition d'union de la France et de l'Angleterre qui serait solennellement adressée par le gouvernement de Londres à celui de Bordeaux. Les deux pays décideraient la fusion de leurs pouvoirs publics, la mise en commun de leurs ressources et de leurs pertes, bref la liaison complète entre leurs destins respectifs. Devant une pareille démarche, faite dans de pareilles circonstances, il est possible que nos ministres veuillent prendre du champ et, tout au moins, différer l'abandon. Mais encore faudrait-il que notre projet fût adopté par le gouvernement britannique. Vous seul pouvez obtenir cela de M. Churchill. Il est prévu que vous déjeunerez tout à l'heure avec lui. Ce sera l'occasion suprême, si toutefois, vous approuvez l'idée. »

J'examinai le texte qui m'était apporté. Il m'apparut aussitôt que ce qu'il avait de grandiose excluait, de toute manière, une réalisation rapide. Il sautait aux yeux qu'on ne pouvait, en vertu d'un échange de notes, fondre ensemble, même en principe, l'Angleterre et la France, avec leurs institutions, leurs intérêts, leurs Empires, à supposer que ce fût souhaitable. Les points mêmes qui, dans le projet, seraient susceptibles d'être réglés d'une manière pratique, — comme, par exemple, la mise en commun des dommages, — exigeraient des négociations complexes. Mais, dans l'offre que le gouvernement britannique adressait au nôtre, il y aurait une manifestation de solidarité qui pourrait revêtir une réelle signification. Surtout, je pensai, comme MM. Corbin et Monnet, que le projet était de nature à apporter à M. Paul Reynaud, dans la crise ultime où il était plongé, un élément de réconfort et, vis-à-vis de ses ministres, un argument de ténacité. J'accepterai donc de m'employer auprès de M. Churchill pour le lui faire prendre à son compte.

La matinée fut chargée. Je commençai par régler la destination du *Pasteur,* qui transportait un millier de canons de 75, des milliers de mitrailleuses et des lots de munitions venant des Etats-Unis. Sur le rapport de notre mission militaire, le navire, qui était en mer, fut dérouté par mon ordre de Bordeaux, où il allait, vers un port de Grande-Bretagne. Etant donné la tournure des événements, il fallait empêcher que ce chargement, alors inestimable, tombât aux mains de l'ennemi. En fait, les canons et les mitrailleuses apportés par le *Pasteur* contribuèrent à réarmer les Britanniques qui avaient perdu, à Dunkerque, presque tout leur matériel.

Quant à l'affaire des transports, je trouvai chez les Anglais un sincère empressement à renforcer nos moyens pour l'embarquement de nos éléments et la protection des convois ; la machinerie de l'exécution étant montée par l'Amirauté en liaison avec notre mission navale que commandait l'amiral Odend'hal. Mais il était évident qu'à Londres on ne croyait guère à un sursaut de la France officielle. Les contacts que je pris me laissèrent voir que les mesures prévues par nos alliés, dans les divers domaines, l'étaient en fonction de notre renonciation imminente à la lutte. Par-dessus tout, le sort de notre marine hantait, littéralement, les esprits. Pendant ces heures dramatiques, chaque Français sentait peser sur lui l'interrogation muette ou exprimée de tous les Anglais rencontrés : « Que va-t-il advenir de votre flotte ? »

Le Premier ministre britannique avait, lui aussi, cela en tête quand je vins, avec MM. Corbin et Monnet, déjeuner au « Carlton Club » en sa compagnie. « Quoi qu'il arrive, lui dis-je, la flotte française ne sera pas volontairement livrée. Pétain lui-même n'y consentirait pas. D'ailleurs, la flotte, c'est le fief de Darlan. Un féodal ne livre pas son fief. Mais pour qu'on puisse être sûr que l'ennemi ne mettra jamais la main sur nos navires, il faudrait que nous restions en guerre. Or, je dois vous déclarer que votre attitude à Tours m'a fâcheusement surpris. Vous y avez paru faire bon marché de notre alliance. Votre résignation sert les gens qui, chez nous, inclinent à la capitulation. « Vous voyez bien que nous y sommes forcés, disent-ils. Les Anglais eux-mêmes nous donnent leur consentement. » Non ! C'est tout autre chose que vous avez à faire pour nous encourager dans la crise effroyable où nous sommes. »

M. Churchill parut ébranlé. Il conféra un moment avec le major Morton son chef de cabinet. Je supposai qu'il prenait, *in extremis,* les dispositions nécessaires pour faire modifier une décision déjà arrêtée. Peut-être fut-ce là la cause du fait qu'une demi-heure plus tard, à Bordeaux, l'ambassadeur d'Angleterre venait retirer des mains de M. Paul Reynaud la note qu'il lui avait d'abord apportée et par laquelle le gouvernement britannique consentait, en principe, à ce que la France demandât à l'Allemagne les conditions d'un éventuel armistice.

J'entretins alors M. Churchill du projet d'union des deux peuples. « Lord Halifax m'en a parlé, me dit-il. Mais c'est un énorme morceau. » — « Oui ! répondis-je. Aussi la réalisation impliquerait-elle beaucoup de temps. Mais la manifestation peut être immédiate. Au point où en sont les choses, rien ne doit être négligé par vous de ce qui

peut soutenir la France et maintenir notre alliance. »
Après quelque discussion, le Premier ministre se rangea à
mon avis. Il convoqua, sur-le-champ, le Cabinet britannique et se rendit à Downing Street pour en présider la
réunion. Je l'y accompagnai et, tandis que les ministres
délibéraient, me tins, avec l'ambassadeur de France, dans
un bureau attenant à la salle du Conseil. Entre-temps,
j'avais téléphoné à M. Paul Reynaud pour l'avertir que
j'espérais lui adresser, avant la fin de l'après-midi et
d'accord avec le gouvernement anglais, une très importante communication. Il me répondit qu'en conséquence
il remettait à 17 heures la réunion du Conseil des ministres. « Mais, ajouta-t-il, je ne pourrai différer davantage. »

La séance du Cabinet britannique dura deux heures,
pendant lesquelles sortait, de temps en temps, l'un ou
l'autre des ministres pour préciser quelque point avec
nous, Français. Soudain, tous entrèrent, M. Churchill à
leur tête. « Nous sommes d'accord ! » s'exclamaient-ils.
En effet, sauf détails, le texte qu'ils apportaient était celui-
là même que nous leur avions proposé. J'appelai aussitôt
par téléphone M. Paul Reynaud et lui dictai le document.
« C'est très important ! dit le président du Conseil. Je vais
utiliser cela à la séance de tout à l'heure. » En quelques
mots, je lui adressai tout ce que je pus d'encouragement.
M. Churchill prit l'appareil : « Allô ! Reynaud ! de Gaulle
a raison ! Notre proposition peut avoir de grandes conséquences. Il faut tenir ! » Puis, après avoir écouté la
réponse qui lui était faite : « Alors, à demain ! à Concarneau. »

Je pris congé du Premier ministre. Il me prêtait un
avion pour rentrer tout de suite à Bordeaux. Nous
convînmes que l'appareil resterait à ma disposition en
prévision d'événements qui m'amèneraient à revenir.
M. Churchill lui-même devait aller prendre le train pour
embarquer sur un destroyer afin de gagner Concarneau.
A 21 h 30, j'atterrissais à Bordeaux. Le colonel Humbert
et Auburtin, de mon cabinet, m'attendaient à l'aéro-

drome. Ils m'apprenaient que le président du Conseil avait donné sa démission et que le président Lebrun avait chargé le maréchal Pétain de former le gouvernement. C'était la capitulation certaine. Ma décision fut prise aussitôt. Je partirais dès le matin.

J'allai voir M. Paul Reynaud. Je le trouvai sans illusion sur ce que devait entraîner l'avènement du Maréchal et, d'autre part, comme soulagé d'un fardeau insupportable. Il me donna l'impression d'un homme arrivé à la limite de l'espérance. Ceux-là seuls qui en furent témoins peuvent mesurer ce qu'a représenté l'épreuve du pouvoir pendant cette période terrible. A longueur des jours sans répit et des nuits sans sommeil, le président du Conseil sentait peser sur sa personne la responsabilité entière du sort de la France. Car, toujours, le Chef est seul en face du mauvais destin. C'est lui qu'atteignaient tout droit les péripéties qui marquèrent les étapes de notre chute : percée allemande à Sedan, désastre de Dunkerque, abandon de Paris, effondrement à Bordeaux. Pourtant, il n'avait pris la tête du gouvernement qu'à la veille même de nos malheurs, sans nul délai pour y faire face et après avoir, depuis longtemps, proposé la politique militaire qui aurait pu les éviter. La tourmente, il l'affronta avec une solidité d'âme qui ne se démentit pas. Jamais, pendant ces journées dramatiques, M. Paul Reynaud n'a cessé d'être maître de lui. Jamais on ne le vit s'emporter, s'indigner, se plaindre. C'était un spectacle tragique qu'offrait cette grande valeur, injustement broyée par des événements excessifs.

Au fond, la personnalité de M. Paul Reynaud répondait à des conditions où il eût été possible de conduire la guerre dans un certain ordre de l'Etat et sur la base de données traditionnellement acquises. Mais tout était balayé ! Le chef du gouvernement voyait autour de lui s'effondrer le régime, s'enfuir le peuple, se retirer les alliés, défaillir les chefs les plus illustres. A partir du jour où le gouvernement avait quitté la capitale, l'exercice même du pouvoir n'était plus qu'une sorte d'agonie, déroulée le long des routes, dans la dislocation des services, des disciplines et des consciences. Dans de telles conditions, l'intelligence de M. Paul Reynaud, son courage, l'autorité de sa fonction, se déployaient pour ainsi dire à vide. Il n'avait plus de prise sur les événements déchaînés.

Pour ressaisir les rênes, il eût fallu s'arracher au tourbillon, passer en Afrique, tout reprendre à partir de là. M. Paul Reynaud le voyait. Mais cela impliquait des mesures extrêmes : changer le Haut Commandement, renvoyer le Maréchal et la moitié des ministres, briser avec certaines influences, se résigner à l'occupation totale de la métropole, bref, dans une situation sans précédent, sortir à tous risques du cadre et du processus ordinaires.

M. Paul Reynaud ne crut pas devoir prendre sur lui des décisions aussi exorbitantes de la normale et du calcul. Il essaya d'atteindre le but en manœuvrant. De là, en particulier, le fait qu'il envisagea un examen éventuel des conditions de l'ennemi, pourvu que l'Angleterre donnât son consentement. Sans doute, jugeait-il que ceux-là mêmes qui poussaient à l'armistice reculeraient quand ils en connaîtraient les conditions et qu'alors s'opérerait le regroupement de toutes les valeurs pour la guerre et le salut. Mais le drame était trop rude pour que l'on pût composer. Faire la guerre sans ménager rien ou se rendre tout de suite, il n'y avait d'alternative qu'entre ces deux extrémités. Faute, pour M. Paul Reynaud, de s'être tout à fait identifié à la première, il cédait la place à Pétain qui adoptait complètement la seconde.

Il faut dire qu'au moment suprême le régime n'offrait aucun recours au chef du dernier gouvernement de la IIIᵉ République. Assurément, beaucoup des hommes en place répugnaient à la capitulation. Mais les pouvoirs publics, foudroyés par le désastre dont ils se sentaient responsables, ne réagissaient aucunement. Tandis qu'était posé le problème, dont dépendaient pour la France tout le présent et tout l'avenir, le Parlement ne siégeait pas, le gouvernement se montrait hors d'état de prendre en corps

une solution tranchée, le président de la République
s'abstenait d'élever la voix, même au sein du Conseil des
ministres, pour exprimer l'intérêt supérieur du pays. En
définitive, cet anéantissement de l'Etat était au fond du
drame national. A la lueur de la foudre, le régime
paraissait, dans son affreuse infirmité, sans nulle mesure
et sans nul rapport avec la défense, l'honneur, l'indépendance de la France.

Tard dans la soirée, je me rendis à l'hôtel où résidait Sir
Ronald Campbell, Ambassadeur d'Angleterre, et lui fis
part de mon intention de partir pour Londres. Le général
Spears, qui vint se mêler à la conversation, déclara qu'il
m'accompagnerait. J'envoyai prévenir M. Paul Reynaud.
Celui-ci me fit remettre, sur les fonds secrets, une somme
de 100 000 francs. Je priai M. de Margerie d'envoyer sans
délai à ma femme et à mes enfants, qui se trouvaient à
Carantec, les passeports nécessaires pour gagner l'Angleterre, ce qu'ils purent tout juste faire par le dernier bateau
quittant Brest. Le 17 juin à 9 heures du matin, je
m'envolai, avec le général Spears et le lieutenant de
Courcel sur l'avion britannique qui m'avait transporté la
veille. Le départ eut lieu sans romantisme et sans
difficulté.

Nous survolâmes La Rochelle et Rochefort. Dans ces
ports brûlaient des navires incendiés par les avions
allemands. Nous passâmes au-dessus de Paimpont, où se
trouvait ma mère, très malade. La forêt était toute
fumante des dépôts de munitions qui s'y consumaient.
Après un arrêt à Jersey, nous arrivâmes à Londres au
début de l'après-midi. Tandis que je prenais logis et que
Courcel, téléphonant à l'Ambassade et aux missions, les
trouvait déjà réticentes, je m'apparaissais à moi-même,
seul et démuni de tout, comme un homme au bord d'un
océan qu'il prétendrait franchir à la nage.

LA FRANCE LIBRE

POURSUIVRE la guerre ? Oui, certes ! Mais pour quel but et dans quelles limites ? Beaucoup, lors même qu'ils approuvaient l'entreprise, ne voulaient pas qu'elle fût autre chose qu'un concours donné, par une poignée de Français, à l'Empire britannique demeuré debout et en ligne. Pas un instant, je n'envisageai la tentative sur ce plan-là. Pour moi, ce qu'il s'agissait de servir et de sauver, c'était la nation et l'Etat.

Je pensais, en effet, que c'en serait fini de l'honneur, de l'unité, de l'indépendance, s'il devait être entendu que, dans cette guerre mondiale, seule la France aurait capitulé et qu'elle en serait restée là. Car, dans ce cas, quelle que dût être l'issue du conflit, que le pays, décidément vaincu, fût un jour débarrassé de l'envahisseur par les armes étrangères ou qu'il demeurât asservi, le dégoût qu'il aurait de lui-même et celui qu'il inspirerait aux autres empoisonneraient son âme et sa vie pour de longues générations. Quant à l'immédiat, au nom de quoi mener quelques-uns de ses fils à un combat qui ne serait plus le sien ? A quoi bon fournir d'auxiliaires les forces d'une autre puissance ? Non ! Pour que l'effort en valût la peine, il fallait aboutir à remettre dans la guerre, non point seulement des Français, mais la France.

Cela devait comporter : la réapparition de nos armées sur les champs de bataille, le retour de nos territoires à la belligérance, la participation du pays lui-même à l'effort de ses combattants, la reconnaissance par les puissances étrangères du fait que la France, comme telle, aurait continué la lutte, bref, le transfert de la souveraineté, hors du désastre et de l'attentisme, du côté de la guerre et, un jour, de la victoire.

Ce que je savais des hommes et des choses ne me laissait pas d'illusions sur les obstacles à surmonter. Il y aurait la puissance de l'ennemi, que seule pourrait briser une longue usure et qui trouverait le concours de l'appareil officiel français pour s'opposer au redressement guerrier de la France. Il y aurait les difficultés morales et matérielles qu'une lutte longue et acharnée comporterait forcément pour ceux qui auraient à la faire comme parias et sans moyens. Il y aurait la montagne des objections, imputations, calomnies, opposées aux combattants par les sceptiques et les peureux pour couvrir leur passivité. Il y aurait les entreprises dites « parallèles », mais en fait rivales et opposées, que ne manquerait pas de susciter, parmi les Français, leur passion de la dispute et que la politique et les services alliés utiliseraient, suivant la coutume, afin de disposer d'eux. Il y aurait, de la part de ceux qui visaient à la subversion, la volonté de dévoyer la résistance nationale vers le chaos révolutionnaire d'où leur dictature sortirait. Il y aurait, enfin, la tendance des grands Etats à profiter de notre affaiblissement pour pousser leurs intérêts au détriment de la France.

Quant à moi, qui prétendais gravir une pareille pente, je n'étais rien, au départ. A mes côtés, pas l'ombre d'une force, ni d'une organisation. En France, aucun répondant et aucune notoriété. A l'étranger, ni crédit, ni justification. Mais ce dénuement même me traçait ma ligne de conduite. C'est en épousant, sans ménager rien, la cause du salut national que je pourrais trouver l'autorité. C'est en agissant comme champion inflexible de la nation et de l'Etat qu'il me serait possible de grouper, parmi les Français, les consentements, voire les enthousiasmes, et d'obtenir des étrangers respect et considération. Les gens qui, tout au long du drame, s'offusquèrent de cette

intransigeance ne voulurent pas voir que, pour moi, tendu
à refouler d'innombrables pressions contraires, le moindre fléchissement eût entraîné l'effondrement. Bref, tout
limité et solitaire que je fusse, et justement parce que je
l'étais, il me fallait gagner les sommets et n'en descendre
jamais plus.

La première chose à faire était de hisser les couleurs. La
radio s'offrait pour cela. Dès l'après-midi du 17 juin,
j'exposai mes intentions à M. Winston Churchill. Nau-
fragé de la désolation sur les rivages de l'Angleterre,
qu'aurais-je pu faire sans son concours ? Il me le donna
tout de suite et mit, pour commencer, la B.B.C. à ma
disposition. Nous convînmes que je l'utiliserais lorsque le
gouvernement Pétain aurait demandé l'armistice. Or,
dans la soirée même, on apprit qu'il l'avait fait. Le
lendemain, à 18 heures, je lus au micro le texte que l'on
connaît. A mesure que s'envolaient les mots irrévocables,
je sentais en moi-même se terminer une vie, celle que
j'avais menée dans le cadre d'une France solide et d'une
indivisible armée. A quarante-neuf ans, j'entrais dans
l'aventure, comme un homme que le destin jetait hors de
toutes les séries.

Pourtant, tout en faisant mes premiers pas dans cette
carrière sans précédent, j'avais le devoir de vérifier
qu'aucune autorité plus qualifiée que la mienne ne
voudrait s'offrir à remettre la France et l'Empire dans la
lutte. Tant que l'armistice ne serait pas en vigueur, on
pouvait imaginer, quoique contre toute vraisemblance,
que le gouvernement de Bordeaux choisirait finalement la
guerre. N'y eût-il que la plus faible chance, il fallait la
ménager. C'est pour cela que, dès mon arrivée à Londres,
le 17 après midi, je télégraphiai à Bordeaux pour m'offrir
à poursuivre, dans la capitale anglaise, les négociations
que j'avais commencées la veille au sujet du matériel en
provenance des Etats-Unis, des prisonniers allemands et
des transports vers l'Afrique.

La réponse fut une dépêche me sommant de rentrer
sans délai. Le 20 juin, j'écrivis à Weygand, qui avait pris

dans la capitulation le titre étonnant de « Ministre de la Défense nationale », pour l'adjurer de se mettre à la tête de la résistance et l'assurer, s'il le faisait, de mon obéissance entière. Mais cette lettre devait m'être, quelques semaines plus tard, retournée par son destinataire avec une mention dont le moins qu'on puisse dire est qu'elle marquait sa malveillance. Le 30 juin, « l'Ambassade de France » me notifiait l'ordre de me constituer prisonnier à la prison Saint-Michel à Toulouse pour y être jugé par le Conseil de guerre. Celui-ci m'infligeait, d'abord, quatre ans de prison. Puis, sur appel *a minima* exigé par le « ministre », me condamnait à la peine de mort.

Escomptant, d'ailleurs, — et pour cause! — cette attitude de Bordeaux, je m'étais déjà tourné vers les autorités d'outre-mer. Dès le 19 juin, j'avais télégraphié au général Noguès, Commandant en chef en Afrique du Nord et Résident général au Maroc, pour me mettre à ses ordres au cas où il rejetterait l'armistice. Le soir même, parlant à la radio, j'adjurais : « l'Afrique de Clauzel, de Bugeaud, de Lyautey, de Noguès, de refuser les conditions ennemies ». Le 24 juin, par télégramme, je renouvelai mon appel à Noguès et m'adressai également au général Mittelhauser et à M. Puaux, respectivement Commandant en chef et Haut Commissaire au Levant, ainsi qu'au général Catroux, Gouverneur général de l'Indochine. Je suggérais à ces hautes autorités de former un organisme de défense de l'Empire, dont je pouvais assurer tout de suite les liaisons avec Londres. Le 27 juin, ayant eu connaissance d'un discours quelque peu belliqueux de M. Peyrouton, Résident général en Tunisie, je l'adjurai à son tour de faire partie du « Comité de défense », tout en renouvelant mes offres au général Mittelhauser et à M. Puaux. Le même jour, à tout hasard, je faisais retenir ma place et celle de mes officiers à bord d'un cargo français qui s'apprêtait à gagner le Maroc.

En fait de réponse, j'eus seulement un message de l'amiral de Carpentier, commandant la marine au Levant, qui m'annonçait que M. Puaux et le général Mittelhauser avaient télégraphié au général Noguès dans le même sens que moi. En outre, un des fils du général Catroux, qui se trouvait alors à Londres, m'apporta un télégramme que son père lui adressait, l'encourageant à combattre et le chargeant de m'exprimer sa sympathique approbation. Mais, en même temps, les Anglais, qui avaient envoyé en Afrique du Nord M. Duff Cooper, membre du Cabinet, avec le général Gort, pour proposer à Noguès le concours de leurs forces, voyaient leur délégation rentrer à Londres sans même avoir été reçue. Enfin, le général Dillon, chef de la liaison militaire britannique en Afrique du Nord, était renvoyé d'Alger.

Pourtant, le premier mouvement de Noguès avait été de relever le drapeau. On sait, qu'au vu des conditions allemandes, il avait, le 25 juin, télégraphié à Bordeaux, pour faire entendre qu'il était prêt à poursuivre la guerre. Employant une expression dont je m'étais moi-même servi à la radio six jours auparavant, il évoquait « la panique de Bordeaux », qui ne permettait pas au gouvernement « d'apprécier objectivement les possibilités de résistance de l'Afrique du Nord ». Il invitait Weygand « à reconsidérer ses ordres concernant l'exécution de l'armistice » et protestait que, si ces ordres étaient maintenus, « il ne pourrait les exécuter que la rougeur au front ». Il est clair que si Noguès avait choisi la voie de la résistance, tout l'Empire l'y aurait suivi. Mais on apprit bientôt que lui-même, ainsi que les autres résidents, gouverneurs, commandants supérieurs, obtempéraient aux sommations de Pétain et de Weygand et acceptaient l'armistice. Seuls, le général Catroux, Gouverneur général de l'Indochine, et le général Legentilhomme, commandant les troupes de la côte des Somalis, maintinrent leur réprobation. L'un et l'autre furent remplacés sans que leurs subordonnés fissent grand-chose pour les soutenir.

D'ailleurs, cette sorte d'affaissement de la plupart des « proconsuls » coïncidait, dans la métropole, avec un effondrement politique total. Les journaux qui nous parvenaient de Bordeaux, puis de Vichy, étalaient leur acceptation, ainsi que celle de tous les partis, groupements, autorités, institutions. L'Assemblée nationale, réunie les 9 et 10 juillet, remettait à Pétain tous les pouvoirs, presque sans en avoir débattu. A la vérité, 80 membres présents votaient courageusement contre cette abdication. D'autre part, ceux des parlementaires qui s'étaient embarqués sur le *Massilia* pour gagner l'Afrique du Nord avaient, par là, témoigné que pour eux l'Empire ne devait pas cesser la lutte. Cependant, c'est un fait qu'aucun homme public n'éleva la voix pour condamner l'armistice.

Au reste, si l'écroulement de la France avait plongé le monde dans la stupeur, si les foules, par toute la terre, voyaient avec angoisse s'abîmer cette grande lumière, si tel poème de Charles Morgan ou tel article de François Mauriac tiraient des larmes de bien des yeux, les Etats, eux, ne tardaient pas à accepter les faits accomplis. Sans doute, les gouvernements des pays en guerre contre l'Axe rappelaient-ils de France leurs représentants, soit qu'ils le fissent spontanément, comme pour Sir Ronald Campbell ou le général Vanier, soit que les Allemands exigeassent ces départs. Mais, à Londres, restait, tout de même, installé dans l'immeuble de l'Ambassade de France, un consul qui communiquait avec la métropole, tandis que M. Dupuis, Consul général du Canada, demeurait auprès du Maréchal et que l'Union sud-africaine y laissait son représentant. Surtout, on pouvait voir s'assembler à Vichy, autour de Mgr Valerio Valeri Nonce du Pape, de M. Bogomolov Ambassadeur de l'Union soviétique, bientôt de l'amiral Leahy Ambassadeur des Etats-Unis, un corps diplomatique imposant. Il y avait là de quoi refroidir l'ardeur des personnalités que leur premier mouvement eût portées vers la Croix de Lorraine.

Ainsi, parmi les Français comme dans les autres nations, l'immense concours de la peur, de l'intérêt, du désespoir, provoquait autour de la France un universel abandon. Si nombre de sentiments restaient fidèles à son passé, si maints calculs s'attachaient à tirer parti des lambeaux que lui laissait le présent, nul homme au monde, qui fût qualifié, n'agissait comme s'il croyait encore à son indépendance, à sa fierté, à sa grandeur. Qu'elle dût être, désormais, serve, honteuse, bafouée, tout ce qui comptait sur la terre tenait le fait pour acquis. Devant le vide effrayant du renoncement général, ma mission m'apparut, d'un seul coup, claire et terrible. En ce moment, le pire de son histoire, c'était à moi d'assumer la France.

Mais il n'y a pas de France sans épée. Constituer une force de combat, cela importait avant tout. Je m'y employai aussitôt. Certains éléments militaires se trouvaient en Angleterre. C'étaient, d'abord, les unités de la Division légère alpine qui, après avoir fait brillamment campagne en Norvège sous les ordres du général Béthouart, avaient été ramenées en Bretagne au milieu de juin et s'y étaient rembarquées en même temps que les dernières troupes anglaises. C'étaient, d'autre part, des navires de la marine de guerre, — au total près de 100 000 tonnes, — réfugiés de Cherbourg, de Brest, de Lorient, avec, à bord, outre leurs équipages, maints isolés et auxiliaires, le tout formant un effectif d'au moins 10 000 marins. C'étaient, encore, plusieurs milliers de soldats blessés naguère en Belgique et hospitalisés en Grande-Bretagne. Les missions militaires françaises avaient organisé le commandement et l'administration de tous ces éléments, de manière à les maintenir sous l'obédience de Vichy et à préparer le rapatriement général.

Le seul fait de prendre contact avec ces fractions multiples et dispersées comportait, pour moi, de grandes difficultés. Je ne disposais, tout d'abord, que d'un nombre infime d'officiers, presque tous subalternes, remplis d'une immense bonne volonté, mais impuissants à forcer l'appareil de la hiérarchie. Ce qu'ils pouvaient faire, et qu'ils firent, c'était de la propagande auprès des gradés et hommes qu'ils parvenaient à rencontrer. Le rendement devait être faible. Huit jours après mon appel du 18 juin, le nombre des volontaires campés dans la salle de l'Olympia, que les Anglais nous avaient prêtée, ne montait qu'à quelques centaines.

Il faut dire que les autorités britanniques ne favorisaient guère nos efforts. Sans doute, avait été distribué par leurs soins un tract prévenant les militaires français qu'ils pouvaient choisir entre le rapatriement, le ralliement au général de Gaulle et le service dans les forces de Sa Majesté. Sans doute les instructions données par Churchill, les interventions de Spears, chargé par le Premier ministre des liaisons entre la France Libre et les services anglais, parvenaient-elles quelquefois à vaincre l'inertie ou l'opposition. Sans doute, la presse, la radio, beaucoup d'associations, d'innombrables particuliers, faisaient-ils à notre entreprise une chaleureuse réclame. Mais le Commandement britannique, qui attendait d'un jour à l'autre l'offensive allemande et, peut-être, l'invasion, se trouvait trop absorbé par ses propres préparatifs pour s'occuper d'une tâche à ses yeux très secondaire. D'ailleurs, par commodité et habitude professionnelles, il inclinait à respecter l'ordre normal, c'est-à-dire Vichy et ses missions. Enfin, ce n'est pas sans méfiance qu'il considérait ces alliés d'hier, humiliés par le malheur, mécontents d'eux-mêmes et des autres et tout chargés de griefs. Que feraient-ils, si l'ennemi déferlait ? Le plus sage n'était-il pas de les rembarquer au plus vite ? Et qu'importaient, en définitive, les quelques bataillons sans cadres et équipages sans états-majors que le général de Gaulle prétendait pouvoir rallier ?

Le 29 juin, je me rendis à Trentham-Park, où se trouvait campée la Division légère de montagne. Le général commandant la Division voulait lui-même regagner la France, quoique avec la ferme intention de rentrer quelque jour en ligne, ce qu'il devait, d'ailleurs, faire effectivement et glorieusement plus tard. Mais il avait pris ses dispositions pour que je puisse voir chaque corps de troupe rassemblé. Ainsi me fut-il possible de rallier une grande partie des deux bataillons de la 13e Demi-brigade de Légion Etrangère, avec leur chef le lieutenant-colonel Magrin-Verneret, dit Monclar, et son adjoint le capitaine Kœnig, deux centaines de chasseurs alpins, les deux tiers d'une compagnie de chars, quelques éléments d'artillerie, du génie, des transmissions, plusieurs officiers de l'état-major et des services, parmi lesquels le commandant de Conchard, les capitaines Dewavrin et Tissier. Cela, bien qu'après mon départ du camp, les colonels britanniques de Chair et Williams, envoyés par le War Office, eussent à leur tour réuni les troupes pour leur dire littéralement ceci : « Vous avez toute latitude pour servir sous les ordres du général de Gaulle. Mais nous devons vous faire observer, en tant qu'hommes parlant à des hommes, que si vous vous y décidez, vous serez des rebelles à votre Gouvernement... »

Le lendemain, je voulus visiter les camps d'Aintree et de Haydock où se trouvaient rassemblés plusieurs milliers de marins français. Dès mon arrivée, l'amiral anglais commandant à Liverpool me déclara qu'il s'opposait à ce que je voie les hommes parce que cela pourrait nuire au bon ordre. Il me fallut partir bredouille. Je fus plus heureux à Harrow-Park quelques jours après. Malgré tout, un courant d'engagements s'organisait parmi nos marins. Quelques officiers résolus, qui m'avaient aussitôt rejoint, tels les capitaines de corvette d'Argenlieu, Wietzel, Moulec, Jourden, s'y employaient de tout leur cœur. Les officiers et équipages de trois petits navires de guerre s'étaient tout de suite déclarés : sous-marin *Rubis* (commandant Cabanier) qui croisait sur les côtes de Norvège ; sous-marin *Narval* (commandant Drogou) qui, dès mon appel, quitta Sfax et rallia Malte, pour être, plus tard, coulé en action dans la Méditerranée ; chalutier-patrouilleur *Président-Honduce* (commandant Descha-tres.) L'arrivée du vice-amiral Muselier, contre lequel les incidents de sa carrière et les traits de sa personnalité dressaient dans la Marine de nombreux éléments, mais dont l'intelligence et le savoir-faire présentaient des avantages dans cette période aventureuse, me permit de donner un centre et un répondant technique à l'embryon de nos forces navales. Pendant ce temps, quelques douzaines d'aviateurs, que j'allai voir au camp de Saint-Atham, se groupaient autour des capitaines de Rancourt, Astier de Villatte, Bécourt-Foch, en attendant que le commandant Pijeaud en reçût le commandement.

Cependant, des volontaires isolés atteignaient chaque jour l'Angleterre. Ils venaient généralement de France, amenés par les derniers navires qui en étaient régulièrement partis, ou évadés sur de petits bateaux dont ils avaient pu se saisir, ou encore parvenus à grand-peine à travers l'Espagne en échappant à la police de ce pays, qui enfermait ceux qu'elle prenait dans le camp de Miranda. Des aviateurs, dérobant des appareils aux consignes de Vichy, réussissaient à quitter l'Afrique du Nord pour atterrir à Gibraltar. Des marins de commerce, que les hasards de la navigation et, parfois, l'évasion d'un navire, — comme par exemple le *Capo Olmo*, commandant Vuillemin, — avaient conduits hors des ports français, réclamaient un poste de combat. Des Français vivant à l'étranger venaient demander du service. Ayant réuni à White City 2 000 blessés de Dunkerque, convalescents dans les hôpitaux anglais, j'obtins 200 engagements. Un bataillon colonial, qui se trouvait à Chypre, détaché de l'Armée du Levant, se rallia spontanément avec son chef, le commandant Lorotte. Dans les derniers jours de juin, abordait en Cornouaille une flottille de bateaux de pêche amenant au général de Gaulle tous les hommes valides de l'Ile de Sein. Jour après jour, le ralliement de ces garçons resplendissants d'ardeur et dont beaucoup, pour nous rejoindre, avaient accompli des exploits, affermissait notre résolution. Sur ma table s'entassaient des messages venus de tous les points du monde et m'apportant, de la part d'individus ou de petits groupes, d'émouvantes demandes d'engagement. Mes officiers et ceux de la mission Spears déployaient des prodiges d'insistance et d'ingéniosité pour arranger leur transport.

Tout à coup, un événement lamentable vint suspendre le courant. Le 4 juillet, la radio et les journaux annonçaient que la flotte britannique de la Méditerrannée avait, la veille, attaqué l'escadre française au mouillage à Mers-el-Kébir. En même temps, nous étions informés que les Anglais avaient occupé par surprise les navires de guerre français réfugiés dans les ports de Grande-Bretagne, débarqué de force et interné, — non sans incidents sanglants, — les états-majors et les équipages. Enfin, le 10, était publiée la nouvelle du torpillage, par des avions anglais, du cuirassé *Richelieu* ancré en rade de Dakar. Les communiqués officiels et les feuilles publiques de Londres tendaient à présenter cette série d'agressions comme une sorte de victoire navale. Il était clair que, pour le gouvernement et l'Amirauté britanniques, l'angoisse du péril, les relents d'une vieille rivalité maritime, les griefs accumulés depuis le début de la bataille de France et venus au paroxysme avec l'armistice conclu par Vichy, avaient éclaté en une de ces sombres impulsions par quoi l'instinct refoulé de ce peuple brise quelquefois toutes les barrières.

Il n'avait jamais été, cependant, vraisemblable que la flotte française entamât d'elle-même des hostilités contre les Britanniques. Depuis mon arrivée à Londres, je l'avais constamment affirmé au gouvernement anglais ainsi qu'à l'Amirauté. D'ailleurs, il était certain que Darlan, indépendamment de tous motifs évidents d'intérêt national, n'irait pas de lui-même céder aux Allemands son propre bien : la Marine, aussi longtemps qu'il en disposerait. Au fond, si Darlan et ses seconds renonçaient à jouer le rôle magnifique que leur offraient les événements et à devenir le recours ultime de la France, alors que, par contraste avec l'armée, la flotte se trouvait intacte, c'est parce qu'ils se croyaient certains de conserver leurs bateaux. Lord Lloyd, ministre anglais des Colonies, et l'amiral Sir Dudley Pound, Premier lord de la mer, venus de Bordeaux le 18 juin, avaient obtenu de Darlan sa parole d'honneur que nos navires ne seraient pas livrés. Pétain et

Baudouin, de leur côté, s'y étaient formellement engagés. Enfin, contrairement à ce que les agences anglaises et américaines avaient, d'abord, donné à croire, les termes de l'armistice ne comportaient aucune mainmise directe des Allemands sur la flotte française.

Par contre, il faut reconnaître que, devant la capitulation des gouvernants de Bordeaux et les perspectives de leurs défaillances futures, l'Angleterre pouvait redouter que l'ennemi parvînt, un jour, à disposer de notre flotte. Dans cette éventualité, la Grande-Bretagne eût été mortellement menacée. En dépit de la douleur et de la colère où nous étions plongés, moi-même et mes compagnons, par le drame de Mers-el-Kébir, par les procédés des Anglais, par la façon dont ils s'en glorifiaient, je jugeai que le salut de la France était au-dessus de tout, même du sort de ses navires, et que le devoir consistait toujours à poursuivre le combat.

Je m'en expliquai ouvertement, le 8 juillet, à la radio. Le gouvernement britannique, sur le rapport de son ministre de l'Information, M. Duff Cooper, eut l'habileté élégante de me laisser disposer, pour le faire, du micro de la B.B.C., quelque désagréables que fussent, pour les Anglais, les termes de ma déclaration.

Mais c'était, dans nos espoirs, un terrible coup de hache. Le recrutement des volontaires s'en ressentit immédiatement. Beaucoup de ceux, militaires ou civils, qui s'apprêtaient à nous rejoindre, tournèrent alors les talons. En outre, l'attitude adoptée à notre égard par les autorités dans l'Empire français, ainsi que par les éléments navals et militaires qui le gardaient, passa, la plupart du temps, de l'hésitation à la réprobation. Vichy, bien entendu, ne se fit pas faute d'exploiter à outrance l'événement. Les conséquences allaient en être graves quant au ralliement des territoires africains.

Pourtant, nous reprîmes notre tâche. Le 13 juillet, je me risquai à annoncer : « Français ! Sachez-le ! Vous avez encore une armée de combat. » Le 14 juillet, je passai à Whitehall, au milieu d'une foule saisie par l'émotion, la revue de nos premiers détachements, pour aller ensuite à leur tête déposer une gerbe tricolore à la statue du maréchal Foch. Le 21 juillet, j'obtins que plusieurs de nos aviateurs prissent part à un bombardement de la Ruhr et fis publier que les Français Libres avaient repris le combat. Entre-temps, tous nos éléments, suivant l'idée émise par d'Argenlieu, adoptèrent comme insigne la Croix de Lorraine. Le 24 août, le roi George VI venait rendre visite à notre petite armée. A la voir, on pouvait reconnaître que « le tronçon du glaive » serait fortement trempé. Mais, mon Dieu, qu'il était court !

Fin juillet, le total de nos effectifs atteignait à peine 7 000 hommes. C'était là tout ce que nous pourrions recruter en Grande-Bretagne même, ceux des éléments militaires français qui n'avaient pas rallié étant, maintenant, rapatriés. A grand-peine, nous récupérions les armes et le matériel qu'ils avaient laissés sur place et dont, souvent, s'étaient emparés, soit les Anglais, soit d'autres alliés. Quant aux navires, nous n'étions en mesure d'en armer que quelques-uns, et c'était un crève-cœur que de voir naviguer les autres sous pavillon étranger. Peu à peu et malgré tout, prenaient corps nos premières unités, pourvues de moyens disparates, mais formées de gens résolus.

Ceux-ci étaient, en effet, de cette forte espèce à laquelle devaient appartenir les combattants de la résistance française, où qu'ils aient pu se trouver. Goût du risque et de l'aventure poussé jusqu'à l'amour de l'art, mépris pour les veules et les indifférents, propension à la mélancolie et, par là même, aux querelles pendant les périodes sans danger, faisant place dans l'action à une ardente cohésion, fierté nationale aiguisée jusqu'à l'extrême par le malheur de la patrie et le contact d'alliés bien pourvus, par-dessus tout confiance souveraine en la force et en la ruse de leur propre conjuration, tels furent les traits psychologiques de cette élite partie de rien et qui devait, peu à peu, grandir au point d'entraîner derrière elle toute la nation et tout l'Empire.

Tandis que nous tâchions de nous forger quelques forces, s'imposait la nécessité de régler nos rapports avec le gouvernement britannique. Celui-ci d'ailleurs, y était disposé, non point tant par goût des précisions juridiques que dans son désir de voir fixer pratiquement, en territoire de Sa Majesté, les droits et les obligations de ces personnages sympathiques, mais passablement contrariants, qu'étaient les Français combattants.

Dès le premier instant, j'avais entretenu M. Churchill de mon intention de provoquer, si possible, la formation d'un « Comité national » pour diriger notre effort de guerre. Afin d'y aider, le gouvernement britannique faisait, le 23 juin, publier deux déclarations. La première déniait au gouvernement de Bordeaux le caractère de l'indépendance. La seconde prenait acte du projet de formation d'un Comité national français et manifestait, par avance, l'intention de le reconnaître et de traiter avec lui en toute matière relative à la poursuite de la guerre. Le 23 juin, le gouvernement britannique lançait un communiqué constatant la volonté de résistance manifestée par plusieurs hautes autorités de l'Empire français et leur proposant son concours. Puis, comme rien ne venait, de nulle part, le Cabinet de Londres se retrouvait en face du seul général de Gaulle et prenait le parti, le 28 juin, de le reconnaître publiquement comme « chef des Français Libres ».

C'est donc en cette qualité que j'entamai, avec le Premier ministre et le Foreign Office, les conversations nécessaires. Le point de départ fut un mémorandum que j'avais moi-même, le 26 juin, fait parvenir à M. Churchill et à Lord Halifax. L'aboutissement fut l'accord du 7 août 1940. Plusieurs clauses, auxquelles je tenais, donnèrent lieu à des tractations délicates entre les négociateurs : M. Strang pour nos alliés, le professeur René Cassin pour nous.

Envisageant, d'une part, l'hypothèse où les vicissitudes de la guerre amèneraient l'Angleterre à une paix de compromis, considérant, d'autre part, que les Britanniques pourraient, d'aventure, être tentés par telle ou telle de nos possessions d'outre-mer, j'insistai pour que la Grande-Bretagne garantît le rétablissement des frontières de la Métropole et de l'Empire français. Les Anglais acceptèrent finalement de promettre « la restauration intégrale de l'indépendance et de la grandeur de la France », mais sans engagement relatif à l'intégrité de nos territoires.

Bien que je fusse convaincu que les opérations militaires communes, sur terre, sur mer et dans les airs, devraient être normalement dirigées par des chefs anglais, étant donné le rapport des moyens, je me réservai dans tous les cas le « commandement suprême » des forces françaises, n'acceptant pour elles que « les directives générales du Haut Commandement britannique ». Ainsi était établi leur caractère purement national. Encore, fis-je spécifier, — non sans objections de la part des Britanniques, — qu'en aucun cas les volontaires « ne porteraient les armes contre la France ». Cela ne signifiait pas qu'ils ne dussent jamais combattre des Français. Il fallait bien, hélas ! prévoir le contraire, Vichy étant ce qu'il était et non, point du tout, la France. Mais la clause visait à garantir que l'action militaire alliée, avec laquelle se confondait la nôtre, lors même qu'elle se heurterait aux forces de la France officielle, ne serait pas employée contre la France réelle, ne nuirait pas à son patrimoine, non plus qu'à ses intérêts.

Si les dépenses afférentes aux forces de la France Libre devaient, d'après l'accord, incomber provisoirement au gouvernement britannique, faute, pour nous, de disposer initialement d'aucune ressource, je tins à ce qu'il fût formulé qu'il ne s'agissait que d'avances, dont le remboursement serait, un jour, assuré, compte tenu des fournitures faites par nous en contrepartie. Le remboursement intégral eut lieu effectivement et au cours même du conflit, de telle sorte, qu'en définitive, notre effort de guerre ne resta, dans aucune mesure, à la charge de l'Angleterre.

Enfin, malgré la soif de tonnage maritime dont étaient, — trop légitimement ! — dévorés les Britanniques, nous leur fîmes admettre, non sans mal, qu'une « liaison permanente » serait établie entre leurs services et les nôtres pour régler « l'utilisation des navires de commerce français et de leurs équipages ».

C'est aux Chequers que Churchill et moi signâmes ensemble le document.

L'accord du 7 août eut, pour la France Libre, une importance considérable, non seulement parce que, dans l'immédiat, il la tirait matériellement d'embarras, mais encore pour cette raison que les autorités britanniques, ayant maintenant une base officielle pour leurs rapports avec nous, n'hésitèrent plus à nous faciliter les choses. Surtout, le monde entier connut qu'un commencement de solidarité franco-anglaise était, malgré tout, rétabli. Les conséquences s'en firent bientôt sentir dans certains territoires de l'Empire et parmi les Français vivant à l'étranger. Mais aussi, d'autres Etats, voyant procéder par la Grande-Bretagne à un début de reconnaissance, firent quelques pas dans le même chemin. Ce fut le cas, en premier lieu, pour les gouvernements réfugiés en Angleterre, dont sans doute les forces étaient faibles, mais dont la représentation et l'influence internationales subsistaient.

Car, pour chacune des nations d'Europe que submergeaient les armées d'Hitler, l'Etat avait emporté sur des rivages libres l'indépendance et la souveraineté. Il devait en être de même pour celles dont, par la suite, l'Allemagne ou l'Italie occupèrent également le territoire. Pas un gouvernement ne consentit à subir le joug de l'envahisseur, non, pas un seul, excepté, hélas ! celui qui se disait le gouvernement de la France et qui, pourtant, avait à sa disposition un vaste Empire gardé par de grandes forces et l'une des premières flottes du monde !

A mesure des désastres de juin, la Grande-Bretagne avait vu arriver sur son sol les souverains et les ministres de Norvège, de Hollande, du Luxembourg, puis le président de la République et les ministres polonais et,

après quelque retard, le Cabinet belge. Les Tchécoslova-
ques entreprenaient de s'organiser. Le roi d'Albanie
prenait quelques contacts. C'est sous une inspiration à la
fois généreuse et calculée que l'Angleterre offrait l'hospitalité à ces Etats réfugiés. Si dépouillés qu'ils fussent, il
leur restait toujours quelque chose. Plusieurs d'entre eux
apportaient l'or et les devises de leur banque. Les
Hollandais avaient l'Indonésie et une flotte non négligeable, les Belges le Congo, les Polonais une petite armée, les
Norvégiens de nombreux navires de commerce, les Tchèques, — ou plus exactement Benès, — des réseaux
d'information au centre et à l'est de l'Europe et d'actives
relations américaines. Au surplus, il n'était pas indifférent
au prestige de l'Angleterre d'apparaître comme le
suprême rempart de l'ancien monde en perdition.

Pour ces exilés, la France Libre, qui, elle, n'avait rien,
était une intéressante expérience. Mais elle attirait surtout
les plus inquiets et les plus malheureux, tels les Polonais
et les Tchèques. A leurs yeux, nous qui restions fidèles à
la tradition de la France, représentions, par là même, une
espérance et un pôle d'attraction. En particulier, Sikorski
et Benès, tout ombrageux qu'ils fussent au milieu des
intrigues et des susceptibilités qui compliquaient pour eux
le malheur. établirent avec moi des rapports constants et
suivis. Jamais peut-être, mieux qu'au fond de ce gouffre,
je n'ai senti ce qu'était, pour le monde, la vocation de la
France.

Tandis que nous nous efforcions d'assurer à la France
Libre un commencement d'audience internationale, je
tâchais de mettre sur pied l'embryon d'un pouvoir et
d'une administration. Presque inconnu, complètement
dépourvu, il eût été de ma part dérisoire de proclamer
« gouvernement » l'organisme élémentaire que je formais
autour de moi. D'ailleurs, bien que je fusse convaincu que
Vichy irait, de chute en chute, jusqu'à la dégradation
totale, bien que j'eusse proclamé l'illégitimité d'un régime
qui était à la discrétion de l'ennemi, je voulais ménager la
possibilité d'une refonte des pouvoirs publics dans la

guerre si l'occasion s'en offrait jamais. Aussi, me gardai-je, jusqu'à l'extrémité, de rien bâtir, fût-ce dans les termes, qui pût gêner, le cas échéant, le regroupement de l'Etat. Aux détenteurs de l'autorité dans l'Empire, je n'avais suggéré que de s'unir pour sa défense. Puis, quand leur carence fut constatée, je décidai de former moi-même, dès que ce serait possible, un simple « Comité national ».

Encore fallait-il que des personnalités assez représentatives voulussent m'apporter leur concours. Pendant les premiers jours, quelques optimistes pensaient qu'on en trouverait à volonté. On annonçait, d'heure en heure, le passage à Lisbonne ou le débarquement à Liverpool de tel homme politique connu, de tel général célèbre, de tel académicien consacré. Mais le démenti venait vite. A Londres même, sauf quelques exceptions, les Français notoires qui s'y trouvaient, soit en service, soit par occasion, ne rejoignirent pas la France Libre. Beaucoup se firent rapatrier. Certains demeurèrent sur place mais en faisant profession d'obédience à Vichy. Quant à ceux qui prirent parti contre la capitulation, les uns organisèrent leur exil pour leur compte en Angleterre ou aux Etats-Unis, d'autres se mirent au service des gouvernements britannique ou américain, rares furent les « capacités » qui se rangèrent sous ma bannière.

« Vous avez raison ! me disait, par exemple, M. Corbin, Ambassadeur de France. Moi, qui ai consacré le meilleur de ma carrière à la cause de l'alliance franco-britannique, j'ai pris ouvertement parti en donnant ma démission le lendemain même de votre appel. Mais je suis un vieux fonctionnaire. Depuis quarante ans, je vis et j'agis dans un cadre régulier. La dissidence, c'est trop pour moi ! »

« Vous avez tort ! m'écrivait M. Jean Monnet, de constituer une organisation qui pourrait apparaître en France comme créée sous la protection de l'Angleterre... Je partage complètement votre volonté d'empêcher la

France d'abandonner la lutte... Mais ce n'est pas de Londres que peut partir l'effort de résurrection... »

« Je dois rentrer en France, faisait dire M. René Mayer, pour ne pas séparer mon sort de celui de mes coreligionnaires qui vont y être persécutés. »

« Je vous approuve, m'affirmait M. Bret. Quant à moi, dans la Métropole ou dans l'Empire, j'aiderai de mon mieux au redressement de la France. »

« Nous allons en Amérique, me déclaraient MM. André Maurois, Henry Bonnet, de Kérillis. C'est là, d'ailleurs, que nous pourrons vous être le plus utiles. »

« Nommé consul général à Shanghaï, m'annonçait M. Roland de Margerie, je passe à Londres, non pour vous joindre, mais pour gagner la Chine. J'y servirai, comme vous le faites ici, les intérêts de la France. »

Au contraire, M. Pierre Cot, bouleversé par les événements, m'adjurait de l'utiliser à n'importe quelle tâche, « même à balayer l'escalier ». Mais il était trop voyant pour que cela fût désirable.

Au total, quelles qu'en fussent les raisons, cette abstention presque générale des personnalités françaises ne rehaussait certes pas le crédit de mon entreprise. Il me fallait remettre à plus tard la formation de mon Comité. Moins il venait de notables, moins de notables avaient envie de venir.

Quelques-uns, pourtant, furent tout de suite à mes côtés et apportèrent aux devoirs qu'ils assumaient à l'improviste une ardeur et une activité grâce auxquelles, en dépit de tout, le navire prit et tint la mer. Le professeur Cassin était mon collaborateur, — combien précieux ! — pour tous les actes et documents sur lesquels s'établissait, à partir de rien, notre structure intérieure et extérieure. Antoine avait à diriger l'administration des premiers services civils, tâche infiniment ingrate dans cette période d'improvisation. Lapie, Escarra, puis Hackin, — ce dernier devant bientôt périr en mer avec sa femme au cours d'une mission, — se tenaient en relation avec les bureaux du Foreign Office et ceux des gouverne-

ments européens en exil. Ils prenaient, en outre, contact
avec les Français vivant à l'étranger à qui j'avais fait appel.
Pleven et Denis avaient en charge nos minuscules finances
et préparaient les conditions dans lesquelles pourraient
vivre les colonies qui se rallieraient. Schumann portait à la
radio la parole de la France Libre, Massip dépouillait la
presse et l'informait sur notre compte. Bingen réglait avec
nos alliés l'emploi des navires et des marins de commerce
français.

Du côté proprement militaire, Muselier aidé par d'Argenlieu, Magrin-Verneret par Kœnig, Pigeaud par Rancourt, organisaient respectivement les premières unités,
navales, terrestres, aériennes. Morin était en charge de
l'armement. Tissier, Dewavrin, Hettier de Boislambert,
formaient mon état-major. Geoffroy de Courcel faisait
auprès de moi fonction de chef de cabinet, d'aide de
camp, d'interprète et, souvent, de bon conseiller. Tels
étaient les membres de cet « entourage » que la propagande adverse dénonçait comme un ramassis de traîtres,
de mercenaires, d'aventuriers. Mais eux, soulevés par la
grandeur de la tâche, se serraient autour de moi pour le
meilleur et pour le pire.

Aux services britanniques, dont le concours nous était
alors indispensable, le général Spears présentait nos
affaires. Il le faisait avec une ténacité et une dextérité dont
j'ai le devoir de dire qu'elles furent, dans ces rudes
débuts, d'une utilité essentielle. Pourtant, lui-même ne
trouvait, du côté anglais, aucune facilité. Le conformisme
des hiérarchies se défiait de ce personnage qui, en tant que
membre du Parlement, officier, homme d'affaires, diplomate, écrivain, appartenait à la fois à de multiples
catégories, sans se classer dans aucune. Mais lui, pour
bousculer les routines, mettait en jeu son intelligence, la
crainte qu'inspiraient les morsures de son esprit, enfin le
charme qu'il savait montrer, à l'occasion. Par surcroît, il
portait à la France, qu'il connaissait autant qu'un étranger
puisse la connaître, une sorte d'amour inquiet et domina-
teur.

Alors que tant d'autres tenaient ma tentative pour une encombrante aventure, Spears en avait tout de suite saisi le caractère et la portée. C'est avec ardeur qu'il avait assumé sa mission auprès de la France Libre et de son chef. Mais, s'il voulait les servir, il n'en était que plus jaloux. S'il approuvait leur indépendance vis-à-vis de tous les autres, il la ressentait avec peine quand elle se dressait devant lui. C'est pourquoi, en dépit de tout ce qu'il fit pour nous aider, au départ, le général Spears devait, un jour, se détourner de notre entreprise et se mettre à la combattre. Dans la passion qu'il lui opposa, n'y eut-il pas le regret de n'avoir pu la conduire et la tristesse de l'avoir quittée ?

Mais la France Libre, à sa naissance, ne rencontrait pas encore cette sorte d'adversaires que suscite le succès. Elle se débattait seulement dans les misères qui sont le lot des faibles. Nous travaillions, mes collaborateurs et moi, à Saint-Stephen's House, sur l' « Embankment » de la Tamise, dans un appartement meublé de quelques tables et chaises. Par la suite, l'administration anglaise mit à notre disposition, à Carlton Gardens, un immeuble plus commode où s'installa notre siège principal. C'est là que déferlait sur nous, jour après jour, la vague des déceptions. Mais c'est là, aussi, que venait nous soulever au-dessus de nous-mêmes le flot des encouragements.

Car, de France, affluaient les témoignages. Par les voies les plus ingénieuses, parfois avec l'accord des censeurs, des gens simples nous envoyaient des lettres et des messages. Telle cette photo, prise le 14 juin place de l'Etoile à l'arrivée des Allemands, montrant un groupe de femmes et d'hommes abîmés dans la douleur autour du tombeau du Soldat inconnu, et envoyée le 19 juin avec ces mots : « De Gaulle ! nous vous avons entendu. Maintenant nous vous attendrons ! » Telle cette image d'une tombe, couverte des fleurs innombrables que des passants y avaient jetées ; cette tombe étant celle de ma mère, morte à Paimpont, le 16 juillet, en offrant à Dieu ses souffrances pour le salut de la patrie et la mission de son fils.

Ainsi pouvions-nous mesurer quelle résonance trouvait, dans les profondeurs du peuple, notre refus d'accepter la défaite. En même temps, nous avions la preuve que, sur tout le territoire, on écoutait la radio de Londres et que, par là, un puissant moyen de guerre était à notre disposition. D'ailleurs, les Français vivant à l'étranger donnaient le même écho du sentiment national. Beaucoup se mettaient en rapport avec moi comme je le leur avais demandé et se groupaient pour aider la France Libre. Malglaive et Guéritte à Londres, Houdry et Jacques de Sieyès aux Etats-Unis, Soustelle au Mexique, le baron de Benoist au Caire, Godard à Téhéran, Guérin en Argentine, Rendu au Brésil, Piraud au Chili, Géraud Jouve à Constantinople, Victor à Delhi, Levay à Calcutta, Barbé à Tokyo, etc., prenaient à cet égard les premières initiatives. J'eus, bientôt, la certitude qu'en dépit des pressions des autorités de Vichy, des calomnies de leur propagande, de la mollesse d'un grand nombre, c'est sur la France Libre que le peuple portait ce qui lui restait de fierté et d'espérance. La pensée de ce que m'imposait à moi-même cet appel suprême de la nation ne m'a plus quitté un instant dans tout ce qu'il me fallut entreprendre et supporter.

En Angleterre même, l'estime et la sympathie entouraient les Français Libres. Le roi, d'abord, voulut les leur marquer. Chacun des membres de sa famille en fit autant. D'autre part, les ministres et les autorités ne manquaient jamais l'occasion de témoigner leurs bons sentiments. Mais on ne saurait imaginer la généreuse gentillesse que le peuple anglais lui-même montrait partout à notre égard. Toutes sortes d'œuvres se fondaient pour aider nos volontaires. On ne pouvait compter les gens qui venaient mettre à notre disposition leur travail, leur temps, leur argent. Chaque fois qu'il m'arrivait de paraître en public, c'était au milieu des plus réconfortantes manifestations. Quand les journaux de Londres annoncèrent que Vichy me condamnait à mort et confisquait mes biens, nombre de bijoux furent déposés à Carlton Gardens par des anonymes et plusieurs douzaines de veuves inconnues envoyèrent l'alliance de leur mariage afin que cet or pût servir à l'effort du général de Gaulle.

Il faut dire qu'une atmosphère vibrante enveloppait alors l'Angleterre. On attendait, d'un instant à l'autre, l'offensive allemande et, devant cette perspective, tout le monde se fortifiait dans une exemplaire fermeté. C'était un spectacle proprement admirable que de voir chaque Anglais se comporter comme si le salut du pays tenait à sa propre conduite. Ce sentiment universel de la responsabilité semblait d'autant plus émouvant qu'en réalité c'est de l'aviation que tout allait dépendre.

Que l'ennemi parvînt, en effet, à saisir la maîtrise du ciel, c'en serait fait de l'Angleterre ! La flotte, bombardée par l'air, n'empêcherait pas les convois germaniques de passer la mer du Nord. L'armée, forte à peine d'une douzaine de divisions très éprouvées par la bataille de France et dépourvues d'armement, serait hors d'état de repousser les débarquements. Après quoi, les grandes unités allemandes auraient beau jeu d'occuper tout le territoire en dépit des résistances locales organisées par la Home Guard. Assurément, le roi et le gouvernement seraient, à temps, partis pour le Canada. Mais les renseignés chuchotaient les noms d'hommes politiques, d'évêques, d'écrivains, de gens d'affaires, qui, dans cette éventualité, s'entendraient avec les Allemands pour assurer, sous leur coupe, l'administration du pays.

Mais c'étaient là des spéculations qui ne touchaient pas la masse. Les Anglais, dans leur ensemble, se préparaient à la lutte à outrance. Chacun et chacune entraient dans le réseau des mesures de défense. Tout ce qui était : construction d'abris, distribution des armes, des outils, du matériel, travaux des usines et des champs, services, consignes, rationnement, ne laissait rien à désirer au point de vue de l'ardeur et de la discipline. Seuls manquaient les moyens, dans ce pays qui avait, lui aussi, longtemps

négligé de se mettre en garde. Mais tout se passait comme
si les Anglais entendaient suppléer, à force de dévouement, à ce qui leur faisait défaut. L'humour, d'ailleurs,
n'y manquait pas. Une caricature de journal représentait
la formidable armée allemande parvenue en Grande-
Bretagne, mais arrêtée sur la route, avec ses chars, ses
canons, ses régiments, ses généraux, devant une barrière
de bois. Un écriteau indiquait, en effet, que pour la
franchir il fallait payer un penny. Faute d'avoir reçu des
Allemands tous les pennies obligatoires, le préposé anglais
au péage, petit vieux courtois, mais inflexible, refusait de
lever l'obstacle en dépit de l'indignation qui soulevait,
d'un bout à l'autre, la monstrueuse colonne de l'envahisseur.

Cependant, alertée sur ses terrains, la Royal Air Force
était prête. Dans le peuple, beaucoup, désireux de sortir
d'une tension presque insupportable, en venaient à souhaiter tout haut que l'ennemi risquât l'attaque. M. Churchill, tout le premier, s'impatientait dans l'attente. Je le
vois encore, aux Chequers, un jour d'août, tendre les
poings vers le ciel en criant : « Ils ne viendront donc
pas ! » — « Etes-vous si pressé, lui dis-je, de voir vos villes
fracassées ? » — « Comprenez, me dit-il, que le bombardement d'Oxford, de Coventry, de Canterbury, provo-
quera aux Etats-Unis une telle vague d'indignation qu'ils
entreront dans la guerre ! »

Je marquai là-dessus quelque doute, en rappelant que,
deux mois auparavant, la détresse de la France n'avait pas
fait sortir l'Amérique de sa neutralité. « C'est parce que la
France s'effondrait ! affirma le Premier ministre. Tôt ou
tard, les Américains viendront, mais à la condition qu'ici
nous ne fléchissions pas. C'est pourquoi je ne pense qu'à
l'aviation de chasse. » Il ajouta : « Vous voyez que j'ai eu
raison de vous la refuser à la fin de la bataille de France. Si
elle était, aujourd'hui, démolie, tout serait perdu pour
vous, aussi bien que pour nous. » — « Mais, dis-je à mon
tour, l'intervention de vos chasseurs, si elle s'était, au
contraire, produite, aurait peut-être ranimé l'alliance et

entraîné, du côté français, la poursuite de la guerre en Méditerranée. Les Britanniques seraient alors moins menacés, les Américains plus tentés de s'engager en Europe et en Afrique. » M. Churchill et moi tombâmes modestement d'accord pour tirer des événements, qui avaient brisé l'Occident, cette conclusion banale mais définitive : en fin de compte, l'Angleterre est une île ; la France, le cap d'un continent ; l'Amérique, un autre monde.

L'AFRIQUE

Au mois d'août, la France Libre avait quelques moyens, un début d'organisation, une certaine popularité. Il me fallait tout de suite m'en servir.

Si j'étais, à d'autres égards, assailli de perplexités, il n'y avait, quant à l'action immédiate à entreprendre, aucun doute dans mon esprit. Hitler avait pu gagner, en Europe, la première manche. Mais la seconde allait commencer, celle-ci à l'échelle mondiale. L'occasion pourrait venir un jour d'obtenir la décision là où elle était possible, c'est-à-dire sur le sol de l'ancien continent. En attendant, c'était en Afrique que nous, Français, devions poursuivre la lutte. La voie où j'avais, en vain, quelques semaines plus tôt, essayé d'entraîner gouvernement et commandement, j'entendais naturellement la suivre, dès lors que je me trouvais incorporer à la fois ce qui, de l'un et de l'autre, était resté dans la guerre.

Dans les vastes étendues de l'Afrique, la France pouvait, en effet, se refaire une armée et une souveraineté, en attendant que l'entrée en ligne d'alliés nouveaux, à côté des anciens, renversât la balance des forces. Mais alors, l'Afrique, à portée des péninsules : Italie, Balkans, Espagne, offrirait, pour rentrer en Europe, une excellente base de départ qui se trouverait être française. Au surplus, la libération nationale, si elle était un jour accomplie grâce aux forces de l'Empire, établirait entre la métropole et les terres d'outre-mer des liens de communauté. Au contraire, que la guerre finît sans que l'Empire eût rien tenté pour sauver la mère patrie, c'en serait fait, sans nul doute, de l'œuvre africaine de la France.

Il était, d'ailleurs, à prévoir que les Allemands porteraient la lutte au-delà de la Méditerranée, soit pour y couvrir l'Europe, soit pour y conquérir un domaine, soit pour aider leurs associés italiens, — éventuellement espagnols, — à y agrandir le leur. Même, on s'y battait déjà. L'Axe visait à atteindre Suez. Si nous restions passifs en Afrique, nos adversaires, tôt ou tard, s'attribueraient certaines de nos possessions, tandis que nos alliés seraient amenés à se saisir, à mesure des opérations, de tels de nos territoires nécessaires à leur stratégie.

Participer avec des forces et des terres françaises à la bataille d'Afrique, c'était faire rentrer dans la guerre comme un morceau de la France. C'était défendre directement ses possessions contre l'ennemi. C'était, autant que possible, détourner l'Angleterre et, peut-être un jour, l'Amérique, de la tentation de s'en assurer elles-mêmes pour leur combat et pour leur compte. C'était, enfin, arracher la France Libre à l'exil et l'installer en toute souveraineté en territoire national.

Mais par où aborder l'Afrique ? De l'ensemble : Algérie, Maroc, Tunisie, je ne pouvais, dans l'immédiat, rien attendre de positif. A vrai dire, nombre de messages d'adhésion, de la part de municipalités, associations, mess d'officiers, sections d'anciens combattants, m'en avaient été, tout d'abord, adressés. Mais la résignation était vite venue, en même temps que s'étendaient les sanctions et la censure, le drame de Mers-el-Kébir étouffant les ultimes velléités de résistance. Sur place, d'ailleurs, on constatait, non sans un « lâche soulagement », que l'armistice laissait l'Afrique du Nord en dehors de l'occupation. On y voyait l'autorité française se maintenir sous une forme militaire et catégorique qui rassurait les colons, quoique sans déplaire aux musulmans. Enfin, divers aspects de ce que Vichy appelait « la révolution nationale » : appel aux notables, relief donné à l'administration, parades d'anciens combattants, étalage d'antisémitisme, répondaient aux tendances de beaucoup. Bref, sans cesser d'imaginer que l'Afrique du Nord pourrait, un jour, « faire quelque chose », on·s'installait dans l'attentisme. Il n'y avait pas à compter, à l'intérieur, sur quelque mouvement spontané. Quant à y saisir l'autorité par une action venant du dehors, je n'y pouvais, évidemment, songer.

L'Afrique Noire présentait de tout autres possibilités. Aux premiers jours de la France Libre, les manifestations qui se déroulaient à Dakar, Saint-Louis, Ouagadougou, Abidjan, Konakry, Lomé, Douala, Brazzaville, Tananarive, et les messages qui m'en arrivaient, montraient que, pour ces territoires neufs où dominait l'esprit d'entreprise, la continuation de la guerre paraissait aller de soi. Sans doute, l'attitude de résignation finalement adoptée par Noguès, l'impression défavorable produite par l'affaire d'Oran, l'action de Boisson, d'abord gouverneur général de l'Afrique équatoriale, puis Haut Commissaire à Dakar, qui égarait dans l'équivoque l'ardeur de ses administrés, avaient atténué les bouillonnements africains. Cependant, le feu couvait dans la plupart de nos colonies.

C'est surtout dans l'ensemble de nos territoires équatoriaux que s'ouvraient les perspectives. Au Cameroun, en particulier, le mouvement d'opposition à l'armistice s'étendait à tous les milieux. La population, tant française qu'autochtone, de ce pays actif et vivant, s'indignait de la capitulation. On n'y doutait pas, d'ailleurs, que la victoire d'Hitler ramènerait la domination germanique subie avant la première guerre mondiale. Au milieu de l'émotion générale, on se passait des tracts, par lesquels d'anciens colons allemands, qui s'étaient naguère repliés dans l'île espagnole de Fernando-Po, annonçaient leur prochain retour dans les postes et les plantations. Un comité d'action s'était constitué autour de M. Mauclère, directeur des Travaux publics, et m'avait donné son adhésion. Sans doute, le gouverneur général Brunot, éperdu par la conjoncture, refusait-il de prendre parti. Mais on pouvait imaginer qu'une intervention résolue, venue de l'extérieur, entraînerait la solution.

Au Tchad, les conditions semblaient meilleures encore. Le gouverneur Félix Éboué avait tout de suite réagi dans le sens de la résistance. Cet homme d'intelligence et de cœur, ce noir ardemment français, ce philosophe humaniste, répugnait de tout son être à la soumission de la France et au triomphe du racisme nazi. Dès mes premiers appels, Éboué, d'accord avec son secrétaire général Laurentie, s'était, en principe, décidé. Les éléments français de la population inclinaient du même côté. Pour beaucoup, au demeurant, les suggestions du courage étaient aussi celles de la raison. Les militaires, dans leurs postes, au contact de la Libye italienne, conservaient l'esprit de guerre et aspiraient aux renforts que de Gaulle pourrait leur fournir. Les fonctionnaires et commerçants français, ainsi que les chefs africains, ne pensaient pas sans inquiétude à ce que deviendrait la vie économique du Tchad si son débouché normal, la Nigeria britannique, se fermait à lui tout à coup. Averti de cette situation par Éboué lui-même, je lui avais télégraphié, le 16 juillet. Il m'adressait, en réponse, un rapport circonstancié, annonçant son intention de se rallier publiquement, exposant les conditions de la défense et de la vie du territoire que la France avait confié à sa garde, demandant enfin ce que j'étais en mesure de faire pour lui permettre de porter, sous la Croix de Lorraine, ses responsabilités.

Au Congo, la situation se présentait comme plus obscure. Le gouverneur général Boisson avait résidé à Brazzaville jusqu'au milieu de juillet. Installé ensuite à Dakar, mais conservant un droit de regard sur l'ensemble équatorial, il y avait laissé comme successeur le général Husson, soldat estimable mais prisonnier d'une fausse discipline. Husson, malgré le chagrin où l'avait plongé le désastre, ne s'affranchirait certainement pas de l'obédience de Vichy. En Oubangui, où maints éléments prenaient parti pour la résistance, l'issue ne dépendait que de l'attitude du Congo. Par contre, le Gabon, vieille colonie conformiste et traditionnellement portée à se distinguer des autres territoires du groupe, restait, dans certains milieux, sur une réserve énigmatique.

Considérant la situation de l'Afrique Noire française, je résolus de tenter, d'abord, dans le moindre délai possible, le ralliement de l'ensemble équatorial. Je comptais que l'opération n'exigerait pas, sauf sans doute au Gabon, un véritable engagement de forces. Ensuite, si cette première affaire réussissait, j'entreprendrais d'agir en Afrique occidentale. Mais, quant à ce morceau-là, je ne pouvais penser à l'entamer que par un effort prolongé et avec d'importants moyens.

Pour commencer, le problème consistait à aborder à la fois Fort-Lamy, Douala et Brazzaville. Il fallait que toute l'affaire fût menée d'un seul coup et sans désemparer. Car Vichy, qui disposait des navires, des avions et des troupes de Dakar et qui pouvait, au besoin, recourir aux forces du Maroc, voire à la flotte de Toulon, avait tous les moyens voulus pour intervenir rapidement. L'amiral Platon, envoyé tout justement par Pétain et Darlan en mission d'inspection au Gabon et au Cameroun dans le courant de juillet, y avait influencé, dans le sens de Vichy, certains éléments militaires et civils. Je précipitai donc les choses. Lord Lloyd, ministre anglais des Colonies, à qui j'exposai mon projet, en comprit très bien l'importance, notamment pour ce qui concernait la sécurité de la Nigeria, du Gold-Coast, de la Sierra-Leone, de la Gambie, britanniques. Il donna à ses gouverneurs les instructions que je souhaitais et, le jour venu, mit un avion à ma disposition pour transporter de Londres à Lagos l'équipe de mes « missionnaires ».

Il s'agissait de Pleven, de Parant, d'Hettier de Boislambert. Ils auraient à régler, avec le gouverneur Eboué, les conditions de ralliement du Tchad et à exécuter, avec le concours de Mauclère et de son comité, le « coup d'Etat » de Douala. Au moment de leur départ, je pus joindre à l'équipe un quatrième, dont l'avenir devait montrer combien il était efficient. C'était le capitaine de Haute-

clocque. Il arrivait de France, par l'Espagne, la tête
bandée sur une blessure qu'il avait reçue en Champagne et
passablement fatigué. Il vint se présenter à moi, qui,
voyant à qui j'avais affaire, réglai sa destination sur-le-
champ. Ce serait l'équateur. Il n'eut que le temps de
s'équiper et, sous le nom de commandant Leclerc, muni
de l'ordre de mission que je remis à l'équipe, s'envola avec
les autres.

Mais, tout en hissant la Croix de Lorraine sur le Tchad
et le Cameroun, il faudrait aussi rallier les trois colonies
du Bas-Congo, de l'Oubangui et du Gabon, ce qui
reviendrait essentiellement à se saisir de Brazzaville,
capitale de l'Afrique équatoriale, siège et symbole de
l'autorité. C'est de quoi je chargeai le colonel de Larminat. Ce brillant et ardent officier se trouvait alors au Caire.
A la fin de juin, comme chef d'état-major de l'Armée du
Levant, il avait tenté, sans succès, de décider son chef, le
général Mittelhauser, à continuer la lutte, puis organisé
lui-même le départ vers la Palestine des éléments qui
n'acceptaient pas l'armistice. Mais Mittelhauser était
parvenu à leur faire rebrousser chemin, aidé, d'ailleurs,
par le général Wavell, Commandant en chef britannique
en Orient, qui redoutait que cet exode ne lui valût, au
total, plus d'ennuis que d'avantages. Seules, quelques
fractions avaient persisté et gagné la zone anglaise.
Larminat, mis aux arrêts, s'était échappé à son tour.
Passant à Djibouti, il y avait secondé les efforts tentés en
vain par le général Legentilhomme pour maintenir dans la
guerre la Côte française des Somalis et s'était, ensuite,
replié sur l'Egypte.

C'est là que lui parvint mon ordre de rallier Londres.
En chemin, il reçut celui de gagner Léopoldville. Il trouva
au Congo belge l'appui discret, mais déterminé, du
gouverneur général Ryckmans, la sympathie de l'opinion,
enfin le concours actif des Français établis dans le
territoire, moralement groupés autour du Dr Staub.
D'après mes instructions, Larminat devait préparer,
d'une rive à l'autre du Congo, sa propre instauration à

Brazzaville et coordonner l'action sur l'ensemble équatorial.

Quand tout fut prêt, Larminat, Pleven, Leclerc, Boislambert, ainsi que le commandant d'Ornano venu du Tchad à travers maints détours pour la circonstance, se réunirent à Lagos. Sir Bernard Bourdillon, gouverneur général de la Nigeria, donna aux Français Libres, en cette occasion, comme il devait toujours le faire, son actif et intelligent concours. Il fut convenu que le Tchad effectuerait, d'abord, son ralliement. Le lendemain serait exécutée l'affaire de Douala. Le surlendemain, celle de Brazzaville.

Le 26 août, à Fort-Lamy, le gouverneur Eboué et le colonel Marchand, commandant les troupes du territoire, proclamèrent solennellement que le Tchad se joignait au général de Gaulle. Pleven y était arrivé l'avant-veille par avion, pour déclencher en mon nom l'événement. Je l'annonçai moi-même à la radio de Londres et citai le Tchad à l'ordre de l'Empire.

Le 27, Leclerc et Boislambert réussirent brillamment le coup de main prévu au Cameroun. Pourtant, ils étaient partis avec des moyens infimes. J'avais, tout d'abord, espéré pouvoir leur procurer un détachement militaire qui faciliterait les choses. Nous avions, en effet, découvert dans un camp en Angleterre un millier de tirailleurs noirs, expédiés de Côte d'Ivoire pendant la bataille de France pour renforcer des unités coloniales et qui, arrivés trop tard, stationnaient en Grande-Bretagne en attendant le rapatriement. J'avais convenu, avec les Britanniques, que le détachement irait à Accra où le commandant Parant en prendrait le commandement. On pouvait penser que le retour de ces noirs en Afrique ne donnerait pas l'alarme à Vichy. De fait, ils furent débarqués en Gold-Coast. Mais leur allure était si belle que les officiers anglais ne purent se tenir de les incorporer dans leurs propres troupes. Leclerc et Boislambert n'eurent donc à leur disposition qu'une poignée de militaires et quelques colons réfugiés de Douala. Encore, au moment de quitter Victoria, reçurent-ils du général Giffard, Commandant en chef britannique, qui se prenait à redouter soudain les consé-quences de l'opération, l'interdiction de l'exécuter. En plein accord avec moi qui leur avais télégraphié qu'ils devaient agir par eux-mêmes, ils passèrent outre et, grâce à la compréhension des Anglais de Victoria, partirent en pirogue pour Douala.

La petite troupe y parvint au cours de la nuit. Un certain nombre de « gaullistes », accourus au premier signal chez le Dr Mauzé, l'accueillirent comme convenu. Leclerc, devenu, comme par enchantement, colonel et gouverneur, occupa avec simplicité le Palais du Gouverne-ment. Le lendemain, escorté par deux compagnies de la garnison de Douala, il arriva par le train à Yaoundé où se trouvaient les autorités. La « transmission » des pouvoirs s'y accomplit sans douleur.

A Brazzaville, l'affaire fut aussi bien menée. Le 28 août, à l'heure fixée, le commandant Delange se rendit au Palais du Gouvernement à la tête de son bataillon et invita le gouverneur général Husson à céder la place. Celui-ci le fit sans résistance, quoique non sans protesta-tions. La garnison, les fonctionnaires, les colons, les indigènes, dont, pour la grande majorité, l'opinion était faite d'avance, sous l'influence du médecin général Sicé, de l'intendant Souques, du colonel d'artillerie Serres, du lieutenant-colonel d'aviation Carretier, acceptèrent le fait avec joie. Le général de Larminat, traversant le Congo, prit aussitôt, en mon nom, les fonctions de Haut Commis-saire de l'Afrique équatoriale française avec pouvoirs civils et militaires. Le même bateau, qui l'avait amené, retourna à Léopoldville avec, à son bord, le général Husson.

Pour l'Oubangui, le gouverneur de Saint-Mart, qui n'attendait que cela, télégraphia son adhésion dès qu'il eut notification des événements de Brazzaville. Cependant, le commandant des troupes et certains éléments militaires s'enfermèrent dans leur casernement en menaçant de tirer sur la ville. Mais Larminat se rendit aussitôt à Bangui par

avion et ramena au devoir ces égarés de bonne foi.
Quelques officiers furent, néanmoins, mis à part et
dirigés, comme ils le demandaient, sur l'Afrique occidentale.

Ainsi, la plus grande partie du bloc Afrique équatoriale-
Cameroun se trouvait jointe à la France Libre sans qu'ait
coulé une seule goutte de sang. Seul, le Gabon restait
détaché de l'ensemble. Il s'en était, pourtant, fallu de peu
que cette colonie ne fût ralliée, elle aussi. Le 29 août, à
Libreville, le gouverneur Masson, avisé par Larminat du
changement d'autorité, m'avait télégraphié son adhésion.
En même temps il proclamait publiquement le ralliement
du territoire et le notifiait au commandant des troupes.

Mais, à Dakar, les autorités de Vichy avaient réagi
rapidement. Sur injonction de leur part, le commandant
de la Marine à Libreville, qui disposait d'un aviso, d'un
sous-marin et de plusieurs petits navires, faisait opposition au gouverneur et annonçait l'arrivée d'une escadre.
M. Masson, changeant alors d'attitude, déclarait que le
ralliement du Gabon à la France Libre résultait d'un
malentendu. Un hydravion de la Marine, allant et venant
entre Libreville et Dakar, déportait en Afrique occidentale celles des notabilités qui s'étaient « compromises » et
amenait au Gabon du personnel dévoué à Vichy. La
situation était retournée. Une enclave hostile et pour nous
difficile à réduire, puisqu'elle s'ouvrait sur la mer, se
trouvait ainsi créée dans l'ensemble des territoires équatoriaux. Pour en profiter, Vichy envoyait à Libreville le
général d'armée aérienne Têtu, avec le titre de gouverneur
général de l'Afrique équatoriale et la mission d'y rétablir
partout son autorité. En même temps, plusieurs bombardiers Glenn-Martin venaient se poser sur le terrain
d'aviation et le général Têtu les donnait comme l'avant-
garde de ce qui allait bientôt suivre.

Globalement, le résultat était, cependant, favorable.
J'en tirai l'espoir que la deuxième partie du plan de
ralliement de l'Afrique Noire pourrait, à son tour, réussir.

A vrai dire, cette nouvelle phase se présentait comme

beaucoup plus ardue. En Afrique occidentale, l'autorité établie se trouvait fortement centralisée et, d'ailleurs, étroitement reliée à celle de l'Afrique du Nord. Les moyens militaires y demeuraient considérables. La place de Dakar, bien armée, dotée d'ouvrages et de batteries modernes, appuyée par plusieurs escadrilles d'aviation, servant de base à une escadre, notamment à des sous-marins ainsi qu'au puissant *Richelieu* dont l'état-major ne rêvait que vengeance depuis que les torpilles anglaises avaient avarié le bâtiment, constituait un ensemble défensif et offensif redoutable. Enfin, le gouverneur général Boisson était un homme énergique, dont l'ambition, plus grande que le discernement, avait choisi de jouer la cause de Vichy. Il en donnait la preuve dès son arrivée à Dakar, au milieu du mois de juillet, en faisant mettre en prison l'Administrateur en chef de la Haute-Volta, Louveau, qui avait proclamé le ralliement du territoire à la France Libre.

Dans l'état de nos moyens, je ne pouvais donc penser aborder directement la place. D'autre part, je tenais pour essentiel d'éviter une vaste collision. Ce n'est pas, hélas ! que je me fisse d'illusions sur la possibilité de parvenir à la libération du pays sans qu'entre Français le sang coulât jamais. Mais, en un tel moment et sur ce terrain-là, une grande bataille engagée par nous, quelle qu'en pût être l'issue, eût gravement réduit nos chances. On ne saurait comprendre le déroulement de l'affaire de Dakar si l'on ignore que c'est cette conviction qui dominait mon esprit.

Mon projet initial écartait donc l'attaque directe. Il s'agirait de débarquer, à grande distance de la place, une colonne résolue qui progresserait vers l'objectif en ralliant, à mesure, les territoires traversés et les éléments rencontrés. Ainsi pouvait-on espérer que les forces de la France Libre, grossissant par contagion, aborderaient Dakar par les terres. C'est à Konakry que j'envisageais de débarquer les troupes. On pourrait, de là, marcher sur la capitale de l'Afrique occidentale en utilisant une voie ferrée et une route continues. Mais, pour empêcher

l'escadre de Dakar d'anéantir l'expédition, il était nécessaire que celle-ci fût couverte du côté de la mer. C'est à la
flotte anglaise que je devais le demander.

Je m'étais ouvert de ce projet à M. Churchill dans les
derniers jours de juillet. Il ne me répondit sur-le-champ
rien de positif mais, quelque temps après, m'invita à venir
le voir. Je le trouvai, le 6 août, comme d'habitude, dans
cette grande pièce de Downing Street qui, de par la
tradition, sert à la fois de bureau au Premier ministre et
de salle de réunion au Gouvernement de Sa Majesté. Sur
l'immense table qui remplit la pièce, il avait fait déployer
des cartes devant lesquelles il allait et venait en parlant
avec animation.

« Il faut, me dit-il, que nous nous assurions ensemble
de Dakar. C'est capital pour vous. Car, si l'affaire réussit,
voilà de grands moyens français qui rentrent dans la
guerre. C'est très important pour nous. Car la possibilité
d'utiliser Dakar comme base nous faciliterait beaucoup les
choses dans la dure bataille de l'Atlantique. Aussi, après
en avoir conféré avec l'Amirauté et les Chefs d'état-major,
puis-je vous dire que nous sommes disposés à concourir à
l'expédition. Nous envisageons d'y consacrer une escadre
considérable. Mais, cette escadre, nous ne pourrions la
laisser longtemps sur les côtes d'Afrique. La nécessité de
la reprendre pour contribuer à la couverture de l'Angleterre, ainsi qu'à nos opérations en Méditerranée, exige
que nous fassions les choses très rapidement. C'est
pourquoi, nous ne souscrivons pas à votre projet de
débarquement à Konakry et de lente progression à travers
la brousse qui nous obligerait à maintenir, pendant des
mois, nos navires dans ces parages. J'ai autre chose à vous
proposer. »

Alors, M. Churchill, colorant son éloquence des tons
les plus pittoresques, se mit à me peindre le tableau
suivant : « Dakar s'éveille, un matin, triste et incertaine.
Or, sous le soleil levant, voici que les habitants aperçoi-
vent la mer couverte au loin de navires. Une flotte
immense ! Cent vaisseaux de combat ou de charge ! Ceux-

ci s'approchent lentement en adressant par radio, à la ville, à la marine, à la garnison, des messages d'amitié. Certains arborent le pavillon tricolore. Les autres naviguent sous les couleurs britanniques, hollandaises, polonaises, belges. De cette escadre alliée se détache un inoffensif petit bateau portant le drapeau blanc des parlementaires. Il entre au port et débarque les envoyés du général de Gaulle. Ceux-ci sont conduits au gouverneur. Il s'agit de faire comprendre à ce personnage que, s'il vous laisse débarquer, la flotte alliée se retire et qu'il n'y a plus qu'à régler, entre lui et vous, les conditions de sa coopération. Au contraire, s'il veut le combat, il risque fort d'être écrasé. »

Et M. Churchill, débordant de conviction, décrivait et mimait, à mesure, les scènes de la vie future, telles qu'elles jaillissaient de son désir et de son imagination : « Pendant cette conversation entre le gouverneur et vos représentants, des avions français libres et britanniques survolent pacifiquement la ville, jetant des tracts de sympathie. Les militaires et les civils, parmi lesquels vos agents sont à l'œuvre, discutent passionnément entre eux des avantages qu'offrirait un arrangement avec vous et des inconvénients que présenterait, par contre, une grande bataille livrée à ceux qui, après tout, sont les alliés de la France. Le gouverneur sent que, s'il résiste, le terrain va se dérober sous ses pieds. Vous verrez qu'il poursuivra les pourparlers jusqu'à leur terme satisfaisant. Peut-être, entre-temps, voudra-t-il, « pour l'honneur », tirer quelques coups de canon. Mais il n'ira pas au-delà. Et, le soir, il dînera avec vous en buvant à la victoire finale. »

Dépouillant la conception de M. Churchill de ce que son éloquence y ajoutait d'ornements séduisants, je reconnus, après réflexion, qu'elle s'appuyait sur des données solides. Puisque les Anglais ne pouvaient distraire longtemps vers l'équateur des moyens navals importants, il n'y avait à envisager, pour me rendre maître de Dakar, qu'une opération directe. Or, celle-ci, à moins de prendre le caractère d'une attaque en règle, devait forcément comporter quelque mélange de persuasion et d'intimidation. D'autre part, je tenais pour probable que l'Amirauté britannique serait amenée, un jour ou l'autre, avec ou sans les Français Libres, à régler la question de Dakar, où l'existence d'une grande base atlantique et la présence du *Richelieu* ne pouvaient manquer d'exciter à la fois ses désirs et ses inquiétudes.

Je conclus que, si nous étions présents, il y aurait des chances pour que l'opération prît le tour d'un ralliement, fût-il contraint, à la France Libre. Si, au contraire, nous nous abstenions, les Anglais voudraient, tôt ou tard, opérer pour leur propre compte. Dans ce cas, la place résisterait vigoureusement, avec les canons des ouvrages et l'artillerie du *Richelieu*, tandis que les bombardiers Glenn-Martin, les chasseurs Curtiss, les sous-marins, — très dangereux pour des navires qui ne disposaient, alors, d'aucun moyen de détection, — tiendraient à leur merci toute armada de transport. Et quand bien même Dakar, écrasée d'obus, devrait finalement se rendre aux Britanniques, avec ses ruines et ses épaves, il y avait à craindre que l'opération se soldât au dommage de la souveraineté française.

Après un court délai, je revins chez M. Churchill pour lui dire que j'acceptais sa suggestion. J'élaborai le plan d'action avec l'amiral John Cunningham qui commanderait l'escadre britannique et en qui je devais trouver dans cette pénible affaire un compagnon parfois incommode, mais un marin excellent et un homme de cœur. En même temps, je faisais préparer les moyens, — très faibles ! — que nous, Français, pourrions engager dans l'entreprise. C'étaient trois avisos : *Savorgnan-de-Brazza, Commandant-Duboc, Commandant-Dominé,* et deux chalutiers armés : *Vaillant* et *Viking.* C'étaient aussi, à bord de deux paquebots hollandais : *Pennland* et *Westerland,* faute d'en avoir, alors, qui fussent français, un bataillon de légion, une compagnie de recrues, une compagnie de fusiliers marins, le personnel d'une compagnie de chars, celui d'une batterie d'artillerie, enfin des embryons de servi-

ces : en tout, deux milliers d'hommes. C'étaient, encore,
les pilotes de deux escadrilles. C'étaient, enfin, quatre
cargos français : *Anadyr, Casamance, Fort-Lamy, Nevada,*
portant le matériel lourd : chars, canons, avions *Lysander,
Hurricane* et *Blenheim* en caisses, véhicules de diverses
sortes, ainsi que du ravitaillement.

Quant aux Britanniques, leur escadre ne devait pas
comprendre tous les navires dont avait, d'abord, parlé
M. Churchill. Elle se composait finalement de deux
cuirassés d'ancien modèle : *Barham* et *Resolution,* de
quatre croiseurs, du porte-avions *Ark Royal,* de quelques
destroyers et d'un pétrolier. En outre, trois bateaux de
transport amèneraient, à toutes fins utiles, deux bataillons
d'infanterie de marine commandés par le brigadier Irwin,
avec des moyens de débarquement. Par contre, il n'était
plus question d'une brigade polonaise, dont on avait, tout
d'abord, annoncé qu'elle participerait à l'affaire. Il semblait que les états-majors, moins convaincus que le
Premier ministre de l'importance, ou bien des chances, de
l'entreprise, eussent rogné sur les moyens initialement
prévus.

Quelques jours avant le départ, une âpre discussion fut
soulevée par les Anglais au sujet de la destination que je
donnerais, en cas de réussite, à un stock d'or très
important qui se trouvait à Bamako. Il s'agissait de métal
précieux entreposé par la Banque de France pour son
compte et pour celui des banques d'Etat belge et polonaise. Les réserves et les dépôts de la Banque de France
avaient été, en effet, au moment de l'invasion allemande,
en partie évacués sur le Sénégal, tandis qu'une·autre
fraction était mise à l'abri dans les caves de la Federal
Bank américaine et que le solde gagnait la Martinique. A
travers le blocus, les frontières, les postes de garde, l'or de
Bamako était épié attentivement par les services de
renseignements des divers belligérants.

Les Belges et les Polonais désiraient, très légitimement,
que leur part leur fût laissée et je donnai à M. Spaak,
comme à M. Zaleski, les assurances convenables. Mais les

Britanniques, qui ne revendiquaient, évidemment, sur le tout aucun droit de propriété, entendaient, cependant, disposer de cet or comme moyen de régler directement leurs achats en Amérique, alléguant qu'ils le faisaient dans l'intérêt de la coalition. A cette époque, en effet, les Etats-Unis ne vendaient rien à personne qui ne fût payé comptant. Malgré l'insistance de Spears, la menace même qu'il me fit de voir les Anglais renoncer à l'expédition convenue, je refusai cette prétention. Finalement, il fut entendu, comme je l'avais, dès l'abord, proposé, que l'or français de Bamako servirait à gager seulement la part d'achats que l'Angleterre aurait à faire en Amérique pour le compte de la France combattante.

Avant de nous embarquer, la nouvelle du ralliement du Tchad, du Cameroun, du Congo, de l'Oubangui, était venue, juste à temps, aviver nos espérances. Même si nous ne réussissions pas à mettre la main sur Dakar, tout au moins comptions-nous, grâce aux renforts que nous amenions, organiser au centre de l'Afrique une base d'action et de souveraineté pour la France belligérante.

L'expédition partit de Liverpool, le 31 août. J'étais moi-même, avec une partie des unités françaises et un état-major réduit, à bord du *Westerland* arborant le pavillon français à côté du hollandais et dont le commandant : capitaine Plagaay, les officiers, l'équipage, devaient, comme ceux du *Pennland*, se montrer des modèles d'amical dévouement. Spears m'accompagnait, délégué par Churchill en qualité d'officier de liaison, de diplomate et d'informateur. En Angleterre, je laissais sous les ordres de Muselier nos forces en formation, sous la direction d'Antoine un embryon d'administration et, dans la personne de Dewavrin, un élément de liaison et d'information directes. En outre, le général Catroux, qui arrivait d'Indochine, était attendu prochainement et je lui expliquais par une lettre qui lui serait remise au moment de son arrivée l'ensemble de mes projets ainsi que mes intentions à son égard. Je calculais que, malgré mon absence et pourvu qu'elle ne durât pas longtemps, les réserves de sagesse accumulées par mes compagnons empêcheraient les querelles du dedans et les intrigues du dehors d'ébranler trop profondément l'édifice encore bien fragile ! Pourtant, sur le pont du *Westerland,* ayant quitté le port en pleine alerte de bombardement aérien avec ma toute petite troupe et mes minuscules bateaux, je me sentais comme écrasé par la dimension du devoir. Au large, dans la nuit noire, sur la houle qui gonflait l'océan, un pauvre navire étranger, sans canons, toutes lumières éteintes, emportait la fortune de la France.

Notre première destination était Freetown. D'après le plan, nous devions nous y regrouper et y recueillir les dernières informations. Nous y arrivâmes seulement le 17 septembre, ayant marché à la faible vitesse de nos cargos et fait, dans l'Atlantique, un grand détour pour éviter les avions et les sous-marins allemands. Or, en cours de traversée, des radiogrammes reçus de Londres nous avaient appris, au sujet des forces de Vichy, une nouvelle qui était de nature à tout remettre en question. Le 11 septembre, trois grands croiseurs modernes : *Georges-Leygues, Gloire, Montcalm,* et trois croiseurs légers : *Audacieux, Fantasque, Malin,* sortis de Toulon, avaient passé le détroit de Gibraltar sans que la flotte anglaise les arrêtât. Ils avaient ensuite touché Casablanca et atteint Dakar. Mais, à peine jetions-nous l'ancre à Freetown, qu'un nouveau et grave renseignement mettait le comble à nos perplexités. L'escadre, renforcée à Dakar par le croiseur *Primauguet,* venait d'appareiller et se dirigeait à toute vitesse vers le sud. Un destroyer anglais, détaché en surveillance, en gardait, de loin, le contact.

Je ne pouvais douter que cette puissante force navale filât vers l'Afrique équatoriale, où le port de Libreville lui était ouvert et où il lui serait facile de reprendre Pointe-Noire et Douala. Si un pareil coup de tonnerre ne suffisait pas à retourner la situation au Congo et au Cameroun, ces magnifiques navires pourraient aisément couvrir le transport et le débarquement de forces de répression venues de Dakar, de Konakry, ou d'Abidjan. L'hypothèse se confirma, d'ailleurs, presque aussitôt, quand le cargo *Poitiers,* venant de Dakar et filant vers Libreville, ayant été arraisonné par les Anglais, fut sabordé par son commandant. Il était clair que Vichy entamait une vaste opération destinée à se rétablir dans les territoires ralliés à la France Libre et que l'envoi de sept croiseurs vers l'équateur n'était concevable qu'avec le plein assentiment, sinon sur l'ordre, des Allemands. L'amiral Cunningham tomba d'accord avec moi qu'il fallait tout de suite arrêter l'escadre de Vichy.

Nous convînmes que les intrus recevraient l'injonction de regagner, non Dakar, évidemment, mais Casablanca. Faute de quoi, l'escadre anglaise entamerait les hostilités. Nous pensions bien, d'ailleurs, que la menace suffirait à faire virer de bord ces bâtiments fourvoyés. Car, si la vitesse des navires britanniques, notablement inférieure, ne pouvait leur permettre d'intercepter ceux de Vichy, leur puissance, qui était double, leur assurerait l'avantage sur les autres, dès que ceux-ci devraient s'embosser dans n'importe quelle rade équatoriale qu'aucune batterie ne défendait. Il faudrait, alors, que l'agresseur lâchât prise ou acceptât le combat dans de mauvaises conditions. Il y avait peu de chances pour que le chef de l'expédition se laissât acculer à une pareille alternative.

De fait, les croiseurs anglais qui prirent contact avec l'amiral Bourragué, commandant l'intempestive escadre, obtinrent sans difficulté que celle-ci virât de bord quand son chef connut, à sa complète surprise, la présence d'une flotte franco-anglaise dans les parages. Mais les navires de Vichy, défiant toute poursuite, rallièrent, bel et bien, Dakar. Seuls les croiseurs *Gloire* et *Primauguet,* que ralentissaient des avaries de machine et avec lesquels le capitaine de frégate Thierry d'Argenlieu, embarqué sur le destroyer *Ingerfield,* se mit, de ma part, en relation directe, obtempérèrent aux conditions et gagnèrent Casablanca après avoir décliné mon offre de se réparer à Freetown.

Ainsi, l'Afrique française libre échappait à un très

grand péril. Ce fait seul justifiait cent fois l'expédition que nous avions montée. D'autre part, le comportement de l'escadre venue de Toulon, naviguant vers l'équateur comme si nous n'y étions pas, puis renonçant à sa mission à l'instant où elle s'aperçut que nous nous y trouvions nous-mêmes, donnait à penser que Vichy n'était pas fixé sur notre propre destination. Mais, après nous être congratulés d'avoir ainsi fait avorter le projet de nos adversaires, il nous fallait convenir que le nôtre était gravement compromis. En effet, les autorités de Dakar se trouvaient désormais sur leurs gardes et avaient reçu le renfort de navires de grande valeur. Nous apprenions presque aussitôt, par nos agents de renseignements, que, pour servir les batteries du front de mer, des canonniers de la marine étaient substitués aux artilleurs coloniaux, jugés moins sûrs. Bref, nos chances d'occuper Dakar paraissaient, désormais, bien réduites.

A Londres, M. Churchill et l'Amirauté estimèrent que, dans ces conditions, mieux valait ne rien entreprendre. Ils nous l'avaient télégraphié dès le 16 septembre, proposant que la flotte assurât simplement l'escorte de nos bateaux jusqu'à Douala et s'en fût ensuite ailleurs. Je dois dire que ce renoncement me sembla la pire solution. En effet, si nous laissions toutes choses en l'état à Dakar, Vichy n'aurait, pour reprendre sa tentative contre l'Afrique équatoriale, qu'à attendre le prochain retour des navires anglais vers le nord. La mer leur étant ouverte, les croiseurs de Bourragué fonceraient de nouveau vers l'équateur. Ainsi, les combattants à Croix de Lorraine, y compris le général de Gaulle, seraient-ils, tôt ou tard, bloqués dans ces territoires lointains et, lors même qu'ils n'y succomberaient pas, absorbés par une lutte stérile, menée contre d'autres Français, dans la brousse et la forêt. Pour eux, dans ces conditions, aucune perspective de combattre l'Allemand, ni l'Italien. Je ne doutais pas que ce fussent là les intentions de l'ennemi, dont les figurants de Vichy se faisaient, naturellement, les instruments, conscients ou non. Il m'apparut, qu'au point où en étaient les choses, nous devions, malgré tout, tenter d'entrer à Dakar.

Au reste, je dois reconnaître que les ralliements déjà obtenus en Afrique m'avaient rempli d'une sourde espérance, confirmée par les bonnes nouvelles qui, depuis le départ de Londres, étaient venues d'ailleurs. Le 2 septembre, les Etablissements français d'Océanie, sous le gouvernement provisoire de MM. Ahne, Lagarde, Martin, s'étaient joints à la France Libre. Le 9 septembre, le gouverneur Bonvin proclamait que les Etablissements français des Indes se rangeaient à mes côtés. Le 14 septembre, à Saint-Pierre et Miquelon, l'Assemblée générale des Anciens Combattants m'adressait son adhésion formelle, après quoi le gouvernement anglais engageait le gouvernement canadien à soutenir leur mouvement. Le 20 septembre, le gouverneur Sautot, après avoir lui-même rallié les Nouvelles-Hébrides, le 18 juillet, avait, sur mon ordre, gagné Nouméa. Là, le « Comité de Gaulle », présidé par Michel Verges, s'était rendu maître de la situation avec l'appui enthousiaste de la population, ce qui permettait à Sautot de prendre le gouvernement. Enfin, j'avais pu voir l'escadre Bourragué faire demi-tour à la première injonction. Qui pouvait affirmer que nous n'allions pas trouver à Dakar cette ambiance de consentement où s'aménagent les plus formelles consignes ? En tout cas, il fallait essayer.

L'amiral Cunningham réagit dans le même sens. Nous télégraphiâmes à Londres pour réclamer, d'une manière pressante, qu'on nous laissât tenter l'opération. M. Churchill, d'après ce qu'il me dit plus tard, fut surpris et charmé de cette insistance. Il y accéda volontiers et l'action fut décidée.

Avant de partir, je dus subir, cependant, une vive démarche de Cunningham qui prétendait me prendre sous ses ordres ainsi que mes modestes forces et m'offrir, en compensation, l'hospitalité sur son cuirassé amiral *Barham*. Je déclinai, bien entendu, la demande et l'invitation. Il y eut, ce soir-là, quelques éclats à bord du

Westerland où avait lieu l'entretien. Au cours de la nuit, l'amiral m'écrivit un mot plein de cordialité, renonçant à ses exigences. Nous levâmes l'ancre le 21 septembre. A l'aurore du 23, au milieu d'une brume très épaisse, nous étions devant Dakar.

Le brouillard allait compromettre gravement notre entreprise. En particulier, l'effet moral que, suivant Churchill, devait produire sur la garnison et sur la population l'aspect de notre flotte ne jouerait absolument pas, puisque l'on n'y voyait goutte. Mais il était, évidemment, impossible de différer. Le plan prévu fut donc mis à exécution. A 6 heures, je m'adressai par radio à la marine, aux troupes, aux habitants, leur annonçant notre présence et nos amicales intentions. Aussitôt après, s'envolèrent du pont de l'*Ark Royal* deux petits « Lucioles », avions français de tourisme, non armés, qui devaient atterrir sur l'aérodrome de Ouakam et y débarquer trois officiers : Gaillet, Scamaroni, Soufflet, avec une mission de fraternisation. De fait, j'appris rapidement que les « Lucioles » s'étaient posés sans difficulté et que le signal « Succès ! » se déployait sur le terrain.

Soudain, le feu de la D.C.A. se fit entendre en divers points. Des canons du *Richelieu* et de la place prenaient à partie les appareils français libres et anglais qui commençaient à survoler la ville en jetant des tracts d'amitié. Pourtant, quelque sinistre que fût cette canonnade, il me sembla qu'elle avait quelque chose d'hésitant. Aussi donnai-je l'ordre aux deux vedettes portant les parlementaires d'entrer dans le port, tandis que les avisos français libres, ainsi que le *Westerland* et le *Pennland*, se rapprochaient dans la brume jusqu'à l'entrée de la rade.

Il n'y eut, tout d'abord, aucune réaction. Le capitaine de frégate d'Argenlieu, le chef de bataillon Gotscho, les capitaines Bécourt-Foch et Perrin et le sous-lieutenant Porgès, firent amarrer leurs bateaux et descendirent sur le quai en demandant le commandant du port. Celui-ci s'étant présenté, d'Argenlieu lui dit être porteur d'une lettre du général de Gaulle pour le Gouverneur général, lettre qu'il devait remettre en main propre. Mais l'interlocuteur, sans cacher son trouble, déclara aux parlementaires qu'il avait l'ordre de les arrêter. En même temps, il manifestait l'intention d'appeler la garde. Ce que voyant, les envoyés regagnèrent les vedettes. Tandis que celles-ci s'éloignaient, des mitrailleuses firent feu sur elles. D'Argenlieu et Perrin, sérieusement blessés, furent amenés à bord du *Westerland*.

Là-dessus, les batteries de Dakar commencèrent à diriger sur les navires anglais et français libres un feu intermittent qui demeura plusieurs heures sans réponse. Le *Richelieu,* que des remorqueurs avaient déplacé dans le port pour qu'il pût mieux employer ses canons, commença le tir à son tour. Vers 11 heures, le croiseur *Cumberland* ayant été sérieusement touché, l'amiral Cunningham adressa à la place, par radio, ce message : « Je ne tire pas sur vous. Pourquoi tirez-vous sur moi ? » La réponse fut : « Retirez-vous à 20 milles ! » Sur quoi, les Anglais, à leur tour, envoyèrent quelques bordées. Cependant, le temps passait sans qu'on perçût, de part ni d'autre, de réelle ardeur combative. Aucun avion de Vichy n'avait pris l'air jusqu'au milieu de la journée.

De l'ensemble de ces indices, je ne tirais pas l'impression que la place fût résolue à une résistance farouche. Peut-être, la marine, la garnison, le gouverneur, attendaient-ils quelque événement qui pût leur servir de prétexte à une conciliation ? Vers midi, l'amiral Cunningham m'adressa un télégramme pour m'indiquer que tel était, à lui aussi, son sentiment. Sans doute, ne pouvait-on penser à faire entrer l'escadre dans le port. Mais ne serait-il pas possible de débarquer les Français Libres à proximité de la place dont ils tenteraient ensuite de s'approcher par la terre ? Cette solution avait été, d'avance, envisagée. Le petit port de Rufisque, hors du rayon d'action de la plupart des ouvrages, semblait convenir pour l'opération, à la condition toutefois que celle-ci ne rencontrât pas de résistance déterminée. En effet, si nos avisos pouvaient toucher Rufisque, nos transports ne le pouvaient pas en raison de leur tirant d'eau. Il faudrait donc que les troupes fussent débarquées par chaloupes, ce qui les priverait de leurs armes lourdes et exigerait la paix complète. Cependant, ayant reçu de Cunningham l'assurance qu'il nous couvrait du côté de la mer, je dirigeai tout vers Rufisque.

Vers 15 heures, toujours dans le brouillard, nous arrivions à pied d'œuvre. Le *Commandant-Duboc*, qui avait à son bord une section de fusiliers, entrait dans le port et envoyait vers la terre quelques marins dans une embarcation pour la manœuvre d'amarrage. Sur la rive, une foule d'indigènes accourait déjà pour accueillir la patrouille, lorsque les troupes de Vichy, en position aux alentours, ouvrirent le feu sur notre aviso, tuant et blessant plusieurs hommes. Quelques instants auparavant, deux bombardiers Glenn-Martin avaient survolé à basse altitude notre petite force, comme pour lui montrer qu'ils la tenaient à leur merci, ce qui était, en effet, le cas. Enfin, l'amiral Cunningham télégraphiait que les croiseurs *Georges-Leygues* et *Montcalm,* sortis de la rade de Dakar, se trouvaient dans la brume à un mille de nous et que les navires anglais, occupés ailleurs, ne pouvaient nous en couvrir. Décidément, l'affaire était manquée ! Non seulement le débarquement n'était pas possible, mais encore il suffisait de quelques coups de canon, tirés par les croiseurs de Vichy, pour envoyer par le fond toute l'expédition française libre. Je décidai de regagner le large, ce qui se fit sans nouvel incident.

Nous passâmes la nuit dans l'expectative. Le lendemain, la flotte anglaise, ayant reçu de M. Churchill un télégramme qui l'invitait à pousser activement l'affaire, adressa un ultimatum aux autorités de Dakar. Celles-ci répondirent qu'elles ne rendraient pas la place. Dès lors, la journée fut employée par les Britanniques à échanger au jugé, dans la brume plus épaisse que jamais, une assez vive canonnade avec les batteries de terre et les navires dans la rade. A la fin de l'après-midi, il paraissait évident qu'aucun résultat décisif ne pourrait être obtenu.

Comme le soir tombait, le *Barham* arriva tout près du *Westerland* et l'amiral Cunningham me pria de venir le voir pour discuter de la situation. A bord du cuirassé anglais l'ambiance était triste et tendue. Sans doute y déplorait-on de n'avoir pas réussi. Mais le sentiment dominant était celui de la surprise. Les Britanniques, gens pratiques, ne parvenaient pas à comprendre comment et pourquoi, à Dakar, les autorités, la marine, les troupes, déployaient cette énergie pour se battre contre leurs compatriotes et contre leurs alliés, tandis que la France gisait sous la botte de l'envahisseur. Quant à moi, j'avais, désormais, renoncé à m'en étonner. Ce qui venait de se passer me révélait, une fois pour toutes, que les gouvernants de Vichy ne manqueraient jamais d'abuser, contre l'intérêt français, du courage et de la discipline de ceux qui leur étaient soumis.

L'amiral Cunningham rendit compte de la situation. « Etant donné, déclara-t-il, l'attitude de la place et de l'escadre qui l'appuie, je ne crois pas que le bombardement puisse aboutir à une solution. » Le général Irwin, commandant les unités de débarquement, ajouta « qu'il était prêt à mettre ses troupes à terre pour donner l'assaut aux ouvrages, mais qu'il fallait bien comprendre que ce serait faire courir un grand risque à chaque bateau et à chaque soldat ». L'un et l'autre me demandèrent ce qu'il adviendrait du « mouvement » de la France Libre, s'il était mis un terme à l'expédition.

« Jusqu'à présent, dis-je, nous n'avons pas dirigé d'attaque à fond contre Dakar. La tentative d'entrer dans la place à l'amiable a échoué. Le bombardement ne décidera rien. Enfin, le débarquement de vive force et l'assaut donné aux ouvrages mèneraient à une bataille rangée que, pour ,ma part, je désire éviter et dont vous m'indiquez vous-mêmes que l'issue serait très douteuse. Il nous faut donc, pour le moment, renoncer à prendre Dakar. Je propose à l'amiral Cunningham d'annnoncer qu'il arrête le bombardement à la demande du général de Gaulle. Mais le blocus doit être poursuivi pour ne pas laisser leur liberté d'action aux navires qui se trouvent à Dakar. Ensuite, nous aurons à préparer une tentative nouvelle en marchant sur la place par les terres, après débarquement en des points non ou peu défendus, par exemple à Saint-Louis. En tout cas et quoi qu'il arrive, la France Libre continuera. »

L'amiral et le général anglais se rangèrent à mon avis pour ce qui était de l'immédiat. Dans la nuit tombante, je quittai le *Barham* à bord d'une chaloupe dansant sur les vagues, tandis que l'état-major et l'équipage, rangés le long des rambardes, me rendaient tristement les honneurs.

Mais deux faits allaient, pendant la nuit, faire revenir l'amiral Cunningham sur ce dont nous avions convenu. D'abord un nouveau télégramme de M. Churchill l'invitait expressément à poursuivre l'entreprise. Le Premier ministre s'y montrait étonné et irrité que l'affaire pût tourner court, d'autant plus que, déjà, les milieux politiques de Londres et, surtout, ceux de Washington, impressionnés par les radios de Vichy et de Berlin, commençaient à s'agiter. D'autre part, le brouillard se levait et, du coup, le bombardement paraissait retrouver des chances. Sans que j'eusse été, cette fois, consulté, le combat reprit donc à l'aurore par échange de coups de canon entre la place et les Anglais. Mais, vers le soir, le cuirassé *Resolution,* torpillé par un sous-marin et tout près de couler bas, devait être pris en remorque. Plusieurs autres navires anglais étaient sérieusement touchés. Quatre avions de l'*Ark Royal* avaient été abattus. De l'autre côté, le *Richelieu* et divers bâtiments se trouvaient fort éprouvés. Le contre-torpilleur *Audacieux,* les sous-marins *Persée* et *Ajax* avaient été coulés, l'équipage du dernier ayant pu être recueilli par un destroyer anglais. Mais les forts de la place continuaient à tirer. L'amiral Cunningham décida d'arrêter les frais. Je ne pouvais que m'en accommoder. Nous mîmes le cap sur Freetown.

Les jours qui suivirent me furent cruels. J'éprouvais les impressions d'un homme dont un séisme secoue brutalement la maison et qui reçoit sur la tête la pluie des tuiles tombant du toit.

A Londres, une tempête de colères ; à Washington, un ouragan de sarcasmes, se déchaînèrent contre moi. Pour la presse américaine et beaucoup de journaux anglais, il fut aussitôt entendu que l'échec de la tentative était imputable à de Gaulle. « C'est lui, répétaient les échos, qui avait inventé cette absurde aventure, trompé les Britanniques par des renseignements fantaisistes sur la situation à Dakar, exigé, par don quichottisme, que la place fût attaquée alors que les renforts envoyés par Darlan rendaient tout succès impossible... D'ailleurs, les croiseurs de Toulon n'étaient venus qu'en conséquence des indiscrétions multipliées par les Français Libres et qui avaient alerté Vichy... Une fois pour toutes, il était clair qu'on ne pouvait faire fond sur des gens incapables de garder un secret. » Bientôt, M. Churchill, à son tour, fut traité sans ménagements, lui qui, disait-on, s'était si légèrement laissé entraîner. Spears, la mine longue, m'apportait des télégrammes d'information qu'il recevait de ses correspondants et qui donnaient comme probable que de Gaulle, désespéré, abandonné par ses partisans, laissé pour compte par les Anglais, allait renoncer à toute activité, tandis que le gouvernement britannique reprendrait avec Catroux ou Muselier, à une échelle beaucoup plus modeste, le recrutement d'auxiliaires français.

Quant à la propagande de Vichy, elle triomphait sans retenue. Les communiqués de Dakar donnaient à croire qu'il s'agissait d'une grande victoire navale. D'innombrables dépêches de félicitations, adressées au gouverneur général Boisson et aux héroïques combattants de Dakar, étaient publiées et commentées par les feuilles publiques des deux zones et par les ondes dites « françaises ». Et moi, dans mon étroite cabine, au fond d'une rade écrasée de chaleur, j'achevais d'apprendre ce que peuvent être les réactions de la peur, tant chez des adversaires qui se vengent de l'avoir ressentie, que chez des alliés effrayés soudain par l'échec.

Cependant, il m'apparut très vite qu'en dépit de leur déconvenue les Français Libres restaient inébranlables. Parmi les éléments de notre expédition, que j'allais tous visiter dès que nous eûmes jeté l'ancre, aucun ne voulut me quitter. Bien au contraire, tous se trouvaient affermis par l'attitude hostile de Vichy. C'est ainsi qu'un avion de Dakar étant venu survoler nos navires au mouillage, une furieuse pétarade l'accueillit de tous les bords, ce qui n'aurait pas eu lieu une semaine auparavant. Bientôt, des télégrammes chaleureux de Larminat et de Leclerc vinrent m'apprendre que, pour eux et autour d'eux, la fidélité résolue faisait, moins que jamais, question. De Londres, aucune défaillance ne me fut signalée, malgré le tumulte d'aigreurs qui déferlait sur les nôtres. Cette confiance de tous ceux qui s'étaient liés à moi me fut d'un puissant réconfort. C'est donc qu'ils étaient solides les fondements de la France Libre. Allons ! Il fallait poursuivre ! Spears, quelque peu rasséréné, me citait Victor Hugo : « Le lendemain, Aymeri prit la ville. »

Il faut dire que si, à Londres, la malveillance était active, le gouvernement, lui, avait su, au contraire, s'en garder. M. Churchill, quoique fortement harcelé pour sa part, ne me renia pas plus que je ne le reniai lui-même. Le 28 septembre il fit à la Chambre des Communes l'exposé des événements avec autant d'objectivité que l'on pouvait en attendre et déclara que « tout ce qui s'était passé n'avait fait que renforcer le Gouvernement de Sa Majesté dans la confiance qu'il portait au général de Gaulle ». Il est vrai qu'à ce moment-là le Premier ministre savait, bien qu'il ne voulût pas le dire, comment l'escadre venue de Toulon avait pu franchir le détroit de Gibraltar. Lui-même me le raconta lorsque, deux mois après, je retournai en Angleterre.

Un télégramme, adressé de Tanger par un officier français de renseignements, secrètement rallié à la France Libre, le capitaine Luizet, avait donné à Londres et à Gibraltar l'indication du mouvement des navires de Vichy. Mais ce message était parvenu alors qu'un bom-

bardement de Whitehall par les avions allemands maintenait, des heures durant, le personnel dans les caves et
entraînait ensuite des perturbations prolongées dans le
travail de l'état-major. Le déchiffrement de la dépêche
avait eu lieu trop tard pour que le Premier lord de la mer
pût alerter, quand il l'aurait fallu, la flotte de Gibraltar.
Bien pire! Alors que l'attaché naval de Vichy à Madrid
avait, en toute candeur (?), prévenu lui-même l'attaché
britannique et qu'ainsi l'amiral commandant à Gibraltar
s'était trouvé alerté par deux sources différentes, rien
n'avait été fait pour arrêter les dangereux navires.

Cependant, l'attitude publique du Premier ministre à
l'égard des « gaullistes » contribua beaucoup à amortir
l'agitation du Parlement et des journaux. Malgré tout,
l'affaire de Dakar devait laisser, dans les cœurs britanniques, une blessure toujours à vif et, dans l'esprit des
Américains, l'idée que, s'il leur fallait un jour débarquer
eux-mêmes en territoire tenu par Vichy, l'action devrait
être menée sans Français Libres et sans Anglais.

Dans l'immédiat, en tout cas, nos alliés britanniques
étaient bien résolus à ne pas renouveler la tentative.
L'amiral Cunningham me déclara formellement qu'il
fallait renoncer à reprendre l'affaire de quelque façon que
ce fût. Lui-même ne pouvait plus rien que m'escorter
jusqu'au Cameroun. Le cap fut mis sur Douala. Le
8 octobre, au moment où les bateaux français allaient
s'engager dans l'estuaire du Wouri, les navires anglais les
saluèrent et prirent le large.

Ce fut, pourtant, un extrême enthousiasme qui déferla
sur la ville dès que le *Commandant-Duboc*, à bord duquel
j'avais pris passage, entra dans le port de Douala. Leclerc
m'y attendait. Après la revue des troupes, je me rendis au
Palais du Gouvernement, tandis que débarquaient les
éléments venus d'Angleterre. Les fonctionnaires, les
colons français, les notables autochtones, avec qui je pris
contact, nageaient en pleine euphorie patriotique. Pourtant, ils n'oubliaient rien de leurs problèmes particuliers,
dont le principal consistait à maintenir les exportations

des produits du territoire et à y faire venir ce qu'il fallait pour vivre, et qui ne s'y trouvait pas. Mais, au-dessus des soucis et des divergences, l'unité morale des Français Libres, qu'ils se fussent engagés à Londres ou ralliés en Afrique, se révélait instantanément.

Cette identité de nature entre tous ceux qui se rangeaient sous la Croix de Lorraine allait être, par la suite, une sorte de donnée permanente de l'entreprise. Où que ce fût et quoi qu'il arrivât, on pourrait désormais prévoir, pour ainsi dire à coup sûr, ce que penseraient et comment se conduiraient les « gaullistes ». Par exemple : l'émotion enthousiaste que je venais de rencontrer, je la retrouverais toujours, en toutes circonstances, dès lors que la foule serait là. Je dois dire qu'il allait en résulter pour moi-même une perpétuelle sujétion. Le fait d'incarner, pour mes compagnons, le destin de notre cause, pour la multitude française le symbole de son espérance, pour les étrangers la figure d'une France indomptable au milieu des épreuves, allait commander mon comportement et imposer à mon personnage une attitude que je ne pourrais plus changer. Ce fut pour moi, sans relâche, une forte tutelle intérieure en même temps qu'un joug bien lourd.

Pour le moment, il s'agissait de faire vivre et de mobiliser l'ensemble équatorial français pour participer à la bataille d'Afrique. Mon intention était d'établir, aux confins du Tchad et de la Libye, un théâtre d'opérations sahariennes, en attendant qu'un jour l'évolution des événements permît à une colonne française de s'emparer du Fezzan et d'en déboucher sur la Méditerranée. Mais le désert et les difficultés inouïes des communications et des ravitaillements ne permettraient d'y consacrer que des effectifs restreints et spécialisés. Aussi voulais-je, en même temps, envoyer au Moyen-Orient un corps expéditionnaire qui s'y joindrait aux Britanniques. L'objectif lointain étant, pour tout le monde, l'Afrique du Nord française. Cependant, il fallait, d'abord, liquider l'enclave hostile du Gabon. Je donnai, à Douala, le 12 octobre, les ordres nécessaires.

Tandis que se préparait cette pénible opération, je quittai le Cameroun pour visiter les autres territoires. C'est au Tchad que je me rendis, d'abord, après un court séjour à Yaoundé. La carrière du chef de la France Libre et de ceux qui l'accompagnaient faillit se terminer au cours de ce voyage. Car le *Potez 540*, qui nous portait vers Fort-Lamy, eut une panne de moteur et c'est par extraordinaire qu'il trouva moyen d'atterrir, sans trop de dégâts, au milieu d'un marécage.

Je trouvai, au Tchad, une atmosphère vibrante. Chacun avait le sentiment que le rayon de l'Histoire venait de se poser sur cette terre du mérite et de la souffrance. Rien, sans doute, n'y pourrait être fait que par tour de force, tant étaient lourdes les servitudes des distances, de l'isolement, du climat, du manque de moyens. Mais déjà, par compensation, s'y étendait l'ambiance héroïque où germent les grandes actions.

Eboué me reçut à Fort-Lamy. Je sentis qu'il me donnait, une fois pour toutes, son loyalisme et sa confiance. En même temps, je constatai qu'il avait l'esprit assez large pour embrasser les vastes projets auxquels je voulais le mêler. S'il formula des avis pleins de sens, il ne fit jamais d'objections au sujet des risques et de l'effort. Cependant, il ne s'agissait de rien de moins, pour le Gouverneur, que d'entreprendre un immense travail de communications, afin que le Tchad fût à même de recevoir, de Brazzaville, de Douala, de Lagos, puis de porter, jusqu'aux frontières de la Libye italienne, tout le matériel et tout le ravitaillement qu'il faudrait aux Forces Françaises Libres pour mener une guerre active. C'étaient 6 000 kilomètres de pistes que le territoire devrait, par ses propres moyens, frayer ou tenir en état. En outre, il serait nécessaire de développer l'économie du pays, afin de nourrir les combattants et les travailleurs et d'exporter pour payer les frais. Tâche d'autant plus difficile qu'un grand nombre de colons et de fonctionnaires allaient être mobilisés.

Avec le colonel Marchand, commandant les troupes du

Tchad, je volai jusqu'à Faya et aux postes du désert. J'y trouvai des troupes résolues mais terriblement démunies. Il n'y avait là, en fait d'éléments mobiles, que des unités méharistes et quelques sections automobiles. Aussi, quand je déclarai aux officiers que je comptais sur eux pour s'emparer un jour du Fezzan et gagner la Méditerranée, je vis la stupeur se peindre sur leurs visages. Des raids allemands et italiens, qu'ils auraient bien du mal à repousser, le cas échéant, leur semblaient beaucoup plus probables que l'offensive française à grande portée dont je traçais la perspective. Pas un seul d'entre eux, d'ailleurs, ne marquait d'hésitation à continuer la guerre et, déjà, la Croix de Lorraine était arborée partout.

Cependant, plus à l'ouest, dans les territoires du Niger et des oasis sahariennes, les camarades de ces officiers, tout pareils à ce qu'ils étaient et postés, eux aussi, aux confins de la Libye, mais n'ayant pas, au-dessus d'eux, quelque part dans la hiérarchie, un seul chef qui osât rompre le charme, se tenaient prêts à faire feu sur quiconque prétendrait les entraîner à combattre les ennemis de la France ! Parmi toutes les épreuves morales que m'infligèrent les erreurs coupables de Vichy, aucune ne me fit plus souffrir que le spectacle de cette stupide stérilité.

En revanche, j'allais trouver, à mon retour à Fort-Lamy, un encouragement notable. Il m'était apporté par le général Catroux. Lors de son arrivée à Londres, après mon départ pour l'Afrique, des experts en arrière-pensées imaginaient que les Anglais tenteraient de se faire un atout de rechange de ce général d'armée accoutumé aux grands emplois, tandis que de pointilleux conformistes se demandaient si lui-même accepterait d'être subordonné à un simple brigadier. Il avait vu et revu Churchill et beaucoup clabaudaient au sujet de ces entretiens au cours desquels il semblait bien que le Premier ministre lui avait, en effet, suggéré de prendre ma place, non point, sans doute, pour qu'il l'essayât, mais avec l'intention classique de diviser pour régner. Quelques jours avant Dakar, Churchill m'avait, soudain, télégraphié qu'il envoyait Catroux au Caire afin d'agir sur le Levant où l'on espérait voir naître une occasion favorable. J'avais réagi nettement sur ce qui m'apparaissait, non, certes, comme une mauvaise idée, mais comme une initiative qui exigeait mon agrément. Churchill s'était, alors, expliqué dans des termes satisfaisants et en invoquant l'urgence.

Or, voici que Catroux arrivait du Caire. Au repas, je levai mon verre en l'honneur de ce grand chef, à qui je portais, depuis toujours, une déférente amitié. Il répondit d'une façon très noble et très simple qu'il se plaçait sous ma direction. Eboué et tous les assistants connurent, non sans émotion, que, pour Catroux, de Gaulle était, désormais, sorti de l'échelle des grades et investi d'un devoir qui ne se hiérarchisait pas. Nul ne se méprit sur le poids de l'exemple ainsi donné. Quand, ayant fixé avec lui sa mission, je me séparai du général Catroux près de l'avion qui le ramenait au Caire, je sentis qu'il repartait grandi.

A Brazzaville, où j'arrivai le 24 octobre, on voyait, dans l'ensemble, les choses avec autant de conviction qu'à Douala et à Fort-Lamy. Mais on les voyait posément. C'était normal pour la « capitale ». L'administration, l'état-major, les services, les affaires, les missions, mesuraient les difficultés que les territoires équatoriaux, — les plus pauvres de tout l'Empire, — allaient avoir à surmonter pour vivre pendant des années séparés de la métropole et pour porter l'effort de guerre. A vrai dire, certaines de leurs productions : huile, caoutchouc, bois, coton, café, peaux, seraient aisément vendues aux Britanniques et aux Américains. Mais, comme il n'y avait pas d'usines, non plus que de produits miniers, à l'exception d'un peu d'or, le total à exporter ne permettrait pas d'équilibrer tout ce qu'il allait falloir acheter au-dehors.

Pour seconder Larminat dans ce domaine, je nommai Pleven secrétaire général. Celui-ci, quand il aurait mis la machine en route, irait à Londres et à Washington, afin de régler les questions d'échéances et de paiements. Ses capacités, appuyées par l'autorité de Larminat, se révélèrent comme très efficaces. Administrateurs, planteurs, commerçants, transporteurs, voyant qu'il y avait fort à faire et que cela en valait la peine, inaugurèrent cette période d'intense activité qui allait, au cours même de la guerre, transformer profondément la vie des territoires équatoriaux. Le voyage qu'à la fin d'octobre je fis en Oubangui, où m'accueillit le gouverneur de Saint-Mart, puis celui qui me mena à Pointe-Noire qu'administrait Daguin, me permirent de donner sur place l'impulsion que tous attendaient.

Enfin, le 27 octobre, je me rendis à Léopoldville, où les autorités, l'armée, la population, ainsi que les Français habitant le Congo belge, me firent une très émouvante réception. Le gouverneur général Ryckmans, coupé lui aussi de sa patrie, mais voulant que son pays participât à la guerre, était en sympathie avec la France Libre. Celle-ci, d'ailleurs, couvrait le Congo belge contre l'esprit de capitulation qui avait failli l'investir par le nord. Ryckmans devait, jusqu'au bout, entretenir des rapports étroits avec son voisin français de l'autre rive du Congo. On peut noter qu'il en fut de même de leurs collègues anglais : Bourdillon en Nigeria et Huddleston au Soudan. Au lieu des rivalités et intrigues, qui naguère opposaient les voisins, il s'établit, entre Lagos, Douala, Brazzaville, Léopoldville, Khartoum, une solidarité personnelle des gouverneurs qui pesa lourd dans l'effort de guerre et le bon ordre de l'Afrique.

Cependant, tout était prêt pour terminer l'affaire du Gabon. Avant mon arrivée à Douala, Larminat avait déjà pris les premières dispositions. Sous les ordres du commandant Parant, quelques éléments, prélevés sur le Congo, s'étaient avancés jusqu'à Lambaréné, au bord de l'Ogooué. Mais ils avaient été arrêtés par la résistance des forces de Vichy. En même temps, une petite colonne, expédiée du Cameroun et commandée par le capitaine Dio, assiégeait le poste de Mitzic. A Lambaréné et à Mitzic, « gaullistes » et vichystes au contact échangeaient quelques balles et force arguments. Parfois, un « Glenn-

L'AFRIQUE 145

Martin » de Libreville venait jeter sur les nôtres quelques bombes et beaucoup de tracts. Un « Bloch 2oo » de Brazzaville rendait, le lendemain, la pareille aux opposants. Ces combats traînants et douloureux n'offraient pas de solution.

J'avais, dès mon arrivée, décidé de faire enlever directement Libreville et arrêté le plan d'action. On ne pouvait malheureusement douter qu'une sérieuse résistance serait opposée à nos forces. Le général Têtu, installé à Libreville, avait à sa disposition quatre bataillons, de l'artillerie, quatre bombardiers modernes, l'aviso *Bougainville* et le sous-marin *Poncelet*. Il avait mobilisé un certain nombre de colons. D'autre part, la mission qu'il avait reçue lui imposait de combattre. Pour qu'il ne pût recevoir des renforts, j'avais dû demander à M. Churchill de bien vouloir prévenir Vichy que, le cas échéant, la flotte anglaise s'y opposerait. A la suite de mon télégramme, l'amiral Cunningham était venu me voir à Douala. Nous avions convenu que ses navires ne participeraient pas directement à l'opération de Libreville mais qu'ils se tiendraient au large pour empêcher les gens de Dakar d'y envoyer de nouveau leurs croiseurs, s'ils en avaient, d'aventure, l'intention. De notre côté, c'est le cœur lourd que nous envisagions l'affaire et j'annonçai, au milieu de l'assentiment général, qu'aucune citation ne serait attribuée en cette pénible occasion.

Le 27 octobre, le poste de Mitzic était pris. Le 5 novembre, la garnison de Lambaréné mettait bas les armes. Aussitôt, partaient de Douala les bâtiments qui transportaient la colonne destinée à Libreville. Leclerc commandait l'ensemble ; Kœnig était à la tête des troupes de terre : un bataillon de Légion, un bataillon colonial mixte : Sénégalais et colons du Cameroun. Le débarquement avait lieu à la pointe de la Mondah dans la nuit du 8 novembre et d'assez vifs combats s'engageaient, le 9, aux abords de la ville. Le même jour, sous la direction du commandant de Marnier, plusieurs des avions « Lysander », que nous avions amenés en caisses d'Angleterre et qui avaient été hâtivement montés à Douala, survolaient le terrain et y jetaient quelques bombes. C'est alors que d'Argenlieu, à bord du *Savorgnan-de-Brazza,* suivi du *Commandant-Dominé,* entra dans la rade où se trouvait le *Bougainville.* En dépit des messages d'amitié, maintes fois répétés par les nôtres, le *Bougainville* se mit à tirer. La riposte du *Brazza* mit en feu cet opposant. Pendant ce temps, la Légion brisait, sur l'aérodrome, la résistance des éléments de Vichy. D'Argenlieu ayant fait parvenir au général Têtu un message l'adjurant de cesser le combat, la reddition fut conclue. Kœnig occupa Libreville. Parant, que j'avais nommé gouverneur du Gabon, prit possession de son poste. On comptait, hélas ! une vingtaine de tués.

La veille, le sous-marin *Poncelet,* ayant quitté Port-Gentil et rencontrant au large un des croiseurs de Cunningham, lui avait lancé une torpille. Grenadé par le croiseur, le sous-marin faisait surface et, tandis que l'équipage était recueilli par les Anglais, le commandant : capitaine de corvette de Saussine, sabordait le bâtiment et coulait bravement à son bord.

Restait à occuper Port-Gentil. Cela fut fait, le 12 novembre, après de longs pourparlers mais sans résistance de la place. La seule victime de cette ultime opération fut le gouverneur Masson qui, après avoir, au mois d'août, rallié le Gabon, s'était ensuite déjugé. Le pauvre homme, désespéré par cette erreur et ses conséquences, avait, après la prise de Libreville, pris place à bord du *Brazza* et débarqué à Port-Gentil, en compagnie du colonel Crochu, chef d'état-major de Têtu, pour demander à l'administrateur et à la garnison de ne pas engager, à leur tour, une lutte fratricide. Cette démarche avait contribué à empêcher le malheur. Mais, M. Masson, épuisé par les épreuves nerveuses qu'il venait de subir, se pendit dans sa cabine au cours de la traversée du retour.

Je me rendis à Libreville le 15, à Port-Gentil le 16 novembre. Le sentiment dominant dans la population était la satisfaction de sortir d'une situation absurde. A l'hôpital, je visitai les blessés des deux camps qui y étaient soignés côte à côte. Puis, je me fis présenter les cadres des unités de Vichy. Quelques éléments rallièrent la France Libre. La plupart, à qui leur chef avait fait donner leur parole de « rester fidèles au Maréchal », préférèrent être internés. Ils attendirent, pour reprendre du service, la rentrée de l'Afrique du Nord dans la guerre et, dès lors, comme beaucoup d'autres, firent vaillamment leur devoir. Le général Têtu fut confié à l'hospitalité des Pères du Saint-Esprit et, plus tard, transféré à l'hôpital de Brazzaville. De là, en 1943, il partit, lui aussi, pour Alger.

La radio de Dakar, de Vichy et de Paris se déchaîna en insultes furieuses, après avoir, quelques semaines plus tôt, exagéré ses cris de triomphe. J'étais accusé d'avoir bombardé, brûlé et pillé Libreville, voire fusillé les notables, à commencer par l'évêque : Mgr Tardy. Il m'apparut que les gens de Vichy, en inventant de tels mensonges, voulaient couvrir quelque infamie. Lors de l'affaire de Dakar, ils avaient arrêté les trois aviateurs français libres déposés sans armes sur le terrain de Ouakam, puis Boislambert, Bissagnet et Kaouza que j'avais envoyés dans la ville, par les coulisses, avec le Dr Brunel, pour y répandre la bonne parole. Seul de ces « missionnaires », Brunel avait pu, après les événements, repasser en Gambie britannique. Les accusations lancées par Dakar me firent penser que, peut-être, on s'y proposait de se venger sur la personne des prisonniers. D'autant qu'ayant fait proposer à Boisson, avec la discrétion voulue, d'échanger ceux-ci contre Têtu et ses officiers, les ondes de Dakar avaient aussitôt publié ma démarche avec force outrages et provocations. Je prévins alors le Haut Commissaire de Vichy que j'avais en main assez de ses amis pour répondre de la vie de ceux des Français Libres qu'il détenait en prison. Le ton de la radio adverse baissa instantanément.

Au reste, différents signes montraient dans quel trouble les événements jetaient les gouvernants de Vichy. L'espèce de basse euphorie, où l'armistice les avait plongés, s'était dissipée rapidement. Contrairement à ce qu'ils annonçaient naguère pour justifier leur capitulation, l'ennemi n'était pas venu à bout de l'Angleterre. D'autre part, le ralliement à de Gaulle de plusieurs colonies, puis l'affaire de Dakar, enfin celle du Gabon, faisaient voir que, si la France Libre savait user de la radio, elle était tout autre chose qu' « une poignée de mercenaires groupés autour d'un micro ». Du coup, on commençait à entrevoir en France un recours proprement français, tandis que les Allemands étaient contraints de faire entrer dans leurs calculs les difficultés croissantes que leur causerait la résistance. Au fond de l'Afrique, je percevais les saccades que, déjà, cet état de choses imprimait au comportement des gens de Vichy.

Le lendemain de Dakar, c'est par la violence qu'ils avaient, d'abord, réagi. Des avions du Maroc jetaient des bombes sur Gibraltar. Mais, aussitôt après, on essayait de l'apaisement. Des télégrammes de MM. Churchill et Eden m'informaient de conversations, ouvertes le 1er octobre, à Madrid, par l'ambassadeur M. de la Baume avec son collègue britannique Sir Samuel Hoare. Il s'agissait d'obtenir des Anglais qu'ils laissent passer en France les cargaisons venant d'Afrique, garantie étant donnée que les Allemands ne s'en empareraient pas. Mais, en outre, M. de la Baume déclarait, de la part de Baudouin, que « si l'ennemi saisissait ces denrées, le gouvernement serait transféré en Afrique du Nord et que la France reprendrait la guerre aux côtés du Royaume-Uni ».

Tout en notant le désarroi que révélaient de telles déclarations, j'avais mis les Anglais en garde. On voyait mal comment des gens, qui avaient eux-mêmes placé l'Etat sous la loi de l'ennemi et condamné ceux qui voulaient combattre, pourraient devenir tout à coup des champions de la résistance parce que l'envahisseur s'attribuerait quelques denrées en plus de celles qu'il prenait tous les jours. En effet, malgré les efforts tentés par le gouvernement de Londres pour encourager Vichy dans les bonnes velléités dont il offrait l'apparence, malgré les messages personnels adressés au Maréchal par le Roi d'Angleterre et par le Président des Etats-Unis, malgré les contacts pris par les Anglais avec Weygand, maintenant installé à Alger, et avec Noguès, toujours au Maroc, on vit bientôt, sous la pression allemande, disparaître toute illusion. Le 24 octobre, avait lieu la rencontre de Pétain et d'Hitler à Montoire. La collaboration de Vichy avec l'ennemi était officiellement proclamée. Enfin, dans les premiers jours de novembre, Vichy mettait un terme aux négociations de Madrid.

Désormais, d'évidentes raisons me commandaient de dénier, une fois pour toutes, aux gouvernants de Vichy, le droit de légitimité, de m'instituer moi-même comme le gérant des intérêts de la France, d'exercer dans les territoires libérés les attributions d'un gouvernement. A ce pouvoir provisoire, comme tenant et comme aboutissant, je donnai : la République, en proclamant mon obédience et ma responsabilité vis-à-vis du peuple souverain et en m'engageant, d'une manière solennelle, à lui rendre des comptes dès que lui-même aurait recouvré sa liberté. Je fixai, en terre française, à Brazzaville, le 27 octobre, cette position nationale et internationale par un manifeste, deux ordonnances et une déclaration organique dont l'ensemble allait constituer la charte de mon action. Je crois n'y avoir pas manqué, jusqu'au jour inclus où, cinq années plus tard, je remis à la représentation nationale les pouvoirs que j'avais assumés. D'autre part, je créai le Conseil de défense de l'Empire, destiné à m'aider de ses avis, et où je fis entrer, d'abord, Catroux, Muselier, Cassin, Larminat, Sicé, Sautot, d'Argenlieu et Leclerc. Enfin, j'arrêtai une fois pour toutes, par une note adressée le 5 novembre au gouvernement britannique, l'attitude qu'adoptait la France Libre et qu'elle invitait ses alliés à prendre vis-à-vis tant du gouvernement de Vichy que de ceux de ses proconsuls, tels Weygand ou Noguès, dont d'obstinés optimistes s'efforçaient de croire qu'ils passeraient un jour à l'action contre l'ennemi.

Au total, si notre entreprise africaine n'avait pas atteint

tous les buts qu'elle avait visés, du moins la base de notre effort de guerre était-elle solidement établie, du Sahara au Congo et de l'Atlantique au bassin du Nil. Dans les premiers jours de novembre, je mis en place le Commandement qui devait y diriger l'action. Eboué, nommé gouverneur général de l'Afrique équatoriale française, s'installait à Brazzaville, avec Marchand comme commandant des troupes. Lapie, appelé de Londres, devenait gouverneur du Tchad et l'administrateur Cournarie gouverneur du Cameroun où il remplaçait Leclerc. Celui-ci, malgré les objections que lui dictait son désir de poursuivre à Douala ce qu'il avait commencé, était envoyé au Tchad pour commander les opérations sahariennes où il allait faire la dure et émouvante connaissance de la gloire. Enfin, Larminat, Haut Commissaire avec pouvoirs civils et militaires, devait mener tout l'ensemble.

Avant de partir pour Londres, j'arrêtai, avec lui, le plan d'action des prochains mois. Il s'agissait, d'une part de monter les premiers raids motorisés et aériens contre Mourzouk et Koufra. Il s'agissait, d'autre part, d'envoyer en Erythrée une brigade mixte ainsi qu'un groupe d'aviation de bombardement, qui prendraient part aux combats engagés contre les Italiens. Cette dernière expédition serait le début de l'intervention française dans la campagne du Moyen-Orient. Mais il fallait aussi recruter, encadrer, armer, les éléments qui iraient, à mesure, renforcer ces avant-gardes, tant au Sahara que sur le Nil. On ne peut imaginer quels efforts devaient exiger, dans les immensités du centre de l'Afrique, sous le climat équatorial, la mobilisation, l'instruction, l'équipement, le transport, des forces que nous voulions mettre sur pied et envoyer au combat à de colossales distances. On ne peut mesurer, non plus, quels prodiges d'activité tous allaient y apporter.

Le 17 novembre, je quittai l'Afrique française libre pour l'Angleterre, par Lagos, Freetown, Bathurst et Gibraltar. Tandis que, sous la pluie d'automne, l'avion rasait l'océan, j'évoquais les incroyables détours par où, dans cette guerre étrange, devaient désormais passer les Français combattants pour atteindre l'Allemand et l'Italien. Je mesurais les obstacles qui leur barraient la route et dont, hélas ! d'autres Français dressaient devant eux les plus grands. Mais, en même temps, je m'encourageais à la pensée de l'ardeur que suscitait la cause nationale parmi ceux qui se trouvaient libres de la servir. Je songeais à ce qu'avait, pour eux, d'exaltant une aventure aux dimensions de la terre. Si rudes que fussent les réalités, peut-être pourrais-je les maîtriser, puisqu'il m'était possible, suivant le mot de Chateaubriand, « d'y mener les Français par les songes ».

LONDRES

A Londres, en ce début d'hiver, la brume enveloppait les âmes. Je trouvai les Anglais tendus et mélancoliques. Sans doute pensaient-ils, avec fierté, qu'ils venaient de gagner la bataille aérienne et que les risques d'invasion s'étaient beaucoup éloignés. Mais, tandis qu'ils déblayaient leurs ruines, d'autres angoisses fondaient sur eux et sur leurs pauvres alliés.

La guerre sous-marine faisait rage. Le peuple anglais voyait, avec une anxiété croissante, les submersibles, les avions, les raiders allemands, opérer la destruction des navires dont dépendaient le cours de la guerre et jusqu'aux taux des rations. Pour les ministres et les services, il n'était question que de *shipping*. Le tonnage devenait une hantise, un tyran qui dominait tout. La vie, la gloire de l'Angleterre se jouaient chaque jour sur la mer.

En Orient, commençaient les opérations actives. Or, la Méditerranée, par suite de la défection de Vichy, devenait inaccessible aux lents convois britanniques. Les troupes et le matériel que Londres envoyait en Egypte devaient passer par le Cap, suivant une route maritime longue comme la moitié de la terre. Ce qui y était expédié, des Indes, d'Australie, de Nouvelle-Zélande, n'y arrivait également qu'après d'interminables traversées. D'autre part, la masse des matières, de l'armement, du ravitaillement, — 60 millions de tonnes en 1941, — que l'Angleterre importait pour son industrie, ses armées, sa popula-

tion, ne pouvait plus lui venir que des lointains de
l'Amérique, de l'Afrique ou de l'Asie. Il y fallait un
tonnage colossal, naviguant en zigzag sur d'immenses
distances, aboutissant au goulot des ports de la Mersey et
de la Clyde et exigeant des moyens d'escorte considérables.

L'inquiétude britannique était d'autant plus lourde
que, d'aucun côté, ne s'ouvraient d'heureuses perspectives. Contrairement à ce qu'avaient espéré beaucoup
d'Anglais, le bombardement de leurs villes et la victoire
de la Royal Air Force ne décidaient nullement l'Amérique
à entrer en ligne. Aux Etats-Unis, l'opinion était, certes,
hostile à Hitler et à Mussolini. D'autre part, le président
Roosevelt, sitôt réélu, le 5 novembre, accentuait par ses
démarches diplomatiques et ses déclarations publiques
son effort pour entraîner l'Amérique vers l'intervention.
Mais l'attitude officielle de Washington restait la neutralité, d'ailleurs imposée par la loi. Aussi, pendant ce
sombre hiver, les Anglais devaient-ils payer en or et en
devises leurs achats aux Etats-Unis. Même, tout concours
indirect, que l'habileté casuistique du Président parvenait
à leur fournir, était l'objet d'une sourcilleuse réprobation
au Congrès et dans la presse. Bref, les Anglais, au rythme
des paiements imposés par leurs besoins, voyaient approcher le moment où, faute de disponibilités, ils ne pourraient plus recevoir ce qu'il leur fallait pour combattre.

Du côté de la Russie Soviétique, aucune fissure ne se
montrait dans le marché qui la liait au Reich. Au
contraire, après deux voyages de Molotov à Berlin, un
accord commercial germano-russe, conclu au mois de
janvier, allait aider puissamment au ravitaillement de
l'Allemagne. D'autre part, en octobre 1940, le Japon avait
signé le pacte tripartite, proclamant sa menaçante solidarité avec Berlin et avec Rome. En même temps, l'unité de
l'Europe sous l'hégémonie allemande semblait se réaliser.
La Hongrie, la Roumanie, la Slovaquie, adhéraient à
l'Axe en novembre. Franco rencontrait Hitler à Saint-
Sébastien et Mussolini à Bordighera. Enfin, Vichy, hors

d'état de maintenir même la fiction d'indépendance que lui accordait l'armistice, entrait dans la collaboration effective avec l'envahisseur.

Si, au-dehors, l'horizon était sombre, au-dedans de très lourdes charges éprouvaient le peuple britannique. La mobilisation envoyait aux armées, aux usines, aux champs, aux services publics, à la défense passive, 20 millions d'hommes et de femmes. Les consommations étaient, pour tout le monde, rigoureusement limitées, et la sévérité extrême des tribunaux réglait à mesure son compte au marché noir. D'autre part, l'action aérienne de l'ennemi, pour ne plus viser à des résultats décisifs, n'en continuait pas moins, harcelant les ports, l'industrie, les voies ferrées, écrasant soudain : Coventry, la Cité de Londres, Portsmouth, Southampton, Liverpool, Glasgow, Swansea, Hull, etc., tenant en alerte les populations pendant des nuits et des nuits, épuisant le personnel de sauvegarde et de défense, contraignant une foule de pauvres gens à quitter leur lit pour s'enfoncer dans les caves, les abris, voire, à Londres, les stations de métro. En cette fin de 1940, les Anglais, assiégés dans leur île, se sentaient au plus noir du tunnel.

Tant d'épreuves subies par les Britanniques ne facilitaient pas nos rapports avec eux. Concentrés qu'ils étaient sur leurs préoccupations, nos problèmes particuliers leur paraissaient intempestifs. En outre, ils avaient d'autant plus tendance à nous absorber que nous compliquions leurs affaires. Il leur eût été, en effet, plus commode, du point de vue de l'administration autant que de la politique, de traiter les Français Libres comme des éléments incorporés aux forces et services anglais, plutôt qu'en alliés ambitieux et revendicatifs. Au surplus, pendant cette période où la guerre se stabilisait et où, d'autre part, sévissait la pénurie, on n'inclinait pas beaucoup, dans les milieux dirigeants de Londres, à innover, ni même à trancher. Au milieu de problèmes pressants, mais insolubles, états-majors et ministères pratiquaient naturellement le régime des questions pendantes et des conflits d'attributions, tandis que le gouvernement, sous le feu des critiques du Parlement et de la presse, avait peine à s'accorder pour prendre des décisions. « Vous savez, me dit un jour Churchill, ce que c'est qu'une coalition. Eh bien ! Le Cabinet britannique en est une. »

Cependant, la France Libre avait, d'urgence, besoin de tout. Après les improvisations de l'été et de l'automne, avant les entreprises nouvelles que j'étais décidé à engager au printemps, force nous était d'obtenir des Anglais l'indispensable, tout en maintenant à leur égard une indépendance résolue. De cet état de choses devaient résulter maintes frictions.

D'autant plus que le caractère mouvant et composite de notre organisation justifiait, dans une certaine mesure, la circonspection des Britanniques, en même temps qu'elle facilitait leurs ingérences. Il était inévitable que la France Libre, recrutée hâtivement, homme par homme, ne trouvât pas tout de suite son équilibre intérieur. A Londres, chacune de ses catégories : armée, marine, aviation, finances, affaires étrangères, administration coloniale, information, liaisons avec la France, se formait et fonctionnait dans le grand désir de bien faire. Mais l'expérience et la cohésion faisaient cruellement défaut. En outre, l'esprit aventureux de certaines personnalités, ou simplement leur inaptitude à se plier aux règles et obligations d'un service public, imprimaient de rudes saccades à l'appareil. C'est ainsi que, pendant mon séjour en Afrique, André Labarthe avait quitté notre administration et que l'amiral Muselier s'était heurté aux autres services. Il s'était produit, à « Carlton Gardens », d'âpres conflits de personnes et tragi-comédies de bureaux, scandalisant nos volontaires et inquiétant nos alliés.

Dès mon retour, à la fin de novembre, j'avais entrepris de mettre les gens et les choses à leur place. Mais, à peine avais-je commencé cette réorganisation que je me trouvai aux prises avec une brutale erreur du gouvernement britannique, lui-même fourvoyé par l' « Intelligence ».

En effet, la fièvre obsidionale, qui travaillait alors

l'Angleterre, y faisait foisonner les organes de renseignements et de sécurité. L' « Intelligence », qui est, pour les
Anglais, une passion autant qu'un service, n'avait évidemment pas manqué de pousser des antennes en direction de
la France Libre. Elle y employait à la fois des gens bien
inspirés et d'autres qui ne l'étaient pas. Bref, à l'instigation de quelques agents indésirables, le Cabinet anglais
allait, tout à coup, infliger à la France Libre une blessure
qui faillit tourner mal.

Le 1er janvier au soir, me trouvant dans le Shropshire,
auprès des miens, M. Eden me fit demander de venir le
voir d'urgence au Foreign Office, où il avait récemment
remplacé Lord Halifax, nommé ambassadeur aux Etats-
Unis. Je m'y rendis directement le lendemain matin. En
m'accueillant, Eden montra les signes d'une vive émotion.
« Il arrive, me dit-il, quelque chose de lamentable. Nous
venons d'avoir la preuve que l'amiral Muselier est secrètement en rapport avec Vichy, qu'il a tenté de transmettre à
Darlan le plan de l'expédition de Dakar au moment où
elle se préparait et qu'il projette de lui livrer le *Surcouf*. Le
Premier ministre, sitôt informé, a donné l'ordre d'arrêter
l'amiral. Il a été approuvé par le Cabinet britannique.
Muselier est donc incarcéré. Nous ne nous dissimulons
pas quelle impression va faire chez vous et chez nous cette
affreuse histoire. Mais il nous était impossible de ne pas
agir sans délai. »

M. Eden me montra, alors, les documents sur lesquels
s'étayait l'accusation. Il s'agissait de notes dactylogra-
phiées à en-tête et avec le cachet du Consulat de France à
Londres, — toujours occupé par un fonctionnaire de
Vichy, — et apparement signées du général Rozoy,
naguère chef de la mission de l'Air et récemment rapatrié.
Ces notes rendaient compte de renseignements soi-disant
fournis par l'amiral Muselier à Rozoy. Celui-ci était
réputé les avoir fait passer à une légation sud-américaine à
Londres, d'où ils devaient gagner Vichy. Mais, en
chemin, d'habiles agents de l' « Intelligence » avaient,
suivant M. Eden, intercepté les documents. « Après une

minutieuse enquête, ajouta-t-il, les autorités britanniques devaient, hélas ! se convaincre de leur authenticité. »

Quoique d'abord abasourdi, j'eus tout de suite le sentiment que « le café était vraiment trop fort » et qu'il ne pouvait s'agir que d'une énorme erreur résultant d'une machination. Je le déclarai tout net à M. Eden et lui dis que j'allais voir moi-même ce qu'il pouvait en être et, qu'en attendant, je faisais toutes réserves sur cette extraordinaire histoire.

Cependant, n'allant pas, d'abord, jusqu'à imaginer que l'affaire pût être montée sous le couvert d'un service britannique, je l'attribuai à Vichy. Ne seraient-ce point de ses fidèles qui auraient fabriqué et laissé en Angleterre cette bombe à retardement ? Après quarante-huit heures d'information et de réflexion, je me rendis chez le ministre anglais et lui déclarai ceci : « Les documents sont ultra-suspects, tant par leur contexte que par leur source supposée. En tout cas, ce ne sont pas des preuves. Rien ne justifie l'outrageante arrestation d'un vice-amiral français. Celui-ci n'a, d'ailleurs, pas été entendu. Moi-même n'ai pas la possibilité de le voir. Tout cela est injustifiable. Pour l'instant, il faut, au minimum, que l'amiral Muselier sorte de prison et soit traité honorablement jusqu'à ce que cette sombre histoire soit éclaircie. »

M. Eden, quoique devenu perplexe, n'accepta pas de me donner satisfaction, alléguant le sérieux de l'enquête faite par les services britanniques. Par une lettre, puis par un mémoire, je confirmai ma protestation. Je rendis visite à l'amiral Sir Dudley Pound Premier lord de la mer et, invoquant l'internationale des amiraux, l'invitai à intervenir dans cette déshonorante querelle cherchée à l'un de ses pairs. A la suite de mes démarches, l'attitude des autorités britanniques marqua quelques vacillations. C'est ainsi que j'obtins, comme je l'avais exigé, d'aller voir Muselier à Scotland Yard, non dans une cellule mais dans un bureau, sans garde et sans témoins, pour montrer à tout le monde et pour lui dire à lui-même que je rejetais l'imputation dont il était victime. Enfin, divers indices m'ayant donné à penser que deux individus, incorporés pendant mon séjour en Afrique dans notre « service de sécurité », sous l'uniforme français mais sur l'insistance des Anglais, avaient trafiqué dans l'affaire, je les fis venir et me convainquis, au spectacle de leur effarement, qu'il s'agissait décidément d'une « histoire d'Intelligence ».

Au général Spears, convoqué par moi le 8 janvier, je confirmai formellement ma certitude. Je lui déclarai que je donnais au gouvernement britannique un délai de vingt-quatre heures pour libérer l'amiral et lui faire réparation, faute de quoi toutes relations seraient rompues entre la France Libre et la Grande-Bretagne quelles qu'en pussent être les conséquences. Le jour même, Spears, penaud, vint me dire que l'erreur était reconnue, que les « documents » n'étaient que des faux, que les coupables avaient avoué et que Muselier sortait de prison. Le lendemain, l'attorney général me rendit visite, m'annonçant que des poursuites étaient intentées contre les auteurs de la machination, notamment plusieurs officiers britanniques, et me priant de désigner quelqu'un pour suivre, au nom de la France Libre, l'enquête et le procès ; ce que je fis. L'après-midi, à Downing Street, MM. Churchill et Eden, évidemment fort contrariés, m'exprimèrent les excuses du gouvernement britannique et sa promesse de réparer, vis-à-vis de Muselier, l'insulte qui lui avait été faite. Je dois dire que cette promesse fut tenue. Même, le changement d'attitude réciproque des Anglais et de l'Amiral se révéla si complet qu'il parut bientôt excessif, comme on le verra par la suite.

Je ne cache pas que ce lamentable incident, en mettant en relief ce qu'il y avait toujours de précaire dans notre situation à l'égard de nos alliés, ne manqua pas d'influencer ma philosophie quant à ce que devaient être, décidément, nos rapports avec l'Etat britannique. Cependant, dans l'immédiat, les conséquences du mal ne furent pas toutes mauvaises. Car les Anglais, désireux, sans doute, de compenser leur erreur, se montrèrent plus disposés à traiter avec nous les affaires en suspens.

C'est ainsi que, le 15 janvier, je signai, avec M. Eden, un accord de « juridiction » concernant les Français Libres en territoire britannique et notamment les attributions de nos propres tribunaux, qui opéreraient « conformément à la législation militaire nationale ». D'autre part, nous pûmes entamer avec la Trésorerie anglaise des négociations relatives à un accord financier, économique et monétaire. Cassin, Pleven et Denis furent chargés, pour notre compte, de ces négociations qui aboutirent le 19 mars.

Les problèmes que nous devions résoudre, à cet égard, étaient tels qu'il nous fallait sortir du régime des expédients. Comment faire vivre, comme un tout, les territoires ralliés en Afrique et en Océanie, nous qui n'avions encore, ni banque, ni monnaie, ni transports, ni transmissions, ni représentation commerciale reconnue à l'étranger ? Comment entretenir les forces de la France Libre réparties en tous les points du monde ? Comment décompter la valeur du matériel et des services qui nous étaient fournis par nos alliés et de ceux que nous leur fournissions ? Aux termes de l'accord, il fut entendu que tout règlement, quel qu'en fût l'objet, serait effectué à Londres entre le gouvernement anglais et le général de Gaulle, et non point arrangé avec les autorités locales françaises au hasard des circonstances. Le taux de change adopté était de 176 francs pour une livre, c'est-à-dire celui-là même qui se trouvait en vigueur avant l'armistice conclu par Vichy.

Suivant la même politique, nous fûmes amenés, un peu plus tard, à instituer la « Caisse centrale de la France Libre ». Cette caisse devait effectuer tous les paiements : soldes, traitements, achats, etc., et recevoir tous les versements : contributions de nos territoires, avances de la Trésorerie britannique, dons des Français de l'étranger, etc. Elle devenait, d'autre part, banque unique d'émission de la France Libre, où que ce fût dans le monde. Ainsi, tandis que le ralliement à de Gaulle liait moralement entre eux tous nos éléments, leur administration se trouvait, elle aussi, fortement centralisée. Du fait qu'il n'y avait point, parmi nous, de fiefs budgétaires et économiques, non plus que politiques et militaires, et qu'en même temps l'Angleterre s'interdisait toute ingérence locale par les moyens financiers, l'unité s'établit sur un ensemble pourtant improvisé et dispersé à l'extrême.

Cependant, tout en consolidant notre base outre-mer, c'est à la métropole que nous pensions surtout. Qu'y faire ? Comment ? Avec quoi ? Ne disposant d'aucun moyen pour l'action en France et ne voyant même pas par quel bout aborder le problème, nous n'en étions pas moins hantés par les plus vastes projets, espérant que le pays s'y associerait massivement. Nous n'imaginions donc rien de moins qu'une organisation qui nous permettrait à la fois d'éclairer les opérations alliées grâce à nos renseignements sur l'ennemi, de susciter sur le territoire la résistance dans tous les domaines, d'y équiper des forces qui, le moment venu, participeraient sur les arrières allemands à la bataille pour la libération, enfin de préparer le regroupement national qui, après la victoire, remettrait le pays en marche. Encore voulions-nous que cette contribution multiple, fournie par des Français à l'effort de guerre commun, le fût au bénéfice de la France, non point divisée en services directement rendus aux alliés.

Mais ce terrain de l'action clandestine était, pour nous tous, entièrement nouveau. Rien n'avait jamais été préparé en France en vue de la situation où le pays était jeté. Nous savions que le service français des renseignements poursuivait, à Vichy, quelque activité. Nous n'ignorions pas que l'Etat-Major de l'armée s'efforçait de soustraire aux commissions d'armistice certains stocks de matériel. Nous nous doutions que divers éléments militaires tâchaient de prendre des dispositions dans l'hypothèse d'une reprise des hostilités. Mais ces efforts fragmentaires étaient accomplis en dehors de nous, pour le compte d'un régime dont la raison d'être consistait précisément à ne pas les utiliser, et sans que jamais la hiérarchie cherchât ou acceptât le moindre contact avec la France Libre. Bref, il n'existait rien à quoi notre action pût s'accrocher dans la métropole. Il fallait tirer du néant le service qui opérerait sur ce champ de bataille capital.

Ce n'étaient certes pas les candidatures qui manquaient autour de moi. Par une sorte d'obscure prévision de la nature, il se trouvait qu'en 1940 une partie de la génération adulte était, d'avance, orientée vers l'action clandestine. Entre les deux guerres, en effet, la jeunesse avait montré beaucoup de goût pour les histoires de 2e Bureau, de service secret, de police, voire de coups de main et de complots. Les livres, les journaux, le théâtre, le cinéma, s'étaient largement consacrés aux aventures de héros plus ou moins imaginaires qui prodiguaient dans l'ombre les exploits au service de leur pays. Cette psychologie allait faciliter le recrutement des missions spéciales. Mais elle risquait aussi d'y introduire le romantisme, la légèreté, parfois l'escroquerie, qui seraient les pires écueils. Il n'y aurait pas de domaine où l'on aurait plus de demandes d'emplois mais où les hommes chargés des affaires devraient faire preuve de plus de sérieux en même temps que d'audace.

Par bonheur, il s'en trouva de bons. Le commandant Dewavrin, dit Passy, fut leur chef. Rien n'avait préparé Passy à cette mission sans précédent. Mais, à mes yeux, c'était préférable. Sitôt désigné, d'ailleurs, il fut saisi pour sa tâche d'une sorte de passion froide qui devait le soutenir sur une route ténébreuse où il se trouverait mêlé à ce qu'il y eut de meilleur et à ce qu'il y eut de pire. Pendant le drame quotidien que fut l'action en France, Passy, secondé par Manuel, plus tard Vallon, Wybot, Pierre Bloch, etc., tint la barque à flot contre le déferlement des angoisses, des intrigues, des déceptions. Lui-même sut résister au dégoût et se garder de la vantardise, qui sont les démons familiers de cette sorte d'activité. C'est pourquoi, quelques changements qu'ait dû subir le « Bureau central de renseignements et d'action », à mesure des expériences, je maintins Passy en place à travers vents et marées.

Le plus urgent était d'installer en territoire national un embryon d'organisation. Du côté britannique, on eût voulu nous voir y envoyer simplement des agents chargés de recueillir isolément, sur le compte de l'ennemi, des renseignements relatifs à des objets déterminés. Telle était la méthode utilisée pour l'espionnage. Mais nous entendions faire mieux. Puisque l'action en France allait se déployer au milieu d'une population où foisonneraient, pensions-nous, les bonnes volontés, c'étaient des réseaux que nous voulions constituer. Ceux-ci, reliant entre eux des éléments choisis, communiquant avec nous par des moyens centralisés, obtiendraient le meilleur rendement. D'Estienne d'Orves, Duclos, débarqués sur la côte de la Manche ; Fourcault, Weil Curiel, passant par l'Espagne ; Robert, Monnier, venus de Tunisie à Malte et réexpédiés en Afrique du Nord, firent les premières expériences. Peu après, Rémy, à son tour, commença cette carrière d'agent secret où il devait montrer une sorte de génie.

Alors, s'engagea la lutte sur ce champ jusqu'alors inconnu. Mois après mois, plutôt lune après lune, car c'est de l'astre des nuits que dépendaient beaucoup d'opérations, le B.C.R.A. commença son œuvre : recrutement de combattants pour la guerre clandestine ; ordres à donner aux missions ; rapports à dépouiller ; transports par chalutiers, sous-marins, avions ; passages par le Portugal et l'Espagne ; parachutages ; prises de contact avec les bonnes volontés qui s'offraient en France ; allers et retours d'inspections et de liaisons ; transmissions par postes-radio, courriers, signaux convenus ; travail avec les services alliés qui formulaient les demandes de leurs états-majors, fournissaient le matériel et, suivant les cas, facilitaient ou compliquaient les choses. Par la suite, l'action, s'élargissant, devait englober les groupes armés du territoire et les mouvements de résistance aux multiples activités. Mais, pendant cet obscur hiver, on n'en était pas encore là !

En attendant, il fallait pratiquer avec les Anglais un *modus vivendi* qui permît au B.C.R.A. de fonctionner tout

en restant national. Ce fut là une vraie gageure. Certes, les
Britanniques comprenaient quels avantages pouvaient procurer, au point de vue des renseignements — le seul qui
les intéressât d'abord —, les concours fournis par des
Français. Mais, ce que recherchaient surtout les organes
anglais intéressés c'étaient les concours directs. Une
véritable concurrence s'engagea donc aussitôt : nous-
mêmes invoquant, auprès des Français, l'obligation
morale et légale de ne pas s'incorporer à un service
étranger ; les Anglais utilisant leurs moyens pour tâcher
de se procurer des agents, puis des réseaux, à eux.

Dès qu'un Français arrivait en Angleterre, et à moins
qu'il ne fût notoire, il était chambré par l' « Intelligence »
dans les locaux de « Patriotic School » et invité à s'engager
dans les services secrets britanniques. Ce n'est qu'après
toute une série de pressions et sollicitations qu'on le
laissait nous rejoindre. Si, toutefois, il avait cédé, on
l'isolait de nous, qui ne le verrions jamais. En France
même, les Anglais jouaient de l'équivoque pour recruter
leurs auxiliaires. « De Gaulle et la Grande-Bretagne, c'est
la même chose ! » faisaient-ils dire. Quant aux moyens
matériels, pour lesquels nous dépendions presque entièrement de nos alliés, nous ne les obtenions parfois qu'après
d'obstinés marchandages. On comprend à quelles frictions mena cette manière de faire. Il est vrai que, si les
Anglais frôlaient souvent la limite, ils ne la dépassaient
jamais. Au moment voulu, ils mettaient les pouces et
cédaient, au moins partiellement, à nos mises en demeure.
Alors, s'ouvrait une période d'utile collaboration, jusqu'au jour où, soudain, grondaient de nouveaux orages.

Mais ce que nous tâchions de faire ne pouvait valoir
quelque chose, à cet égard comme aux autres, que si
l'opinion française nous suivait. Le 18 juin, parlant à la
radio pour la première fois de ma vie et imaginant, non
sans vertige, celles et ceux qui étaient à l'écoute, je
découvrais quel rôle allait jouer dans notre entreprise la
propagande par les ondes.

Les Anglais, entre autres mérites, eurent celui de

discerner immédiatement et d'utiliser magistralement l'effet qu'une radio libre était susceptible de produire sur des peuples incarcérés. Ils avaient, tout de suite, commencé d'organiser leur propagande française. Mais, en cela comme en tout, s'ils voulaient sincèrement favoriser la résonance nationale que trouvaient de Gaulle et la France Libre, ils prétendaient aussi en profiter tout en restant maîtres du jeu. Quant à nous, nous entendions ne parler que pour notre compte. Pour moi-même, il va de soi que je n'admis jamais aucune supervision, ni même aucun avis étranger, sur ce que j'avais à dire à la France.

Des points de vue différents s'aménagèrent dans un compromis de fait d'après lequel la France Libre disposait chaque jour des ondes pendant deux fois cinq minutes. D'autre part et indépendamment de nous, fonctionnait sous la direction de M. Jacques Duchesne, homme de théâtre employé par la B.B.C., l'équipe fameuse « des Français parlent aux Français ». Plusieurs Français Libres, tels Jean Marin et Jean Oberlé, en faisaient partie avec mon approbation. Il était, d'ailleurs, entendu que l'équipe se tiendrait en étroite liaison avec nous, ce qui eut lieu longtemps, en effet. Je dois dire que le talent et l'efficacité de ce groupe nous déterminèrent à lui donner tout le concours que nous pouvions. Nous en faisions d'ailleurs autant pour la revue *France Libre* due à l'initiative de MM. Labarthe et Raymond Aron. Nous traitions de la même manière l' « Agence française indépendante » et le journal *France,* respectivement dirigés par Maillaud dit Bourdan et par M. Comert, avec l'appui direct du ministère britannique de l'Information mais sans nous être aucunement attachés.

Les choses allèrent ainsi, avec quelques incidents, tant que restèrent parallèles les intérêts et les politiques de l'Angleterre et de la France Libre. Plus tard, devaient venir des crises, au cours desquelles les propagandistes « des Français parlent aux Français », l' « Agence française indépendante », le journal *France,* n'épousèrent pas notre querelle. Il est vrai que par les antennes de

Brazzaville, nous eûmes toujours le moyen de publier ce qui nous parut utile. Dès le début, en effet, notre modeste radio africaine avait activement fonctionné et moi-même m'en servis souvent. Mais nous voulions l'agrandir et l'étendre. Le matériel nécessaire fut commandé en Amérique. Il nous fallut, pour l'obtenir, non seulement patienter longtemps et payer beaucoup de dollars, mais encore déjouer aux Etats-Unis maintes intrigues et surenchères. Finalement, c'est au printemps de 1943 que la petite installation des commencements héroïques fut relevée, sur le Congo, par le grand poste de la France Combattante.

On comprendra quelle importance nous attachions à nos brèves émissions de Londres. Chaque jour, celui qui devait parler en notre nom entrait au studio tout pénétré de sa responsabilité. On sait que Maurice Schumann le faisait le plus souvent. On sait aussi avec quel talent. Tous les huit jours environ, je parlais moi-même, avec l'émouvante impression d'accomplir, pour des millions d'auditeurs qui m'écoutaient dans l'angoisse à travers d'affreux brouillages, une espèce de sacerdoce. Je fondais mes allocutions sur des éléments très simples : le cours de la guerre, qui démontrait l'erreur de la capitulation ; la fierté nationale, qui, au contact de l'ennemi, remuait profondément les âmes ; enfin, l'espoir de la victoire et d'une nouvelle grandeur pour « notre dame la France ».

Pourtant, si favorable que pût être l'effet produit, il nous fallait bien constater que, dans les deux zones, l'opinion était à la passivité. Sans doute écoutait-on partout « la radio de Londres » avec satisfaction, souvent même avec ferveur. L'entrevue de Montoire avait été sévèrement jugée. La manifestation des étudiants de Paris, se portant en cortège derrière « deux gaules », le 11 novembre, à l'Arc de triomphe, et dispersés par la Wehrmacht à coups de fusil et de mitrailleuse, donnait une note émouvante et réconfortante. Le renvoi momentané de Laval apparaissait comme une velléité officielle de redressement. Le 1er janvier, comme je l'avais demandé,

une grande partie de la population, surtout en zone
occupée, était restée à domicile, vidant les rues et les
places, pendant une heure : « l'heure d'espérance ». Mais
aucun signe ne donnait à penser que des Français, en
nombre appréciable, fussent résolus à l'action. L'ennemi,
là où il se trouvait, ne courait chez nous aucun risque.
Quant à Vichy, rares étaient ceux qui contestaient son
autorité. Le Maréchal lui-même demeurait très populaire.
Un film de ses visites aux principales villes du Centre et
du Midi, qui nous était parvenu, en donnait des preuves
évidentes. Au fond, la grande majorité voulait croire que
Pétain rusait et que, le jour venu, il redresserait les armes.
L'opinion générale était donc que lui et moi nous mettions
secrètement d'accord. En définitive, la propagande
n'avait, comme toujours, que peu de valeur par elle-
même. Tout dépendait des événements.

Dans l'immédiat, il s'agissait de la bataille d'Afrique.
La France Libre commençait à y figurer. Dès le 14 juillet,
je m'étais mis directement en rapport avec le général
Wavell, Commandant en chef britannique au « Middle-
East », pour qu'il groupât en unités constituées les
éléments français qui se trouveraient dans sa zone d'action
et les envoyât en renfort au général Legentilhomme à
Djibouti. Puis, quand il fut avéré que la Côte française des
Somalis se soumettait à l'armistice, j'avais obtenu de
Wavell que le bataillon d'infanterie de marine, rallié à
Chypre en juin et complété par des Français d'Egypte,
participât à la première offensive menée par les Anglais en
Cyrénaïque vers Tobrouk et Derna. En France et au-
dehors, beaucoup de patriotes avaient tressailli en apprenant que, déjà, le 11 décembre, le vaillant bataillon du
commandant Folliot s'était distingué au combat de Sidi-
Barrani. Mais la grande affaire était, maintenant, d'amener en mer Rouge, depuis l'Afrique équatoriale, une
division, — hélas ! légère, — et d'obtenir qu'elle participât, comme telle, aux opérations.

Or, c'était en Erythrée et en Ethiopie que le Commandement britannique voulait porter l'effort, au printemps,

de manière à liquider l'armée du Duc d'Aoste avant
d'entamer autre chose sur les rives de la Méditerranée.
Quelles que fussent les distances, j'entendais qu'un
premier échelon français prît part à l'action. Les 11 et
18 décembre, j'avais donné à Larminat et à Catroux les
instructions nécessaires. Il s'agissait de la demi-brigade de
légion étrangère, d'un bataillon sénégalais du Tchad,
d'une compagnie de fusiliers marins, d'une compagnie de
chars, d'une batterie d'artillerie et d'éléments de services,
le tout placé sous les ordres du colonel Monclar. Déjà, un
escadron de spahis, amené de Syrie en juin 1940 par le
commandant Jourdier, et quelques aviateurs, venus, les
uns de Tunisie avec le capitaine Dodelier, les autres de
Rayak avec les lieutenants Cornez et de Maismont,
combattaient aux côtés des Anglais. J'avais fait régler
l'embarquement de la Légion à destination de Port-
Soudan avec l'accord de Wavell ; les chars et l'artillerie
devant suivre, eux aussi, par mer. Quant au bataillon du
Tchad, il était parti pour Khartoum, tout simplement par
les pistes, en utilisant des camionnettes locales. Il devait,
d'ailleurs, arriver sans douleur, malgré les prédictions
funestes des Africains expérimentés et, dès le 20 février,
sous les ordres du commandant Garbay, s'engager près de
Kub-Kub et remporter un succès signalé. Par la suite,
quatre autres bataillons sénégalais rejoindraient ces éléments de tête et constitueraient, avec eux, une appréciable
unité de bataille. D'autre part, un groupe français de
bombardement, doté d'appareils « Blenheim » que nous
avions amenés d'Angleterre, serait expédié vers Khartoum. Enfin, les braves avisos *Savorgnan-de-Brazza* et
Commandant-Duboc faisaient route vers la mer Rouge.
    Combien la part de la France dans la bataille d'Abyssi-
nie eût-elle eu plus d'importance, si la Côte française des
Somalis, avec sa garnison de 10 000 hommes bien armés et
son port de Djibouti, terminus du chemin de fer d'Addis-
Abéba, était redevenue belligérante ! Aussi, tout en
pressant l'envoi de troupes vers l'Ethiopie, voulais-je
tenter de faire rallier cette colonie française. Or, à

Djibouti, après quelques vélléités de refuser l'armistice, on s'était soumis aux ordres de Vichy. Mais, peut-être, le fait que, dans la région même, une bataille s'engageait contre l'ennemi et que des Français arrivaient pour y prendre part, entraînerait-il un changement d'attitude ? Dans ce cas, c'est à Djibouti qu'il faudrait débarquer les troupes de la France Libre pour les y joindre à la garnison. Dès lors, une force française vraiment importante prendrait l'offensive à partir de là, en conjuguant son effort avec celui des Britanniques. Si, au contraire, la Côte des Somalis n'acceptait pas de se rallier, l'expédition française libre combattrait seule aux côtes des Anglais.

A Londres, nos alliés donnèrent leur accord à ce programme. Je chargeai le général Legentilhomme de tenter d'amener au combat ses anciennes troupes de Djibouti et, en tout cas, de commander celles qui étaient ou seraient envoyées en mer Rouge depuis l'Afrique équatoriale. Il partit aussitôt pour Khartoum. Au général Catroux et au général Wavell, je fixai les conditions dans lesquelles devraient agir Legentilhomme et les forces sous ses ordres. En même temps, je priai M. Churchill de s'accommoder de l'initiative française, dont il faisait d'abord mine de prendre ombrage.

Tandis que nous tâchions de renforcer en Orient l'action des forces britanniques, nous ouvrions, aux confins du Tchad et de la Libye, un front proprement français. C'était, à vrai dire, avec des moyens bien faibles et sur d'immenses étendues. Mais, là, nous pouvions ne dépendre que de nous-mêmes et je tenais essentiellement à ce qu'il en fût ainsi.

Depuis son arrivée au Tchad, Leclerc, sous les ordres du Haut Commissaire de Larminat qui lui donnait tout ce qu'il pouvait, avait préparé, avec une activité extrême, les premières opérations prescrites dans le désert. En janvier, avec le lieutenant-colonel d'Ornano qui fut tué dans cette affaire, il poussait jusqu'au poste italien de Mourzouk une brillante reconnaissance, à laquelle s'était jointe une patrouille anglaise venue du Nil. Fin janvier, à la tête d'une colonne soigneusement formée, qu'appuyait notre aviation, Leclerc s'élançait vers les oasis de Koufra, à 1 000 kilomètres de ses bases. Pendant plusieurs semaines de manœuvres et de combats, il attaquait les Italiens dans leurs postes, repoussait leurs troupes mobiles et, le 1er mars, faisait capituler l'ennemi. Au moment même, l'avance rapide des Britanniques en Libye semblait pouvoir nous offrir des perspectives plus larges encore. C'est pourquoi, le 17 février, je prescrivis au général de Larminat de préparer la conquête du Fezzan. Le cours ultérieur des événements de Libye devait nous empêcher de passer, dès ce moment, à l'exécution. Mais Leclerc et ses Sahariens seraient, désormais, tendus vers cet objectif principal. J'avais été amené, entre-temps, à fixer, quant à la destinée de Koufra et du Fezzan, la position de la France par rapport à celle des Britanniques. Nous resterions à Koufra, bien que les oasis aient, naguère, été rattachées au Soudan anglo-égyptien. Quand, un jour, le Fezzan serait conquis par nous, et pourvu que l'Angleterre reconnût notre droit à y demeurer, nous pourrions évacuer Koufra.

Pourtant, quoi que pussent faire les Anglais, et, avec eux, les Français Libres, l'initiative stratégique appartenait toujours à l'ennemi. C'est de lui que dépendait l'orientation de la guerre. Faute de pouvoir envahir l'Angleterre, allait-il déferler sur l'Afrique du Nord par Suez et par Gibraltar ? Ou bien voudrait-il régler leur compte aux Soviets ? En tout cas, des signes annonçaient qu'il allait déclencher l'une ou l'autre de ces entreprises. Quelle que fût l'éventualité, les dispositions arrêtées par nous permettraient, pensions-nous, à la France Libre d'engager utilement ce qu'elle avait de forces. Mais, en outre et malgré l'affreuse faiblesse dans laquelle nous nous débattions, j'étais résolu, devant chacun des problèmes que poserait au monde la nouvelle offensive de l'Allemagne et de ses alliés, à parler au nom de la France et à le faire comme il convenait.

Au mois de novembre 1940, l'Italie avait attaqué la

Grèce. Le 1er mars 1941, le Reich forçait la Bulgarie à se joindre à l'Axe. Dans les premiers jours d'avril, les troupes allemandes devaient entrer en Grèce et en Yougoslavie. Par cette mainmise sur les Balkans, l'ennemi pouvait viser aussi bien à déboucher vers l'Orient qu'à interdire aux Britanniques toute tête de pont derrière la Wehrmacht si celle-ci pénétrait en Russie. Dès le début de l'offensive italienne en Grèce, j'avais télégraphié au général Metaxas, Premier ministre hellénique, afin qu'on sût publiquement de quel côté se trouvaient les vœux et la fidélité de la France. La réponse de Metaxas marqua qu'il l'avait compris. Cependant, je ne pus réussir à obtenir des Anglais le transport en Grèce d'un petit détachement que je souhaitais y envoyer à titre symbolique. Il faut dire que Wavell, absorbé par les opérations de Libye et d'Erythrée, n'expédiait lui-même, alors, en Grèce, aucune de ses propres forces.

Au début de février, nous avions appris l'arrivée en Syrie de la mission allemande von Hintig et Roser. L'agitation que cette mission devait susciter dans les pays arabes pouvait servir, soit à y préparer l'irruption des forces de l'Axe, soit à y créer une diversion utile en cas d'attaque de ces forces vers Kiev et Odessa.

Dans le même temps, la menace japonaise se précisait en Extrême-Orient. Sans doute ne pouvait-on démêler s'il s'agissait, de la part des Nippons, d'une volonté arrêtée d'entrer prochainement dans la guerre ou, simplement, d'une pression destinée à accrocher, dans le sud-est de l'Asie, le plus possible des forces britanniques et des préparatifs américains, tandis que l'Allemagne et l'Italie déploieraient leur effort, soit vers Moscou, soit au-delà de la Méditerranée. Mais, de toute façon, les Japonais voulaient s'assurer immédiatement du contrôle de l'Indochine. En outre, s'ils entraient en ligne, la Nouvelle-Calédonie, nos archipels du Pacifique, les Etablissements français des Indes et, même, Madagascar, allaient être menacés.

En Indochine, l'intervention japonaise avait commencé

dès qu'il fut clair que la France perdait la bataille en
Europe. Au mois de juin 1940, le général Catroux,
Gouverneur général, s'était tenu pour contraint de donner
satisfaction aux premières demandes nippones. Avant de
s'y résoudre, il avait fait sonder les Britanniques et les
Américains et conclu qu'aucun concours extérieur ne
pouvait être envisagé. Là-dessus, Vichy avait remplacé
Catroux par Decoux. Pour moi, qui n'étais en mesure, ni
de soulever en Indochine un mouvement capable d'y
prendre les affaires en main, ni d'y briser l'intervention
japonaise qu'un tel mouvement n'aurait pas manqué de
provoquer, ni de décider les alliés à s'opposer aux
empiétements nippons, je me trouvais, jusqu'à nouvel
ordre, contraint à l'expectative. C'est avec les sentiments
que l'on devine que, de Douala, le 8 octobre, je l'avais
télégraphié à l'Inspecteur général des Colonies Cazaux,
Directeur des finances à Saïgon, en réponse à un émouvant message par lequel il me rendait compte de la
sympathie d'une grande partie de la population à l'égard
des Français Libres, mais aussi de l'impossibilité où était
l'Indochine d'agir comme elle le souhaitait. A moi-même,
menant une bien petite barque sur l'océan de la guerre,
l'Indochine apparaissait alors comme un grand navire
désemparé que je ne pourrais secourir avant d'avoir
longuement réuni les moyens du sauvetage. Le voyant
s'éloigner dans la brume, je me jurais de le ramener un
jour.

Au début de 1941, les Japonais poussaient le Siam à
s'emparer des deux rives du Mékong, voire du Cambodge
et du Laos. En même temps, ils accentuaient leurs
propres exigences, réclamant pour eux-mêmes, d'abord
une sorte de mainmise économique sur l'Indochine,
ensuite l'occupation militaire des points essentiels. J'étais
informé des développements de cette grave affaire, non
seulement par les Anglais et les Hollandais à Londres,
mais aussi par les représentants dont la France Libre
disposait aux principaux carrefours du monde : Schom-
pré, puis Baron et Langlade, à Singapour ; Garreau-

Dombasle à Washington ; Egal à Shanghaï ; Vignes à Tokyo ; Brénac à Sydney ; André Guibaut, puis Béchamp, à Tchoung-King ; Victor à New-Delhi. Il m'apparut que les diverses politiques étaient, en l'occurrence, aussi gênées que complexes, mais qu'en tout cas personne ne ferait rien pour aider l'Indochine française à résister aux Japonais. La France Libre n'en avait, évidemment, pas les moyens. Vichy, qui, lui, les avait, mais qui s'était livré aux Allemands, se voyait refuser par eux la possibilité de les employer. Les Anglais, bien qu'ils sentissent que l'orage atteindrait un jour Singapour, ne voulaient que gagner du temps, et leur représentant à Bangkok se montrait avant tout désireux de garder avec le Siam d'amicales relations, quel que fût le sort des territoires du Mékong. Quant aux Américains, qui n'étaient prêts, ni matériellement, ni moralement, à affronter le conflit, ils entendaient ne pas intervenir.

Dans ces conditions, ce que nous pouvions faire, et qui fut fait, c'était, d'abord, notifier partout que la France Libre tiendrait pour nul et non avenu tout abandon que le Gouvernement de Vichy consentirait en Indochine. C'était, aussi, sans que nos amis y ralliassent la politique et la doctrine de Vichy, ne pas gêner par des mouvements intérieurs la résistance que les autorités locales voudraient éventuellement opposer aux Japonais et aux Siamois. C'était, encore, concerter notre action dans le Pacifique avec celle des autres puissances menacées et tâcher — mais en vain —, d'obtenir, au profit de l'Indochine, une médiation conjointe de l'Angleterre, des Etats-Unis et de la Hollande. C'était, enfin, organiser la défense de la Nouvelle-Calédonie et de Tahiti en commun avec l'Australie et la Nouvelle-Zélande.

A ce dernier point de vue, je vis, au mois de mars, lors de son passage à Londres, le Premier ministre australien, M. Menzies, et réglai l'essentiel avec cet homme de grand sens. Après quoi, le gouverneur Sautot négocia et conclut, en mon nom, un accord précis avec les Australiens, toutes

précautions étant prises pour qu'il n'y eût aucun empiéte-
ment sur la souveraineté française.

Nous apprîmes bientôt que les Thaïlandais attaquaient
sur le Mékong et, qu'après avoir subi de sérieux échecs
sur terre et sur mer, ils obtenaient, néanmoins, les
territoires convoités, grâce à une brutale pression japonaise exercée à Saïgon et à Vichy et intitulée : « Médiation. » Plus tard, le Japon lui-même imposerait son
contrôle à l'Indochine. Il n'y eut aucune opposition, ni
même aucune protestation, de la part d'aucune autre
puissance intéressée dans le Pacifique. Dès ce moment, il
était clair que l'entrée des Nippons dans la guerre
mondiale ne serait plus qu'une question de date.

A mesure que se précisaient les raisons d'action commune, les relations se multipliaient entre Français et
Britanniques. D'ailleurs, au long des jours, on avait fait
connaissance. J'ai le devoir de dire que, si mon estime
était tout acquise à ceux des Anglais qui dirigeaient leur
pays, il m'apparaissait que ceux-ci m'accordaient personnellement la leur. Le Roi, d'abord, exemplaire et toujours
informé, la Reine, chacun des membres de leur famille,
choisissaient maintes occasions d'en donner le témoi-
gnage. Parmi les ministres, c'est évidemment avec M.
Churchill que j'étais surtout en relations publiques et
privées. Mais je voyais aussi, à cette époque, soit pour les
affaires, soit dans d'amicales réunions, principalement M.
Eden, Sir John Anderson, M. Amery, Sir Edward Grigg,
M. Alexander, Sir Archibald Sinclair, Lord Lloyd, Lord
Cranborne, Lord Hanskey, Sir Stafford Cripps, MM. Attlee, Duff Cooper, Dalton, Bevin, Morrison, Bevan,
Butler, Brendan-Bracken. Parmis les premiers « ser-
vants » civils ou militaires, c'étaient, le plus souvent, Sir
Robert Vansittard, Sir Alexander Cadogan, M. Strang,
M. Morton, les généraux Sir John Dill et Ismay, l'amiral
Sir Dudley Pound, l'Air-marshal Portal, que j'avais à
rencontrer. Mais, qui s'agît de gouvernants, de grands
chefs, de hauts fonctionnaires, ou bien de personnalités
du Parlement, de la presse, de l'économie, etc... tous

montraient, quant à l'intérêt britannique, un loyalisme, une assurance, qui frappaient et en imposaient.

Ce n'est pas, certes, que ces hommes fussent aucunement dépourvus d'esprit critique, voire de fantaisie. Combien de fois ai-je, même, savouré l'humour avec lequel, en dépit de leur surmenage, ils jugeaient les hommes et les événements au cœur du drame qui nous roulait tous comme la mer roule les galets ! Mais il y avait en chacun d'eux un dévouement au service public, entre eux tous une communauté d'intentions, qui les liaient les uns aux autres. L'ensemble donnait l'impression, dans le personnel dirigeant, d'une cohésion que j'enviai et admirai bien souvent.

Mais dont j'eus, aussi, à subir les étreintes. Car, c'était une rude épreuve que de résister à la machine britannique, quand elle se mettait en mouvement pour imposer quelque chose. A moins d'en avoir fait, soi-même, l'expérience, on ne peut imaginer quelle concentration des efforts, quelle variété de procédés, quelle insistance, tour à tour gracieuse, pressante ou menaçante, les Anglais étaient capables de déployer pour obtenir satisfaction.

Tout d'abord, des allusions, prodiguées de-ci, de-là, mais frappantes par leur concordance, venaient nous mettre en éveil et exercer sur nous une méthodique préparation. Soudain, au cours d'un entretien organisé dans les formes, la personnalité qualifiée produisait la demande ou l'exigence britannique. Si nous n'acceptions pas d'entrer dans les voies proposées, — et je dois dire que c'était fréquent, — commençait l'épreuve de la « pression ». Autour de nous, tout le monde s'y mettait, de toute façon, à tous les étages. Il y avait des conversations officielles ou officieuses, où les échelons les plus divers invoquaient, suivant l'occasion, l'amitié, l'intérêt, la crainte. Il y avait l'action de la presse, habilement réservée sur l'objet même du litige, mais créant, pour ce qui nous concernait, une atmosphère de blâme et de tristesse. Il y avait l'attitude des gens avec qui nous nous trouvions en relations personnelles et qui tous, accordés d'instinct, s'efforçaient de nous convaincre. Il y avait, partout, en masse et à la fois, les objurgations, les plaintes, les promesses et les colères.

Nos partenaires britanniques y étaient aidés par la propension naturelle des Français à céder aux étrangers et à se diviser entre eux. Chez nous, parmi ceux qui, de près ou de loin, avaient eu, dans leur carrière, à s'occuper d'affaires extérieures, la concession était, le plus souvent, une habitude, sinon un principe. Pour beaucoup, à force d'avoir vécu sous un régime dépourvu de consistance, il était comme entendu que la France ne disait jamais : « Non ! » Aussi, dans les moments où je tenais tête aux exigences britanniques, voyais-je, jusqu'autour de moi, se manifester l'étonnement, le malaise, l'inquiétude. J'entendais chuchoter en coulisse et je lisais dans les yeux cette question : « Où donc veut-il aller ? » Comme s'il était inconcevable qu'on n'allât pas à l'acceptation. Quant à ceux des Français émigrés qui ne nous avaient pas ralliés, ils prenaient parti contre nous d'une manière quasi automatique ; la plupart suivant la pente de leur école politique pour laquelle la France avait toujours tort, du moment qu'elle s'affirmait ; tous désapprouvant de Gaulle, dont la fermeté, qu'ils qualifiaient de dictatoriale, leur paraissait suspecte par rapport à l'esprit d'abandon qu'ils prétendaient confondre avec celui de la République !

Quand ces influences multiples avaient pu jouer au fond, le silence s'étendait tout à coup. Une sorte de vide était créé autour de nous par les Britanniques. Plus d'entretiens, ni de correspondance ; plus de visites, ni de déjeuners. Les questions restaient pendantes. Les téléphones ne sonnaient plus. Ceux des Anglais que le hasard nous faisait, pourtant, rencontrer, étaient sombres et impénétrables. Nous étions ignorés, comme si, pour nous, la page de l'alliance et, même, celle de la vie, étaient, désormais, tournées. Au cœur de l'Angleterre concentrée et résolue, un froid glacial nous enveloppait.

Alors, venait l'attaque décisive. Une solennelle réunion

franco-britannique avait lieu inopinément. Tous les moyens y étaient mis en œuvre ; tous les arguments, produits ; tous les griefs, articulés ; toutes les mélodies, chantées. Bien que, parmi les Anglais responsables, l'art dramatique eût ses degrés, chacun d'eux jouait son rôle en artiste de classe. Des heures durant, se succédaient les scènes pathétiques et alarmantes. On se quittait sur des sommations, faute que nous ayons cédé.

Quelque temps encore et c'était l'épilogue. Diverses sources britanniques émettaient des signaux de détente. Des intermédiaires venaient dire qu'il y avait, sans doute, malentendu. Des personnes qualifiées demandaient de mes nouvelles. Quelque entrefilet bienveillant paraissait dans les journaux. Là-dessus, arrivait un projet anglais d'arrangement, concernant la question débattue et qui ressemblait beaucoup à ce que nous avions, nous-mêmes, proposé. Les conditions devenant acceptables, l'affaire était vite réglée, tout au moins en apparence. Le terme y était mis au cours d'une amicale réunion, non sans que nos partenaires eussent, à tout hasard, essayé, dans l'euphorie de l'entente retrouvée, d'obtenir à l'improviste quelque avantage. Puis, les rapports se renouaient comme devant ; le fond des choses restant, toutefois, indéterminé. Car, pour la Grande-Bretagne, il n'y avait jamais de cause qui fût entendue.

Au début du mois de mars 1941, je ne pouvais douter que la guerre fût sur le point de faire surgir, pour nous, en Orient et en Afrique, de grandes épreuves face à l'ennemi, l'opposition obstinée de Vichy et de sérieuses dissensions avec nos alliés. C'est sur place qu'il me faudrait prendre des décisions nécessaires. Je décidai d'y aller.

Avant de partir, passant le week-end aux Chequers chez le Premier ministre, celui-ci me fit deux annonces, en même temps que ses adieux. Le 9 mars, à l'aurore, M. Churchill vint me réveiller pour me dire, en dansant littéralement de joie, que le Congrès américain avait voté le « Lease-Lend Bill », en discussion depuis plusieurs semaines. Il y avait là, en effet, de quoi nous remplir d'aise, non seulement par le fait que les belligérants se trouvaient désormais assurés de recevoir des Etats-Unis le matériel nécessaire au combat, mais aussi parce qu'en devenant, suivant le mot de Roosevelt, « l'arsenal des démocraties », l'Amérique faisait un pas de géant vers la guerre. Alors, voulant, sans doute, profiter de ma bonne humeur, M. Churchill formula sa deuxième communication : « Je sais, dit-il, que vous avez des griefs à l'encontre de Spears, en tant que chef de notre liaison auprès de vous. Cependant, je vous demande instamment de le garder encore et de l'emmener en Orient. C'est un service personnel que vous me rendrez. » Je ne pouvais refuser et nous nous quittâmes là-dessus.

En m'envolant vers l'équateur, le 14 mars, j'avais cette fois le sentiment que la France Libre disposait d'une armature valable. Notre Conseil de Défense de l'Empire, pour dispersés que fussent ses membres, formait un ensemble estimable et cohérent, reconnu, d'ailleurs, dès le 24 décembre 1940, par le Gouvernement britannique. A Londres, notre administration centrale s'était affermie ; des hommes de qualité, comme Cassin, Pleven, Palewski, Antoine, Tissier, Dejean, Alphand, Dennery, Boris, Antier, etc., en formant l'ossature. D'autre part, au point de vue militaire, plusieurs officiers de valeur, tels les colonels : Petit, Angenot, Dassonville, Brosset, venus d'Amérique du Sud où ils se trouvaient en mission, Bureau muté du Cameroun, le colonel de l'Air Valin qui nous arrivait du Brésil, donnaient plus de consistance à nos états-majors. En Orient, Catroux ; en Afrique, Larminat, avaient les affaires bien en main. Sous l'impulsion de Garreau-Dombasle pour les Etats-Unis, de Ledoux pour l'Amérique du Sud, de Soustelle pour l'Amérique centrale, d'Argenlieu et de Martin-Prevel pour le Canada, nos délégations s'implantaient partout dans le Nouveau Monde. Nos comités à l'étranger ne cessaient pas de se développer, en dépit de l'action exercée sur place par les représentants de Vichy, de la malveillance de la plupart des notables français et des querelles habituelles à nos compatriotes. L'Ordre de la Libération, que j'avais institué à Brazzaville, le 16 novembre 1940, et organisé à Londres, le 29 janvier 1941, suscitait, parmi les Français Libres, une émulation de la plus haute qualité. Enfin, nous sentions, par-dessus la mer, la France regarder vers nous.

Ces progrès de la France Libre, en moyens et en solidité, m'apparaissaient déjà, le long de ma route, dans l'attitude des gouverneurs anglais chez qui je faisais escale, à Gibraltar, à Bathurst, à Freetown, à Lagos. Je les avais, nagère, trouvés pleins de cordialité ; je les voyais, à présent, remplis de considération. En parcourant ensuite le bloc équatorial français, je ne sentis, nulle part, ni inquiétude, ni incertitude. Chacun, assuré maintenant dans sa foi et dans son espérance, tournait les yeux vers le dehors, ambitieux de voir notre force sortir de son berceau lointain, grandir par d'autres ralliements, frapper l'ennemi, s'approcher de la France.

L'ORIENT

V ers l'Orient compliqué, je volais avec des idées simples. Je savais, qu'au milieu de facteurs enchevêtrés, une partie essentielle s'y jouait. Il fallait donc en être. Je savais que, pour les alliés, la clef de l'action était le canal de Suez, dont la perte livrerait à l'Axe l'Asie Mineure et l'Egypte, mais dont la possession permettrait, au contraire, d'agir un jour de l'est vers l'ouest, sur la Tunisie, l'Italie, le sud de la France. C'est dire que tout nous commandait d'être présents aux batailles dont le canal était l'enjeu. Je savais qu'entre Tripoli et Bagdad, en passant par Le Caire, Jérusalem, Damas, comme entre Alexandrie et Nairobi, en passant par Djeddah, Khartoum, Djibouti, les passions et ambitions, politiques, racistes, religieuses, s'aiguisaient et se tendaient sous l'excitation de la guerre, que les positions de la France y étaient minées et convoitées, qu'il n'y avait, dans aucune hypothèse, aucune chance qu'elle en gardât aucune, si, pour la première fois dans l'Histoire, elle demeurait passive alors que tout était en cause. Le devoir était donc d'agir, là comme ailleurs, aux lieu et place de ceux qui ne le faisaient pas.

Quant aux moyens qui, dans cette région du monde, appartenaient à la France, il y avait, d'abord, ceux dont je disposais déjà : troupes combattantes, réserves en formation, mais aussi territoire du Tchad qui nous mettait à même d'agir en Libye par le Sud et, en outre, procurait à l'aviation alliée l'avantage de faire venir ses appareils par air directement de l'Atlantique au Nil, au lieu de les transporter par mer suivant le périple du Cap. Il y avait, d'autre part, les atouts que Vichy était en train de perdre : présence de la France dans les Etats du Levant où elle avait une armée et où débouchait le pétrole ; colonie de Djibouti ; escadre d'Alexandrie. Si, par tactique ou par nécessité, je pouvais envisager de laisser momentanément en dehors de la guerre tel ou tel de ces éléments, si je mesurais ce qu'il y avait souvent, parmi les exécutants, d'excusable dans leur attentisme et d'explicable dans leur obédience, je n'étais pas moins résolu à les soumettre au plus tôt. Au moment de quitter Londres, j'avais, d'ailleurs, pris l'avis des membres du Conseil de Défense quant à ce qu'il conviendrait de faire si, devant quelque menace directe des Allemands, l'Angleterre et la Turquie décidaient de s'assurer des territoires syrien et libanais. Bref, j'arrivais en Orient décidé à ne ménager rien, d'une part pour étendre l'action, d'autre part pour sauvegarder ce qui pourrait l'être de la situation de la France.

J'atterris, d'abord, à Khartoum, base de la bataille d'Erythrée et du Soudan. Celle-ci était conduite — fort bien — par le général Platt, chef alerte et dynamique, qui venait précisément d'enlever sur les hauteurs de Keren la ligne principale de défense des Italiens. La brigade du colonel Monclar et le groupe d'aviation du commandant Astier de Villatte y avaient brillamment participé. Quant aux troupes de Djibouti, bien que le général Legentilhomme eût pris avec elles quelques contacts, elles ne s'étaient pas décidées et le gouverneur Noailhetas réprimait par tous les moyens, y compris la peine de mort, les mouvements qui se manifestaient en faveur du ralliement.

Pour que Djibouti rentrât dans la guerre, il ne fallait donc pas compter sur une adhésion spontanée. D'autre part, je ne prétendais pas y pénétrer par les armes. Restait le blocus, qui pouvait certainement porter à la compréhension une colonie dont les subsistances lui venaient par la mer, d'Aden, d'Arabie, de Madagascar. Mais nous ne parvînmes jamais à obtenir des Anglais qu'ils fissent tout le nécessaire.

Sans doute, leur commandement militaire était-il, en principe, favorable au ralliement qui procurerait des renforts. Mais d'autres instances anglaises étaient moins pressées. « Si, pensaient-elles vraisemblablement, la concurrence qui, depuis soixante ans, oppose vers les sources du Nil la Grande-Bretagne, l'Italie et la France se termine par un triomphe proprement britannique, si, les Italiens étant finalement écrasés, il apparaît que les Français sont restés passifs et impuissants, quelle situation unique aura désormais l'Angleterre dans tout l'ensemble : Abyssinie, Erythrée, Somalie, Soudan ! Pour quelques bataillons que Djibouti pourrait engager dans une bataille déjà virtuellement gagnée, faut-il renoncer à un tel résultat ? » Cet état d'esprit, plus ou moins répandu parmi les Britanniques, explique, à mon avis, pourquoi les autorités de Vichy réussirent, pendant deux années, à ravitailler la colonie et, par là, à la maintenir dans une néfaste obédience.

Leur carence ne rendait que plus méritoires les services des troupes françaises qui combattaient en Erythrée. J'allai passer avec elles les journées du 29 et du 30 mars. Un avion français m'ayant amené au terrain d'Agordat, je gagnai la région à l'est de Keren, où notre brigade, jointe à une division hindoue, formait la gauche du dispositif allié. Nos troupes étaient magnifiques. Après Kub-Kub, elles avaient pris une part notable à la victoire de Keren, en enfonçant et débordant le flanc droit des Italiens. Le lieutenant-colonel Génin, qui s'était distingué dans l'affaire, m'est présenté. Pour nous joindre, à partir d'Alger, il vient de traverser l'Afrique et, à peine arrivé, de courir au combat. « Vous avez vu, maintenant, Génin. Qu'en pensez-vous ? » — « Ah ! si tous, de l'autre côté, pouvaient voir, il n'y aurait pas de question ! »

Au lendemain de ma visite, comme le général Platt déclenchait l'exploitation, le commandant de la brigade française entraîna son monde vers Massaouah, capitale et

réduit de l'Erythrée. Montecullo et le Fort Umberto une
fois enlevés par les nôtres, le 7 avril, la légion entra en
trombe dans Massaouah, pêle-mêle avec une foule d'Italiens en déroute, courut au port, s'empara de l'Amirauté
et donna au colonel Monclar l'honneur de recevoir la
reddition du commandant de la marine ennemie en mer
Rouge. Au total, le détachement français avait fait, au
combat, plus de 4 000 prisonniers et reçu, à Massaouah, la
reddition de 10 000 autres.

Désormais, les débris des forces italiennes, rejetés en
Abyssinie, n'opéraient plus qu'en actions décousues. Mais
le fait que la Somalie française restait en dehors de la lutte
frustrait la France du rôle décisif qu'auraient pu jouer ses
forces, en marchant directement le long du chemin de fer,
de Djibouti sur Addis-Abéba où allait rentrer le Négus. Je
ne pouvais qu'en tirer les déplorables conséquences. C'est
ailleurs qu'il fallait, maintenant, porter les troupes françaises libres, celles qui venaient d'être engagées comme
celles qui accouraient pour l'être. Palewski resterait sur
place comme délégué politique et militaire, gardant à sa
disposition un bataillon et quelques avions.

Au Caire, où j'atterris le 1er avril, battait le cœur de la
guerre, mais un cœur mal accroché. La situation des
Britanniques et de leurs alliés y apparaissait, en effet,
comme instable, non seulement en raison des événements
militaires, mais aussi du fait qu'ils se trouvaient sur un sol
miné par les courants politiques, au milieu de populations
qui assistaient, sans prendre parti, à la bataille entre
Occidentaux, prêtes, toutefois, à tirer profit de la
dépouille des vaincus.

Ces conditions donnaient à la conduite de la guerre en
Orient un caractère très complexe. Le général Wavell,
Commandant en chef britannique, par bonheur fort bien
doué quant au jugement et au sang-froid, se mouvait au
milieu de multiples contingences, dont beaucoup
n'avaient avec la stratégie que des rapports indirects.
Encore, cette stratégie elle-même était-elle des plus malai-
sées. Au début d'avril, Wavell menait sur trois fronts une

bataille qu'alimentaient avec peine d'interminables communications.

En Libye, après de beaux succès qui avaient porté les Anglais jusqu'au seuil de la Tripolitaine, il avait fallu reculer. La Cyrénaïque, sauf Tobrouk, allait être perdue. Le commandement, malgré sa valeur, les troupes, malgré leur courage, n'avaient pas encore fait l'apprentissage de cette lutte du désert, si mobile et rapide sur d'immenses espaces découverts, si lassante, avec la soif et la fièvre chroniques, sous le soleil de feu, dans les sables, au milieu des mouches. Rommel changeait la fortune au moment même où le Gouvernement de Londres imposait à Wavell de dégarnir son corps de bataille en envoyant en Grèce une importante fraction de ses forces. Or, sur le front hellénique, les affaires n'allaient pas bien, non plus. Il est vrai que les victoires d'Erythrée et d'Abyssinie procuraient quelques consolations. Mais des signes alarmants apparaissaient dans les pays arabes. L'Irak s'agitait. L'Egypte restait énigmatique. Au sujet de la Syrie, les Allemands entamaient avec Vichy des tractations inquiétantes. En Palestine, le conflit latent entre Arabes et Juifs imposait maintes précautions.

A tant de difficultés, accumulées autour de Wavell, s'ajoutaient les interférences. Il y avait les télégrammes de Londres. Car, M. Churchill, impatient et compétent, ne laissait pas de demander des explications et de donner des directives. Indépendamment des visites de M. Eden, d'abord comme ministre de la Guerre, puis, en avril 1941, — où je le rencontrai au Caire, — comme secrétaire d'Etat au Foreign Office, il y avait les démarches de l'ambassadeur, Sir Miles Lampson, investi, de par sa valeur et de par la force des choses, d'une sorte de mission permanente de coordination. Il y avait le fait que l'armée d'Orient comprenait, pour une large part, les contingents des Dominions : Australie, Nouvelle-Zélande, Afrique du Sud, dont les gouvernements surveillaient jalousement l'emploi qui était fait de leurs forces, ainsi que les troupes des Indes dont il fallait user sans paraître en abuser. Bref,

Wavell n'exerçait son commandement militaire qu'à travers toutes sortes d'entraves politiques.

Je dois dire qu'il les subissait avec une noble sérénité. A tel point qu'il maintenait son quartier général au Caire, où elles l'enserraient de toutes parts. C'est au cœur de cette ville grouillante, dans le tumulte et la poussière, entre les murs d'un petit bureau surchauffé par le soleil, que l'assaillaient continuellement des interventions extérieures à son domaine normal de soldat. Et voici que j'arrivais, incommode et pressant, bien résolu à résoudre, pour le compte de la France, des problèmes qui mettaient en cause les Britanniques et, d'abord, leur commandant en chef.

Avec le général Catroux, je traçai nos perspectives. Ce qu'il adviendrait en Syrie et au Liban était, pour nous, l'essentiel. Tôt ou tard, il faudrait y aller. Du jour où nous y serions, la France aurait une chance d'apporter à l'effort commun une importante contribution. Autrement, cette chance étant perdue, il en serait de même de la position de la France. Car, à supposer que l'Axe fût vainqueur, il dominerait là comme ailleurs. Dans le cas contraire, les Anglais prendraient notre place. L'autorité de la France Libre devait donc être étendue à Damas et à Beyrouth, dès que les événements en offriraient l'occasion.

Mais, à mon arrivée au Caire, l'occasion n'était pas en vue. On ne pouvait espérer que les autorités et l'armée du Levant rompissent d'elles-mêmes le charme maléfique qui les tenait enchaînées. Le mouvement qui, à la fin de juin 1940, poussait des colonnes entières en direction de la Palestine, s'était mué en attentisme. D'ailleurs, la démobilisation de beaucoup d'officiers et d'hommes, décrétée par Vichy après ses armistices, les avait ramenés en France. En outre, parmi les militaires et les fonctionnaires qui restaient en activité, Vichy avait rapatrié, voire arrêté, nombre de « gaullistes ». Bref, le mouvement espéré lors de l'arrivée au Caire du général Catroux ne s'était pas produit et nos informateurs de Beyrouth et de Damas ne nous donnaient pas à penser qu'il dût se produire bientôt.

Le même parti pris de renoncement enlisait l'escadre française d'Alexandrie. Depuis que l'amiral Godfroy avait conclu avec Andrew Cunningham l'accord qui neutralisait ses navires, le cuirassé *Lorraine*, les croiseurs : *Duguay-Trouin, Duquesne, Suffren, Tourville*, les contre-torpilleurs : *Basque, Forbin, Fortuné*, le sous-marin *Protée*, restaient à l'ancre dans le port. Quelques éléments des états-majors et des équipages nous rejoignaient, par intervalles. Mais les autres, obéissant aux consignes de Vichy, employaient ce temps de guerre à se prouver mutuellement que la meilleure manière de servir la France envahie consistait à ne pas combattre. Un jour d'avril, traversant la rade d'Alexandrie pour aller visiter à son bord l'amiral Cunningham, je pouvais voir, le cœur serré, les beaux navires français, somnolents et inutiles, au milieu de la flotte anglaise en plein branle-bas de combat.

Ne pouvant, pourtant, admettre que le cours de la bataille en Méditerranée n'eût aucun effet sur l'état d'esprit des chefs en Afrique et en Orient, nous avions essayé d'établir avec eux des contacts. Au mois de novembre, Catroux faisait parvenir à Weygand une lettre de voisinage. Si minces que fussent mes illusions, j'avais approuvé cette démarche. Moi-même lançai à la radio plusieurs appels explicites, déclarant, notamment, le 28 décembre 1940 : « Tous les chefs français, quelles qu'aient pu être leurs fautes, qui décideront de tirer l'épée qu'ils ont mise au fourreau, nous trouveront à leurs côtés sans exclusive et sans ambitions. Si l'Afrique française se lève, enfin ! pour faire la guerre, nous ferons corps avec elle par notre morceau d'Empire. »

En janvier, ayant consulté les membres du Conseil de Défense sur l'attitude que nous aurions à prendre dans l'hypothèse où Vichy rentrerait par hasard dans la lutte, je les trouvai, comme moi-même, disposés à l'union. Le 24 février, j'avais, dans le même sens, écrit au général Weygand, en dépit du sort fâcheux auquel il m'avait voué et de l'accueil disgracieux qu'il avait fait à ma précédente missive. J'adjurais Weygand de saisir la dernière occasion qui lui était offerte de reprendre le combat. Je proposais que nous nous unissions, lui faisant comprendre que, s'il y consentait, il pourrait compter sur mon respect et mon concours. D'autre part, Catroux ne manquait aucune occasion d'adresser à l'amiral Godfroy des signes engageants. Enfin, en novembre, il avait écrit à M. Puaux, Haut Commissaire au Levant, au général Fougère, Commandant supérieur des troupes, et au général Arlabosse, son adjoint, ne fût-ce que pour ébaucher avec eux quelque liaison.

Mais ces multiples tentatives n'avaient produit aucun résultat. A nos émissaires, Weygand répondait, tantôt : « qu'il faudrait que de Gaulle fût fusillé », tantôt : « que lui-même était trop vieux pour faire un rebelle », tantôt : « que les deux tiers de la France se trouvant occupés par l'ennemi, le dernier tiers par la Marine, — ce qui était encore pire, — et Darlan le faisant continuellement espionner, il ne pouvait rien faire, quand bien même il l'aurait voulu. » Quant à l'amiral Godfroy, il accueillait avec bienséance les messages du général Catroux, mais ne leur donnait pas de suite. De Beyrouth, enfin, Arlabosse adressait à Catroux une réponse correcte, mais réfrigérante. D'ailleurs, à la fin de décembre, à la suite de l'accident aérien survenu à Chiappe, l'ambassadeur Puaux était remplacé par Dentz, officier général très conformiste et disposé à appliquer, telles quelles, les consignes que lui donnerait Darlan. Peu après, Fougère était, à son tour, relevé et le commandement des troupes passait au général de Verdilhac.

Dans ces conditions, nous ne pouvions penser entrer en Syrie que si l'ennemi lui-même y prenait pied. En attendant, il n'était que de réunir les troupes de Legentilhomme et les mettre à la disposition de Wavell pour qu'il les engageât en Libye. C'est ce dont je convins avec le commandant en chef britannique. En même temps, je réglai avec l'Air-marshal Longmore l'organisation et l'emploi de notre petite force aérienne.

Je dois dire que nos soldats, à mesure qu'ils arrivaient,

faisaient la meilleure impression. Dans cet Orient frémissant, où des échos séculaires répercutaient la renommée de la France, ils se sentaient les champions. Les Egyptiens, au demeurant, les accueillaient particulièrement bien, non, peut-être, sans l'intention que leur bonne grâce à l'égard des Français contrastât avec la froideur qu'ils montraient aux Britanniques. J'avais moi-même pris d'agréables contacts avec le Prince Mohamed-Ali, oncle et héritier du Roi, ainsi qu'avec Sirry Pacha, président du Conseil et plusieurs de ses ministres. Quant aux Français résidant en Egypte : savants, membres de l'enseignement, spécialistes des antiquités, religieux, hommes d'affaires, commerçants, ingénieurs et employés du Canal, la plupart d'entre eux déployaient, pour aider nos troupes, une activité chaleureuse. Dès le 18 juin, ils avaient constitué, sous l'impulsion du baron de Benoist, du professeur Jouguet, de MM. Minost et Boniteau, une organisation qui fut, tout de suite, un des piliers de la France Libre. Pourtant, certains de nos compatriotes se tenaient à l'écart du mouvement. Parfois, le soir, allant faire quelques pas dans le jardin zoologique du Caire et passant devant la Légation de France qui lui faisait vis-à-vis, je voyais paraître aux fenêtres les visages tendus de ceux qui ne me rejoignaient pas, mais dont le regard, cependant, suivait le général de Gaulle.

Pendant les deux semaines passées au Soudan, en Egypte et en Palestine, certaines choses s'étaient donc éclaircies. Mais l'essentiel restait à faire et, pour l'instant, je n'y pouvais rien. Je retournai alors à Brazzaville. De toute façon, il était nécessaire, en effet, de pousser l'organisation de notre bloc équatorial. Si l'Orient devait être perdu, ce serait là le môle de la résistance alliée ; sinon nous y aurions une base pour quelque future offensive.

Mon inspection me porta, une fois de plus, à Douala, Yaoundé, Maroua, Libreville, Port-Gentil, Fort-Lamy, Moussoro, Faya, Fada, Abéché, Fort-Archambault, Bangui, Pointe-Noire. Beaucoup de choses y manquaient, mais non point l'ordre, ni la bonne volonté. Les gouverneurs : Cournarie au Cameroun, Lapie au Tchad, Saint-Mart en Oubangui, Fortuné au Moyen-Congo, Valentin-Smith au Gabon, — où il venait de remplacer Parant mort en service par accident d'avion, — commandaient et administraient dans cette ambiance où l'on ne doute de rien et qui enveloppe les Français quand, par hasard, ils sont d'accord pour servir une grande cause. Dans le domaine militaire, c'est à la mise sur pied de la colonne saharienne de Leclerc que je donnai la première urgence. Je lui fis envoyer d'Angleterre tout ce qui y restait de cadres, ainsi que tout le matériel approprié que les Anglais consentaient à fournir. Mais, dès la fin d'avril, je ne pouvais douter que, d'un jour à l'autre, c'est au Levant qu'il nous faudrait agir.

En effet, les Allemands débouchaient en Méditerranée. Le 24 avril, la résistance anglo-hellénique s'effondrait, tandis que les Yougoslaves venaient, eux-mêmes, de succomber. Sans doute, les Britanniques allaient-ils tenter de s'accrocher en Crète. Mais pourraient-ils y tenir ? Il me semblait évident, qu'à partir des rivages grecs, l'adversaire allait prochainement porter en Syrie tout au moins des escadrilles. Leur présence au milieu des pays arabes y soulèverait une agitation qui pourrait servir de prélude à l'arrivée de la Wehrmacht. D'autre part, des terrains de Damas, Rayak, Beyrouth, à 500 kilomètres de Suez et de Port-Saïd, les avions allemands bombarderaient aisément le canal et ses accès.

A cet égard, Darlan était hors d'état de repousser les exigences d'Hitler. Mais, dans l'hypothèse où les chefs et les soldats français du Levant verraient atterrir sur leurs bases les appareils de la Luftwaffe, je me berçais de l'espoir que beaucoup d'entre eux se refuseraient à subir cette présence et à la couvrir de leurs armes. En ce cas, il faudrait être en mesure de leur tendre aussitôt la main. Je fixai donc mes directives quant à l'action à entreprendre. Il s'agirait de pousser directement sur Damas la petite division du général Legentilhomme, dès que l'apparition des Allemands provoquerait chez nos compatriotes le mouvement qui semblait probable. Catroux, de son côté, se préparait, dans cette hypothèse, à prendre tous les contacts possibles, avec Dentz lui-même au besoin, de manière à établir, contre l'envahisseur de la France et de la Syrie, le front commun des Français.

Mais ces projets ne rencontraient pas l'accord des Britanniques. Le général Wavell, absorbé par ses trois fronts de bataille, n'entendait, à aucun prix, en voir s'ouvrir un quatrième. Ne voulant pas, d'ailleurs, croire au pire, il se disait certain, sur la foi des rapports du consul général anglais à Beyrouth, que Dentz résisterait aux Allemands, le cas échéant. En même temps, le Gouvernement de Londres s'efforçait d'amadouer Vichy. C'est ainsi qu'au mois de février l'Amirauté britannique avait, malgré mes avertissements, accordé libre passage au paquebot *Providence,* qui transportait, de Beyrouth, à Marseille, des « gaullistes » rapatriés d'office. C'est ainsi qu'à la fin d'avril était conclu avec Dentz un traité de commerce qui assurait le ravitaillement du Levant. C'est ainsi que se poursuivaient, à Aden, les négociations engagées dans le même but, pour Djibouti, par le gouverneur Noailhetas.

Les informations qui me parvenaient de France me donnaient à penser que l'influence américaine était pour quelque chose dans ces essais d' « apaisement ». On me rapportait qu'à l'égard de l'amiral Leahy, ambassadeur à Vichy, Pétain et Darlan prodiguaient leurs séductions, au moment même où, en secret, ils acceptaient les exigences d'Hitler. Roosevelt, influencé à son tour par les télégrammes de Leahy, pressait les Anglais de se montrer condescendants. Plus il me semblait nécessaire de préparer l'action au Levant, moins nos alliés y étaient disposés. Le 9 mai, Spears m'avisait, du Caire, « qu'aucune opération n'y était actuellement envisagée pour les Français Libres, qu'il y aurait, pour moi, désavantage à me rendre en Egypte et que le mieux était de reprendre le chemin de Londres ».

Convaincu que la temporisation risquait de coûter cher,

je crus devoir, à mon tour, impressionner les Anglais. Le 10 mai, je télégraphiai au Caire à l'ambassadeur britannique et au commandant en chef pour protester, d'une part, contre les « décisions unilatérales prises par eux au sujet du ravitaillement du Levant et de Djibouti », d'autre part, contre les « retards apportés à la concentration de la division Legentilhomme à portée de la Syrie, alors que l'arrivée des Allemands y était chaque jour plus probable ». Je marquais que, dans ces conditions, je n'avais pas l'intention d'aller, prochainement, au Caire, que j'y laissais les choses suivre leur cours et que c'est au Tchad que je porterais, désormais, l'effort des Français Libres. Puis, je fis savoir à Londres que je rappelais du Caire le général Catroux, dont la présence y devenait inutile. Enfin, comme l'excellent M. Parr, Consul général britannique à Brazzaville, m'apportait des messages envoyés par M. Eden pour justifier la politique d'apaisement à l'égard de Vichy, je lui dictai une réponse condamnant cette politique avec d'autant plus de vigueur que j'apprenais l'entrevue de Darlan et d'Hitler à Berchtesgaden, la conclusion d'un accord entre eux, enfin l'atterrissage d'avions allemands à Damas et à Alep.

C'est que l'ennemi, lui aussi, jouait le grand jeu. A son instigation, Rachid Ali Kilani, chef du Gouvernement d'Irak, entamait les hostilités dans les premiers jours de mai. Les Anglais étaient assiégés sur leurs terrains d'aviation. Le 12 mai, des appareils de la Luftwaffe arrivaient en Syrie, et, de là, gagnaient Bagdad. La veille, les autorités de Vichy avaient envoyé à Tel-Kotchek, sur la frontière irakienne, le matériel de guerre que la commission d'armistice italienne leur avait fait naguère, entreposer sous son contrôle. Ces armes étaient, évidemment, destinées à Rachid Ali. Dentz, sommé par les Anglais de s'expliquer, répondait évasivement, sans nier, toutefois, les faits. Il ajoutait que, s'il recevait de Vichy l'ordre de laisser débarquer les troupes allemandes, il ne manquerait pas d'obéir, ce qui revenait à dire que l'ordre était déjà donné. On a su, en effet, que les plages où l'ennemi devait prendre terre se trouvaient, d'avance, désignées.

Le Cabinet de Londres jugea que, dans ces conditions, mieux valait se ranger à ma manière de voir. Le retournement fut soudain et complet. Dès le 14 mai, Eden, d'une part, et Spears, — qui était toujours en Egypte, — d'autre part, me le mandèrent sans ambages. Enfin, un message de M. Churchill me demanda de me rendre au Caire et de ne pas en retirer Catroux, vu que l'action était prochaine. Très satisfait de l'attitude adoptée par le Premier ministre britannique, je lui répondis avec chaleur et, pour une fois, en anglais. Je ne pouvais, toutefois, manquer de tirer, au sujet du comportement de nos alliés dans cette affaire, les conclusions qui s'imposaient. Quant au général Wavell, son gouvernement lui avait prescrit d'entreprendre l'action prévue par nous en Syrie. Je le trouvai résigné à le faire, quand j'arrivai au Caire le 25 mai. Il est vrai que la perte de la Crète, et la disparition du front grec allégeaient, sur le moment, les servitudes du commandant en chef.

Cependant, en Syrie même, les choses ne tournaient pas comme nous l'avions espéré. Catroux avait, un moment, cru pouvoir exécuter notre plan et marcher sur Damas avec les seules Forces Françaises Libres. Mais il fallut bientôt constater que la collusion entre Vichy et l'ennemi ne soulevait aucun mouvement d'ensemble parmi les troupes du Levant. Au contraire, celles-ci prenaient position à la frontière, pour résister aux Français Libres et aux alliés, tandis que, derrière elles, les Allemands pouvaient circuler à leur gré. Comme Dentz disposait de plus de 30 000 hommes, bien pourvus d'artillerie, d'aviation et de blindés, sans compter les troupes syriennes et libanaises, notre projet primitif de marcher droit sur Damas avec nos 6 000 fantassins, nos 8 canons et nos 10 chars, appuyés par nos deux douzaines d'avions, en profitant des concours que nous rêvions de trouver sur place, ne pouvait s'appliquer tel quel. Les Britanniques devaient s'en mêler et on allait à une bataille rangée.

Du moins, voulions-nous que celle-ci fût aussi peu acharnée et prolongée que possible. C'était une question de moyens. Nos amis de Beyrouth et de Damas nous faisaient dire : « Si les alliés entrent en Syrie de toutes parts et en grand nombre, il n'y aura qu'un baroud d'honneur. Si, au contraire, les troupes du Levant se voient aux prises avec des forces médiocres en quantité et en matériel, leur amour-propre professionnel jouera et les combats seront rudes. » Accompagné du général Catroux, j'eus, à ce sujet, maints entretiens avec Wavell. Nous le pressions de pénétrer au Levant, non seulement par le sud, à partir de la Palestine, mais aussi par l'est en venant d'Irak où, justement, les Britanniques étaient en train de réduire Rachid Ali. Nous demandions au commandant en chef d'opérer avec quatre divisions, dont une blindée, et de déployer dans le ciel syrien une large part de la Royal Air Force. Nous insistions pour qu'il donnât aux troupes de Legentilhomme ce qui leur manquait surtout : des moyens de transport et un appui d'artillerie.

Le général Wavell n'était, certes, pas dépourvu d'intelligence stratégique. En outre, il désirait nous satisfaire. Mais, absorbé par les opérations de Libye et vexé, sans doute, par les télégrammes comminatoires de M. Churchill, où il voyait l'effet de notre propre insistance, il opposait à nos objurgations une bonne grâce négative. Rien ne put le persuader de consacrer à l'affaire syrienne plus qu'un strict minimum de forces. Il ne mettrait en ligne, sous les ordres du général Wilson, qu'une division australienne et une brigade de cavalerie marchant par la route côtière : Tyr-Saïda, une brigade d'infanterie dirigée sur Kuneitra et Merdjayoun, une brigade hindoue prêtée à Legentilhomme qui, lui, devait se porter sur Damas par Deraa. Wavell y ajouta, plus tard, deux bataillons australiens. Enfin, un détachement hindou finit, en dernier ressort, par agir à partir de l'Irak. Le tout était appuyé par une soixantaine d'avions, divers navires de guerre accompagnant, le long de la côte, les opérations terrestres. Au total, les alliés engageaient moins de forces qu'il ne leur en serait opposé. Sur ces bases défectueuses, il fallait, pourtant, agir et en finir. L'ultime décision fut prise. La tragédie allait commencer.

Le 26 mai, j'avais été inspecter, à Kistina, les troupes françaises libres, maintenant concentrées, mais toujours mal pourvues. Legentilhomme me présenta sept bataillons, une compagnie de chars, une batterie, un escadron de spahis, une compagnie de reconnaissance, des éléments de services. C'est à cette occasion que je remis les premières croix de la Libération, gagnées en Libye et en Erythrée. En prenant contact avec les officiers et les hommes, je constatai qu'ils étaient tout à fait dans le même état d'esprit que moi : chagrin et dégoût d'avoir à combattre des Français, indignation à l'égard de Vichy qui dévoyait la discipline des troupes, conviction qu'il fallait marcher, s'assurer du Levant et le tourner contre l'ennemi. Le 21 mai, le colonel Collet, commandant le groupe des escadrons tcherkesses, officier d'une grande valeur et d'une bravoure légendaire, franchit la frontière et vint nous rejoindre avec une partie de ses éléments. Le 8 juin, Français Libres et Britanniques se portèrent en avant en agitant des drapeaux alliés, avec l'ordre, donné conjointement par Wavell et par Catroux, de ne faire usage de leurs armes que contre ceux qui tireraient sur eux. Un poste émetteur radio, installé en Palestine, répandait, depuis des semaines, par la voix des capitaines Schmittlein, Coulet et Repiton, d'amicales objurgations à l'adresse de nos compatriotes, en qui nous souhaitions, du plus profond de notre âme, ne pas trouver des adversaires. Cependant, il nous fallait passer. Par une déclaration publique, je ne laissai aucun doute sur ce point.

J'étais, d'ailleurs, d'autant plus résolu à pousser les choses à fond et rapidement, que maints indices donnaient à prévoir une offensive de Vichy et, peut-être, de l'Axe contre l'Afrique française libre. D'après nos renseignements Hitler avait exigé de Darlan, lors de leurs entretiens de Berchtesgaden les 11 et 12 mai, la mise à la disposition de l'Allemagne des aérodromes et des ports syriens, la possibilité, pour ses troupes, ses avions, ses navires, d'utiliser Tunis, Sfax et Gabès, la reconquête, par les forces de Vichy, des territoires équatoriaux. Sans doute, nos informateurs ajoutaient-ils que Weygand s'était refusé à ouvrir aux Allemands l'accès de la Tunisie et à déclencher l'offensive contre les territoires français libres, alléguant que ses subordonnés ne lui obéiraient pas. Mais, si le projet d'Hitler était fermement arrêté, que pèserait la protestation de Weygand qui, en dernier ressort et faute de vouloir combattre, n'aurait à y opposer, dans les conseils du Maréchal, qu'une offre de démission ?

Aussi nous tenions-nous prêts à riposter à une attaque. Larminat, profitant de l'impression produite par la nouvelle de l'arrivée d'avions allemands en Syrie sur certains éléments de la Côte d'Ivoire, du Dahomey, du Togo, du Niger, se disposait à y pénétrer à la première occasion. Je lui avais, moi-même, donné des instructions quant à la conduite à tenir. D'autre part, le Gouvernement britannique, à qui je demandais ce qu'il ferait dans le cas où Vichy, avec ou sans le concours immédiat des Allemands, tenterait d'agir, par exemple contre le Tchad, me répondait, par message de M. Eden, qu'il nous aiderait à résister par tous les moyens en son pouvoir. Enfin, nous avions fait le nécessaire pour intéresser directement les Américains à la sécurité de l'Afrique française libre. Le 5 juin, je remettais au ministre des Etats-Unis au Caire un mémorandum faisant ressortir que l'Afrique devrait être un jour une base de départ américaine pour la libération de l'Europe et proposant à Washington d'installer, sans tarder, des forces aériennes au Cameroun, au Tchad et au Congo. Quatre jours après, le consul des Etats-Unis à Léopoldville allait voir Larminat lui demandant, de la part de son gouvernement, s'il estimait que l'Afrique équatoriale française était menacée et, sur la réponse affirmative du Haut Commissaire, l'invitant à lui faire connaître quelle aide directe il souhaitait que l'Amérique lui fournît, notamment en fait d'armement. Malgré tout et quelques précautions que nous ayons pu prendre pour la défense éventuelle du bastion équatorial, j'avais, devant la perspective d'un vaste effort mené en Afrique par l'Axe et ses collaborateurs, grand-hâte de voir le Levant fermé aux Allemands et coupés de Vichy.

Tandis qu'Anglais et Français Libres s'apprêtaient à y agir ensemble sur le terrain militaire, leur rivalité politique se dessinait derrière la façade. Auprès des états-majors alliés, autour de l'Ambassade du Caire, à côté du Haut Commissariat britannique à Jérusalem, dans les communications que le Foreign Office faisait à Cassin, à Pleven, à Dejean, et que ceux-ci me transmettaient de Londres, à travers les colonnes des journaux inspirés, notamment du *Palestine Post,* nous percevions les frémissements d'un personnel spécialisé, qui voyait s'ouvrir la perspective d'appliquer, enfin ! en Syrie des plans d'action dès longtemps préparés. Les événements allaient y assurer à la Grande-Bretagne un tel brelan d'atouts, politiques, militaires et économiques, qu'elle ne s'empêcherait sûrement pas de les jouer pour son compte.

D'autant plus qu'il nous serait à nous-mêmes impossible, une fois installés à Damas et à Beyrouth, d'y maintenir le *statu quo ante.* Les secousses causées par le désastre de 1940, la capitulation de Vichy, l'action de l'Axe, exigeaient que la France Libre prît, vis-à-vis des Etats du Levant, une position nouvelle, répondant à l'évolution et à la force des choses. Il nous apparaissait, d'ailleurs, qu'une fois la guerre finie, la France ne garderait pas le mandat. En supposant qu'il lui en restât le désir, il était clair que le mouvement des pays arabes et les nécessités internationales ne le lui permettraient pas. Or, un seul régime pouvait, en droit et en fait, être substitué au mandat, et c'était l'indépendance, la préséance historique et les intérêts de la France étant, toutefois, sauvegardés. C'est à quoi avaient, d'ailleurs, visé les traités conclus par Paris, en 1936, avec le Liban et la Syrie. Ces traités, bien que leur ratification eût été différée, constituaient des faits que le bon sens et les circonstances nous défendaient de méconnaître.

Aussi avions-nous décidé qu'en pénétrant en territoire syrien et libanais la France Libre déclarerait sa volonté de mettre fin au régime du mandat et de conclure des traités avec les Etats devenus souverains. Tant que la guerre durerait en Orient, nous garderions naturellement au Levant le pouvoir suprême du mandataire, en même temps que ses obligations. Enfin, le territoire de la Syrie et du Liban faisant partie intégrante du théâtre d'opérations du Moyen-Orient, sur lequel les Anglais disposaient, par rapport à nous, d'une énorme supériorité de moyens, nous accepterions que le Commandement militaire britannique exerçât, sur l'ensemble, la direction stratégique contre les ennemis communs.

Mais il apparut tout de suite que les Anglais ne s'en contenteraient pas. Leur jeu, réglé à Londres par des instances bien assurées, mené sur place par une équipe dépourvue de scrupules mais non de moyens, accepté par le Foreign Office qui en soupirait parfois mais ne le désavouait jamais, soutenu par le Premier ministre dont les promesses ambiguës et les émotions calculées donnaient le change sur les intentions, visait à instaurer, dans tout l'Orient, le *leadership* britannique. La politique anglaise allait donc s'efforcer, tantôt sourdement et tantôt brutalement, de remplacer la France à Damas et à Beyrouth.

Comme procédé, c'est la surenchère que cette politique emploierait, donnant à croire que toute concession attribuée par nous à la Syrie et au Liban l'était grâce à ses bons offices, excitant les gouvernants locaux à formuler de croissantes exigences, enfin, soutenant les provocations auxquelles elle devait les conduire. Du même coup, on tâcherait de faire des Français des repoussoirs, de dresser contre eux l'opinion locale et internationale et, ainsi, de détourner la réprobation populaire des empiétements britanniques dans les autres pays arabes.

A peine était prise en commun la décision d'entrer en Syrie que, déjà, les Anglais laissaient percer leurs intentions. Comme Catroux préparait son projet de déclaration annonçant l'indépendance, Sir Miles Lampson demanda que la proclamation fût faite à la fois au nom de l'Angleterre et au nom de la France Libre. Je m'y opposai, naturellement. L'Ambassadeur insista, alors, pour que le texte fît état de la garantie britannique donnée à notre promesse. Je repoussai cette demande, alléguant que la parole de la France n'avait pas besoin d'une garantie étrangère. M. Churchill, me télégraphiant, le 6 juin, à la veille de la marche en avant, pour m'exprimer ses vœux amicaux, insistait sur l'importance que revêtait cette fameuse garantie. Je répondis à ces souhaits, mais non à cette prétention. Il était facile de voir que nos partenaires voulaient créer l'impression que, si les Syriens et les Libanais recevaient l'indépendance, ils la devraient à l'Angleterre, et se placer, pour la suite, en position d'arbitres entre nous et les Etats du Levant. Finalement, la déclaration de Catroux fut ce qu'elle devait être. Mais, sitôt qu'il l'eut faite, le Gouvernement de Londres en publia une autre, séparément et en son propre nom.

Ce sont de cruels souvenirs qu'évoque en moi la campagne que nous avions dû engager. Je me revois, allant et venant, entre Jérusalem où j'ai fixé mon poste et nos braves troupes qui avancent vers Damas, ou bien allant visiter les blessés à l'ambulance franco-britannique de Mme Spears et du Dr Fruchaut. En apprenant, à mesure, que beaucoup des nôtres, et des meilleurs, restent sur le terrain, que, par exemple, le général Legentilhomme est grièvement blessé, que le colonel Génin et le capitaine de corvette Détroyat sont tués, que les commandants de Chevigné, de Boissoudy, de Villou-treys, sont gravement atteints, que, de l'autre côté, nombre de bons officiers et soldats tombent bravement sous notre feu, que, sur le Litani les 9 et 10 juin, devant Kiswa le 12, autour de Kuneitra et d'Ezraa les 15 et 16, de violents combats mêlent les morts français des deux camps et ceux de leurs alliés britanniques, j'éprouve, à l'égard de ceux qui s'opposent à nous par point d'honneur, des sentiments confondus d'estime et de commisération. Alors que l'ennemi tient Paris sous sa botte, attaque en Afrique, s'infiltre au Levant, ce courage déployé, ces pertes subies, dans la lutte fratricide qu'Hitler a imposée à des chefs tombés sous son joug, me font l'impression d'un horrible gaspillage.

Mais, plus m'étreint le chagrin, plus je m'affermis dans la volonté d'en finir. Il en est ainsi, d'ailleurs, des soldats de la France Libre, dont pour ainsi dire aucun n'aura de défaillance. Il en est ainsi, également, de tous ceux de nos compatriotes d'Egypte qui, réunis au Caire pour le premier anniversaire du 18 juin, répondent à mon allocution par des acclamations unanimes.

Ce jour-là, on put croire que Dentz était sur le point de mettre fin à une lutte odieuse. Celle-ci, d'ailleurs, ne lui offrait déjà plus d'espoir. En effet, Benoist-Méchin, envoyé par Vichy à Ankara pour obtenir que des renforts pussent être expédiés au Levant en traversant la Turquie, s'était heurté à un refus. D'autre part, la déroute de Rachid Ali en Irak et sa fuite en Allemagne, le 31 mai, ouvraient aux alliés les portes de la Syrie par le désert et par l'Euphrate. Du coup, les Allemands ne semblaient plus pressés de faire passer de nouvelles forces en pays arabes. Au contraire, les avions qu'ils y avaient envoyés étaient ramenés en Grèce. Les seuls renforts qui fussent arrivés au Levant, depuis le début des combats, étaient deux escadrilles françaises d'aviation, venues d'Afrique du Nord par Athènes, où les Allemands les avaient accueillies et ravitaillées. Or, voici que, de Washington, nous parvenait la nouvelle que M. Conty, Directeur politique au Haut-Commissariat du Levant, avait, le 18 juin, prié le consul général américain à Beyrouth de demander d'urgence aux Britanniques quelles conditions eux-mêmes et les « gaullistes » mettraient à une cessation des hostilités.

Dès le 13 juin, prévoyant la suite et par mesure de précaution, j'avais fait connaître à M. Churchill sur quelles bases devrait être, à mon avis, conclu le futur armistice. Au cours de la réunion tenue, le 19 juin, chez

Sir Miles Lampson et à laquelle assistaient Wavell et Catroux, je rédigeai dans le même sens le texte des conditions qui me paraissaient acceptables pour nous-mêmes et convenables pour ceux qui nous combattaient. « L'arrangement, écrivais-je, doit avoir pour bases : un traitement honorable pour tous les militaires et tous les fonctionnaires ; la garantie donnée par la Grande-Bretagne que les droits et intérêts de la France au Levant seront maintenus de son fait ; la représentation de la France au Levant assurée par les autorités françaises libres. » Je spécifiais que « tous militaires et fonctionnaires qui le désireront pourront rester, ainsi que leurs familles, les autres étant rapatriés plus tard ». Mais j'ajoutais que « toutes dispositions devraient être prises par les alliés pour que ce choix soit réellement libre ». Enfin, pour répondre aux bruits que faisait courir Vichy, je déclarais que « n'ayant jamais traduit en jugement ceux de mes camarades de l'armée qui m'ont combattu en exécutant les ordres reçus, je n'avais aucunement l'intention de le faire dans le cas présent ». Ce sont, essentiellement, ces dispositions qui, adoptées sur place par les Britanniques, furent aussitôt télégraphiées à Londres pour être transmises à Washington et, de là, à Beyrouth.

Aussi, éprouvai-je, le lendemain, une impression désagréable quand je connus le texte exact que le gouvernement britannique avait finalement adressé et qui ne ressemblait pas à celui auquel j'avais souscrit. Il n'était même pas question de la France Libre, comme si c'était à l'Angleterre que l'on proposait à Dentz de remettre la Syrie ! N'étaient, en outre, pas mentionnées les précautions que je voulais voir prendre pour empêcher que les militaires et fonctionnaires du Levant fussent rapatriés massivement et d'autorité ; or, j'avais besoin d'en garder le plus possible. J'adressai donc à M. Eden une protestation formelle et le prévins que, quant à moi, je m'en tenais aux conditions acceptées le 19 juin, sans en reconnaître d'autres. Cette réserve devait avoir son importance, comme on le verra par la suite.

Pour quelles raisons les autorités de Vichy attendirent-
elles plus de trois semaines avant de donner suite à leur
propre intention de négocier la fin de la lutte ? Pourquoi
fallut-il, de ce fait, continuer aussi longtemps des combats
qui ne pouvaient rien changer, excepté le total des pertes ?
Je ne découvre d'explication que dans le déclenchement
de l'offensive allemande en Russie. Le 22 juin, lendemain
du jour où le consul des Etats-Unis à Beyrouth remettait
au Haut Commissaire la réponse de la Grande-Bretagne,
Hitler lançait ses armées vers Moscou. Il avait un intérêt
évident à ce que la plus grande fraction possible des forces
adverses fût accrochée en Afrique et en Syrie. Rommel
s'en chargeait d'un côté. Il fallait que, de l'autre, les
malheureuses forces françaises du Levant en fissent
autant.

Cependant, le 21 juin, après un vif combat à Kiswa, nos
troupes entraient à Damas. Catroux s'y rendit aussitôt. J'y
arrivai le 23. Au cours de la nuit qui suivit, les avions
allemands vinrent bombarder la ville, tuant des centaines
de personnes dans le quartier chrétien et démontrant de
cette manière leur coopération avec Vichy. Mais, à peine
étions-nous sur place que nous parvinrent de toutes parts,
notamment du Hauran, du Djebel Druze, de Palmyre, de
Djezireh, d'inquiétantes nouvelles quant au comportement britannique. Il n'y avait pas de temps à perdre pour
montrer que la déconfiture de Vichy n'était pas le recul de
la France et affirmer notre autorité.

Le 24 juin, je nommai le général Catroux délégué
général et plénipotentiaire au Levant et lui fixai, par
lettre, l'objet de sa mission : « Diriger le rétablissement
d'une situation intérieure et économique aussi proche de
la normale que le permettra la guerre ; négocier, avec les
représentants qualifiés des populations, des traités instituant l'indépendance et la souveraineté des Etats, ainsi
que l'Alliance de ces Etats avec la France ; assurer la
défense du territoire contre l'ennemi ; coopérer avec les
alliés aux opérations de guerre en Orient. » En attendant
l'application des futurs traités, le général Catroux assu-

mait « tous les pouvoirs et toutes les responsabilités du Haut-Commissaire de France au Levant ». Quant aux négociations à engager, elles devaient l'être « avec des gouvernements approuvés par des assemblées réellement représentatives de l'ensemble des populations et réunies dès que possible, le point de départ des négociations étant les traités de 1936 ». Ainsi, « le mandat confié à la France au Levant serait conduit à son terme et l'œuvre de la France continuée ».

Pendant mon séjour à Damas, je reçus tout ce qui s'y trouvait de notabilités, politiques, religieuses, administratives, et il s'en trouvait beaucoup. A travers l'habituelle prudence orientale, on pouvait voir que l'autorité de la France était, en notre personne, reconnue sans contestation, que l'échec du plan allemand visant à prendre pied en Syrie s'inscrivait, pour une bonne part, à notre crédit, enfin que chacun n'attendait que de nous la remise en marche des organes de l'Etat et l'instauration d'un gouvernement nouveau. Le général Catroux, qui avait une connaissance approfondie des hommes et des choses du pays, faisait assurer l'ordre, le ravitaillement, les services hospitaliers, mais prenait son temps pour nommer des ministres.

Au reste, le drame se terminait. Le 26 juin, Legentilhomme qui, malgré sa grave blessure, n'avait jamais cessé de commander ses troupes, s'emparait de Nebeck et, le 30, y repoussait une suprême contre-attaque. Une colonne hindoue, venue d'Irak, franchissait l'Euphrate, le 3 juillet, sur le pont de Deir-ez-Zor, resté intact grâce à un hasard dont je puis dire qu'il fut bien calculé, et progressait vers Alep et vers Homs. Sur la route côtière, le 9, les Britanniques atteignaient Damour et, plus à l'Est, Jezzin. Le 10 juillet, Dentz expédiait ses navires de guerre et ses avions en Turquie où ils étaient internés. Il demandait, ensuite, une suspension d'armes qui fut, aussitôt, accordée. On convint que les plénipotentiaires se réuniraient trois jours plus tard, à Saint-Jean d'Acre.

Beaucoup de signes me donnaient à penser que ce qui

sortirait de cette rencontre ne serait pas conforme aux intérêts de la France. Sans doute avais-je, le 28 juin, averti M. Churchill « de l'importance extrême qu'allait revêtir, au point de vue de notre alliance, la façon dont l'Angleterre se conduirait à notre égard en Orient ». Sans doute, avais-je obtenu que le général Catroux fût présent à la négociation. Sans doute, nos délégués de Londres avaient-ils reçu de moi-même de nettes indications quant à la façon dont devrait s'établir notre autorité au Levant, afin qu'ils s'en servissent dans leurs démarches. Mais les conditions naguère formulées par M. Eden pour l'armistice avec Dentz, l'ambiance qui régnait dans les services britanniques, le fait que le loyal Wavell, nommé vice-roi des Indes, venait de quitter Le Caire et que son successeur : Auchinleck, n'y était pas encore installé, ce qui laissait le champ libre aux passions des « arabisants », ne me permettaient pas de douter que l'arrangement laisserait beaucoup à désirer. En définitive, l'armistice serait conclu par Wilson avec Verdilhac. Je n'avais pas d'autre moyen de limiter les dégâts que de prendre du champ et de la hauteur, de gagner quelque nuage et de fondre, à partir de là, sur une convention qui ne m'engagerait pas et que je déchirerais dans la mesure du possible.

Le nuage fut Brazzaville. J'y demeurai, pendant qu'à Saint-Jean d'Acre était rédigé l'acte dont le fond et la forme dépassaient, dans le mauvais sens, ce que je pouvais redouter.

En effet, le texte de l'accord équivalait à une transmission pure et simple de la Syrie et du Liban aux Britanniques. Pas un mot des droits de la France, ni pour le présent, ni pour l'avenir. Aucune mention des Etats du Levant. Vichy abandonnait tout à la discrétion d'une puissance étrangère et ne cherchait à obtenir qu'une chose : le départ de toutes les troupes, ainsi que du maximum de fonctionnaires et de ressortissants français. De cette façon, de Gaulle serait, autant que possible, empêché d'augmenter ses forces et de garder au Levant la position de la France.

En signant cette capitulation, Vichy se montrait fidèle à sa triste vocation. Mais les Anglais semblaient s'y prêter de toutes leurs arrière-pensées. Paraissant ignorer, jusque dans les termes, leurs alliés français libres, dont l'initiative et la coopération les avaient fortement aidés à atteindre le but stratégique, ils profitaient, apparemment, des abandons de Vichy pour essayer de ramasser sous la coupe de leur commandement militaire l'autorité que Dentz leur passait à Beyrouth et à Damas. Ils étaient, en outre, d'accord pour laisser partir au plus tôt les troupes du Levant. Celles-ci seraient, d'après la convention, concentrées sous les ordres de leurs chefs et embarquées sur les bateaux qu'enverrait Darlan. Bien plus, il était interdit aux Français Libres de prendre leur contact et tâcher de les rallier. Le matériel qu'elles laissaient serait remis aux seuls Anglais. Enfin, les troupes dites « spéciales », c'est-à-dire syriennes et libanaises, qui s'étaient toujours montrées fidèles à la France, au point que Vichy n'avait pas osé les employer contre nous dans les récents combats, devaient être placées, telles quelles, sous commandement britannique.

Avant même d'avoir eu connaissance du détail et me fondant sur les indications, naturellement édulcorées, qu'en donnait la radio de Londres, je fis connaître que je repoussais la convention de Saint-Jean d'Acre. Après quoi, je partis pour Le Caire, marquant aux gouverneurs et aux chefs militaires anglais, à chaque étape de ma route, à quel point l'affaire était sérieuse. Ainsi fis-je à Khartoum pour le général Sir Arthur Huddleston, excellent et amical gouverneur général du Soudan, à Kampala pour le gouverneur, à Ouadi-Halfa pour l'administrateur du Cercle, de façon à me faire précéder par des télégrammes alarmants. Le 21 juillet, je prenais contact avec M. Oliver Lyttelton, ministre d'Etat dans le Gouvernement anglais et que celui-ci venait d'envoyer au Caire pour y grouper, sous son autorité, l'ensemble des affaires britanniques en Orient.

Le « captain » Lyttelton, homme aimable et pondéré, à

l'esprit vif et ouvert, ne désirait manifestement pas
commencer sa mission par une catastrophe. Il m'accueillit
avec quelque gêne. Je m'efforçai d'éviter les éclats et,
m'enveloppant de glace, lui déclarai, en substance, ceci :

« — Grâce à la campagne que nous venons de mener
ensemble, nous avons pu nous assurer un notable avantage stratégique. Voici liquidée, au Levant, l'hypothèque
que la subordination de Vichy à l'Axe faisait peser sur le
théâtre d'opérations d'Orient. Mais l'accord que vous
venez de conclure avec Dentz est, je dois vous le dire,
inacceptable. En Syrie et au Liban, l'autorité ne saurait
passer de la France à l'Angleterre. C'est à la France Libre,
et à elle seulement, qu'il appartient de l'exercer. Elle en
doit compte à la France. D'autre part, j'ai besoin de rallier
le plus possible des troupes qui viennent de nous combattre. Leur rapatriement rapide et massif, comme le fait de
les tenir rassemblées et isolées, m'enlèvent tout moyen
d'agir sur elles. Au total, les Français Libres ne peuvent
accepter d'être écartés d'une source française de renforts
et, surtout, ils n'admettent pas que notre effort commun
aboutisse à instaurer votre autorité à Damas et à Beyrouth.

« — Nous n'en avons pas l'intention, répondit M. Lyttelton. La Grande-Bretagne ne poursuit, en Syrie et au
Liban, d'autre but que de gagner la guerre. Mais cela
implique que la situation intérieure n'y soit pas troublée.
Aussi nous paraît-il nécessaire que les Etats du Levant
reçoivent l'indépendance, que l'Angleterre leur a garantie. D'autre part, tant que dure la guerre, le Commandement militaire a des droits supérieurs en ce qui concerne
l'ordre public. C'est donc à lui, en dernier ressort, que
doivent revenir sur place les décisions. Quant aux conditions techniques qui ont été adoptées par les généraux
Wilson et de Verdilhac pour le repli et l'embarquement
des troupes françaises, elles répondent également au souci
de faire en sorte que les choses se passent en bon ordre.
Enfin, nous comprenons mal que vous ne nous fassiez pas
confiance. Après tout, notre cause est commune.

« — Oui, repris-je, notre cause est commune. Mais notre position ne l'est pas et notre action pourrait cesser de l'être. Au Levant, c'est la France qui est mandataire, non la Grande-Bretagne. Vous parlez de l'indépendance des Etats. Mais nous seuls avons qualité pour la leur donner et, en effet, la leur donnons, pour des raisons et dans des conditions dont nous sommes seuls juges et seuls responsables. Vous pouvez, certes, nous en approuver du dehors. Vous n'avez pas à vous en mêler au-dedans. Quant à l'ordre public, en Syrie et au Liban, c'est notre affaire, non point la vôtre.

« — Pourtant, dit M. Lyttelton, vous avez reconnu, par notre accord du 7 août 1940, l'autorité du commandement britannique.

« — A ce commandement, répondis-je, j'ai reconnu effectivement qualité pour donner des directives aux Forces Françaises Libres, mais seulement en matière stratégique et contre l'ennemi commun. Je n'ai jamais entendu que cette attribution s'étendît à la souveraineté, à la politique, à l'administration, dans des territoires dont la France a la charge. Quand nous débarquerons, un jour, sur le sol français proprement dit, invoquerez-vous les droits du commandement pour prétendre gouverner la France ? D'autre part, je dois vous répéter que je tiens à faire prendre le contact des éléments qui étaient sous l'obédience de Vichy. Ceci, du reste, est également à votre avantage. Car, il serait proprement absurde de renvoyer telles quelles des troupes échauffées par les combats et que nous retrouverons un jour en Afrique ou ailleurs. Enfin, le matériel français et le commandement des troupes spéciales doivent revenir à la France Libre.

« — Vous m'avez fait connaître votre point de vue, dit alors M. Lyttelton. En ce qui concerne nos rapports réciproques en Syrie et au Liban, nous pouvons en discuter. Mais, pour ce qui est de la convention d'armistice, elle est signée. Nous devons l'appliquer.

« — Cette convention n'engage pas la France Libre. Je ne l'ai pas ratifiée.

« — Alors, que comptez-vous faire ?

« — Voici : pour obvier à toute ambiguïté quant aux droits que semble vouloir exercer le commandement britannique en Syrie et au Liban, j'ai l'honneur de vous faire connaître que les Forces Françaises Libres ne dépendront plus de ce commandement à partir du 24 juillet, soit dans trois jours. En outre, je prescris au général Catroux de prendre immédiatemment en main l'autorité sur toute l'étendue du territoire de la Syrie et du Liban, quelque opposition qu'il puisse rencontrer de la part de qui que ce soit. Je donne aux Forces Françaises Libres l'ordre d'entrer en contact, comme elles le pourront, avec tous autres éléments français et de prendre en compte leur matériel. Enfin, la réorganisation des troupes syriennes et libanaises, que nous avons déjà commencée, va être activement poursuivie. »

Je remis au captain Lyttelton une note préparée à l'avance et qui précisait ces conclusions. En prenant congé, je lui dis :

« — Vous savez ce que moi-même et ceux qui me suivent avons fait et faisons pour notre alliance. Vous pouvez donc mesurer quel serait notre regret s'il nous fallait la voir s'altérer. Mais ni nous, ni ceux qui, dans notre pays, portent sur nous leur espoir, ne pourrions admettre que l'alliance fonctionnât au détriment de la France. Si, par malheur, le cas se présentait, nous préférerions suspendre nos engagements à l'égard de l'Angleterre. De toute façon, d'ailleurs, nous poursuivrons le combat contre l'ennemi avec les moyens en notre pouvoir. J'ai l'intention de me rendre à Beyrouth dans trois jours. D'ici là, je suis prêt à toute négociation qui pourrait vous paraître souhaitable. »

Je quittai Lyttelton qui, sous les dehors du sang-froid, me parut ému et inquiet. J'étais moi-même assez remué. L'après-midi, je lui confirmai par lettre que la subordination des Forces Françaises Libres au commandement britannique cessait le 24 à midi, mais que j'étais prêt à régler avec lui les modalités nouvelles de la collaboration militaire. Enfin, je télégraphiai à Churchill ceci : « Nous considérons la convention de Saint-Jean d'Acre comme opposée, dans son fond, aux intérêts militaires et politiques de la France Libre, c'est-à-dire de la France, et, dans sa forme, comme extrêmement pénible pour notre dignité... je souhaite que vous sentiez personnellement qu'une telle attitude britannique, dans une affaire vitale pour nous, aggrave considérablement nos difficultés et aura des conséquences, que j'estime déplorables, au point de vue de la tâche que j'ai entreprise. »

La parole était à l'Angleterre. Elle la prit dans le sens des concessions. M. Lyttelton, le soir même, ayant demandé a me revoir, me tint le langage suivant :

« — Je conviens que certaines apparences ont pu vous donner l'idée que nous voulions prendre, au Levant, la place de la France. Je vous assure que c'est à tort. Pour dissiper ce malentendu, je suis prêt à vous écrire une lettre garantissant notre désintéressement complet dans le domaine politique et administratif.

« — Ce serait là, répondis-je, une heureuse affirmation de principe. Mais il reste la convention de Saint-Jean d'Acre qui y contrevient fâcheusement et qui, au surplus, risque de conduire à des incidents entre les vôtres qui l'appliquent et les nôtres qui ne l'acceptent pas. Il reste aussi l'extension que vous entendez donner au Levant aux attributions de votre commandement militaire et qui est incompatible avec notre position.

« — Peut-être, sur ces deux questions, auriez-vous quelque chose à nous proposer ?

« — Pour la première, je ne vois d'autre issue qu'un accord immédiat entre nous au sujet de l' « application » de la convention d'armistice, corrigeant dans la pratique ce qu'il y a de vicieux dans le texte. Quant à la seconde question, il serait nécessaire et urgent que vous vous engagiez à limiter aux opérations militaires contre l'ennemi commun les attributions de votre commandement en territoire syrien et libanais.

« — Permettez-moi d'y réfléchir. »

L'atmosphère s'améliorait. Après diverses péripéties, nous aboutîmes, d'abord, le 24 juillet, à un accord « interprétatif » de la convention de Saint-Jean-d'Acre, accord que le général de Larminat et le colonel Valin avaient négocié pour notre compte. Les Anglais s'y déclaraient prêts à nous laisser prendre des contacts avec les troupes du Levant pour y trouver des ralliements, reconnaissaient que le matériel revenait aux Forces Françaises Libres et renonçaient à prendre sous leur coupe les troupes syriennes et libanaises. Il était, en outre, entendu que « si une violation substantielle de la convention d'armistice par les autorités de Vichy devait être constatée, les forces britanniques et les Forces Françaises Libres prendraient toutes mesures qu'elles jugeraient utiles pour rallier les troupes de Vichy à la France Libre ». Comme, déjà, plusieurs « violations substantielles » avaient été relevées, on pouvait croire, — M. Lyttelton lui-même me l'assurait, — qu'en définitive toute l'affaire de la destination des troupes allait être reconsidérée.

Je ne doutais pas de la bonne volonté du ministre anglais. Mais qu'allaient faire, en dépit des accords conclus, le général Wilson et son équipe d'arabisants ? Pour tâcher d'obtenir qu'ils se conduisent comme il fallait, je télégraphiai, derechef, à M. Churchill pour l'adjurer : « de ne pas laisser remettre à la disposition de Vichy une armée entière avec ses unités constituées ». — « Je dois vous répéter, ajoutais-je, qu'il me paraît conforme à la sécurité élémentaire de suspendre le rapatriement de l'armée de Dentz et de laisser les Français Libres procéder comme ils l'entendent pour ramener dans le devoir ces pauvres troupes égarées par la propagande de l'ennemi. »

Le lendemain, 25, M. Oliver Lyttelton, ministre d'Etat dans le Gouvernement britannique, m'écrivait au nom de son pays :

« Nous reconnaissons les intérêts historiques de la France au Levant. La Grande-Bretagne n'a aucun intérêt en Syrie et au Liban, excepté de gagner la guerre. Nous n'avons pas l'intention d'empiéter d'aucune façon sur la position de la France. La France Libre et la Grande-Bretagne ont, l'une et l'autre, promis l'indépendance à la Syrie et au Liban. Nous admettons volontiers, qu'une fois cette étape franchie et sans la remettre en cause, la France devra avoir au Levant une position dominante et privilégiée parmi toutes les nations d'Europe.... Vous avez pu prendre connaissance des récentes assurances du Premier ministre dans ce sens. Je suis heureux de vous les confirmer aujourd'hui. »

Par la même lettre, M. Lyttelton déclarait accepter le texte d'un accord que je lui avais remis et concernant la coopération entre les autorités militaires britanniques et françaises en Orient. Il en résultait que les Anglais n'auraient pas à interférer dans les domaines politique et administratif au Levant, moyennant quoi nous acceptions que leur commandement exerçât la direction stratégique, dans des conditions, d'ailleurs, bien précisées.

Le jour même, je partis pour Damas et Beyrouth.

A l'entrée solennelle du chef de la France Libre dans la capitale syrienne, on put voir l'enthousiasme soulever cette grande cité qui, jusqu'alors, en toute occasion, avait affecté de marquer sa froideur à l'autorité française. Quelques jours après, m'adressant, dans l'enceinte de l'Université, aux personnalités du pays réunies autour du Gouvernement syrien et précisant le but que s'était, désormais, fixé la France au Levant, je recueillis une adhésion évidente.

C'est le 27 juillet que j'arrivai à Beyrouth. Les troupes françaises et libanaises y formaient la haie, tandis que la population, massée sur le parcours, prodiguait ses applaudissements. Par la place des Canons, retentissante d'enthousiasme, je me rendis au Petit Sérail où j'échangeai solennellement avec le chef du Gouvernement libanais, M. Alfred Naccache, des propos pleins d'optimisme. Puis, je gagnai le Grand Sérail, où étaient réunies les personnalités françaises. La plupart avaient donné au système établi par Vichy leur concours, souvent leur confiance. Mais, en prenant contact avec elles, je vérifiai, une fois de plus, de quel poids les faits accomplis, — quand ils le sont à juste titre, — pèsent sur les attitudes et même sur les convictions. Fonctionnaires, notables, religieux, tous m'assurèrent de leur loyalisme et me promirent d'apporter au service du pays, sous l'autorité nouvelle, un dévouement sans réserves. Je dois dire, qu'à très peu d'exceptions près, cet engagement fut tenu. Presque tous les Français restés au Liban et en Syrie ne cessèrent pas de se montrer, au milieu des circonstances les plus difficiles, ardemment rassemblés dans la France Libre, qui combattait pour libérer le pays tout en assumant sur place les droits et les devoirs de la France.

Ces droits et ces devoirs, il était, précisément, très urgent de les faire valoir. A peine étais-je à Beyrouth que je constatai, sans surprise, combien peu le général Wilson et les agents politiques qui l'assistaient sous l'uniforme tenaient compte des accords conclus par moi-même avec Lyttelton. Pour l'exécution de l'armistice, comme pour le comportement des Britanniques en Syrie et au Liban, tout se passait comme si personne ne nous devait rien.

Dentz, en plein accord avec les Anglais, avait concentré ses troupes dans la région de Tripoli. Il continuait à les commander. Les unités, avec leurs chefs, leurs armes, leurs drapeaux, étaient campées les unes auprès des autres, comblées par Vichy de croix et de citations, ne recevant d'informations que celles qui leur venaient par la voie hiérarchique et baignant dans la psychologie du rapatriement imminent. D'ailleurs, les navires, qui devaient les emmener en bloc, étaient déjà annoncés de Marseille, Darlan ne perdant pas un jour pour les mettre en route, ni les Allemands pour les laisser partir. En attendant, suivant les consignes de Dentz, que la commission britannique d'armistice et les postes de police anglais faisaient intégralement respecter, les officiers et les soldats se voyaient interdire tout rapport avec leurs camarades français libres, lesquels n'avaient pas, non plus, faculté de les aborder. Dans de pareilles conditions, les ralliements

seraient rares. Au lieu de l'action loyale que nous
prétendions exercer sur l'esprit et la conscience d'hommes
mis individuellement à même de nous entendre et de
choisir, il n'y aurait que l'opération d'embarquement
collectif d'une armée constituée, que l'on maintenait dans
une atmosphère de rancune et d'humiliation et qui n'avait
d'autre désir que de quitter, le plus tôt possible, le théâtre
de ses vains sacrifices et de ses amers efforts.

Tandis que les engagements, pris à notre égard par le
Gouvernement britannique quant à l'interprétation de
l'armistice de Saint-Jean-d'Acre, demeuraient ainsi lettre
morte, il en était tout juste de même en ce qui concernait
le désintéressement politique de la Grande-Bretagne en
Syrie et les limites de l'autorité de son commandement
militaire. Si, à Damas et à Beyrouth même, les empiétements gardaient quelque apparence de discrétion, au
contraire ils s'étalaient dans les régions les plus sensibles
que les ambitions de l'Angleterre ou de ses féaux husseinites avaient visées de tout temps.

En Djezireh, le commandant Reyniers, délégué du
général Catroux, était traité comme un suspect par les
forces britanniques sur place et empêché de reformer les
bataillons assyro-chaldéens et les escadrons syriens provisoirement dispersés. A Palmyre et dans le désert sévissait
M. Glubb, dit « Glubb-Pacha », commandant anglais de
la « Transjordanian Force », qui s'efforçait de rallier les
tribus bédouines à l'Emir Abdullah. Dans le Hauran, les
agents anglais faisaient pression sur les chefs locaux pour
les déterminer à reconnaître, eux aussi, l'autorité d'Abdullah et à lui payer l'impôt. D'Alep, comme des
Alaouites, venaient des rapports alarmants.

Mais c'est surtout au Djebel Druze que les Britanniques manifestaient ouvertement leurs intentions. Pourtant, aucun combat n'y avait eu lieu et il était entendu
entre Catroux et Wilson que les troupes alliées n'y
pénétreraient pas jusqu'à décision à prendre en commun.
On peut juger de notre état d'esprit quand nous apprîmes
qu'une brigade britannique s'y installait, que les esca-

drons druzes étaient d'office pris en charge par les Anglais, que certains chefs, convoqués et indemnisés par M. Bass, dit « le commodore Bass », déclaraient rejeter l'autorité française, qu'à Soueïda, « la Maison de France », où résidait notre délégué, était devenue, de force, le siège du commandement britannique, enfin, que celui-ci, en présence des troupes et de la population, y avait fait amener le pavillon tricolore et hisser l'Union Jack.

Il fallait, tout de suite, réagir. Le général Catroux, d'accord avec moi, donna, le 29 juillet, au colonel Monclar l'ordre de se rendre immédiatement à Soueïda avec une solide colonne, de reprendre possession de la Maison de France et de récupérer les escadrons druzes. Wilson, dûment averti, m'adressa aussitôt un message quelque peu menaçant pour m'adjurer d'arrêter la colonne. Je lui répondis : « que celle-ci était déjà parvenue à destination... qu'il était loisible à lui-même, Wilson, de régler avec Catroux — qui le lui avait proposé — la question du stationnement des troupes britanniques et françaises au Djebel Druze, ... que je tenais pour regrettables ses menaçantes allusions, ... mais que, si je restais disposé à une franche collaboration militaire, il fallait que les droits souverains de la France, en Syrie et au Liban et la dignité de l'armée française restent hors de toute atteinte ».

En même temps, Monclar, arrivé à Soueïda, s'entendait déclarer par le commandant de la brigade britannique que « s'il fallait se battre, on se battrait » et répondait par l'affirmative. Les choses n'allèrent pas aussi loin. Le 31 juillet, Monclar put s'installer à la Maison de France, y replacer solennellement les trois couleurs, caserner ses troupes dans la ville et reformer le groupe d'escadrons druzes sous les ordres d'un officier français. Peu après, les forces anglaises quittaient la région.

Mais, pour un incident réglé, beaucoup d'autres surgissaient partout. Wilson, d'ailleurs, annonçait qu'il allait établir ce qu'il appelait « la loi martiale » et prendre tous les pouvoirs. Nous le prévenions que, dans ce cas, nous opposerions nos pouvoirs aux siens et que ce serait la rupture. Lyttelton, quoique tenu au courant, s'abstenait d'intervenir. Même, sur le bruit que Catroux allait entamer, à Beyrouth et à Damas, des pourparlers en vue des traités futurs, le ministre d'Etat britannique lui écrivait directement pour demander, comme une chose qui allait de soi, que Spears fût présent à ces négociations. Cette prétention persistante à s'immiscer dans nos affaires, autant que les empiétements qui ne cessaient de se multiplier, atteignaient maintenant la limite de ce que nous pouvions supporter. Le 1er août, je télégraphiai à Cassin d'aller voir M. Eden et de lui dire, de ma part, « que l'immixtion de l'Angleterre nous conduisait aux complications les plus graves et que les avantages douteux que la politique anglaise pourrait tirer, au Levant, de cet oubli des droits de la France, seraient bien médiocres en comparaison des inconvénients majeurs qui résulteraient d'une brouille entre la France Libre et l'Angleterre ».

Une brouille ? Londres n'en voulait pas. Le 7 août, M. Lyttelton vint me faire visite à Beyrouth et passa la journée chez moi. Ce fut l'occasion d'une conférence qu'on aurait pu croire décisive si aucune chose, en Orient, l'était jamais pour les Britanniques. Le ministre convint franchement que les militaires anglais n'exécutaient pas nos accords des 24 et 25 juillet. « Il n'y a là, affirma-t-il, qu'un retard imputable à des défauts de transmission et, peut-être, de compréhension, que je regrette vivement et auxquels j'entends mettre un terme. » Il parut surpris et mécontent des incidents créés par les agents anglais et dont Catroux fit le récit. Il déclara que Vichy violait la convention d'armistice ; que, par exemple, les 52 officiers britanniques, faits prisonniers dans les récents combats et qui devaient être rendus sans délai, ne l'avaient pas encore été et qu'on ne savait même pas où ils avaient été mis ; qu'en conséquence, Dentz allait être transféré en Palestine et que toutes facilités nous seraient, dorénavant, données pour opérer des ralliements.

Je ne cachai pas à Lyttelton que nous étions excédés de la manière dont nos alliés pratiquaient la coopération. « Plutôt que de continuer ainsi, nous préférons, lui dis-je, suivre notre propre route, tandis que vous suivrez la vôtre. » Comme il se plaignait, à son tour, évoquant les obstacles que nous opposions au commandement britannique, je lui répondis, d'après ce que Foch, en personne, m'avait naguère appris, qu'il ne pouvait y avoir de commandement interallié valable qui ne fût désintéressé et que, quoi que lui-même, Lyttelton, pût, de bonne foi, me dire ou m'écrire, ce n'était pas ici le cas pour les Anglais. Quant à invoquer, comme me le faisait Wilson, la nécessité de la défense du Levant pour usurper l'autorité en Djezireh, à Palmyre, au Djebel Druze, ce n'était qu'un mauvais prétexte. L'ennemi était loin, maintenant, du Djebel Druze, de Palmyre, de la Djezireh. S'il était sage de prévoir telle éventualité où la menace de l'Axe pèserait de nouveau sur la Syrie et le Liban, ce qu'il fallait faire, pour s'y préparer, c'était un plan de défense commun entre Français et Britanniques, non point une politique anglaise d'empiétements sur notre domaine.

M. Lyttelton, soucieux de terminer sa visite sur quelque note d'harmonie, saisit au bond la balle du « plan de défense ». Il me proposa, pour en parler, d'introduire le général Wilson, dont je n'avais pas voulu qu'il vînt à notre réunion. Je répondis négativement mais acceptai que Wilson vît Catroux hors de Beyrouth afin de mettre un projet sur pied. Leur rencontre eut lieu le lendemain. Il n'en sortit, pratiquement, rien ; preuve que, du côté anglais, pour ce qui était du Levant, on pensait à tout autre chose qu'à une offensive des Allemands. Cependant, le ministre d'Etat, pour marquer sa bonne volonté, m'avait remis, en me quittant, une lettre qui répétait les assurances déjà données au sujet du désintéressement politique de la Grande-Bretagne. En outre, M. Lyttelton m'avait affirmé verbalement que je serais satisfait des suites pratiques de notre entretien.

Comme tant de secousses n'avaient pas ébranlé la

France Libre, j'admis qu'on pouvait, en effet, compter sur un répit dans nos difficultés. Toutefois, j'en avais assez vu pour être sûr que, tôt ou tard, la crise recommencerait. Mais, à chaque jour suffisait sa peine. Pour formuler la conclusion de l'épreuve momentanément surmontée, j'adressai à la délégation de Londres, qui s'effrayait de mon attitude, des messages résumant les péripéties et déclarant, en manière de « moralité » : « Notre grandeur et notre force consistent uniquement dans l'intransigeance pour ce qui concerne les droits de la France. Nous aurons besoin de cette intransigeance jusqu'au Rhin, inclusivement. »

En tout cas, à partir de là, les choses prirent une autre tournure. Larminat put, avec ses adjoints, se rendre dans celles des unités qui n'étaient pas encore embarquées et adresser hâtivement aux officiers et aux hommes l'appel du dernier moment. Catroux eut la faculté de voir certains fonctionnaires qu'il désirait personnellement garder. Moi-même reçus maintes visites. Finalement, les ralliements se montèrent à 127 officiers et environ 6 000 sous-officiers et soldats, soit la cinquième partie de l'effectif des troupes du Levant. En outre, les éléments syriens et libanais, totalisant 290 officiers et 14 000 hommes, furent aussitôt reconstitués. Mais 25 000 officiers, sous-officiers et soldats de l'armée et de l'aviation françaises nous étaient, en définitive, arrachés, alors que le plus grand nombre auraient, sans nul doute, décidé de nous joindre, si nous avions eu le temps et les moyens de les éclairer. Car ceux des Français qui regagnaient la France avec la permission de l'ennemi, renonçant à la possibilité d'y rentrer en combattant, étaient, je le savais, submergés de doute et de tristesse. Quant à moi, c'est le cœur étreint que je regardais en rade les navires de transport que Vichy avait expédiés et les voyais, une fois remplis, disparaître sur la mer, emportant avec eux une des chances de la patrie.

Du moins, celles qui lui restaient sur place pouvaient être, maintenant, mises en œuvre. Le général Catroux s'y appliqua très activement. Ayant le sens de la grandeur française et le goût de l'autorité, habile à manier les hommes, principalement ceux d'Orient dont il pénétrait volontiers les jeux subtils et passionnés, assuré de sa propre valeur aussi bien que dévoué à notre grande entreprise et à celui qui la dirigeait, il allait, avec beaucoup de dignité et de distinction, conduire au Levant la partie de la France. S'il m'arriva de penser que son désir de séduire et son penchant pour la conciliation ne répondaient pas toujours au genre d'escrime qui lui était imposé, s'il tarda, en particulier, à discerner dans sa profondeur la malveillance du dessein britannique, je ne laissai jamais de reconnaître ses grands mérites et ses hautes qualités. Dans une situation que d'affreuses conditions initiales, le manque de moyens, les obstacles partout dressés, rendirent exceptionnellement ingrate, le général Catroux a bien servi la France.

Il lui fallait, pour commencer, organiser du haut en bas la représentation française que le départ de la plupart des fonctionnaires « d'autorité » et de la majeure partie des officiers de renseignements avait, soudain et partout, réduite à presque rien. Catroux prit auprès de lui, comme secrétaire général, Paul Lepissié, qui nous était venu de Bangkok où il était ministre de France. Il délégua le général Collet et M. Pierre Bart, respectivement auprès des Gouvernements syrien et libanais. En même temps, MM. David, puis Fauquenot, à Alep, de Montjou à Tripoli, Dumarçay à Saïda, le gouverneur Schoeffler, puis le général Monclar, aux Alaouites, les colonels : Brosset en Djezireh, des Essars à Homs, Oliva-Roget au Djebel Druze, allèrent assurer, dans chacune des régions, notre présence et notre influence.

Je dois dire que les populations marquaient, à notre égard, une chaleureuse approbation. Elles voyaient, dans la France Libre, quelque chose de courageux, d'étonnant, de chevaleresque, qui leur semblait répondre à ce qu'était à leurs yeux la personne idéale de la France. En outre, elles sentaient que notre présence éloignait de leur territoire le danger d'invasion allemande, assurait les lendemains dans le domaine économique et imposait une limite aux abus de leurs féodaux. Enfin, l'annonce généreuse que nous faisions de leur indépendance ne laissait pas de les émouvoir. Les mêmes manifestations, qui s'étaient produites lors de mon entrée à Damas et à Beyrouth, se renouvelaient, quelques jours plus tard, à Alep, à Lattaquié, à Tripoli, ainsi qu'en maintes villes et bourgades de cette admirable contrée, où chaque site et chaque localité, dans leur dramatique poésie, sont comme des témoins de l'Histoire.

Mais, si le sentiment du peuple se montrait nettement favorable, les politiques se livraient moins franchement. A cet égard, le plus urgent consistait à investir, dans chacun des deux Etats, un gouvernement capable d'assumer les devoirs nouveaux que nous allions lui transférer, notamment aux points de vue des finances, de l'économie, de l'ordre public. Nous entendions, en effet, ne réserver à l'autorité mandataire que la responsabilité de la défense, des relations extérieures et des « intérêts communs » aux deux Etats : monnaie, douanes, ravitaillement, tous domaines dans lesquels il était impossible de passer aussitôt la main, comme de séparer à l'improviste la Syrie et le Liban. Plus tard, quand l'évolution de la guerre le permettrait, on procéderait à des élections d'où sortiraient des pouvoirs nationaux complets. En attendant cet aboutissement, la mise en marche de gouvernements aux attributions élargies portait déjà au point d'ébullition les passions des clans et les rivalités des personnes.

Pour la Syrie, la situation était, à ce point de vue, particulièrement compliquée. En juillet 1939, comme Paris refusait finalement de ratifier le traité de 1936, le Haut Commissaire de France avait été amené à écarter le président de la République, Hachem Bey el Atassi, et à dissoudre le Parlement. Nous trouvions en place à Damas, sous la direction de Khabel Bey Azem, personnalité d'ailleurs valable et considérée, un ministère qui se bornait à expédier les affaires sans revêtir le caractère d'un gouvernement national. J'avais, d'abord, espéré pouvoir rétablir en Syrie l'état antérieur des choses. Le Président Hachem Bey, et, avec lui, le chef de son dernier gouvernement Djemil Mardam Bey, ainsi que M. Fares El Koury, président de la Chambre dissoute, s'y montraient en principe disposés au cours des entretiens que j'eus avec chacun d'eux en présence du général Catroux. Mais, bien qu'ils fussent tous trois des politiques expérimentés, des patriotes dévoués à leur pays et des hommes désireux de ménager l'amitié française, ils ne parurent pas discerner, dans toute son ampleur, l'occasion historique qui s'offrait à eux d'engager la Syrie sur la route de l'indépendance, en plein accord avec la France et en surmontant, d'un grand élan, les préventions et les griefs. Je les trouvai trop soucieux, à mon sens, de formalités juridiques et trop sensibles aux suggestions d'un pointilleux nationalisme. Cependant, j'invitai le général Catroux à poursuivre avec eux les conversations et à ne s'orienter vers une autre solution que si, décidément, leurs réserves empêcheraient d'aboutir.

Au Liban, nous pûmes aller plus vite, sans, toutefois, rencontrer l'idéal. Le président de la République, Emile Eddé, inébranlable ami de la France et homme d'Etat confirmé, avait volontairement donné sa démission trois mois avant la campagne qui nous amenait à Beyrouth. Il n'avait pas été remplacé. D'autre part, la durée du mandat du Parlement était, de longtemps, expirée. Au point de vue des principes et de la Constitution, on se trouvait sur la table rase. Mais il n'en était pas de même quant aux luttes des clans politiques. Une rivalité acharnée opposait à Emile Eddé une autre personnalité maronite, M. Bechara El Koury. Celui-ci, rompu aux tours et détours des affaires libanaises, groupait autour de lui de nombreux partisans et de multiples intérêts. « Eddé a déjà eu le poste, me déclarait M. Koury ; à moi d'être Président ! » Enfin, Riad Solh, chef passionné des musulmans sunnites, agitant autour des mosquées l'étendard du nationalisme arabe, alarmait les deux concurrents sans, toutefois, qu'ils se missent d'accord.

Nous jugeâmes, dans ces conditions, qu'il valait mieux porter à l'échelon suprême l'homme que nous trouvions en place à la tête du gouvernement, M. Alfred Naccache, moins éclatant qu'aucun des trois autres, mais capable, estimé, et dont la présence à la tête de l'Etat, dans une conjoncture transitoire, ne nous paraissait pas devoir provoquer d'opposition véhémente. Ce ne fut vrai, d'ailleurs, qu'en partie. Car, si Emile Eddé s'accommoda généreusement de notre choix du moment, si Riad Solh évita de gêner celui qui portait la charge, M. Bechara El Koury se déchaîna contre lui en intrigues et cabales.

En attendant la libre consultation du peuple, cette situation politique, à Damas et à Beyrouth, n'avait, en soi, rien d'inquiétant. L'ordre public ne courait pas de risques. L'administration s'acquittait de sa tâche. L'opinion admettait d'emblée le retard des élections dû à la force majeure de la guerre. Bref, la période de transition entre le régime du mandat et celui de l'indépendance pouvait et devait, sans nul doute, s'accomplir fort tranquillement, si l'intervention anglaise n'y cherchait pas systématiquement prétextes et occasions.

Or, tandis que M. Lyttelton s'absorbait, au Caire, dans les problèmes que posait le ravitaillement de l'Orient, tandis que le général Wilson s'effaçait avec sa loi martiale et ses empiétements directs, Spears s'installait à Beyrouth comme chef des liaisons anglaises, pour devenir, au mois de janvier, ministre plénipotentiaire britannique auprès des gouvernements syrien et libanais. Il disposait d'atouts incomparables : présence de l'armée anglaise ; action multiforme des agents de l'Intelligence ; maîtrise des relations économiques de deux pays qui vivaient d'échanges ; appui, dans toutes les capitales, de la première diplomatie du monde ; grands moyens de propagande ; concours officiel des Etats arabes voisins Irak et Transjordanie où régnaient des princes Husseinites, Palestine dont le Haut Commissaire anglais affectait de constantes alarmes quant aux répercussions chez les Arabes de son territoire de « l'oppression » subie par leurs frères syriens et libanais, Egypte enfin où la stabilité des ministres au pouvoir comme l'ambition de ceux qui aspiraient à y parvenir, n'avaient alors de chance réelle que moyennant l'agrément britannique.

Dans le milieu perméable, intrigant, intéressé, que le Levant ouvrait aux projets de l'Angleterre, le jeu, avec de pareilles cartes, était facile et tentant. Seules, la perspective d'une rupture avec nous et la nécessité de ménager les sentiments de la France pourraient imposer à Londres une certaine modération. Mais la même perspective et la même nécessité limiteraient également nos parades et nos ripostes. L'inconvénient moral et matériel que présenterait, pour nous, la séparation d'avec la Grande-Bretagne avait, évidemment, de quoi nous retenir. D'ailleurs, la France Libre, à mesure qu'elle s'élargirait, ne perdrait-elle pas quelque peu de cette fermeté concentrée qui lui avait permis de l'emporter, cette fois, en jouant le tout pour le tout ? Comment, enfin, révéler au peuple français les procédés de ses alliés quand, dans l'abîme où il était plongé, rien n'importait davantage que de susciter en lui la confiance et l'espérance afin de l'entraîner à la lutte contre l'ennemi ?

En dépit de tout, le fait que notre autorité s'instaurait en Syrie et au Liban, apportait au camp de la liberté un renfort considérable. Désormais, les arrières des alliés en Orient étaient solidement assurés. Plus moyen, pour les Allemands, de prendre pied dans les pays arabes, à moins d'entreprendre une vaste et dangereuse expédition. La Turquie, qu'Hitler espérait inquiéter suffisamment pour la faire adhérer à l'Axe et lui servir de pont entre l'Europe et l'Asie, ne risquait plus d'être investie et, du coup, allait s'affermir. Enfin, la France Libre était en mesure de mettre en ligne des forces accrues.

A cet égard, nous décidions de tenir les territoires du Levant avec les troupes syriennes et libanaises, une défense fixe de la côte confiée à notre marine, une réserve formée par une brigade française, le tout placé sous les ordres du général Humblot. En même temps, nous organisions, pour aller combattre ailleurs, deux fortes brigades mixtes et un groupement blindé avec les services correspondants. Le général de Larminat, remplacé dans ses fonctions de Haut Commissaire à Brazzaville par le médecin général Sicé, était chargé de commander cet ensemble mobile, limité, hélas ! en effectifs mais doté d'une grande puissance de feu grâce au matériel que nous venions de prendre au Levant. En repassant par Le Caire, je vis le général Auchinleck, nouveau commandant en chef. « Dès que nos forces seront prêtes, lui dis-je, nous les mettrons à votre disposition, pourvu que ce soit pour combattre. » — « Rommel, me répondit-il, fera certainement ce qu'il faut pour que j'en trouve l'occasion. »

Mais, tandis qu'en Méditerranée la guerre allait, dans des conditions meilleures pour nous-mêmes et pour nos alliés, se concentrer aux confins de l'Egypte et de la Libye, elle embrassait, de la Baltique à la mer Noire, d'immenses espaces européens. L'offensive allemande en Russie progressait avec rapidité. Cependant, quels que fussent les succès initiaux des armées d'Hitler, la résistance russe se renforçait, jour après jour. C'étaient là, dans l'ordre de la politique comme dans celui de la stratégie, des événements d'une incalculable portée.

De leur fait, l'Amérique voyait s'offrir à elle la chance des actions décisives. Sans doute, devait-on prévoir que le Japon entreprendrait bientôt, dans le Pacifique, une diversion de grande envergure qui réduirait et retarderait l'intervention des Etats-Unis. Mais cette intervention vers l'Europe et vers l'Afrique était, désormais, certaine, puisqu'une gigantesque aventure absorbait dans les lointains de la Russie l'essentiel de la force allemande, que, d'autre part, les Britanniques, avec le concours des Français Libres, avaient pu, en Orient, s'assurer de positions solides, qu'enfin le tour pris par la guerre devait réveiller l'espérance et, par suite, la combativité chez les peuples opprimés.

Ce que j'avais à faire, maintenant, c'était, dans la mesure du possible, agir sur Washington et sur Moscou, pousser au développement de la résistance française, susciter et conduire l'effort de nos moyens à travers le monde. Il me fallait, pour cela, regagner Londres, centre des communications et capitale de la guerre. J'y arrivai le 1er septembre, pressentant, après les récentes expériences, ce que seraient jusqu'au dernier jour les épreuves de l'entreprise, mais désormais convaincu que la victoire était au bout.

LES ALLIÉS

Aux yeux du monde, la France Libre, à l'approche de son deuxième hiver, n'était plus l'étonnante équipée qu'avaient accueillie d'abord l'ironie, la pitié ou les larmes. Maintenant, on rencontrait partout sa réalité, politique, guerrière, territoriale. Il lui fallait, à partir de là, déboucher sur le plan diplomatique, se frayer sa place au milieu des alliés, y paraître comme la France belligérante et souveraine, dont on devait respecter les droits et ménager la part de victoire. A cet égard, j'étais disposé à subir les transitions. Mais je ne voulais, ni ne pouvais, rien concéder quant au fond. En outre, j'avais hâte d'aboutir et d'acquérir la position avant que le choc décisif eût tranché le sort de la guerre. Il n'y avait donc pas de temps à perdre, surtout auprès des grands : Washington, Moscou et Londres.

Les Etats-Unis apportent aux grandes affaires des sentiments élémentaires et une politique compliquée. Il en était ainsi, en 1941, de leur attitude vis-à-vis de la France. Tandis que, dans les profondeurs de l'opinion américaine, l'entreprise du général de Gaulle suscitait des réactions passionnées, tout ce qui était officieux s'appliquait à la traiter avec froideur ou indifférence. Quant aux officiels, ils maintenaient telles quelles leurs relations avec Vichy, prétendant ainsi disputer la France à l'influence allemande, empêcher que la flotte soit livrée, garder le contact avec Weygand, Noguès, Boisson, dont Roosevelt attendait qu'un jour ils lui ouvrent les portes de l'Afrique. Mais, par une étonnante contradiction, la politique des Etats-Unis, représentée auprès de Pétain, se tenait écartée de la France Libre, sous prétexte qu'on ne pouvait pas préjuger du gouvernement que se donnerait la nation française quand elle serait libérée. Au fond, ce que les dirigeants américains tenaient pour acquis, c'était l'efface-ment de la France. Ils s'accommodaient donc de Vichy. Si, cependant, en certains points du monde, ils envisa-geaient de collaborer, pour les besoins de la lutte, avec telles ou telles autorités françaises, ils entendaient que ce ne fût que par arrangements épisodiques et locaux.

Ces conditions nous rendaient difficile l'entente avec Washington. D'ailleurs, l'équation personnelle du Prési-dent affectait le problème d'un coefficient rien moins que favorable. Bien que Franklin Roosevelt et moi n'ayons pu encore nous rencontrer, divers signes me faisaient deviner sa réserve à mon égard. Je voulais, néanmoins, faire tout le possible pour empêcher que les Etats-Unis, qui allaient entrer dans la guerre, et la France, dont je répondais qu'elle n'en était jamais sortie, suivissent des chemins divergents.

Quant à la forme des relations à établir, dont les hommes politiques, les diplomates et les publicistes allaient à l'envi discuter, je dois dire qu'elle m'était, alors, à peu près indifférente. Beaucoup plus que les formules successives que les juristes de Washington draperaient autour de la « reconnaissance » m'importaient la réalité et le contenu des rapports. Cependant, devant l'énormité des ressources américaines et l'ambition qu'avait Roose-velt de faire la loi et de dire le droit dans le monde, je sentais que l'indépendance était bel et bien en cause. Bref, si je voulais tâcher de m'entendre avec Washington, c'était sur des bases pratiques mais dans la position debout.

Pendant la période héroïque des premiers mois de la France Libre, Garreau-Dombasle et Jacques de Sieyès m'avaient très utilement servi de porte-parole. Il s'agissait maintenant de traiter. Je chargeai Pleven d'entamer les approches. Il connaissait l'Amérique. Il était habile. Il n'ignorait rien de nos propres affaires. Dès le mois de mai 1941, je lui avais, de Brazzaville, fixé cette mission comme suit : « Régler l'établissement de nos relations permanentes et directes avec le Département d'Etat, les rapports économiques de l'Afrique et de l'Océanie française libres avec l'Amérique et les achats directs par nous de matériel utile à la guerre ; mettre sur pied aux Etats-Unis notre information et notre propagande ; y créer nos comités et organiser le concours des bonnes volontés américaines. » Pleven, parti au début de juin, n'arrivait pas les mains vides. En effet, nous offrions tout de suite aux Etats-Unis la possibilité d'installer leurs forces aériennes au Cameroun, au Tchad et au Congo, alors que l'Afrique était désignée d'avance pour leur servir de base vers l'Europe, du jour où ils devraient agir par les armes. En outre, devant la menace japonaise, le concours des îles du Pacifique où flottait la Croix de Lorraine aurait, pour eux, une notable importance.

De fait, le Gouvernement américain ne tarda pas à demander, pour ses avions, le droit d'utiliser certaines de nos bases africaines, puis celles des Nouvelles-Hébrides et de la Nouvelle-Calédonie. N'étant pas encore belligérant, il le fit pour le compte de la « Pan American Airways » mais sans que l'on pût douter de la portée de sa démarche.

A mesure que les Etats-Unis voyaient s'approcher d'eux l'échéance de la guerre, Washington montrait plus d'attention à notre endroit. En août, une mission de liaison dirigée par le colonel Cunningham était envoyée au Tchad. En septembre, M. Cordell Hull déclarait publiquement qu'entre le Gouvernement américain et la France Libre il y avait communauté d'intérêts. « Nos relations avec ce groupe, ajoutait-il, sont très bonnes sous tous les rapports. » Le 1er octobre, Pleven était reçu officiellement au State Department par le sous-secrétaire d'Etat Sumner Welles. Le 11 novembre, le président Roosevelt, par lettre adressée à M. Stettinius, étendait à la

France Libre le bénéfice du « Lease and lend » parce que « la défense des territoires ralliés à la France Libre était vitale pour la défense des Etats-Unis ». A la fin du même mois, Weygand, rappelé d'Alger, emportait avec lui une illusion américaine que Washington ne savait encore par quelle autre remplacer. Entre-temps, Pleven rentrant à Londres pour faire partie du Comité national que je venais d'instituer, Adrien Tixier, Directeur du Bureau international du Travail, devenait, d'accord avec le Département d'Etat, chef de notre délégation. Enfin, à Londres même, des relations régulières s'étaient établies entre nous et M. Drexel Biddle, Ambassadeur des Etats-Unis auprès des gouvernements réfugiés en Grande-Bretagne.

Tandis que se nouaient ainsi les premiers rapports officiels, on notait divers changements dans la presse et la radio, jusque-là malveillantes à notre sujet, à moins qu'elles ne fussent muettes. D'autre part, parmi les Français émigrés, dont certains étaient notoires, paraissait le désir de se lier à ceux qui tenaient le drapeau. C'est ainsi qu'en fondant à New York l'Institut français, qui groupait des sommités de la science, de l'histoire, de la philosophie, le professeur Focillon obtenait l'accord de ses collègues pour demander au général de Gaulle de reconnaître l'établissement par décret.

Le 7 décembre, l'attaque de Pearl Harbor jetait l'Amérique dans la guerre. On aurait pu croire que, dès lors, sa politique traiterait en alliés les Français Libres qui combattaient ses propres ennemis. Il n'en fut rien, cependant. Avant que Washington finît par s'y décider, on devrait essuyer beaucoup d'avatars pénibles. C'est ainsi que, le 13 décembre, le Gouvernement américain réquisitionnait dans ses ports le paquebot *Normandie* et 13 autres navires français, sans consentir à traiter avec nous, ni même à nous parler, de leur emploi, ni de leur armement. Quelques semaines plus tard, *Normandie* flambait dans des conditions lamentables. Au cours du mois de décembre, le Pacte des Nations Unies était négocié et signé par 27 gouvernements dont nous ne faisions pas partie. Ce qu'il y avait d'étrange, sinon de trouble, dans l'attitude des Etats-Unis à notre égard allait être, d'ailleurs, révélé par un incident presque infime en lui-même mais auquel la réaction officielle de Washington conférerait une sérieuse importance. Peut-être, de mon côté, l'avais-je provoqué pour remuer le fond des choses, comme on jette une pierre dans l'étang. Il s'agissait du ralliement de Saint-Pierre et Miquelon.

Nous y pensions depuis le début. Il était, en effet, scandaleux que, tout près de Terre-Neuve, un petit archipel français, dont la population demandait à se joindre à nous, fût maintenu sous l'obédience de Vichy. Les Britanniques, hantés par l'idée que, sur la route des grands convois, les sous-marins allemands pourraient un jour trouver assistance grâce notamment au poste-radio qui existait à Saint-Pierre, désiraient le ralliement. Mais, suivant eux, il y fallait l'accord de Washington. Quant à moi, je tenais cet accord pour souhaitable, mais non indispensable, puisqu'il n'y avait là qu'une affaire intérieure française. Même, j'étais d'autant plus résolu à m'assurer de l'archipel que je voyais l'amiral Robert, Haut Commissaire de Vichy pour les Antilles, la Guyane et Saint-Pierre, traiter avec les Américains, ce qui ne pouvait aboutir qu'à la neutralisation de ces territoires français sous garantie de Washington. Apprenant, au mois de décembre, que l'amiral Horne était précisément envoyé par Roosevelt à Fort-de-France pour régler avec Robert les conditions de la neutralisation de nos possessions d'Amérique et des navires qui s'y trouvaient, je décidai d'agir à la première occasion.

Cette occasion se présenta sous les traits de l'amiral Muselier. Comme il devait se rendre au Canada pour inspecter le croiseur sous-marin *Surcouf*, alors basé à Halifax, ainsi que les corvettes françaises qui escortaient les convois, je convins avec lui qu'en principe il effectuerait l'opération. De fait, ayant réuni à Halifax, le 12 décembre, autour du *Surcouf*, les corvettes *Mimosa*, *Aconit* et *Alysse*, il se tint prêt à passer à Saint-Pierre et

Miquelon. Mais il crut devoir, auparavant, demander lui-
même, à Ottawa, l'assentiment des Canadiens et des
Américains. Le secret était ainsi rompu. Je me vis obligé
d'avertir les Britanniques pour éviter les apparences de la
dissimulation. A Muselier, Washington fit répondre :
« Non ! » par son ministre à Ottawa, à qui l'amiral déclara
que, dès lors, il renonçait à se rendre aux Iles. A moi-
même, le Gouvernement de Londres écrivit que, pour sa
part, il ne faisait point obstacle, mais qu'étant donné
l'opposition américaine, il demandait que l'opération fût
remise. Dans ces conditions, et à moins d'un fait nouveau,
on allait devoir s'y résigner.

Mais le fait nouveau survint. Quelques heures après
m'avoir répondu, le Foreign Office portait à notre
connaissance, — n'était-ce pas avec intention ? — que le
Gouvernement canadien, d'accord avec les Etats-Unis
sinon à leur instigation, avait décidé de débarquer, de gré
ou de force, à Saint-Pierre le personnel nécessaire pour
s'assurer du poste-radio. Nous protestâmes aussitôt à
Londres et à Washington. Mais, dès lors qu'il était
question d'une intervention étrangère dans un territoire
français, aucune hésitation ne me parut plus permise. Je
donnai à l'amiral Muselier l'ordre de rallier tout de suite
Saint-Pierre et Miquelon. Il le fit la veille de Noël, au
milieu du plus grand enthousiasme des habitants, sans
que la poudre ait eu à parler. Un plébiscite donna à la
France Libre une écrasante majorité. Les jeunes gens
s'engagèrent aussitôt. Les hommes mûrs formèrent un
détachement pour assurer la défense des îles. Savary,
nommé administrateur, remplaça le gouverneur.

On pouvait croire que cette petite opération, si heureusement effectuée, serait entérinée sans secousse par le
Gouvernement américain. Tout au plus devait-on s'attendre à quelque mauvaise humeur dans les bureaux du State
Department. Or, ce fut une vraie tempête qui éclata aux
Etats-Unis. M. Cordell Hull, lui-même, la déclencha par
un communiqué où il annonçait qu'interrompant ses
vacances de Noël il regagnait d'urgence Washington.

« L'action entreprise à Saint-Pierre et Miquelon par les navires soi-disant français libres, ajoutait le Secrétaire d'Etat, l'a été sans que le Gouvernement des Etats-Unis en ait eu au préalable connaissance et sans qu'il y ait aucunement donné son consentement. » Il terminait en déclarant que son gouvernement « avait demandé au Gouvernement canadien quelles mesures celui-ci comptait prendre pour restaurer le *statu quo ante* dans les îles ».

Aux Etats-Unis, pendant trois semaines, le tumulte de la presse et l'émotion de l'opinion dépassèrent les limites imaginables. C'est que l'incident offrait tout à coup au public américain l'occasion de manifester sa préférence entre une politique officielle qui misait encore sur Pétain et le sentiment de beaucoup qui inclinait vers de Gaulle. Quant à nous, le but étant atteint, nous entendions maintenant amener Washington à une plus juste compréhension des choses. Comme Churchill était à Québec en conférence avec Roosevelt, je télégraphiai au Premier ministre pour l'avertir du mauvais effet produit sur l'opinion française par l'attitude du State Department. Churchill me répondit qu'il ferait son possible pour que l'affaire fût arrangée, tout en faisant allusion à tels développements favorables qui s'en trouvaient empêchés. En même temps, Tixier remettait, de ma part, à M. Cordell Hull d'apaisantes communications, tandis que Roussy de Sales employait dans le même sens son crédit auprès de la presse américaine et que nous nous efforcions de mettre en oeuvre M. W. Bullitt, dernier ambassadeur des Etats-Unis auprès de la République, lequel séjournait, alors, au Caire.

Le Gouvernement de Washington, très critiqué dans son pays et tacitement désapprouvé par l'Angleterre et par le Canada, ne pouvait en définitive qu'admettre le fait accompli. Toutefois, avant d'y consentir, il essaya de l'intimidation en usant de l'intermédiaire du Gouvernement britannique. Mais cet intermédiaire était lui-même peu convaincu. M. Eden me vit et me revit, le 14 janvier, et fit mine d'insister pour que nous acceptions la neutralisation des îles, l'indépendance de l'administration par rapport au Comité national et un contrôle à établir sur place par des fonctionnaires alliés. Comme je refusai une pareille solution, M. Eden m'annonça que les Etats-Unis songeaient à envoyer à Saint-Pierre un croiseur et deux destroyers. « Que ferez-vous, en ce cas ? » me dit-il. — « Les navires alliés, répondis-je, s'arrêteront à la limite des eaux territoriales françaises et l'amiral américain ira déjeuner chez Muselier qui en sera certainement enchanté. » — « Mais si le croiseur dépasse la limite ? » — « Nos gens feront les sommations d'usage. » — « S'il passe outre ? » — « Ce serait un grand malheur, car, alors, les nôtres devraient tirer. » M. Eden leva les bras au ciel. « Je comprends vos alarmes, conclus-je en souriant, mais j'ai confiance dans les démocraties. »

Il ne restait qu'à tourner la page. Le 19 janvier, M. Cordell Hull recevait Tixier et lui développait sans aigreur les raisons de la politique qu'il avait suivie jusqu'à présent. Peu après, il prenait acte de la réponse que je lui faisais tenir. Le 22, M. Churchill, rentré en Angleterre, me fit demander d'aller le voir. J'y fus avec Pleven. Le Premier ministre, ayant Eden auprès de lui, nous proposa, de la part de Washington, de Londres et d'Ottawa, un arrangement suivant lequel toutes choses resteraient à Saint-Pierre et Miquelon dans l'état où nous les avions mises. En échange, nous laisserions les trois gouvernements publier un communiqué qui sauverait tant soit peu la face au Département d'Etat. « Après quoi, nous dirent les ministres britanniques, nul n'interviendra dans l'affaire. » Nous acceptâmes l'arrangement. Rien ne fut, finalement, publié. Nous gardâmes Saint-Pierre et Miquelon et, du côté des alliés, on ne s'en occupa plus.

Au reste, quelle que fût, à notre égard, la position juridique et sentimentale de Washington, l'entrée des Etats-Unis dans la guerre leur imposait de coopérer avec la France Libre. C'était vrai, dans l'immédiat, pour le Pacifique où, en raison de l'avance foudroyante des Japonais, nos possessions de la Nouvelle-Calédonie, des îles : Marquises, Touamotou, de la Société, et même Tahiti, pouvaient, d'un jour à l'autre, devenir essentielles pour la stratégie alliée. Certaines étaient utilisées déjà comme relais aéronavals. En outre, le nickel calédonien intéressait fortement les fabrications d'armement. Les Américains virent bientôt l'avantage que présenterait une entente avec nous. La réciproque était également vraie, car, le cas échéant, nous ne serions pas en mesure de défendre seuls nos îles. C'est donc délibérément que notre Comité national avait d'avance décidé de donner satisfaction à ce que nous demanderaient les Américains quant à nos possessions dans l'océan Pacifique, à la seule condition qu'eux-mêmes y respecteraient la souveraineté française et notre propre autorité.

Encore fallait-il que cette autorité s'exerçât sur place d'une manière satisfaisante. Ce ne pouvait être facile, étant donné l'extrême éloignement et la dispersion de nos îles, le manque de moyens, le caractère des populations, très attachées certes à la France et qui l'avaient prouvé par leur ralliement, mais d'autre part remuantes et accessibles aux intrigues que suscitaient des intérêts locaux ou étrangers. Au surplus, parmi les éléments mobilisés, beaucoup des meilleurs avaient, sur mon ordre, quitté l'Océanie pour venir combattre en Afrique dans les Forces Françaises Libres. C'est ainsi qu'avait été envoyé en Orient, sous les ordres du lieutenant-colonel Broche, le beau et brave bataillon du Pacifique ainsi que d'autres fractions. Cette contribution océanienne aux combats pour la libération de la France revêtait une haute signification. Mais la défense directe de nos Etablissements s'en trouvait plus malaisée. Enfin, l'état de guerre désorganisait la vie économique de ces lointaines possessions. Au total, la nécessité d'un pouvoir aussi fort et centralisé que possible s'imposait en Océanie.

Dès le printemps de 1941, j'avais cru bon d'y envoyer en inspection le gouverneur général Brunot, devenu disponible depuis que Leclerc avait rallié le Cameroun. Mais Brunot s'était heurté, souvent avec violence, à des fonctionnaires qui lui imputaient, non sans apparence de raison, l'intention de s'installer lui-même à leur place avec ses amis. Papeete avait été le théâtre d'incidents tragi-comiques. On y avait vu le gouverneur, le secrétaire général, le consul d'Angleterre, mis en état d'arrestation par ordre de M. Brunot, tandis qu'à Nouméa le gouverneur Sautot exhalait sa méfiance à l'égard de l'inspecteur. Des mesures exceptionnelles s'imposaient. Au mois de juillet 1941, je nommai le capitaine de vaisseau — puis amiral — Thierry d'Argenlieu Haut Commissaire au Pacifique avec tous pouvoirs civils et militaires et la mission : « de rétablir définitivement et sans demi-mesures l'autorité de la France Libre, de mettre en œuvre pour la guerre toutes les ressources qui s'y trouvent, d'y assurer, contre tous les dangers possibles et peut-être prochains, la défense des territoires français en union avec nos alliés. »

J'avais confiance en d'Argenlieu. Sa hauteur d'âme et sa fermeté le mettaient moralement à même de dominer les intrigues. Ses capacités de chef m'assuraient que nos moyens seraient utilisés avec vigueur mais à bon escient. Ses aptitudes de diplomate trouveraient à s'employer. Car si, par caractère et, j'ose dire, par vocation, il concevait l'action de la France Libre comme une sorte de croisade, il pensait, à juste titre, que cette croisade pouvait être habile. Le croiseur léger *Triomphant* et l'aviso *Chevreuil* furent mis à la disposition du Haut Commissaire au Pacifique. Celui-ci commença par remettre les affaires en ordre à Tahiti. Orselli y fut nommé gouverneur, tandis que Brunot et ses « victimes » venaient s'expliquer à Londres. D'autre part, comme la situation dans tout l'Extrême-Orient ne cessait de s'alourdir, d'Argenlieu vit s'ajouter à sa mission primitive celle de coordonner l'action de nos représentants, tant en Australie, Nouvelle-Zélande, Chine, qu'à Hong-Kong, Singapour, Manille, Batavia. En même temps, Escarra, déjà notoire chez les Chinois comme juriste international, se rendait à Tchoung-

King pour renouer avec le maréchal Chang-Kaï-Chek et préparer l'établissement de relations officielles.

Tout à coup, au début de décembre, le Pacifique s'embrasa. Après la terrible surprise de Pearl Harbor, les Japonais débarquaient en Malaisie britannique, aux Indes néerlandaises, aux Philippines, et s'emparaient de Guam, de Wake, de Hong-Kong. Au début de janvier, ils bloquaient, dans Singapour, une armée britannique qui devrait bientôt capituler. En même temps, ils prenaient Manille. Dans la péninsule de Bataan était assiégé Mac Arthur. Ce que je savais de ce général m'inspirait beaucoup d'estime pour lui. Je fus trouver un jour John Winant, Ambassadeur des Etats-Unis à Londres, diplomate rempli d'intelligence et de sentiment, et lui déclarai ceci : « Comme soldat et comme allié, je dois vous dire que la disparition de Mac Arthur serait un grand malheur. Il n'y a, dans notre camp, que peu de chefs militaires de premier ordre. Lui en est un. Il ne faut pas le perdre. Or, il est perdu à moins que son gouvernement ne lui donne l'ordre de quitter personnellement Bataan par quelque combinaison de vedette et d'hydravion. Je crois que cet ordre devrait lui être donné et vous demande de faire connaître à ce sujet au président Roosevelt l'avis du général de Gaulle. » J'ignore si ma démarche a, ou non, contribué à la décision qui fut prise. En tout cas, c'est avec une grande satisfaction que j'appris, quelque temps après, que le général Mac Arthur avait pu atteindre Melbourne.

Dès la fin du mois de décembre, la Nouvelle-Calédonie se trouvait donc menacée et d'autant plus qu'elle flanquait l'Australie, objectif principal de l'ennemi. D'ailleurs, le 22 décembre, Vichy, prévoyant l'occupation par les Japonais de nos îles d'Océanie, et voulant sans doute essayer d'y reprendre l'autorité sous le couvert de l'envahisseur, nommait l'amiral Decoux Haut Commissaire pour le Pacifique. Celui-ci ne laissait pas, par la radio de Saïgon, d'exciter la population de la Nouvelle-Calédonie à la révolte contre la France Libre. Dans le même temps, d'Argenlieu, se débattant au milieu des angoisses et des difficultés, m'adressait des rapports pleins d'énergie mais non d'illusions. Quant à moi, tout en lui marquant ma certitude qu'il sauverait tout au moins l'honneur, je faisais diriger sur Nouméa les quelques renforts disponibles : cadres, canons de marine, croiseur auxiliaire *Cap-des-Palmes,* enfin *Surcouf* dont on pensait que ses capacités sous-marines et son grand rayon d'action trouveraient leur emploi au Pacifique. Hélas ! Dans la nuit du 19 février, près de l'entrée du canal de Panama, ce sous-marin, — le plus grand du monde, — était heurté par un cargo et coulait à pic avec son commandant : capitaine de corvette Blaison et ses 130 hommes d'équipage.

Cependant, sous la pression des événements, la coopération avec nos alliés commençait à s'organiser. Le 15 janvier, le State Department adressait à notre délégation de Washington un mémorandum précisant les engagements que prenaient les Etats-Unis en ce qui concernait « le respect de notre souveraineté dans les îles françaises du Pacifique ; le fait que les bases et installations qu'ils seraient autorisés à y établir resteraient acquises à la France ; le droit de réciprocité, qui serait reconnu à la France en territoire américain si les bases américaines étaient maintenues après la guerre ». Le 23 janvier, M. Cordell Hull me télégraphiait que « les chefs d'état-major américain et britannique appréciaient l'importance de la Nouvelle-Calédonie et prenaient des mesures pour assurer sa défense en conformité des conditions prévues dans le mémorandum du 15 janvier ». Le Secrétaire d'Etat exprimait aimablement « son espoir que la splendide assistance et la coopération offertes dans le passé par le Haut Commissaire français seraient continuées à l'avenir ».

Des mesures pratiques suivirent ces bons procédés. Le 25 février, je pouvais annoncer à d'Argenlieu que le général Patch, nommé commandant des forces terrestres américaines dans le Pacifique, avait reçu de son gouvernement l'ordre d'aller à Nouméa et de s'y entendre avec lui

« directement et dans l'esprit le plus amical » pour l'organisation du commandement. Le 6 mars, le Comité national français était invité à se faire représenter au « Comité de guerre du Pacifique » établi à Londres et où siégeaient, pour des échanges d'informations et de suggestions, les délégués de la Grande-Bretagne, de la Nouvelle-Zélande, de l'Australie et des Etats-Unis. Le 7 mars, le Gouvernement américain nous demandait et obtenait l'autorisation d'établir des bases dans l'archipel de Touamotou et les îles de la Société. Enfin, le 9 mars, arrivait à Nouméa le général Patch suivi de forces importantes.

Les possessions françaises du Pacifique avaient, désormais, des chances d'échapper à l'invasion. Pourtant, avant que la coopération entre nos alliés et nous fonctionnât sur place comme il fallait, une crise sérieuse devrait y être surmontée. Sans doute, l'harmonie avait-elle d'abord régné entre Patch et d'Argenlieu. Mais, bientôt, la présence des forces, des dollars et des services secrets américains, au milieu d'une population troublée par la fièvre obsidionale, allait aggraver les causes latentes d'agitation. Une partie de la milice, travaillée par des ambitions locales, se dérobait à l'autorité du Haut Commissaire et se plaçait sous celle de Patch qui avait le tort de couvrir cette insoumission. D'autre part, le gouverneur Sautot, supportant mal d'être subordonné à d'Argenlieu, cherchait à s'assurer une popularité personnelle dont il pourrait se servir. Comme, après avoir patienté quelque temps, j'appelais Sautot à Londres pour lui donner une autre affectation, conforme d'ailleurs aux services qu'il avait rendus, il se décidait d'abord à obtempérer, mais ensuite, invoquant « le mécontentement que provoquait dans la population l'ordre qu'il avait reçu », il prenait sur lui « de surseoir à son départ ».

Dans les formes convenables et avec la fermeté voulue, le gouverneur Sautot fut néanmoins embarqué pour se rendre à ma convocation, Montchamp étant expédié du Tchad pour le remplacer et le colonel de Conchard envoyé de Londres pour commander les troupes. Mais il s'ensuivit à Nouméa et dans la brousse des manifestations violentes, encouragées ouvertement par l'attitude des Américains. Pressentant quelque mouvement fâcheux, j'avais alerté Washington et, d'autre part, mandé à Patch que « nous ne pourrions accepter son ingérence dans une affaire française ». Mais, en même temps, j'invitais d'Argenlieu « à faire les plus grands efforts pour rétablir avec Patch des relations personnelles confiantes et à montrer, si possible, quelque bonhomie vis-à-vis d'une population évidemment agitée ». Après trois jours d'incidents, le bon sens reprit tous ses droits et d'Argenlieu tous les leviers de commande. Au reste, c'était urgent, car, le 6 mai à Corregidor et le 10 à Mindanao, avaient capitulé les dernières forces américaines des Philippines, tandis que, dans la mer de Corail qui baigne au nord-est l'Australie, s'engageait entre les flottes du Japon et des Etats-Unis une bataille dont tout dépendait. D'un moment à l'autre, Nouméa pouvait être attaquée.

Devant le péril imminent, la population, réprouvant les désordres récents, se serra autour de l'autorité française. Divers personnages turbulents furent envoyés servir en Syrie. De son côté, Patch alla voir d'Argenlieu pour s'excuser des « malentendus » auxquels il était mêlé. Je télégraphiai au général américain qu'il avait ma confiance et celle de la France Libre pourvu qu'il marchât la main dans la main avec le Haut Commissaire de France. Après quoi, Américains et Français allèrent ensemble et résolument prendre leurs postes de combat. Il se trouva, d'ailleurs, qu'ils n'eurent pas à les défendre. Car, au même moment, les Japonais, vaincus dans la mer de Corail, devaient renoncer à attaquer l'Australie et la Nouvelle-Calédonie.

Ainsi, la guerre poussait les Etats-Unis à entretenir avec nous des relations de plus en plus étroites. Il faut dire que, chez eux, l'ambiance nationale s'y prêtait. Dans l'élan de croisade qu'inspirait au peuple américain son idéalisme instinctif et au milieu de l'immense et magnifique effort d'armement et de mobilisation qu'il décidait de s'imposer, les combattants de la France Libre ne laissaient pas d'être populaires. La politique devait s'en ressentir. En février 1942, nous étions en mesure de compléter notre délégation à Washington par une mission militaire que je confiai au colonel de Chevigné. Le 1er mars, dans une déclaration publique, l'Amérique reconnaissait que « les îles françaises du Pacifique étaient sous le contrôle effectif du Comité national français et que c'est avec les autorités qui exerçaient ce contrôle que traitait et continuerait de traiter le Gouvernement des Etats-Unis ». Pour l'Afrique équatoriale, le Département d'Etat déclarait, dans un communiqué du 4 avril, qu'il y reconnaissait également l'autorité de la France Libre, tandis qu'un consul général des Etats-Unis était désigné pour Brazzaville avec notre exequatur. Comme les Etats-Unis nous demandaient le droit d'utiliser pour leurs bombardiers lourds l'aérodrome de Pointe-Noire, nous les y autorisions, à condition de nous fournir d'abord huit avions « Lockheed » indispensables à nos propres communications. Après une négociation serrée, les « Lockheeds » nous furent remis, ce qui permit au colonel de Marmier d'établir une ligne française entre Brazzaville et Damas et aux avions américains de venir transiter à Pointe-Noire. Entre l'Amérique et nous, l'atmosphère s'était éclaircie sans que nous ayons, bien au contraire, cessé d'affirmer la France.

Pendant que nous réduisions, pas à pas et non sans peine, la distance diplomatique qui séparait Washington de la France Libre, nous parvenions, d'un bond, à nouer avec Moscou des relations d'alliance. Il faut dire qu'à cet égard l'attaque déclenchée par Hitler, en mettant la Russie en péril de mort, simplifiait la procédure. D'autre part, les Soviets constataient l'absurdité de la politique par laquelle ils avaient, en 1917 et en 1939, traité avec l'Allemagne en tournant le dos à la France et à l'Angleterre. On vit les dirigeants du Kremlin, dans l'extrême désarroi où les plongeait l'invasion, retourner leur attitude immédiatement et sans réserve. Alors que la radio de Moscou n'avait pas cessé d'invectiver contre « les impérialistes anglais » et « leurs mercenaires gaullistes » jusqu'à l'instant même où les chars allemands franchissaient la frontière russe, on entendit les ondes de Moscou prodiguer les éloges à Churchill et à de Gaulle littéralement une heure après.

Dans tous les cas, pour la France écrasée, le fait que la Russie se trouvait jetée dans la guerre ouvrait les plus grandes espérances. A moins que le Reich ne réussît rapidement à liquider l'armée des Soviets, celle-ci ferait subir à l'adversaire une constante et terrible usure. Je ne doutais évidemment pas qu'une victoire à laquelle les Soviets auraient pris une part capitale pourrait, de leur fait, dresser ensuite d'autres périls devant le monde. On devrait en tenir compte, tout en luttant à leurs côtés. Mais je pensais qu'avant de philosopher il fallait vivre, c'est-à-dire vaincre. La Russie en offrait la possibilité. D'autre part, sa présence dans le camp des Alliés apportait à la France combattante, vis-à-vis des Anglo-Saxons, un élément d'équilibre dont je comptais bien me servir.

C'est à Damas, où je m'étais rendu après l'entrée de nos troupes dans la ville, que j'appris, le 23 juin 1941, l'ouverture des hostilités entre Russes et Allemands. Mon parti fut pris aussitôt. Dès le 24, je télégraphiai à la délégation de Londres les instructions que voici : « Sans accepter de discuter actuellement des vices et même des crimes du régime soviétique, nous devons proclamer, — comme Churchill, — que nous sommes très franchement avec les Russes, puisqu'ils combattent les Allemands... Ce ne sont pas les Russes qui écrasent la France, occupent Paris, Reims, Bordeaux, Strasbourg... Les avions, les chars, les soldats allemands que les Russes détruisent et détruiront ne seront plus là pour nous empêcher de libérer la France. » Tel est le ton que je prescrivais de donner à notre propagande. En même temps, j'invitais notre délégation à aller dire en mon nom à M. Maisky, Ambassadeur des Soviets à Londres : « Le peuple français est avec les Russes contre l'Allemagne. Nous souhaitons, en conséquence, organiser avec Moscou des relations militaires. »

Cassin et Dejean virent M. Maisky qui montra tout de suite les meilleures dispositions. Quant aux suites pratiques, la rupture des relations entre Vichy et Moscou, rupture qu'Hitler exigea de Vichy, devait bientôt faciliter les choses. C'est pourquoi, de Beyrouth, le 2 août, j'invitai Cassin et Dejean à demander à M. Maisky « si la Russie serait disposée à entretenir des relations directes avec nous... et si elle envisagerait de nous adresser une déclaration au sujet de son intention de restaurer l'indépendance et la grandeur de la France, en y ajoutant, si possible, l'intégrité ».

Les conversations aboutirent, le 26 septembre, à un échange de lettres entre M. Maisky et moi-même. L'ambassadeur de l'U.R.S.S. déclarait, au nom de son Gouvernement, que celui-ci « me reconnaissait comme chef de tous les Français Libres... qu'il était prêt à entrer en relation avec le Conseil de Défense de l'Empire français pour toutes questions relatives à la collaboration avec les territoires d'outre-mer placés sous mon autorité,... qu'il était disposé à prêter aide et assistance aux Français Libres pour la lutte commune,... qu'il était résolu à assurer la pleine et entière restauration de l'indépendance et de la grandeur de la France... » Toutefois, les Soviets, — pas plus que la Grande-Bretagne n'avait fait dans l'accord du 7 août 1940, — ne parlaient de notre intégrité.

Peu après, le Gouvernement soviétique accréditait M. Bogomolov comme son représentant auprès du Comité national. M. Bogomolov arrivait de Vichy où il était, depuis un an, ambassadeur auprès de Pétain. Il s'adapta, sans nul embarras, aux conditions, pour le moins nouvelles, dans lesquelles il devait servir. Jamais, pourtant, je n'entendis de sa bouche aucun propos malveillant à l'égard de la personne de ceux : Maréchal ou ministres, auprès de qui il venait de représenter son gouvernement. Dans une de nos conversations, il tint même à me conter ceci : « A Vichy, j'avais des loisirs que j'employais à me promener incognito à travers la campagne en causant avec les bonnes gens. Un paysan, menant sa charrue, me dit un jour : « C'est bien triste que les Français aient été d'abord battus. Mais, voyez ce champ ! Je puis le labourer parce qu'on a su s'arranger pour que les Allemands me le laissent. Vous verrez que, bientôt, on saura s'arranger pour qu'ils s'en aillent de la France. » J'ai supposé que, par cet apologue, illustrant la théorie du « bouclier » et de « l'épée », M. Bogomolov voulait me montrer qu'il avait bien compris la situation française et, en même temps, m'expliquer les raisons des attitudes successives de la Russie soviétique.

Dès cette époque, je vis souvent M. Bogomolov. Dans toute la mesure où l'écrasant conformisme qui lui était imposé lui permettait de se montrer humain, il le faisait dans ses démarches et ses propos. Rigide, en garde, d'un seul bloc, quand il adressait ou recevait une communication officielle, cet homme de réelle culture se montrait, en d'autres circonstances, liant et détendu. Pour juger des gens et des choses, il savait pratiquer l'humour, allant même jusqu'à sourire. Je dois dire qu'à son contact je me suis persuadé que si la règle soviétique revêtait d'un carcan sans fissure la personnalité de ses serviteurs elle ne pouvait empêcher qu'il restât un homme par-dessous.

De notre côté, nous avions envoyé à Moscou, en liaison militaire, le général Petit. Les Soviets lui avaient tout de suite marqué un parti pris de bonne grâce et de considération : conférences d'état-major, visite au front, réception par Staline lui-même. J'eus, d'ailleurs, à me demander par la suite si le but de leurs avances à Petit n'était que professionnel. En tout cas, les rapports qui arrivaient de diverses sources donnaient l'impression que les armées russes, d'abord rompues par l'offensive allemande, se ressaisissaient peu à peu, que le peuple, dans ses profondeurs, se levait pour la résistance, que, dans le péril national, Staline, se nommant lui-même maréchal et ne quittant plus l'uniforme, s'efforçait d'apparaître moins

comme le mandataire du régime que comme le chef de la
Russie de toujours.

La carte de l'immense bataille était étalée sur les murs
de nos bureaux. On y voyait se développer le gigantesque
effort des Allemands. Leurs trois groupes d'armées : von
Loeb, von Bock, von Rundstedt, avaient, en quatre mois,
pénétré au cœur des terres russes, fait plusieurs centaines
de milliers de prisonniers, enlevé un énorme butin. Mais,
en décembre autour de Moscou, l'action vigoureuse de
Joukov, puissamment aidé par un hiver rude et préma-
turé, arrêtait puis faisait reculer l'envahisseur. Leningrad
n'était pas tombée. Sébastopol tenait encore. Il apparaissait qu'Hitler n'était pas parvenu à imposer au commandement allemand la seule stratégie qui eût pu être
décisive, savoir le groupement de toutes ses forces mécaniques suivant la seule direction de la capitale soviétique
afin de frapper l'ennemi droit au cœur. Malgré les
triomphes exemplaires des campagnes de Pologne, de
France, des Balkans, le Führer avait dû, cette fois,
sacrifier aux errements anciens, répartir les moyens de
choc entre ses trois maréchaux, déployer un front et non
point lancer un bélier. La surprise passée, les Russes, sur
d'immenses étendues, le lui feraient payer cher.

En attendant, nous nous efforcions de fournir au front
de l'Est une contribution directe, si modeste qu'elle pût
être. Nos corvettes et nos cargos participaient aux convois
alliés qui, par l'Océan Arctique, dans les conditions les
plus dures, apportaient du matériel à Mourmansk.
Comme je ne réussissais pas, d'abord, à obtenir des
Britanniques que les deux divisions légères, formées au
Levant par Larminat, fussent engagées en Libye, je
donnai l'ordre en février au général Catroux de préparer le
transfert de l'une d'elles vers l'Iran et le Caucase, ce qui
enchanta les Russes et préoccupa les Anglais. Par la suite,
les troupes de Larminat étant finalement affectées à la
bataille contre Rommel, j'envoyai en Russie le groupe de
chasse « Normandie », plus tard : régiment « Norman-
die-Niémen », qui devait y servir magnifiquement et fut

la seule force occidentale combattant sur le front de l'Est. En sens inverse, nous avions vu débarquer à Londres, sous la conduite du capitaine Billotte, un détachement d'une quinzaine d'officiers et de deux centaines d'hommes de troupe qui, évadés de la captivité allemande, avaient pu atteindre la Russie pour y être, d'ailleurs, emprisonnés. Libérés peu après le début de la guerre germano-soviétique, ils nous arrivaient par le Spitzberg sur un convoi retour d'Arkhangelsk.

Le 20 janvier 1942, parlant à la radio, je saluai le rétablissement militaire de la Russie et affirmai l'alliance que nous avions renouée avec elle pour le présent et pour l'avenir. En février, Roger Garreau, jusque-là ministre plénipotentiaire à Bangkok et qui avait rallié la France Libre, était envoyé à Moscou comme délégué du Comité national. Garreau devait pendant trois années, utilement et intelligemment, représenter la France en Russie, y prendre tous les contacts que permettait le régime et nous tenir bien informés. Dès qu'il fut à son poste, il vit MM. Molotov et Vichinsky, respectivement Commissaire et Commissaire adjoint aux Affaires étrangères, ainsi que M. Lozovsky, Vice-Ministre. Tous trois lui marquèrent avec insistance l'intention de leur gouvernement de nouer avec la France Combattante des relations aussi étroites que possible.

Au mois de mai, M. Molotov vint à Londres. J'eus avec lui, le 24, un entretien approfondi. Il était accompagné de Bogomolov, moi de Dejean. Ce jour-là, comme par la suite, je trouvai en M. Molotov un homme dont il semblait, au physique et au moral, qu'il était fait de toutes pièces pour remplir la fonction qui lui était dévolue. Le ton sérieux, le geste rare, d'une correction prévenante mais rigoureuse, regardant au-dedans de lui-même, le ministre des Affaires étrangères soviétique disait posément ce qu'il avait à dire et écoutait avec attention. Mais il ne livrait rien qui parût spontané. Pas moyen de l'émouvoir, de le faire rire, de l'irriter. Quelque problème qui fût abordé, on sentait qu'il en connaissait le dossier, qu'il enregistrait sans faute les éléments nouveaux qu'y apportait la conversation, qu'il formulait exactement sa position officielle, mais qu'il ne sortirait pas de ce qui avait été préparé et décidé ailleurs. Il avait certainement conclu, naguère, avec Ribbentrop l'accord germano-soviétique avec la même assurance qu'il apportait à négocier, maintenant, les pactes occidentaux. En M. Molotov, qui n'était et ne voulait être qu'un rouage parfaitement agencé d'une implacable mécanique, je crois avoir reconnu une complète réussite du système totalitaire. J'en ai salué la grandeur. Mais, quoi qu'on ait pu me cacher de ce qui était au fond des choses, j'en ai senti la mélancolie.

Au cours de notre entretien de Londres, le ministre des Affaires étrangères soviétique tomba d'accord avec moi sur ce que, dans l'immédiat, son gouvernement et le Comité national devaient faire l'un pour l'autre. La France Libre pousserait les alliés américain et britannique à ouvrir au plus tôt un second front en Europe. D'autre part, elle concourrait par son attitude diplomatique et publique à faire cesser l'isolement dans lequel la Russie soviétique s'était vue longtemps reléguée. De son côté, celle-ci nous appuierait, à Washington et à Londres, dans notre effort pour rétablir en combattant l'unité de l'Empire et l'unité nationale. Cela s'appliquerait à l'administration de nos territoires, — par exemple Madagascar, — aux entreprises soi-disant parallèles, mais en réalité centrifuges, que les Anglo-Saxons favorisaient en dehors de nous, enfin, aux mouvements de résistance en France dont Moscou reconnaissait qu'aucun gouvernement étranger, — même celui des Soviets, — n'avait le droit d'en détourner aucun de l'obédience au général de Gaulle. Quant à l'avenir, il était entendu que la France et la Russie s'entendraient pour la construction de la paix. « Mon gouvernement, me dit M. Molotov, est l'allié de ceux de Londres et de Washington. Il est essentiel pour la guerre que nous collaborions étroitement avec eux. Mais, avec la France, la Russie désire avoir une alliance indépendante. »

L'effort de la France Libre pour élargir ses relations vers Washington et vers Moscou n'empêchait pas que son centre fonctionnât toujours à Londres et que ses propres affaires : action militaire, liaisons avec la métropole, propagande, information, finances, économie des territoires d'outre-mer, fussent, par la force des choses, comme imbriquées avec celles des Britanniques. Il en résultait, pour nous, l'obligation de maintenir avec eux des rapports plus étroits que jamais. Mais leurs empiétements nous étaient plus pénibles à mesure que nous grandissions. Pourtant, l'entrée en guerre de la Russie et de l'Amérique, qui comportait pour l'Angleterre, à son tour, les pesantes servitudes d'une alliance avec des colosses, aurait pu la déterminer à rapprocher sa politique de la nôtre et à pratiquer avec nous, pour l'action en Europe, en Orient, en Afrique, au Pacifique, une franche solidarité. Nous nous serions prêtés volontiers à un pareil changement et nous eûmes parfois l'impression que certains dirigeants britanniques y étaient également disposés.

Ainsi d'Anthony Eden. Ce ministre anglais, bien qu'aussi anglais et ministre que possible, montrait une ouverture d'esprit et une sensibilité plus européennes qu'insulaires, plus humaines qu'administratives. Cet enfant chéri des traditions britanniques : Eton, Oxford, Parti conservateur, Chambre des communes, Foreign Office, n'en était pas moins accessible à ce qui paraissait spontané et novateur. Ce diplomate, entièrement dévoué aux intérêts de son pays, ne méprisait pas ceux des autres et restait soucieux de morale internationale au milieu des brutalités cyniques de son temps. J'ai eu souvent affaire à M. Eden. Beaucoup de questions dont nous eûmes à traiter étaient franchement désagréables. En la plupart de ces occasions, j'ai admiré, non seulement sa brillante intelligence, sa connaissance des affaires, le charme de ses manières, mais aussi l'art qu'il avait de créer et d'entretenir autour de la négociation une atmosphère de sympathie qui favorisait l'accord lorsqu'on pouvait aboutir et évitait les blessures quand on ne le pouvait pas. Par-dessus tout, je suis convaincu qu'Anthony Eden éprouvait, à l'égard de la France, une particulière dilection. C'est d'elle qu'il avait tiré une large part de sa culture. A sa raison politique elle apparaissait comme indispensable à l'équilibre d'un monde assailli par toutes les barbaries. Enfin, cet homme de cœur ne laissait pas d'être sensible au malheur d'une grande nation.

Cependant, les bonnes intentions de M. Eden ne purent faire de l'alliance une rose sans épines. Je reconnais qu'il fut souvent contrarié dans ses efforts par ce qu'il rencontrait chez nous de rugueux et d'ombrageux. Mais c'est surtout du côté britannique que se dressaient les difficultés : méfiance du Foreign Office, ambitions des coloniaux, préventions des militaires, intrigues de l' « Intelligence ». D'autre part, le monde politique de Londres, bien qu'il fût dans son ensemble favorable à la France Libre, subissait des influences qui ne l'étaient pas toujours. Certains milieux conservateurs considéraient d'un œil sourcilleux ces Français à Croix de Lorraine qui parlaient de révolution. Divers éléments travaillistes se demandaient, au contraire, si de Gaulle et ses compagnons ne donnaient pas dans le fascisme. Je vois encore M. Attlee entrer doucement dans mon bureau, solliciter les assurances propres à soulager sa conscience de démocrate, puis, après m'avoir entendu, se retirer en souriant.

En dernier ressort, tout dépendait du Premier ministre. Or, celui-ci ne pouvait, au fond de lui-même, se résoudre à admettre l'indépendance de la France Libre. En outre, M. Churchill, chaque fois que nous nous heurtions, en raison des intérêts dont nous avions respectivement la charge, faisait de notre désaccord comme une affaire personnelle. Il en était blessé et chagriné à proportion de l'amitié qui nous liait l'un à l'autre. Ces dispositions de l'esprit et du sentiment, jointes aux recettes de sa tactique politique, le jetaient dans des crises de colère qui secouaient rudement nos rapports.

D'autres raisons concouraient, d'ailleurs, à rendre alors ce grand homme irascible. Les Anglais, s'ils prodiguaient au cours de cette période de méritoires et glorieux efforts, notamment dans la lutte sous-marine, subissaient parfois des revers d'autant plus cuisants que l'ennemi qui les leur infligeait ne disposait pas toujours de la supériorité matérielle. Le 10 décembre 1941, au large de la Malaisie, le magnifique cuirassé *Prince of Wales* et le grand croiseur *Repulse* étaient coulés par des avions japonais avant d'avoir pu tirer un coup de canon. Le 15 février 1942, 73 000 soldats britanniques capitulaient à Singapour après une brève résistance. Au mois de juin, en dépit des moyens considérables accumulés en Orient par les Anglais, Rommel brisait le front de la VIIIe Armée et la repoussait jusqu'aux portes d'Alexandrie, tandis que les 33 000 hommes qui avaient à tenir Tobrouk se rendaient aux Allemands avec une hâte difficile à justifier. M. Churchill mesurait, mieux que personne, les conséquences de ces revers quant à la conduite de la guerre. Mais, surtout, il en souffrait comme Anglais et comme combattant.

Il faut ajouter que, dans les milieux dirigeants, certains ne se faisaient pas faute de lui imputer sourdement une part des déconvenues britanniques. Bien que l'Angleterre tout entière tînt à Winston Churchill comme à la prunelle de ses yeux, les journaux reproduisaient, le Parlement entendait, les comités murmuraient, les clubs répandaient, des appréciations parfois malveillantes sur son compte. De tout cela il résultait que M. Churchill, au cours des premiers mois de l'année 1942, ne se trouvait pas d'humeur à s'adoucir ni à se détendre, notamment vis-à-vis de moi.

Enfin, et surtout peut-être, le Premier ministre s'était fixé comme règle de ne rien faire d'important que d'accord avec Roosevelt. S'il éprouvait, plus qu'aucun autre Anglais, l'incommodité des procédés de Washington, s'il supportait avec peine l'état de subordination où l'aide des Etats-Unis plaçait l'Empire britannique, s'il ressentait amèrement le ton de suprématie que le Président adoptait à son égard, M. Churchill avait, une fois pour toutes, décidé de s'incliner devant l'impératif de l'alliance américaine. Aussi n'entendait-il pas prendre, à l'égard de la France Libre, une attitude qui tranchât avec celle de la Maison-Blanche. Roosevelt se montrant méfiant à l'égard du général de Gaulle, Churchill serait réservé.

Lors de mon arrivée à Londres, en septembre 1941, sa mauvaise humeur était grande. Le Premier ministre s'accommodait mal de ce qui s'était passé en Syrie et au Liban entre nous et l'Angleterre. Le 2 septembre, il alla jusqu'à m'écrire qu'étant donné mon attitude, il ne croyait pas actuellement utile de se rencontrer avec moi. Aux Communes, le 9 septembre, il fit une inquiétante déclaration. Sans doute reconnaissait-il que « parmi toutes les puissances européennes la position de la France au Levant était particulièrement privilégiée ». Mais il prenait sur lui d'ajouter « qu'il n'était pas question que la France conservât en Syrie la même position qu'elle possédait avant la guerre, ... et qu'il ne pouvait s'agir, même en temps de guerre, d'une simple substitution des intérêts Français Libres aux intérêts de Vichy ». Comme d'habitude, le mécontentement de M. Churchill s'accompagnait d'une tension systématique des rapports franco-britanniques. Le gouvernement de Londres affecta, pendant plusieurs jours, de n'avoir aucune affaire à traiter avec nous et de nous fermer ses portes, ce qui m'amena, de mon côté, à suspendre toute participation des Français Libres à la radio de Londres. Cependant, suivant le rythme de l'habituel balancier, la reprise des relations suivit bientôt ces désagréments. Le 15 septembre, j'eus avec M. Churchill un entretien qui finit bien après avoir mal commencé. Il m'assura, pour conclure, que la politique de son gouvernement relativement au Levant demeurait telle qu'elle était définie dans nos accords du Caire.

Voulant en avoir le cœur net, je vis M. Eden plusieurs fois en octobre et en novembre. Nous aboutîmes à un arrangement qui précisait l'essentiel. L'Angleterre reconnaissait que le mandat français subsistait et que le général de Gaulle l'exercerait, jusqu'à ce qu'y soient substitués des traités dûment ratifiés suivant la législation de la République française c'est-à-dire, en fait, après la guerre. Elle admettait que la proclamation de l'indépendance de la Syrie et du Liban par la France Libre ne modifiait pas cette situation de droit. Il était, en outre, entendu que les accords Lyttelton-de Gaulle demeuraient la charte des rapports franco-britanniques en Orient.

En effet, comme le général Catroux instituait, le 27 septembre, l'indépendance et la souveraineté de la République syrienne sous la présidence du Cheik Tageddine et, le 26 novembre, celles de la République libanaise sous la présidence de M. Alfred Naccache, l'Angleterre, quoiqu'elle eût par avance controversé ces décisions, s'en accommodait dès lors qu'elles étaient prises et reconnaissait les deux républiques ainsi que les deux chefs d'Etat qui en étaient issus. D'autre part, je notifiai respectivement, le 28 novembre au Secrétariat général de la Société des Nations, le 29 au Gouvernement américain, à tous les autres Etats alliés, ainsi qu'à la Turquie, les dispositions qui venaient d'être prises en mon nom en Syrie et au Liban. « Ces dispositions, précisaient les notes, n'affectent pas la situation juridique résultant de l'acte du mandat et qui doit subsister jusqu'à la conclusion de nouveaux actes internationaux. » Le Gouvernement britannique ne fit aucune objection à ces communications. Bien plus, lui-même les avait suggérées.

On aurait donc pu croire que la question était réglée, tout au moins jusqu'à la paix. Tout circonspect que je fusse, j'en vins moi-même à écrire à notre délégation générale au Levant, qu'à mon avis, « devant les difficultés que l'Angleterre rencontrait dans les pays arabes, elle éprouvait, comme nous, le souci de voir succéder aux mesquines rivalités du passé le sentiment de solidarité des deux plus grandes puissances musulmanes ». Je donnai comme directive à la délégation « d'éviter ce qui pourrait accroître les difficultés de nos alliés et de ne rien négliger pour faciliter leur tâche par une collaboration sincère, tout en maintenant intacts la position et les droits de la France ». C'était compter, malheureusement, sur ce qui n'existait pas. En réalité, la politique britannique, sans contester théoriquement le droit, continuerait d'en faire fi.

Des incidents répétés allaient, en effet, entretenir en Orient la querelle franco-britannique. Ce fut le recrutement — illégal — par les Anglais d'une cavalerie druze. Ce fut leur prétention — naturellement repoussée — de proclamer eux-mêmes l'état de siège, c'est-à-dire de prendre le pouvoir, en Djezireh où des désordres s'étaient produits en conséquence de la révolte de l'Irak. Ce fut leur ingérence abusive dans les opérations de l'Office du blé, institué par nous au Levant et dont ils exigèrent de faire partie dans le but de s'immiscer dans l'administration locale. Ce fut la menace — d'ailleurs vaine — du général Wilson de faire expulser certains fonctionnaires français qui lui étaient incommodes. Ce fut l'attitude de Spears qui tenait des propos malveillants et menaçants et intervenait constamment dans les rapports de notre délégation générale avec les gouvernements de Damas et de Beyrouth.

Le général Catroux menait sa barque à travers les récifs. Bien qu'il fût enclin à composer et qu'il concédât aux Anglais plus que je ne l'aurais voulu, il se trouvait, à chaque instant, devant des intrusions nouvelles. D'où, au Levant, un incessant malaise et, à Londres, de hargneuses négociations.

Au mois de mai 1942, la pression des Britanniques s'appliqua à obtenir que des élections aient lieu sans délai en Syrie et au Liban. Notre Comité national n'était naturellement pas opposé à une consultation populaire d'où sortiraient des gouvernements entièrement représentatifs. Ceux que nous avions mis en place ne s'y trouvaient que pour la transition. Il en était ainsi, en particulier, à Damas et je regrettais, pour ma part, que le Président Hachem Bey n'eût pas repris ses fonctions. Mais nous estimions que, pour faire voter les Syriens et les Libanais,

il convenait d'attendre la fin de la guerre, c'est-à-dire un
moment où les deux Etats se retrouveraient dans des
conditions normales, où notre responsabilité de mandataires et de défenseurs serait allégée, où les Anglais ne
seraient plus là pour peser sur le scrutin. Cependant, le
général Catroux, vivement pressé par M. Casey, qui avait
remplacé M. Lyttelton au Caire comme ministre d'Etat
britannique, lui promit des élections prochaines, ce que
publièrent aussitôt les journaux. Je dus m'accommoder de
cet arrangement, tout en prescrivant de différer
l'échéance. Mais il était facile de prévoir qu'il y aurait là,
désormais, une source jaillissante de frictions franco-
britanniques.

Il y en aurait également ailleurs. Autour de Djibouti,
nos alliés jouaient le double jeu. Tout en laissant notre
petite force : bataillon du commandant Bouillon, méharistes, continuer le blocus terrestre, eux-mêmes avaient
cessé le blocus maritime. D'Aden par boutres arabes, de
Madagascar par sous-marins ou par l'aviso *d'Iberville*,
arrivait à la colonie le ravitaillement voulu pour y nourrir
l'attentisme. Mais les Anglais, pendant ce temps, négo-
ciaient avec le Négus un traité qui instituait leur tutelle
sur l'Ethiopie. L'action qu'ils menaient à Addis-Abéba
expliquait leur inaction à l'égard de Djibouti. Car si, grâce
à leur concours, la France Libre avait pu rapidement
rallier la Somalie française et disposer, par conséquent, du
port, du chemin de fer et d'une force importante, elle eût
été en mesure d'offrir elle-même à l'Abyssinie le débouché
et la sécurité dont celle-ci avait besoin. Au contraire, tant
que Vichy occupait la place, les Britanniques tenaient
dans leurs seules mains le sort de l'Empereur et de ses
Etats.

C'est pourquoi, Gaston Palewski n'obtenait pas que la
colonie fût effectivement bloquée. Il ne parvenait pas, non
plus, à amener Anglais et Abyssins à conclure un accord à
trois plutôt qu'à deux. Cependant, son activité et celle de
ses adjoints : lieutenant-colonel Appert, commandant le
détachement, Chancel, jeune diplomate en poste à Nai-

robi, préparaient utilement la suite. Les liaisons établies par eux avec divers éléments français de Djibouti et avec les autochtones, la propagande qu'ils faisaient par tracts et radio, leurs relations avec le général Platt, auraient pour effet que, le jour venu, le ralliement de la Somalie ne serait qu'une formalité. D'autre part, à Addis-Abéba, ils faisaient reparaître une représentation de la France. Nos droits sur le chemin de fer étaient réservés, nos œuvres religieuses et laïques, naguère fermées par l'occupation italienne, pouvaient reprendre leur activité, la Légation de France rouvrait ses portes. Tout en déplorant les retards, je voyais le fruit mûrir sur la rive de la mer Rouge.

Mais, soudain, l'intervention des Anglais dans une autre partie de l'Empire vint porter à leur comble mon inquiétude et mon irritation. Le 5 mai 1942, un coup de téléphone d'une agence de presse m'apprit, à 3 heures du matin, qu'une escadre britannique débarquait des troupes à Diégo-Suarez. Nos alliés occupaient par la force une possession française sans nous avoir même consultés !

Or, depuis Pearl Harbor, je m'efforçais, par de multiples démarches, de traiter du ralliement de Madagascar avec le Gouvernement de Londres : conférence, le 10 décembre, avec le général Brooke, Chef d'état-major impérial ; lettre adressée, le 16, à M. Churchill ; projet d'opérations remis, le 11 février, au Premier ministre, au général Brooke et au Haut Commissaire de l'Union sud-africaine ; nouvelle lettre à M. Churchill, le 19 février ; enfin, le 9 avril, note pressante à M. Eden. Dans tous ces documents je proposais l'action rapide d'une brigade française libre qui serait débarquée à Majunga et se porterait sur Tananarive avec, si c'était, par hasard, nécessaire, l'appui aérien des Britanniques, tandis que nos alliés feraient diversion en bloquant Diégo par la mer. Je revendiquais, d'autre part, pour le Comité national, l'administration de l'île.

Entre-temps, comme l'Union sud-africaine me paraissait directement intéressée à cette affaire, je m'enquérais des éventuels projets du Gouvernement de Pretoria. Dès la fin de 1941, j'y avais envoyé le colonel Pechkoff comme délégué de la France Libre. La personnalité de Pechkoff avait séduit le général Smuts et je comptais que si l'Union devait entrer en ligne son Premier ministre ne le cacherait pas à mon habile et loyal représentant. Enfin, au mois de mars, le médecin général Sicé, Haut Commissaire à Brazzaville, visitait l'Afrique du Sud. De ses conversations avec Smuts et les ministres, il retirait l'impression que l'Union n'agirait pas elle-même sur Madagascar. C'est donc à Londres que j'avais déployé mes efforts, convaincu qu'il n'y avait pas de scrupules à ménager.

En effet, l'entrée du Japon dans la guerre menaçait Madagascar. Il fallait prévoir que Vichy serait, tôt ou tard, contraint par les Allemands tout au moins à laisser les raiders et les sous-marins nippons utiliser les bases de Madagascar et paralyser la navigation alliée au large de l'Afrique du Sud.

Nous étions assez bien informés de l'état des esprits dans l'île par les volontaires qui, de temps en temps, parvenaient à s'en évader et par les équipages des navires qui y faisaient escale. L'armistice de 1940 y avait été, d'abord, mal accueilli. Le gouverneur général de Coppet n'aurait pas eu de peine, alors, à se joindre à la France Libre, s'il avait donné suite à ses propres déclarations. Mais il ne s'y était pas décidé. Vichy l'avait relevé presque aussitôt par Cayla, lequel, assisté du général d'aviation Jeannaud, s'était appliqué à endormir l'esprit de résistance, avant de céder lui-même la place au gouverneur général Annet. Pétain serait obéi s'il prescrivait de laisser faire les Japonais à Madagascar. Il le serait aussi s'il ordonnait de résister à un débarquement allié. Or, un jour ou l'autre, les Anglo-Saxons voudraient s'assurer de l'île. Mais alors, étant donné les impulsions traditionnelles de la politique britannique, tout commandait à la France Libre d'être présente à l'opération.

On peut donc comprendre dans quels soucis me plongèrent l'action et les procédés des Anglais. D'autant plus que, le jour même de l'attaque de Diégo-Suarez, Washington publiait un communiqué déclarant que « les Etats-Unis et la Grande-Bretagne étaient d'accord pour que Madagascar fût restituée à la France dès que l'occupation de cette île ne serait plus essentielle pour la cause commune des Nations Unies ». Mais alors, en attendant, Madagascar serait donc enlevée à la France ? A quelle puissance, sinon anglo-saxonne, serait-elle rattachée ? Quelle y serait la participation française à la guerre ? Qu'y subsisterait-il dans l'avenir de l'autorité de la France ?

Il nous fallait jouer serré. J'attendis à dessein six jours pour prendre avec M. Eden le contact qu'il demandait. Le ministre britannique, au cours de l'entretien que j'eus avec lui, le 11 mai, montra un certain embarras. « Je vous garantis, me dit-il, que nous n'avons aucune visée sur Madagascar. Nous désirons que l'administration française continue à y fonctionner. » — « Quelle administration française ? » demandai-je. Aux propos de M. Eden je compris que les Anglais projetaient de négocier avec le gouverneur général Annet pour établir un *modus vivendi* laissant toutes choses en place à Madagascar, moyennant quoi les alliés resteraient à Diégo-Suarez et surveilleraient le reste de l'île.

Je déclarai à M. Eden que nous étions opposés à ce plan. « Ou bien il aboutira, lui dis-je, et le résultat sera la neutralisation d'un territoire français sous la garantie des alliés, ce que nous n'admettrons jamais. Ou bien il n'aboutira pas et il vous faudra, dans quelques semaines, entamer seuls à l'intérieur de l'île une expédition qui prendra l'aspect d'une conquête. Il me paraît, d'ailleurs, très probable que c'est cette deuxième hypothèse qui va se réaliser, car les Allemands sauront forcer Vichy à vous combattre. » — « Nous sommes engagés, reconnut M. Eden, dans une entreprise qui risque, en effet, de se compliquer beaucoup. Mais je suis en mesure de vous affirmer que mon gouvernement désire et compte que c'est vous qui, en définitive, établirez votre autorité sur

Madagascar. Nous sommes prêts à le déclarer publiquement. » Il fut entendu que le Cabinet de Londres
publierait un communiqué dans ce sens, ce qu'il fit le
14 mai, déclarant : « Au sujet de Madagascar, c'est
l'intention du Gouvernement de Sa Majesté que le Comité
national français, en tant que représentant de la France
Combattante, et vu qu'il coopère avec les Nations Unies,
joue le rôle qui lui revient dans l'administration du
territoire libéré. »

Il y avait là, de la part de l'Angleterre, un engagement
important. J'en pris acte le lendemain en parlant à la
radio. En échange, dans mon allocution, je faisais
confiance à la loyauté des alliés. Mais je rejetais publiquement tout compromis quant à Madagascar, déclarant que
c'était la volonté de la France que son Empire ne soit ni
divisé, ni neutralisé. « Ce que veut la France, ajoutais-je,
c'est qu'en son nom la France Combattante dirige et
organise l'effort français dans la guerre sous toutes ses
formes et dans tous les domaines, assure la représentation
de ses droits vis-à-vis des alliés comme elle en assure la
défense contre l'ennemi, maintienne et gère la souveraineté française dans celles de ses terres qui ont été ou qui
seront libérées. » Le même jour, je prescrivais au commandant des troupes en Afrique équatoriale de préparer la
mise sur pied d'une brigade mixte destinée à Madagascar.

Mais les promesses du Gouvernement britannique et
mes propres affirmations quant au rôle futur du Comité
national supposaient résolu un problème qui ne l'était pas.
Vichy restait, en effet, maître de la quasi-totalité de l'île.
On apprit bientôt que les Britanniques, bornant leur
effort à la prise de Diégo, entraient en négociations avec le
gouverneur général Annet. En même temps, l' « Intelligence » de l'Est-Africain envoyait sur place un groupe
d'agents conduit par M. Lush. Ces mesures allaient à
l'encontre de ce que voulait la France Libre. La rentrée de
Madagascar dans la guerre s'en trouvait retardée, l'autorité d'Annet renforcée, la division de l'Empire prolongée.
En outre, je redoutais l'action que pourrait exercer

l'équipe britannique que nous avions pu voir à l'œuvre en Orient, à Djibouti, en Abyssinie. Un indice fâcheux nous fut fourni tout de suite. Pechkoff, que je voulais envoyer à Diégo-Suarez pour m'informer de ce qui s'y passait, se voyait empêché de partir.

Ainsi, vers le début de juin 1942, de lourds nuages s'étendaient sur les rapports franco-britanniques. A tous les actes alarmants ou désobligeants que les Anglais multipliaient, en Syrie, en Somalie, à Madagascar, s'ajoutaient d'autres mesures qui confirmaient nos griefs. En Gold-Coast, une mission britannique, dirigée par M. Frank, prenait de mystérieux contacts avec les populations des territoires français de la boucle du Niger. En même temps, le général Giffard, Commandant en chef en Afrique occidentale, prévenait les missions françaises libres de Bathurst et de Freetown d'avoir à quitter les lieux. Comme moi-même me disposais à me rendre en Libye pour y inspecter nos troupes, je recevais du Gouvernement britannique la demande pressante de remettre mon voyage, ce qui signifiait que les moyens ne m'en seraient pas donnés. A Londres, les gouvernants, les services, les états-majors anglais s'enveloppaient d'une atmosphère épaisse de secret, sinon de méfiance.

Il était évident que les Anglo-Saxons étaient en train d'élaborer le plan d'une vaste opération sur le théâtre occidental. Le général Marshall, Chef d'état-major de l'armée américaine, et l'amiral King, Commandant en chef de la Flotte de l'Atlantique, avaient séjourné à Londres au mois de mai en évitant de me voir. Pourtant, dans ce que les alliés projetaient manifestement de faire, la France, par ses possessions, ses populations, ses forces, serait au premier chef impliquée. Mais sans doute avait-on l'idée d'en écarter autant que possible son élément actif, la France Libre, de disposer par fragments de ses terres et de sa substance, peut-être même de profiter de cette dispersion pour s'attribuer, ici et là, des parcelles de ses propriétés. Il était temps de réagir. Il fallait marquer aux alliés que la France Libre était dans leur camp pour y incorporer la France, mais non pour y couvrir, vis-à-vis de la nation française, les abus ou empiétements qu'ils commettraient à son détriment. Le Comité national, après une délibération émouvante et approfondie, fut unanime à le penser.

Le 6 juin, je chargeai M. Charles Peake, diplomate de parfaite distinction que le Foreign Office déléguait auprès de nous, de faire part de notre position à MM. Churchill et Eden. « S'il devait arriver, lui dis-je, qu'à Madagascar, en Syrie, ou ailleurs, la France dût, par le fait de ses alliés, perdre quoi que ce fût de ce qui lui appartient, notre coopération directe avec la Grande-Bretagne et, éventuellement, les Etats-Unis n'aurait plus de justification. Nous devrions y mettre un terme. Cela reviendrait, en pratique, à nous concentrer dans les territoires déjà ralliés ou qui le seraient et à poursuivre la lutte contre l'ennemi dans toute la mesure de nos forces mais seuls et pour notre compte. » Le même jour, je télégraphiai, d'une part à Eboué et Leclerc, d'autre part à Catroux et Larminat, pour leur faire connaître cette décision et les inviter à s'y préparer. Je leur prescrivais aussi de prévenir les représentants alliés qui se trouvaient auprès d'eux que telle était notre résolution.

L'effet ne se fit pas attendre. Le 10 juin, M. Churchill me demanda de venir le voir. Nous passâmes ensemble une heure bien remplie. Après de chaleureux compliments au sujet des troupes françaises qui s'illustraient à Bir-Hakeim, le Premier ministre aborda la question de Madagascar. Il reconnut franchement que la France Combattante avait lieu d'être froissée des conditions dans lesquelles l'opération était entreprise. « Mais nous n'avons, affirma-t-il, aucune arrière-pensée au sujet de Madagascar. Quant à ce que nous allons y faire, nous n'en savons rien encore. L'île est très grande ! Nous voudrions trouver quelque arrangement pour ne pas nous y perdre. » — « Ce que nous voulons, nous, lui dis-je, c'est que Madagascar rallie la France Libre et rentre dans la guerre. Pour cela nous sommes prêts aujourd'hui, comme je vous

l'avais proposé hier, à y engager des troupes. » — « Vous
n'êtes pas mon seul allié », répondit le Premier ministre.
Il me donnait ainsi à entendre que Washington s'opposait
à notre participation. A vrai dire, je n'en doutais pas.

J'attirai avec insistance l'attention de M. Churchill sur
le danger que présentait pour notre alliance une certaine
manière de faire à l'égard de l'Empire français et, demain
peut-être, de la France elle-même. Il protesta de ses
bonnes intentions. Puis, sursautant tout à coup : « Je suis
l'ami de la France ! cria-t-il. J'ai toujours voulu, je veux,
une grande France avec une grande armée. Il le faut pour
la paix, l'ordre, la sécurité de l'Europe. Je n'ai jamais eu
d'autre politique ! » — « C'est vrai ! répondis-je. Vous
avez même eu le mérite, après l'armistice de Vichy, de
continuer à jouer la carte de la France. Cette carte, qui
s'appelle de Gaulle, ne la perdez pas maintenant ! Ce serait
d'autant plus absurde que vous voici au moment où votre
politique réussit et où la France Libre est devenue l'âme
et le cadre de la résistance française. »

Nous parlâmes de Roosevelt et de son attitude à mon
égard. « Ne brusquez rien ! dit M. Churchill. Voyez
comment, tour à tour, je plie et me relève. » — « Vous le
pouvez, observai-je, parce que vous êtes assis sur un Etat
solide, une nation rassemblée, un Empire uni, de grandes
armées. Mais moi ! Où sont mes moyens ? Pourtant, j'ai,
vous le savez, la charge des intérêts et du destin de la
France. C'est trop lourd, et je suis trop pauvre pour que je
puisse me courber. » M. Churchill conclut notre entretien
par une démonstration d'émotion et d'amitié. « Nous
avons encore de rudes obstacles à surmonter. Mais, un
jour, nous serons en France ; peut-être l'année prochaine.
En tout cas, nous y serons ensemble ! » Il me reconduisit
jusque dans la rue en répétant : « Je ne vous lâcherai pas.
Vous pouvez compter sur moi. »

Trois jours après, M. Eden, à son tour, tint à me
renouveler des assurances satisfaisantes quant au désintéressement britannique sur l'Empire français en général et
Madagascar en particulier. Il m'annonça que le « briga-

dier » Lush était rappelé et que Pechkoff allait pouvoir partir : « Croyez-moi, dit-il avec chaleur, nous souhaitons marcher avec vous la main dans la main pour préparer le front Ouest. »

Provisoirement, les choses restaient donc en suspens. Toutefois, l'avertissement que nous avions donné avait été entendu. Il était, désormais, peu probable que l'arbitraire britannique à l'égard de notre Empire dépassât une certaine limite. Il y avait des chances pour que l'affaire syrienne connût quelque répit, pour que la Somalie fût acculée au ralliement, pour qu'un jour la Croix de Lorraine flottât sur Madagascar. En outre, je sentais, plus nettement que jamais, qu'en dernier ressort l'Angleterre ne renoncerait pas à son alliance avec nous.

La pièce diplomatique où, en cent actes divers, on voyait la France Libre reprendre la place de la France, comptait parmi ses spectateurs les plus vivement intéressés les gouvernements réfugiés en Grande-Bretagne. En 1941, leur cercle s'était agrandi par l'arrivée du Roi et des ministres grecs, puis du Roi et des ministres yougoslaves. Pour les uns et pour les autres, ce qu'il advenait de la France était un sujet capital de préoccupation. Trahis et vilipendés dans leur pays par les *quislings* qui usurpaient leur place, ils se trouvaient foncièrement hostiles à Vichy dont l'attitude servait d'arguments aux collaborateurs de chez eux. D'autre part et bien que leur souveraineté ne fût pas contestée par les grandes puissances alliées, ils n'en subissaient pas moins le sort pénible des faibles livrés à la discrétion des forts. Enfin, ils ne doutaient pas que le redressement de la France fût la condition de l'équilibre de l'Europe et de leur propre avenir. C'est donc avec un enchantement secret qu'ils assistaient à l'action menée par la France Libre pour établir son indépendance. L'audience que nous trouvions auprès d'eux ne laissait jamais à désirer.

Inversement, nous ne manquions pas de cultiver les rapports avec ces gouvernements dépourvus de territoires, mais disposant partout dans le monde libre d'une représentation officielle et d'une influence appréciable. Dejean et ses collègues du Comité national se tenaient en relations avec leurs ministres et leurs fonctionnaires. Nos états-majors, nos services, pratiquaient les leurs. Je voyais moi-même les chefs d'Etat et les principaux dirigeants.

De ces visites et conversations nous tirions honneur et profit, car c'est à des hommes de valeur que nous avions affaire. Mais, sous les dehors de l'étiquette, nous discernions les drames provoqués dans leurs âmes par la défaite et par l'exil. Sans doute, ces gouvernements, déployant toujours l'appareil du pouvoir, s'efforçaient-ils à la sérénité. Mais, au fond des soucis, des chagrins, où ils étaient tous plongés, chacun vivait dans l'ombre sa propre et déchirante tragédie.

A vrai dire, les gouvernants des pays occidentaux ne doutaient plus, à partir de l'entrée en guerre de la Russie et des Etats-Unis, que leurs pays respectifs seraient libérés. Mais dans quel état ? C'est ce dont étaient hantés mes interlocuteurs, hollandais, belges, luxembourgeois, norvégiens. La noble Reine Wilhelmine, son Premier ministre, le professeur Geerbrandy, son ministre des Affaires étrangères, l'entreprenant M. van Kleffens, le Prince Bernhardt des Pays-Bas, voyaient avec désespoir disparaître l'Empire des Indes, malgré les magnifiques efforts de la flotte de l'amiral Helfrich et la résistance poursuivie dans la brousse par le général Ter Porten. MM. Pierlot, Gutt, Spaak, formant ensemble, au service de la Belgique, l'équipe de la sagesse, de l'ardeur et de l'habileté, étaient submergés de tristesse en évoquant la question royale. Quant à la Grande-duchesse Charlotte, à son époux le Prince Félix de Bourbon-Parme, à M. Bech leur ministre, heureusement perpétuel, ils ne cessaient de supputer les conséquences matérielles et morales que la domination nazie risquait d'avoir au Luxembourg. Enfin, le Roi Haakon VII, exemplaire de confiance et de fermeté, ainsi que M. Trygve-Lie, qui prodiguait dans tous les domaines une activité inlassable, se désolaient de voir disparaître leurs navires marchands : « C'est notre capital national qui sombre », répétaient les Norvégiens.

Beaucoup plus dramatique encore était la situation de la Grèce, de la Yougoslavie, de la Tchécoslovaquie, de la Pologne. Car, si l'entrée en guerre de Moscou leur garantissait la défaite de l'Allemagne, elle comportait pour elles d'autres menaces. Leurs chefs d'Etat et leurs ministres en parlaient ouvertement. Le Roi Georges II de Grèce et M. Tsouderos, chef du gouvernement, me décrivaient l'effroyable misère où l'invasion jetait le peuple hellène, la résistance qu'il déployait, malgré tout, contre l'ennemi, mais aussi le noyautage des affamés et des combattants par le parti communiste. En même temps, j'apercevais, autour du jeune Roi Pierre II de Yougoslavie et à l'intérieur même du Cabinet que présidaient successivement le général Simovitch, M. Yovanovitch, M. Trifunovitch, les secousses provoquées par les événements qui disloquaient leur pays : érection de la Croatie en royaume séparé dont le Duc de Spolète était proclamé Roi ; annexion par l'Italie de la province slovène de Ljubljana, ainsi que de la Dalmatie ; concurrence et, bientôt, hostilité de Tito, à l'égard du général Mikhailovitch qui, pourtant, menait, en Serbie, la lutte contre l'envahisseur.

Il est vrai que le Président Benès et ses ministres, Mgr Shramek, MM. Masaryk, Ripka, le général Ingr, donnaient, au contraire, l'impression qu'ils étaient confiants dans le comportement futur des Soviets. Par l'intermédiaire de M. Bogomolov, ils entretenaient avec le Kremlin de bonnes relations apparentes. Leur représentant à Moscou, M. Fierlinger, paraissait y être en faveur. Un corps tchécoslovaque, recruté parmi les Tchèques faits prisonniers par les Russes dans les rangs de la Wehrmacht, était mis sur pied par le commandement soviétique. On pouvait voir que, pour se rétablir lui-même à Prague et restaurer l'Etat tchécoslovaque, c'est sur la Russie que Benès comptait avant tout, quelle que fût son aversion pour le régime soviétique.

Les entretiens avec Benès consistaient en de hautes

leçons historiques et politiques qu'il professait longuement sans qu'en fussent jamais lassés ni l'auditeur ni le
maître. Je l'entends encore évoquer dans nos conversations le sort de l'Etat aux destinées duquel il avait présidé
vingt ans. « Cet Etat, disait-il, ne peut subsister sans le
soutien direct de Moscou, puisqu'il lui faut incorporer la
région des Sudètes peuplée d'Allemands, la Slovaquie que
la Hongrie ne se console pas d'avoir perdue, Teschen
convoitée par les Polonais. La France est trop incertaine
pour que nous puissions nous en remettre à sa bonne
volonté. » — « Dans l'avenir, concluait le Président, nous
pourrions éviter les aléas d'une alliance exclusive avec le
Kremlin, mais à la condition que la France reprenne en
Europe le rang et le rôle qui doivent être les siens. En
attendant, où est le choix pour moi ? » Ainsi raisonnait
Benès, non sans que je sentisse le trouble qui demeurait
au fond de son âme.

Les Polonais, eux, n'avaient pas de doute. A leurs yeux,
le Russe était un adversaire, lors même qu'il se trouvait
forcé de combattre l'ennemi commun. Pour le président
de la République Rackiewicz, pour le général Sikorski
chef du gouvernement et de l'armée, pour les ministres,
MM. Zaleski, Raczynski, le général Kukiel, le déferlement soviétique succéderait infailliblement à la défaite
allemande. Quant à la manière d'endiguer les ambitions
de Moscou, quand on aurait vaincu Berlin, deux tendances partageaient les Polonais. Tantôt l'emportait en eux
une sorte de doctrine du pire où leur désespoir puisait
d'enivrantes illusions, comme la musique de Chopin tire
le rêve de la douleur. Tantôt ils caressaient l'espoir d'une
solution qui étendrait la Pologne vers l'Ouest, concéderait
à la Russie une partie des terres galiciennes et lithuanien-
nes et obtiendrait d'elle qu'elle s'abstînt de régner à
Varsovie en y imposant un gouvernement communiste.
Mais, quand ils envisageaient un accord, c'était dans une
psychologie à ce point passionnée qu'elle provoquait la
surenchère entre eux, l'incertitude des alliés, l'irritation
des Soviets.

Cependant, pour aléatoire que fût la conciliation, le général Sikorski était résolu à l'essayer. Cet homme de grand caractère répondait en personne du destin de son pays. Car, s'étant naguère opposé à la politique du maréchal Pilsudski, puis à l'outrecuidance de Beck et de Rydz-Smigly, il se trouvait, depuis le désastre, investi de tout le pouvoir dont puisse disposer un Etat en exil.

Dès que les armées du Reich étaient entrées en Russie, Sikorski n'avait pas hésité à rétablir avec les Soviets les relations diplomatiques, en dépit des colères accumulées dans les cœurs polonais. En juillet 1941, il signait avec les Soviets un accord déclarant nul et non avenu le partage de la Pologne effectué en 1939 par la Russie et l'Allemagne. En décembre, il s'était lui-même rendu à Moscou pour négocier la libération des prisonniers et leur transfert vers le Caucase d'où, sous les ordres du général Anders, ils pourraient gagner la Méditerranée. Sikorski avait causé longuement avec Staline. A son retour, narrant leurs entretiens, il me peignait le maître du Kremlin plongé aux abîmes de l'angoisse, mais sans que rien entamât sa lucidité, son âpreté, sa ruse. « Staline, me dit Sikorski, s'est affirmé favorable au principe d'une entente. Mais ce qu'il y mettra dedans et exigera que nous y mettions ne dépendra que des forces en présence, autrement dit des appuis que nous trouverons, ou non, en Occident. Le moment venu, qui aidera la Pologne ? Ce sera la France ou personne. »

Ainsi, le chœur anxieux des gouvernements réfugiés accompagnait en sourdine les progrès de la France Libre. Tous avaient, comme les Anglais, reconnu le Comité national dans des termes réservés. Mais tous tenaient le général de Gaulle comme le Français qualifié pour parler au nom de la France. Ils le marquaient, par exemple, en signant avec moi une déclaration commune relative aux crimes de guerre, ce qui fut fait, le 12 janvier 1942, au cours d'une conférence des chefs de gouvernement. Au total, nos relations avec les Etats réfugiés et la réputation qu'ils contribuaient à nous faire nous aidaient sur le plan

diplomatique et nous procuraient, dans l'opinion, le
concours d'une foule d'impondérables.

Or si, dans le drame du monde, les grands hommes
entraînaient l'opinion anglo-saxonne, c'est elle qui, inversement, malgré les censures du temps de guerre, orientait
les gouvernements. Aussi tâchions-nous de la mettre dans
notre jeu. Moi-même m'y efforçais, en profitant des
sympathies et des curiosités que suscitait notre entreprise.
Je m'adressais régulièrement au public anglais et américain. Suivant le procédé classique, je choisissais, parmi les
associations qui m'invitaient à me faire entendre, une
assistance qui convînt au moment et au sujet. Hôte
d'honneur du déjeuner ou du dîner organisé à cette
occasion, je voyais, à la fin du repas, se joindre aux
convives et remplir discrètement la salle maints professionnels de l'information ou personnages privilégiés qui
venaient pour le discours. Alors, ayant reçu, d'après la
coutume anglaise, le compliment du « chairman », je
disais ce que j'avais à dire.

Faute de savoir, hélas ! assez bien l'anglais, c'est
généralement en français que je prenais la parole. Mais,
ensuite, Soustelle entrait en ligne. Mon discours, traduit à
l'avance, était distribué dès que je l'avais prononcé. La
presse et la radio de Grande-Bretagne et des Etats-Unis se
chargeaient d'en publier l'essentiel. Quant à l'objectivité,
j'ose dire qu'elle me semblait relative dans les journaux
américains qui montaient en épingle telles ou telles phra-
ses extrapolées. Tout de même, celles-là « passaient la
rampe ». Les organes anglais, eux, sans ménager souvent
leurs critiques, ne déformaient guère le texte. Il faut
ajouter que la presse d'Amérique latine, par amitié pour la
France, estime pour le « gaullisme » et, peut-être, désir
de faire compensation à l'attitude des Etats-Unis, ne
manquait pas de mettre en bonne place mes propres
déclarations. En somme, et sauf au cours de quelques
crises où l'on invoquait, pour étouffer ma voix, « les
nécessités militaires », j'ai toujours trouvé les démocraties
alliées respectueuses de la liberté d'expression.

Avant de me rendre au Levant au printemps de 1941, je m'étais adressé déjà à des auditoires britanniques, notamment au « Foyles literary luncheon Club » et au groupe franco-anglais du Parlement. Après mon retour à Londres en septembre, et jusqu'au mois de juin suivant, la « Presse internationale », les ouvriers, puis les administrateurs et les cadres de l'usine de tanks « English Electric », à Stafford, la « Royal African Society », l' «Association de la Presse étrangère », le « Club français de l'Université d'Oxford », l' « English Speaking Union », le « City Livery Club », le « National Defence Public Interest Committee », la municipalité et les notables d'Edimbourg, une réunion organisée au Parlement pour les membres de la Chambre des Communes, m'avaient successivement entendu. Au mois de mai 1942, j'avais tenu, pour la première fois, une conférence de presse. Le 14 juillet 1941, comme je me trouvais à Brazzaville, la « National Broadcasting Corporation » américaine avait, par tous ses postes, relayé un appel que j'adressais par radio aux Etats-Unis. Le 8 juillet 1942, la « Columbia » diffusait en Amérique, spécialement au Central Park de New York où le maire La Guardia avait réuni la foule des grands jours, une allocution en anglais de « notre ami et allié le général de Gaulle ». Le 14, pour la fête nationale française, nouveau message aux Américains. A ces occasions principales s'en ajoutaient d'autres où, pour être amené à parler sans apprêt, je trouvais pourtant d'utiles échos. Ainsi des réceptions qui m'étaient offertes par les villes de Birmingham, de Leeds, de Liverpool, de Glasgow, de Hull, d'Oxford, l'Université d'Edimbourg, l'Amirauté de Portsmouth, les chantiers de construction navale Brigham et Cowan, les usines Talbot, les manufactures Harmelin, le journal *The Times*, enfin de multiples clubs toujours aimables et bien intentionnés.

Mais, si je variais le ton, c'étaient toujours les mêmes idées et sentiments que je lançais aux échos étrangers. A la défaite subie d'abord par la France, je donnais pour explication le système militaire périmé que toutes les démocraties pratiquaient au début de la guerre et dont mon pays s'était trouvé victime parce qu'il n'avait pas, lui, d'océans pour le couvrir et parce qu'on l'avait laissé seul à l'avant-garde. J'affirmais que la nation française continuait, sous l'oppression, de vivre d'une vie profonde et forte, et qu'elle allait reparaître résolue à l'effort et à la rénovation. J'en donnais pour preuve la résistance qui grandissait au-dedans et au-dehors. Mais je montrais le peuple français d'autant plus sensible à la façon dont ses alliés se comportaient à son égard qu'il était précipité dans le malheur et l'humiliation, que la propagande d'Hitler faisait miroiter à ses yeux des perspectives de redressement pourvu qu'il passât dans le camp totalitaire, et que Vichy n'avait tort, — devais-je pas me servir de tout ? — que dans la mesure où les démocraties respectaient les droits de la France.

C'est ainsi que, le 1er avril 1942, je prononçai un discours qui, à cet égard, mit les points sur les i et provoqua de vives controverses. « Qu'on ne croie pas, déclarais-je, que cette espèce de miracle que constitue la France Combattante soit donné une fois pour toutes... Toute l'affaire repose sur ceci : que la France Combattante entend marcher avec ses alliés sous la réserve formelle que ses alliés marchent avec elle.... » Visant directement les relations que les Etats-Unis continuaient d'entretenir avec Vichy et les tractations obscures qu'ils menaient avec ses proconsuls, j'ajoutais : « Pour les démocraties, pencher vers des gens qui ont détruit les libertés françaises et tâchent de modeler leur régime sur le fascisme ou sa caricature, ce serait introduire dans la politique les principes du pauvre Gribouille qui se jetait dans la mer de peur d'avoir à se mouiller... » J'ajoutais, en cherchant à faire gronder le tonnerre : « Il y a là la méconnaissance grave d'un fait qui domine toute la question française et qui s'appelle la révolution. Car, c'est une révolution, la plus grande de son histoire, que la France, trahie par ses élites dirigeantes et par ses privilégiés, a commencé d'accomplir. » Je m'écriais : « Il ne serait pas tolérable que le soi-disant réalisme qui, de Munich en Munich, a conduit la liberté jusqu'au bord même de l'abîme, continuât à tromper les ardeurs et à trahir les sacrifices... »

Les positions étaient prises. La France Libre avait réussi à se faire reconnaître par le sentiment du public et par le consentement des chancelleries, non seulement comme porte-épée de la France, mais encore comme la gérante inébranlable de ses intérêts. Ce résultat se trouvait atteint au moment même où il le fallait. Car, au début de l'été 1942, les conditions étaient réunies pour que la guerre prît un tour décisif. La Russie, restée debout, passait maintenant à l'offensive. L'Angleterre, tout en expédiant en Orient de nombreux renforts, disposait sur son territoire de forces considérables. Les Etats-Unis étaient prêts à porter en Occident leurs unités toutes neuves et leur énorme matériel. La France, enfin, pour écrasée et asservie qu'elle fût dans la métropole et passive dans une grande partie de ses territoires d'outre-mer, demeurait en mesure d'engager dans la lutte finale d'importantes forces militaires, son Empire et sa résistance. Comme on déploie la bannière, aux abords du champ de bataille, j'avais, au printemps de 1942, nommé « la France Combattante » ce qui était, jusqu'alors, « la France Libre » et notifié aux alliés cette nouvelle appellation.

Car le destin de la France se jouerait dans le choc prochain. C'est son territoire, — Afrique du Nord ou métropole, — qui servirait de théâtre aux opérations. C'est ce qu'elle ferait, ou non, face à l'ennemi qui représenterait sa part dans la victoire. Mais c'est du comportement des alliés que dépendraient son rang dans le monde, son unité nationale, son intégrité impériale. Je ne pouvais douter que certains, non des moindres, méditaient de faire en sorte qu'en cette suprême occasion l'organisme français dirigeant fût aussi dépendant et inconsistant que possible et que la France Combattante se trouvât absorbée, sinon écartée. Mais la situation qu'elle avait acquise dans le monde était maintenant assez solide pour qu'on ne pût la briser du dehors.

A condition qu'elle-même tînt bon et qu'elle eût l'appui de la nation à mesure que celle-ci apparaîtrait dans sa réalité. Tout en menant notre combat, je ne pensais à rien d'autre. La France Combattante aurait-elle, dans l'épreuve prochaine, assez d'ardeur, de valeur, de vigueur, pour ne point se rompre au-dedans ? Le peuple français, prostré, dévoyé, déchiré, voudrait-il m'entendre et me suivre ? Pourrais-je rassembler la France ?

LA FRANCE COMBATTANTE

TANDIS qu'entre l'été de 1941 et celui de 1942, la France Combattante étendait sa campagne diplomatique, elle ne cessait pas elle-même de s'agrandir. Si le présent récit expose successivement le développement de ces deux efforts, ceux-ci n'en étaient pas moins simultanés et conjugués. Mais, dès lors que le champ d'action allait en s'élargissant, il me fallait placer à la tête de l'entreprise un organisme adéquat. De Gaulle ne pouvait plus suffire à tout diriger. Le nombre et la dimension des problèmes exigeaient qu'avant de décider fussent confrontés points de vue et compétences. Les mesures d'exécution devaient être décentralisées. Enfin, la forme collégiale étant, pour tous les Etats, celle du pouvoir, nous aiderions à nous faire reconnaître en l'adoptant pour nous-mêmes. Par ordonnance du 24 septembre 1941, j'instituai le Comité national.

A vrai dire, depuis le début, je ne cessais pas d'y penser. Mais le fait qu'en l'espace d'une année, j'avais eu à passer huit mois en Afrique et en Orient, surtout le manque d'hommes dits « représentatifs », m'avaient contraint de différer. A mon arrivée à Londres, après les affaires de Syrie, je pouvais prévoir, au contraire, une longue phase d'organisation. D'ailleurs, si la plupart des personnalités qui m'avaient naguère rejoint étaient, au départ, peu notoires, certaines l'étaient devenues. Je pouvais donc donner au Comité une composition valable.

Pour la France Combattante, le Comité national serait l'organe de direction réuni autour de moi. Les « commissaires » y délibéreraient collectivement de toutes nos affaires. Chacun d'eux aurait à diriger un des « départements » où s'exerçait notre activité. Tous seraient solidaires des décisions prises. En somme, le Comité serait le gouvernement. Il en aurait les attributions et la structure. Toutefois, il n'en porterait pas le titre, que je réservais pour le jour, si lointain qu'il dût être encore, où pourrait se former un pouvoir aux dimensions de l'unité française. C'est dans cette même perspective que mon ordonnance prévoyait la constitution ultérieure d'une Assemblée consultative, « chargée de fournir au Comité l'expression aussi large que possible de l'opinion nationale ». Bien du temps passerait, cependant, avant que cette assemblée vît le jour.

Comme il fallait s'y attendre, ma décision provoqua des remous au sein des petits groupes français qui, sous prétexte d'être politiques, s'agitaient plus ou moins en Grande-Bretagne et aux Etats-Unis. Ceux-là toléraient que de Gaulle agît comme soldat et procurât aux alliés le renfort d'un contingent. Mais ils n'admettaient pas que le chef des Français Libres prît des responsabilités d'Etat. Ne m'ayant pas rallié, ils rejetaient mon autorité et préféraient s'en remettre aux étrangers, soit, en fait : Roosevelt, Churchill, Staline, de l'avenir de la France.

Je conviens qu'il y avait entre les conceptions de ces milieux et les miennes une réelle antinomie. Pour moi, dans le drame national, la politique devait être l'action au service d'une idée forte et simple. Mais eux, poursuivant les mêmes chimères qu'ils caressaient depuis toujours, n'acceptaient pas qu'elle fût autre chose qu'une chorégraphie d'attitudes et de combinaisons, menée par un ballet de figurants professionnels, d'où ne devaient sortir jamais qu'articles, discours, exhibition de tribuns et répartition de places. Bien que ce régime eût été balayé par les événements, bien qu'il eût coûté à la France un désastre dont on pouvait douter qu'elle se relevât jamais, bien que

ces intoxiqués fussent maintenant privés des moyens
habituels de leur agitation : Parlement, congrès, cabinets,
salles de rédaction, ils continuaient leur jeu à New York
ou à Londres, tâchant d'y mêler, à défaut d'autres, les
gouvernants, les députés, les journalistes anglo-saxons. A
l'origine des désagréments causés à la France Libre par
ses propres alliés et des campagnes menées contre elle par
leur presse et leur radio, il y eut souvent l'influence de
certains Français émigrés. Ceux-là ne pouvaient manquer
de désapprouver l'espèce de promotion politique qu'était,
pour la France Combattante, l'institution du Comité
national et allaient s'efforcer de contrarier l'opération.

C'est l'amiral Muselier qui leur servit d'instrument.
L'amiral possédait comme une personnalité double. En
tant que marin, il montrait une valeur qui méritait grande
considération et à laquelle était due, pour une large part,
l'organisation de nos petites forces navales. Mais il était
périodiquement saisi par une sorte de tracassin qui le
poussait aux intrigues. Dès qu'il connut mon intention de
former le Comité, il m'écrivit pour se poser en champion
de l'entente avec les alliés et de la démocratie que, suivant
lui, ma politique risquait de mettre en péril. Afin que
l'une et l'autre fussent dorénavant sauvegardées, il proposait que je me place moi-même dans une position honorifi-
que et que je lui laisse, à lui, la réalité des pouvoirs. Quant
au moyen qu'il employa pour tâcher de forcer mon
consentement, ce ne fut rien de moins que la menace de
sécession de la Marine qui, dit-il par téléphone : « devient
indépendante et continue la guerre ».

Ma réaction fut nette et la discussion fut brève.
L'amiral se soumit, alléguant un malentendu. Pour des
raisons de sentiment et d'opportunité, je parus me laisser
convaincre, pris acte de ses engagements et le nommai
commissaire à la Marine et à la Marine marchande dans le
Comité national.

Y étaient chargés : de l'Economie, des Finances, des
Colonies, Pleven ; de la Justice et de l'Instruction publique, Cassin ; des Affaires étrangères, Dejean ; de la

Guerre, Legentilhomme ; de l'Air, Valin ; de l'action dans
la métropole, du Travail, de l'Information, Diethelm, qui
venait d'arriver de France. Catroux et d'Argenlieu, alors
en mission, devenaient commissaires sans département.
J'attribuai à Pleven la charge d'assurer la coordination
administrative des départements civils, « statut, traitements, répartition du personnel, affectation des locaux,
etc. » J'avais souhaité d'abord et tentai, par la suite, à
plusieurs reprises, d'élargir la composition du Comité en y
faisant entrer certaines des personnalités françaises qui se
trouvaient en Amérique. C'est ainsi que je demandai leur
concours à MM. Maritain et Alexis Léger. Les réponses
furent déférentes, mais négatives.

Le Comité national fonctionnait d'une manière satisfaisante quand Muselier ouvrit une nouvelle crise. Rentré à
Londres après l'expédition de Saint-Pierre, pour laquelle
il avait reçu nos félicitations unanimes, il déclara, le
3 mars, en séance du Comité, que les choses n'allaient pas
à son gré dans la France Libre, donna sa démission de
commissaire national et m'écrivit pour me le confirmer.
J'acceptai cette démission, mis l'amiral en réserve de
commandement et le remplaçai par Auboyneau rappelé
du Pacifique. Mais, alors, Muselier déclara que, tout en
cessant d'être membre du Comité national, il gardait pour
lui-même le commandement en chef des forces navales,
comme s'il s'agissait d'un fief dont il était possesseur. Cela
ne pouvait être admis et l'affaire était réglée d'avance,
quand, soudain, se déclencha l'intervention du Gouvernement britannique.

Cette intervention avait été, dès longtemps, préparée,
les instigateurs étant quelques agités de l'émigration et
certains éléments des Communes et de la « Navy ». Les
conjurés avaient trouvé le concours de M. Alexander,
Premier lord de l'Amirauté. Ils lui représentaient, en tant
que ministre, que si Muselier partait, la marine française
libre allait se dissoudre, privant la Royal Navy d'un
appoint non négligeable. Ils lui faisaient croire, en tant
que travailliste, que de Gaulle et son Comité inclinaient

vers le fascisme et qu'il fallait soustraire à leur politique les forces navales françaises. Le Cabinet britannique, pour des raisons qui tenaient à son équilibre intérieur et aussi, vraisemblablement, à l'intention de rendre de Gaulle plus commode en l'affaiblissant, épousa la thèse d'Alexander. Il décida d'exiger de moi le maintien de Muselier dans ses fonctions de commandant en chef des Forces navales françaises libres.

Les 5 et 6 mars, M. Eden, flanqué de M. Alexander, me notifia cette mise en demeure. Pour moi, dès ce moment, la cause était définitivement entendue. Il fallait, coûte que coûte, que la décision du Comité national fût exécutée telle quelle et que l'Angleterre renonçât à se mêler de cette affaire française. Le 8 mars, j'écrivis à Eden que moi-même et le Comité national avions décidé que Muselier n'était plus commandant en chef de la Marine et que nous n'acceptions pas, à ce sujet, l'ingérence du Gouvernement anglais. J'ajoutais : « Les Français Libres considèrent que ce qu'ils font aux côtés des Britanniques et pour la même cause implique qu'ils doivent être tenus et traités comme des alliés et que l'appui des Britanniques ne doit pas leur être donné à des conditions incompatibles avec leur propre raison d'être... S'il en était autrement, le général de Gaulle et le Comité national cesseraient de s'acharner à une tâche qui serait impossible. Ils tiennent, en effet, pour essentiel, en ce qui concerne l'avenir de la France aussi bien que le présent, de demeurer fidèles au but qu'ils se sont fixé. Ce but consiste à redresser la France et à reconstituer l'unité nationale dans la guerre aux côtés des alliés, mais sans rien sacrifier de l'indépendance, de la souveraineté et des institutions françaises. »

Je n'eus pas de réponse sur le moment. Sans doute, avant d'aller plus loin, les Anglais attendaient-ils de voir ce qui allait se produire à l'intérieur de notre marine. Or, il n'y eut sur aucun navire, dans aucun dépôt d'équipages, dans aucun établissement, aucun mouvement de dissidence. Bien au contraire, tous les éléments des forces

navales françaises libres serrèrent sur de Gaulle avec une
ardeur proportionnée aux difficultés qui lui étaient faites.
Seuls, quelques officiers, réunis autour de l'amiral, organisèrent au siège de son état-major, où je m'étais moi-
même rendu pour leur parler, une inconvenante manifestation. Je fixai alors à l'amiral Muselier une résidence qui
devait l'éloigner, pour la durée d'un mois, de tout contact
avec la marine. J'invitai le Gouvernement anglais, conformément à l'accord de juridiction du 15 janvier 1941, à
assurer l'exécution de cette mesure, puisqu'elle était prise
en territoire britannique. Puis, comme les assurances
nécessaires tardaient à me parvenir, je m'en fus à la
campagne, prêt à tout, m'attendant à tout, et laissant aux
mains de Pleven, de Diethelm et de Coulet une sorte de
testament secret qui leur confiait la mission d'informer le
peuple français dans le cas où je devrais renoncer à
poursuivre ce que j'avais entrepris et où je ne serais pas en
mesure de m'en expliquer moi-même. Entre-temps,
j'avais fait savoir à nos alliés que je ne pourrais, à mon
profond regret, reprendre mes rapports avec eux avant
qu'eux-mêmes eussent appliqué l'accord qui les engageait.

Ce fut fait le 23 mars. M. Peake vint me rendre visite. Il
me remit une note m'annonçant que son gouvernement
n'insistait pas pour que Muselier restât commandant en
chef et veillerait à ce que, pendant un mois, l'amiral ne
pût prendre contact avec aucun élément des forces navales
françaises. Le Gouvernement britannique le recomman-
dait, toutefois, à ma bienveillance pour une affectation
conforme à ses services. Sur ces entrefaites, Auboyneau,
arrivé du Pacifique, prit en main l'administration et le
commandement de la marine. Au mois de mai, voulant
offrir à l'amiral Muselier une chance de servir encore, je
l'invitai à venir me voir pour régler avec lui les conditions
d'une mission d'inspection que je comptais lui confier. Il
ne vint pas. Quelques jours plus tard, cet officier général,
qui avait beaucoup fait pour notre marine, me notifia que

sa collaboration à la France Libre était terminée. Je l'ai regretté pour lui.

Après cet incident pénible, rien ne vint plus empêcher le fonctionnement régulier de ce « comité de Londres », que les propagandes adverses, — qui ne furent pas seulement celle de l'ennemi et celle de Vichy, — représentèrent, tantôt comme un groupe de politiciens avides, tantôt comme une équipe d'aventuriers fascistes, tantôt comme un ramassis d'énergumènes communisants, mais pour qui, je l'atteste, rien ne comptait en comparaison du salut du pays et de l'État. Le Comité national se réunissait au moins une fois par semaine, avec quelque solennité, dans une grande pièce de « Carlton Gardens » appelée « salle de l'horloge ». Conformément à son ordre du jour, il entendait le rapport de chacun des commissaires sur les affaires de son département ou sur toute question que l'un ou l'autre croyait devoir soulever. On prenait connaissance des documents et des informations, on discutait à loisir et on concluait par des décisions rédigées en séance sous forme d'un procès-verbal et qui étaient ensuite notifiées aux forces et aux services. Jamais aucune mesure importante ne fut prise sans que le Comité ait eu à en délibérer.

J'ai toujours trouvé dans le Comité national en tant qu'organe collectif, ainsi qu'en chacun de ses membres, une aide précieuse et un concours loyal. Sans doute, demeurais-je obligé de connaître personnellement de tout ce qui valait la peine. Mais la charge m'était moins lourde du fait que des hommes de valeur m'assistaient et m'entouraient. Sans doute, ces ministres, dont aucun n'avait auparavant abordé la scène publique, pouvaient-ils manquer, dans une certaine mesure, d'autorité et de notoriété. Ils surent pourtant en acquérir. Tous, au surplus, avaient leur expérience et leur personnalité. L'ensemble qu'ils formaient ouvrait à la France Combattante des avenues d'influence qui, autrement, lui fussent restées fermées. J'ai pu rencontrer souvent chez ces collaborateurs, non certes des oppositions, mais bien des

objections, voire des contradictions, à mes desseins et à
mes actes. Dans les moments difficiles, où j'inclinais
d'habitude vers les solutions vigoureuses, plusieurs membres du Comité penchaient vers l'accommodement. Mais,
à tout prendre, c'était bien ainsi. En dernier ressort,
d'ailleurs, après m'avoir éclairé, aucun commissaire national ne contestait mon arbitrage.

Si, en effet, les opinions pouvaient être partagées, ma
responsabilité n'en demeurait pas moins entière. Dans la
lutte pour la libération, c'était toujours, en définitive, le
pauvre moi qui répondait de tout. En France, notamment, ceux-là regardaient vers de Gaulle qui, en nombre
croissant, commençaient à se tourner vers la résistance
active. Il y avait là une réponse de plus en plus distincte à
mes appels. Il y avait là, aussi, une convergence des
sentiments qui me semblait nécessaire autant qu'elle était
émouvante. Car, constatant que la propension des Français à se diviser et la dispersion que leur imposait
l'oppression tendaient à marquer leur révolte d'un caractère d'extrême diversité, j'étais dominé par le souci de
réaliser l'unité de la résistance. C'était, en effet, la
condition de son efficacité guerrière, de sa valeur nationale, de son poids vis-à-vis du monde.

Dès l'été de 1941, ce qui se passait dans la métropole
nous était connu, à mesure. Indépendamment de ce qu'on
pouvait lire entre les lignes des journaux ou entendre sous
les mots de la radio des deux zones, un faisceau très
complet de renseignements nous était constamment
apporté par les comptes rendus de nos réseaux, les rapports de certains hommes en place qui posaient déjà des
jalons, les propos des volontaires qui, chaque jour, nous
arrivaient de France, les indications fournies par les
postes diplomatiques, les déclarations faites par des
émigrés à leur passage à Madrid, Lisbonne, Tanger, New
York, les lettres adressées à des Français Libres par leur
famille et leurs amis et que mille ruses leur faisaient
parvenir. De ce fait, j'avais dans l'esprit un tableau tenu à
jour. Que de fois, en causant avec des compatriotes qui

venaient de quitter le pays, mais qui s'y étaient trouvés plus ou moins confinés dans leur métier ou leur localité, me fut-il donné de constater que, grâce à d'innombrables efforts d'information, de transmission, de synthèse, fournis par une armée de dévouements, j'étais, autant que personne, au courant des choses françaises !

Or, ce qui en ressortait, c'était la dégradation de Vichy. Les illusions du régime achevaient de se dissiper. D'abord, la victoire de l'Allemagne, qu'on avait proclamée acquise pour justifier la capitulation, devenait invraisemblable dès lors que la Russie était engagée dans la lutte, que les Etats-Unis entraient en ligne à leur tour, que l'Angleterre et la France Libre tenaient bon. La prétention de « sauver les meubles » au prix de la servitude s'avérait dérisoire, puisque nos 1 500 000 prisonniers ne rentraient pas, que les Allemands annexaient pratiquement l'Alsace et la Lorraine et tenaient le nord du pays administrativement coupé du reste du territoire, que les prélèvements effectués par l'occupant, en argent, matières premières, produits agricoles et industriels, épuisaient notre économie, que le Reich faisait travailler pour son compte un nombre croissant de Français. L'affirmation qu'on défendait l'Empire « contre quiconque » ne pouvait plus tromper personne, du moment qu'on forçait l'armée et la marine à combattre les alliés et les « gaullistes », à Dakar, au Gabon, en Syrie, à Madagascar, alors que les Allemands et les Italiens des commissions d'armistice opéraient à leur gré à Alger, Tunis, Casablanca, Beyrouth, que les avions du Reich atterrissaient à Alep et à Damas, que les Japonais occupaient le Tonkin et la Cochinchine. Aux yeux de tous, désormais, la chance de recouvrer un jour les territoires d'outre-mer, c'était la France Combattante qui la représentait, en s'assurant, à mesure, de l'Afrique équatoriale, des îles d'Océanie, de Pondichéry, du Levant, de Saint-Pierre, de Madagascar, de la Somalie française et en étendant, par avance, son ombre intransigeante sur l'Afrique du Nord, l'Afrique occidentale, les Antilles et l'Indochine.

Quant à la « révolution nationale », par quoi le régime de Vichy essayait de compenser sa propre capitulation, elle donnait l'impression de gaspiller des réformes dont certaines avaient, par elles-mêmes, leur valeur, mais qui se trouvaient compromises et discréditées par le fait qu'on les associait au désastre et à la servitude. La prétention de Vichy à la rénovation morale et au redressement de l'autorité, même son incontestable effort d'organisation économique et sociale, n'aboutissaient, dans la forme, qu'aux défilés des légionnaires, à l'hagiographie du Maréchal, au foisonnement des comités et, dans le fond, aux basses persécutions, à la domination de la police et de la censure, aux privilèges, et au marché noir. Aussi voyait-on se manifester, à l'intérieur même du régime, les signes du désarroi. Depuis la fin de 1940 jusqu'à l'été de 1942, c'étaient, successivement : la révocation de Laval ; la fondation à Paris par Déat, Deloncle, Luchaire, Marquet, Suarez, etc., du « Rassemblement national populaire » qui, avec l'appui direct des Allemands, invectivait contre les gouvernants et pratiquait une bruyante surenchère en faveur de la collaboration ; les variations incessantes des attributions de Darlan ; les démissions de membres du Cabinet : Ybarnegaray, Baudouin, Alibert, Flandin, Peyrouton, Chevalier, Achard, etc. qui déclaraient, l'un après l'autre, que la tâche était impossible ; l'étrange et brusque cessation du procès de Riom ; la mise à la retraite de Weygand ; l'attentat de Colette contre Laval ; la nomination de celui-ci comme chef du gouvernement. Le Maréchal lui-même publiait sa propre détresse. « De plusieurs régions de France, disait-il à la radio en août 1941, je sens souffler un vent mauvais. L'inquiétude gagne les esprits. Le doute s'empare des âmes. L'autorité du gouvernement est discutée. Les ordres sont mal exécutés. Un véritable malaise atteint le peuple français. » En juin de l'année suivante, pour le deuxième anniversaire de sa demande d'armistice, il déclarait par les ondes : « Je ne me dissimule point la faiblesse des échos qu'ont rencontrés mes appels. »

A mesure que déclinaient la pompe et les œuvres de Vichy, se formaient, de-ci, de-là, dans la métropole, des noyaux de résistance. Il s'agissait, naturellement, d'activités très diverses, souvent mal délimitées, mais suscitées par les mêmes intentions. Ici, on rédigeait, imprimait, distribuait, quelque feuille de propagande. Là, on épiait l'ennemi pour renseigner un réseau. Quelques hommes déterminés formaient des groupes d'action pour les buts les plus différents : coups de main, destructions, réception et distribution de matériel parachuté ou transporté, accueil ou embarquement des agents, passage d'une zone à l'autre, franchissement d'une frontière, etc. Certains constituaient l'embryon de mouvements dont les membres se liaient entre eux par des consignes ou simplement par l'adhésion à un même état d'esprit. Bref, sous l'apparence passive et ralentie qu'offrait l'existence dans la métropole, la résistance entamait sa vie ardente et secrète. A l'intérieur, des combattants songeaient maintenant à porter des coups à l'ennemi à travers les filets tendus des policiers et des délateurs.

En août 1941, s'ouvrit la série des attaques isolées contre les militaires allemands. Un capitaine sortant du métro, un officier à Bordeaux, deux soldats à Paris, rue Championnet, étaient les premiers tués. D'autres exécutions suivirent. Par représailles, l'ennemi fusillait des otages par centaines, jetait en prison des milliers de patriotes pour les déporter ensuite, écrasait d'amendes et de servitudes les villes où tombaient ses hommes. C'est avec une sombre fierté que nous apprenions ces actes de guerre individuellement accomplis, moyennant des risques immenses, contre l'armée de l'occupant. D'autre part, la mort des Français qui servaient de victimes à la vengeance germanique mettait notre âme en deuil mais nullement au désespoir, car elle équivalait au sacrifice des soldats sur les champs de bataille. Mais, pour d'élémentaires raisons de tactique guerrière, nous estimions que la lutte devait être dirigée et que, d'ailleurs, le moment n'était pas venu d'entamer le combat au grand jour dans la métropole. Le harcèlement de l'ennemi, puis l'engagement, en des points choisis, de nos forces de l'intérieur, enfin le soulèvement national, que nous voulions obtenir un jour, auraient une efficacité puissante à condition de former un tout et d'être conjugués avec l'action des armées de la libération. Or, en 1941, la résistance s'ébauchait à peine et, d'autre part, nous savions qu'il s'écoulerait littéralement des années avant que nos alliés fussent prêts au débarquement.

Aussi, le 23 octobre, déclarai-je à la radio : « Il est absolument normal et absolument justifié que les Allemands soient tués par les Français. Si les Allemands ne voulaient pas recevoir la mort de nos mains, ils n'avaient qu'à rester chez eux... Du moment qu'ils n'ont pas réussi à réduire l'univers, ils sont sûrs de devenir chacun un cadavre ou un prisonnier... Mais il y a une tactique à la guerre. La guerre doit être conduite par ceux qui en ont la charge... Actuellement, la consigne que je donne pour le territoire occupé, c'est de ne pas y tuer ouvertement d'Allemands. Cela, pour une seule raison : c'est qu'il est, en ce moment, trop facile à l'ennemi de riposter par le massacre de nos combattants momentanément désarmés. Au contraire, dès que nous serons en mesure de passer à l'attaque, les ordres voulus seront donnés. »

Tout en tâchant de limiter nos pertes qui, dans de telles conditions, étaient excessives pour de trop faibles résultats, il fallait, cependant, utiliser, au profit de l'énergie et de la solidarité nationales, l'émotion produite par la répression allemande. Le 25 octobre, comme l'envahisseur venait de massacrer, la veille, 50 otages à Nantes et Châteaubriant et 50 à Bordeaux, je fis connaître par radio ce qui suit : « En fusillant nos martyrs, l'ennemi a cru qu'il allait faire peur à la France. La France va lui montrer qu'elle n'a pas peur de lui... J'invite tous les Français et toutes les Françaises à cesser toute activité et à demeurer immobiles, chacun là où il se trouvera, le vendredi 31 octobre, de 4 heures à 4 h 5... ce gigantesque garde-à-vous, cette immense grève nationale faisant voir à l'ennemi la menace qui l'enveloppe et prouvant la fraternité française. » La veille du jour fixé, je renouvelai mon appel. En fait, la manifestation revêtit en maints endroits, surtout dans les usines, un caractère impressionnant. Je m'en trouvai renforcé dans ma résolution d'empêcher que la résistance ne tournât à l'anarchie, mais d'en faire, au contraire, un ensemble organisé, sans y briser, toutefois, l'initiative qui en était le ressort, ni le cloisonnement sans lequel elle eût risqué de disparaître tout entière, d'un seul coup.

En tout cas, ses éléments constitutifs, les mouvements, existaient maintenant, très résolus à maints égards, mais souffrant gravement du manque de cadres militaires. Là où ils auraient pu et dû en trouver, c'est-à-dire dans ce qui subsistait de l'armée, Vichy leur barrait la route. Et, cependant, les premiers actes de résistance étaient venus des militaires. Des officiers, appartenant aux états-majors de l'Armée et des régions, soustrayaient du matériel aux commissions d'armistice. Le service de renseignements continuait d'appliquer dans l'ombre des mesures de contre-espionnage et, par intervalles, transmettait aux Anglais des informations. Sous l'action des généraux : Frère, Delestraint, Verneau, Bloch-Dassault, Durrmeyer, et en utilisant notamment les amicales des corps de troupes, des mesures de mobilisation avaient été préparées. Le général Cochet inaugurait la propagande active contre l'esprit de capitulation. Parmi les moniteurs des Chantiers de Jeunesse, qui comptaient nombre d'anciens militaires, beaucoup s'entraînaient et entraînaient les autres en vue de prendre les armes. Dans ce qui restait d'unités constituées, presque tous les officiers, les gradés, les soldats, ne cachaient pas leur espérance de retourner au combat.

Le public, d'ailleurs, trouvait cela fort bon. Un film d'actualités, venu de France, et que je me fis projeter à Londres, m'en donna un saisissant exemple. On y voyait Pétain, lors d'une visite à Marseille, paraître au balcon de l'hôtel de ville devant les troupes et la foule agitées d'ardeur patriotique. On l'entendait, cédant à l'immense suggestion qui s'élevait de cette masse, lui crier soudain : « N'oubliez pas que, tous, vous êtes toujours mobilisés ! » On assistait au déchaînement d'enthousiasme que ces paroles soulevaient dans l'assemblée civile et militaire, riant et pleurant d'émotion.

Ainsi, l'armée, malgré la captivité ou la mort de la plupart et, souvent, des meilleurs des siens, se montrait spontanément disposée à encadrer la résistance nationale. Mais c'est ce que ne voulait pas le « gouvernement » auquel la soumettait son obédience. Vichy, pratiquant, d'abord la fiction de la neutralité, ensuite la collaboration, l'empêcha de répondre à sa propre vocation et l'enferma moralement dans une impasse dont nul ne pouvait sortir qu'en rompant avec la discipline formelle. Bien que nombre d'éléments militaires aient pourtant franchi la barrière, en particulier ceux d'entre eux qui faisaient partie des réseaux, ceux aussi qui allaient entrer dans l'Armée secrète, ceux enfin qui constituèrent, plus tard, l' « Organisation de résistance de l'armée », c'est un fait que les mouvements durent, au départ, improviser eux-mêmes leurs cadres.

Dans la zone dite libre, « Combat » dont le capitaine Frenay avait pris la tête, « Libération » où Emmanuel d'Astier de la Vigerie jouait le rôle capital, « Franc-Tireur » dont Jean-Pierre Lévy présidait l'organe dirigeant, déployaient une notable activité de propagande et recrutaient des formations paramilitaires. En même temps, ce qui subsistait du syndicalisme d'antan : « Confédération générale du Travail », « Confédération française des Travailleurs chrétiens », répandait un état d'esprit favorable à la résistance. Il en était de même de quelques groupements issus d'anciens partis, notamment des socialistes, des démocrates-populaires, de la Fédération républicaine. Comme les Allemands n'occupaient pas la zone, c'est naturellement à Vichy que l'on faisait opposition, c'est avec sa police et ses tribunaux que l'on avait maille à partir. Les chefs, d'ailleurs, tout en préparant des forces qui pourraient être, le cas échéant, utilisées contre l'ennemi, songeaient à la prise du pouvoir et voyaient dans la résistance, non seulement un instrument de guerre, mais encore le moyen de remplacer le régime.

Le caractère politique des mouvements de la zone Sud contribuait, certes, à les rendre vivants et remuants, à attirer dans leurs rangs des éléments d'influence, à donner à leur propagande un tour de passion et d'actualité qui frappait l'esprit public. Mais, d'autre part, la bonne entente et, par suite, l'action commune des comités directeurs ne laissaient pas d'en souffrir. Il faut dire que la masse des adhérents et des sympathisants ne se préoccupait guère du programme que la résistance devrait appliquer plus tard, ni des conditions dans lesquelles elle prendrait un jour le pouvoir, ni du choix de ceux qui auraient, alors, à gouverner. Au sentiment général, il n'était que de combattre ou, tout au moins, de s'y préparer. Acquérir des armes, trouver des cachettes, étudier et, parfois, exécuter des coups de main, voilà ce dont il s'agissait ! Pour cela, il fallait s'organiser sur place entre gens de connaissance, trouver quelques moyens et garder ses affaires pour soi. Bref, si à l'intérieur des mouvements l'inspiration était relativement centralisée, l'action se répartissait, au contraire, en groupes séparés, dont chacun avait son chef à lui et opérait pour son propre compte, et qui se disputaient entre eux des ressources terriblement limitées en fait d'armes et d'argent.

Dans la zone occupée, cette concurrence disparaissait devant le danger immédiat, mais la dispersion physique des gens et des efforts s'y imposait plus encore. Là, on était au contact direct et écrasant de l'ennemi. C'est à la Gestapo que l'on avait affaire. Pas moyen de se déplacer, de correspondre, d'élire domicile, sans traverser de rigoureux contrôles. Tout suspect allait en prison en attendant d'être déporté. Quant à la résistance active, c'était, sans rémission, à la torture et au poteau d'exécution qu'elle exposait les combattants. L'activité, dans ces conditions, s'éparpillait à l'extrême. Par contre, la présence des Allemands entretenait une ambiance qui poussait à la lutte et suscitait les complicités. Aussi, les mouvements dans cette zone revêtaient-ils un caractère tendu de guerre et de conjuration. L' « Organisation civile et militaire » fondée par le colonel Touny, « Ceux de la Libération » dont Ripoche était le chef, « Ceux de la Résistance » que recrutait Lecompte-Boinet, « Libération-Nord » qu'avait créée Cavaillès, enfin, dans le Hainaut, en Flandre, dans le pays minier, « La Voix du Nord » dirigée par Houcke, rejetaient formellement toute tendance à la politique, ne se souciaient que du combat et essaimaient de petits groupes clandestins, isolés les uns des autres.

A la fin de 1941, les communistes entrèrent, à leur tour, en action. Jusqu'alors, leurs dirigeants avaient adopté à l'égard de l'occupant une attitude conciliante, invectivant, en revanche, contre le capitalisme anglo-saxon et le « gaullisme » son serviteur. Mais leur attitude changea soudain quand Hitler envahit la Russie et qu'eux-mêmes eurent trouvé le temps de gagner les refuges et d'installer les liaisons indispensables à la lutte clandestine. Ils y étaient, d'ailleurs, préparés par leur organisation en cellules, l'anonymat de leur hiérarchie, le dévouement de leurs cadres. A la guerre nationale, ils allaient donc participer avec courage et habileté, sensibles sans doute, surtout parmi les simples, à l'appel de la patrie, mais ne perdant jamais de vue, en tant qu'armée d'une révolution, l'objectif qui consistait à établir leur dictature à la faveur du drame de la France. Ils s'efforceraient donc sans relâche de garder leur liberté d'action. Mais aussi, utilisant les tendances des combattants qui, les leurs compris, ne voulaient qu'un seul combat, ils tenteraient obstinément de noyauter toute la résistance afin d'en faire, si possible, l'instrument de leur ambition.

C'est ainsi qu'en zone occupée ils formaient le « Front national », groupement d'aspect purement patriotique, et les « Francs-Tireurs et Partisans », force qui ne semblait destinée qu'à la lutte contre les Allemands. C'est ainsi qu'ils y attiraient maints éléments non communistes mais qui, par là même, pourraient servir de couverture à leurs desseins. C'est ainsi qu'ils poussaient certains des leurs, camouflés, dans les organes de direction de tous les autres mouvements. C'est ainsi qu'ils devaient bientôt me proposer leur concours, tout en ne cessant jamais de déblatérer sourdement contre « le mythe de Gaulle ».

Et moi, je voulais qu'ils servent. Pour battre l'ennemi, il n'y avait pas de forces qui ne dussent être employées et j'estimais que les leurs pèseraient lourd dans la sorte de guerre qu'imposait l'occupation. Mais il faudrait qu'ils le fassent comme une partie dans un tout et, pour trancher le mot, sous ma coupe. Comptant ferme sur la puissance du sentiment national et sur le crédit que me faisait la masse, j'étais, d'emblée, décidé à leur assurer leur place dans la résistance française, voire, un jour, dans sa direction. Mais je l'étais tout autant à ne les laisser jamais gagner à la main, me dépasser, prendre la tête. La tragédie où se jouait le sort de la patrie offrait à ces Français, écartés de la nation par l'injustice qui les soulevait et l'erreur qui les dévoyait, l'occasion historique de rentrer dans l'unité nationale, fût-ce seulement pour le temps du combat. Cette occasion, je voulais faire en sorte qu'elle ne fût pas, à jamais, perdue. « Vive la France » auront donc, cette fois encore, crié, au moment de mourir, tous ceux qui, n'importe comment, n'importe où, auront donné leur vie pour elle. Dans le mouvement incessant du monde, toutes les doctrines, toutes les écoles, toutes les révoltes, n'ont qu'un temps. Le communisme passera. Mais la France ne passera pas. Je suis sûr que, dans son destin, comptera finalement pour beaucoup le fait qu'en dépit de tout elle n'aura été, lors de sa libération, instant fugitif mais décisif de son Histoire, qu'un seul peuple rassemblé.

Au mois d'octobre 1941, j'appris la présence à Lisbonne de Jean Moulin, arrivé de France et qui cherchait à venir à Londres. Je savais qui il était. Je savais, en particulier, que préfet d'Eure-et-Loir lors de l'entrée des Allemands à Chartres, il s'était montré exemplaire de

fermeté et de dignité, que l'ennemi, après l'avoir mal-
mené, blessé, mis en prison, l'avait finalement libéré avec
ses excuses et ses salutations, que Vichy, l'ayant remplacé
dans son poste, le tenait, depuis, à l'écart. Je savais qu'il
voulait servir. Je demandai donc aux services britanniques
que cet homme de qualité fût dirigé sur l'Angleterre. Il
me fallut attendre deux mois pour avoir satisfaction.
L' « Intelligence », en effet, s'efforçait de s'attacher Moulin. Mais lui, inversement, réclamait de m'être envoyé.
Grâce à une lettre pressante adressée à M. Eden, j'obtins
que le loyal voyageur parvînt à sa destination. J'aurais,
ensuite, autant de peine à assurer son retour en France.

Dans le courant de décembre, j'eus avec lui de longs
entretiens. Jean Moulin, avant d'aller à Londres, avait
pris de nombreux contacts avec chacun des mouvements
de résistance et, d'autre part, sondé divers milieux
politiques, économiques, administratifs. Il connaissait le
terrain sur lequel, de prime abord, je projetais de
l'engager. Il faisait des propositions nettes et formulait des
demandes précises.

Cet homme, jeune encore, mais dont la carrière avait
déjà formé l'expérience, était pétri de la même pâte que
les meilleurs de mes compagnons. Rempli, jusqu'aux
bords de l'âme, de la passion de la France, convaincu que
le « gaullisme » devait être, non seulement l'instrument
du combat, mais encore le moteur de toute une rénovation, pénétré du sentiment que l'Etat s'incorporait à la
France Libre, il aspirait aux grandes entreprises. Mais
aussi, plein de jugement, voyant choses et gens comme ils
étaient, c'est à pas comptés qu'il marcherait sur une route
minée par les pièges des adversaires et encombrée des
obstacles élevés par les amis. Homme de foi et de calcul,
ne doutant de rien et se défiant de tout, apôtre en même
temps que ministre, Moulin devait, en dix-huit mois,
accomplir une tâche capitale. La résistance dans la
métropole, où ne se dessinait encore qu'une unité symbolique, il allait l'amener à l'unité pratique. Ensuite, trahi,
fait prisonnier, affreusement torturé par un ennemi sans

honneur, Jean Moulin mourrait pour la France, comme tant de bons soldats qui, sous le soleil ou dans l'ombre, sacrifièrent un long soir vide pour mieux « remplir leur matin ».

Nous avions convenu qu'il agirait, d'abord, sur les mouvements de la zone Sud, pour les déterminer à former, sous sa présidence, un organisme commun qui serait directement lié au Comité national, affirmerait l'union, donnerait des mots d'ordre et réglerait les litiges internes. Cela fait, il aborderait la zone Nord et tâcherait d'instituer, pour l'ensemble du territoire, un conseil de toute la résistance rattaché à la France Combattante. Mais, dès lors qu'il s'agissait de coiffer par un seul organisme tout ce qui, dans la métropole, participait à la lutte, deux questions étaient posées : celle des partis politiques et celle des forces militaires de l'intérieur.

Etant donné le caractère de représentation, et non point de direction, que je voulais voir prendre à ce futur conseil et qu'il prendrait, en effet, je ne comptais pas en exclure les partis. Qu'il y en eût, c'était inévitable. A mon sens, d'ailleurs, nos malheurs étaient venus, non de leur existence, mais du fait qu'à la faveur d'institutions de décadence ils s'étaient abusivement approprié les pouvoirs publics. Aussi, tout en leur réservant leur place, n'entendais-je pas qu'à présent ils s'emparassent de la résistance. Celle-ci, au demeurant, ne procédait aucunement de leur esprit, ni de leur action, puisque tous, sans exception, avaient défailli au moment décisif. Mais, foudroyés hier par le désastre, ils commençaient maintenant à se ressaisir. Certains de leurs éléments, tout en adhérant aux mouvements de résistance, se regroupaient, d'autre part, dans les cadres d'autrefois.

Il est vrai que, n'ayant plus de clientèle à flatter, de combinaisons à pratiquer, de portefeuilles à marchander, ils croyaient et donnaient à croire qu'ils retournaient aux nobles sources d'où ils étaient originaires : volonté de justice sociale, culte des traditions nationales, esprit de laïcité, flamme chrétienne. Leurs organisations respecti-

ves, profondément épurées, ne voulaient rien, semblait-il,
qu'apporter à la lutte une contribution immédiate en
mobilisant telle ou telle tendance de l'opinion. Celle-ci,
d'ailleurs, redevenait quelque peu sensible au savoir-faire
de ces groupes familiers, d'autant plus qu'ils reniaient
leurs erreurs. Enfin, les alliés ne laissaient pas d'être
attentifs à l'attitude des hommes des partis. Pour
construire l'unité française, il y avait là des faits que je ne
pouvais méconnaître. Je donnai donc à Moulin l'instruction d'introduire, le jour venu, dans le conseil à former,
les délégués des partis à côté de ceux des mouvements.

Si je comptais ainsi voir s'établir quelque unité dans
l'action politique en France, je voulais qu'il en fût de
même de l'action militaire. A cet égard, la première
difficulté venait des mouvements eux-mêmes qui, ayant
recruté des groupes de combat, prétendaient les garder en
propre. Au surplus, sauf en quelques régions montagneu-
ses ou très couvertes, ces groupes ne pouvaient exister que
par petites bandes. Il en était ainsi, notamment, des
maquis, formés surtout de réfractaires, qui devaient sans
cesse tenir la campagne. La seule forme de guerre à en
attendre était donc la guérilla. Mais celle-ci pouvait avoir
une grande efficacité si ses actions de détail faisaient partie
d'un tout concerté. Laissant les fractions diverses opérer
d'une manière autonome, le problème consistait donc à les
relier entre elles par une armature, souple mais effective,
qui me serait directement rattachée. Ainsi serait-il possible de leur fixer, sous forme de plans établis d'accord avec
le commandement allié, des ensembles d'objectifs sur
lesquels elles agiraient à mesure des circonstances et,
notamment, quand viendrait, enfin ! le débarquement des
armées. Je chargeai Moulin d'amener les mouvements à
cette élémentaire cohésion de leurs éléments militaires. Il
me faudrait, cependant, attendre plusieurs mois pour
pouvoir créer, dans la personne du général Delestraint, un
commandement de l'armée secrète.

Jean Moulin fut parachuté dans le Midi, au cours de la
nuit du 1er janvier. Il emportait mon ordre de mission

l'instituant comme mon délégué pour la zone non occupée de la France métropolitaine et le chargeant d'y assurer l'unité d'action des éléments de résistance. De ce fait, son autorité ne serait pas, en principe, contestée. Mais il aurait à l'exercer et moi j'aurais à la soutenir. Aussi était-il entendu que c'est lui qui serait, en France, le centre de nos communications, d'abord avec la zone Sud et, dès que possible, avec la zone Nord ; qu'il aurait sous sa coupe les moyens de transmissions ; que nos chargés de mission lui seraient rattachés ; qu'il serait tenu au courant des mouvements de personnel, de matériel, de courrier, effectués pour notre compte d'Angleterre en France et réciproquement ; enfin, qu'il recevrait et distribuerait les fonds que nous adressions à différents organismes opérant dans la métropole. Ainsi pourvu d'attributions, Moulin se mit à l'ouvrage.

Sous son impulsion, qu'appuyait la pression de la base, les dirigeants des mouvements en zone Sud formèrent bientôt entre eux une sorte de conseil dont le délégué du Comité national assumait la présidence. En mars, ils publièrent sous le titre : *Un seul combat ; un seul chef,* une déclaration commune s'engageant à l'unité d'action et proclamant qu'ils menaient la lutte sous l'autorité du général de Gaulle. L'ordre commençait à régner dans les diverses activités. Au point de vue paramilitaire, on préparait la fusion. En même temps, Moulin, aidé par nous, dotait sa délégation de services centralisés.

C'est ainsi que celui des « opérations aériennes et maritimes » recevait directement du colonel Dewavrin les instructions relatives aux allées et venues des avions et des bateaux. Chaque mois, pendant les nuits de lune, des « Lysanders » ou des bombardiers, amenés par des pilotes, — tels Laurent et Livry-Level, — spécialisés dans ces audacieuses performances, se posaient sur les terrains choisis. Des hommes qui, chaque fois, jouaient leur vie, assuraient la signalisation, la réception ou l'embarquement des voyageurs et du matériel, la protection de tout et de tous. Souvent, c'étaient les « containers », parachutés en des points fixés, qu'il s'agissait de recueillir, d'abriter, de répartir. Le « service radio », auquel Julitte avait donné sur place un début d'organisation, fonctionnait également sous la coupe du délégué, passant à Londres et en recevant chaque mois des centaines et plus tard des milliers de télégrammes, déplaçant sans cesse ses postes repérés par les appareils de détection de l'ennemi et comblant à mesure les lourdes pertes qu'il subissait. Moulin avait créé, aussi, le « Bureau d'information et de presse », dirigé par Georges Bidault, qui nous tenait au courant de l'état des esprits, notamment dans les milieux de la pensée, de l'action sociale et de la politique. Le « Comité général des études », rattaché au délégué et où travaillaient Bastid, Lacoste, de Menthon, Parodi, Teitgen, Courtin, Debré, élaborait des projets pour l'avenir. Bloch-Lainé dirigeait, pour le compte de la délégation, les opérations financières et encaissait les fonds reçus de Londres. Ainsi Moulin, tenant en main les organes essentiels, faisait-il pratiquement sentir l'action de notre gouvernement. Dès les premiers mois de 1942, des témoins, arrivant de France, nous en fournissaient les preuves.

Tel Rémy. Il revint de Paris, par une nuit de février, apportant à nos services des liasses de documents, et, à ma femme, une azalée en pot qu'il avait achetée rue Royale. Son réseau « Confrérie Notre-Dame » était en plein fonctionnement. Par exemple, aucun bateau allemand de surface n'abordait, ni ne quittait Brest, Lorient, Nantes, Rochefort, La Rochelle, Bordeaux, sans que Londres en fût prévenu par télégramme. Aucun ouvrage n'était construit par l'ennemi sur la côte de la Manche ou de l'Atlantique, en particulier dans les bases sous-marines, sans que l'emplacement et le plan en fussent connus, aussitôt, de nous. Rémy, en outre, avait méthodiquement organisé des contacts, soit avec d'autres réseaux, soit avec les mouvements de la zone occupée, soit avec les communistes. Ceux-ci, l'abordant peu avant son départ, l'avaient chargé de me dire qu'ils étaient prêts à se placer sous mes ordres et à envoyer un mandataire à Londres pour s'y tenir à ma disposition.

En mars, Pineau, l'un des dirigeants de « Libération-Nord » et homme de confiance des syndicalistes, venait, pour trois mois, travailler très utilement avec nous. En avril, arrivait Emmanuel d'Astier, tout armé de projets et aussi de calculs et dont je crus bon qu'avant de regagner la France il allât porter aux Etats-Unis quelques précisions directes au sujet de la résistance. Brossolette nous rejoignait ensuite, prodigue d'idées, s'élevant aux plus hauts plans de la pensée politique, mesurant dans ses profondeurs l'abîme où haletait la France et n'attendant le relèvement que du « gaullisme » qu'il bâtissait en doctrine. Il allait largement inspirer notre action à l'intérieur. Puis, un jour, au cours d'une mission, tombé aux mains de l'ennemi, il se jetterait lui-même dans la mort pour ne pas risquer de faiblir. Roques était venu, lui aussi, porteur des messages d'un certain nombre de parlementaires. Il serait, plus tard, arrêté et abattu. Paul Simon débarquait à son tour, envoyé de zone occupée par l' « Organisation civile et militaire » pour établir la liaison. Simon, mettant au jeu son ardente raison et sa résolution froide, devait rendre des services signalés. Il serait tué à l'ennemi à la veille de la libération. Enfin, Philip, Charles Vallin, Viénot, Daniel Mayer, d'autres encore, demandaient à partir pour Londres.

Mes entretiens avec ces hommes, jeunes pour la plupart, tout bouillants d'ardeur et tendus dans leur combat et dans leur ambition, contribuaient à me démontrer à quel point était ébranlé, dans l'esprit du peuple français, le régime sous lequel il vivait au moment de son désastre. La résistance n'était pas seulement le sursaut de notre défense réduite à l'extrémité. Elle soulevait aussi l'espoir du renouveau. Pourvu qu'après la victoire elle ne se dispersât pas, on pouvait espérer qu'elle servirait de levier à un profond changement de système et à un vaste effort national. En voyant passer devant moi ses chefs venus à mon appel, je pensais que, peut-être, ceux d'entre eux qui survivraient formeraient autour de moi l'équipe dirigeante d'une grande œuvre humaine et française. Mais ce serait à la condition, qu'une fois le péril passé, ils acceptent encore cette discipline des esprits et des prétentions sans laquelle rien ne vaut rien et qui les avait, pour une fois ! rassemblés.

Le moment, en tout cas, était venu pour moi de proclamer, d'accord avec la résistance tout entière et en son nom, le but que nous voulions atteindre. Ce but, c'était la libération au sens complet du terme, c'est-à-dire celle de l'homme aussi bien que de la patrie. Je le fis sous la forme d'un manifeste adopté en Comité national après avoir pris, en France, l'avis des mouvements et celui de la délégation. J'y déclarais que la liberté, la dignité, la sécurité, que nous avions résolu d'assurer à la France dans le monde par l'écrasement de l'ennemi, nous entendions faire en sorte que chaque homme et chaque femme de chez nous puissent les obtenir dans leur vie par le changement du mauvais régime qui les avait refusées à beaucoup. « Ce régime moral, social, politique, économique, qui avait abdiqué dans la défaite », je le condamnais donc en même temps que « celui qui était sorti d'une criminelle capitulation ». Et j'affirmais : « Tandis que le peuple français s'unit pour la victoire, il s'assemble pour une révolution. » Le manifeste fut publié, le 23 juin 1942, dans tous les journaux clandestins des deux zones, ainsi qu'à la radio de Brazzaville, de Beyrouth et de Londres.

Ce sont, surtout, ces conditions de l'action dans la métropole qui m'imposèrent, au cours de cette période, de maintenir à Londres le siège du Comité national. Pourtant, l'idée me vint souvent de l'établir en territoire français, par exemple à Brazzaville. Il en était ainsi, notamment, chaque fois qu'une crise survenait dans nos rapports avec l'Angleterre. Mais je devais alors me répondre à moi-même : « Comment, du fond de l'Afrique, communiquer avec la patrie, me faire entendre d'elle, agir sur la résistance ? Au contraire, en Grande-Bretagne se trouvent les moyens voulus de liaison et d'information. D'autre part, l'effort diplomatique auprès des gouvernements alliés implique des relations, une ambiance, que nous offre la capitale anglaise et qui, bien évidemment, nous manqueraient au bord du Congo. Enfin, je dois garder le contact avec celles de nos forces qui ne peuvent avoir leurs bases que dans les Iles britanniques. »

Après mon retour d'Orient, je fixai donc ma résidence à Londres. J'allais y demeurer dix mois.

Je revois ma vie, en ce temps. On peut croire qu'elle est remplie. Pour simplifier, j'habite l'hôtel Connaught. J'ai, en outre, loué, d'abord à Ellesmere dans le Shropshire, ensuite à Berkhamsted près de la capitale, une maison de campagne où je passe les week-ends auprès de ma femme et de notre fille Anne. Par la suite, nous nous installerons à Londres dans le quartier de Hampstead. Philippe, après son passage à l'Ecole navale, navigue et combat sur l'Atlantique à bord de la corvette *Roselys,* puis, sur la Manche, comme second de la vedette lance-torpilles 96. Elisabeth, pensionnaire chez les Dames de Sion, s'apprête à suivre les cours d'Oxford. Autour de nous, la population observe une sympathique discrétion. Autant sont vives les manifestations quand je parais officiellement en public, autant est gentiment réservée l'attitude des Anglais quand ils me voient, avec les miens, suivre une rue, faire le tour d'un parc, entrer dans un cinéma. Ainsi puis-je, à mon profit, vérifier que, dans ce grand peuple, chacun respecte la liberté des autres.

Le plus souvent, ma journée se passe à « Carlton Gardens ». C'est là que François Coulet, devenu chef de cabinet depuis que Courcel est parti commander en Libye un escadron d'automitrailleuses, et Billotte chef de mon état-major, à la tête duquel il a succédé à Petit maintenant en mission à Moscou, et à Ortoli qui commande le *Triomphant,* me présentent comptes rendus, lettres et télégrammes. C'est là que Soustelle me fait le tableau des informations du jour, que Passy-Dewavrin m'apporte les rapports de France, que Schumann prend mes directives

pour ce qu'il va dire au micro. C'est là que je règle les
affaires avec les commissaires nationaux et les chefs de
service, que je reçois les visiteurs ou les personnes
convoquées, que je donne ordres et instructions, que je
signe les décrets. Souvent le déjeuner, parfois le dîner, me
réunissent à des personnalités alliées ou bien à des
Français avec qui je désire converser. Quant au grand
travail qu'est, pour moi, la rédaction de mes allocutions,
je le fais chez moi, le soir ou le dimanche. En tout cas, je
m'efforce de ne pas contrarier le fonctionnement des
services par un emploi du temps mal réglé. En principe, à
« Carlton Gardens », on ne travaille pas la nuit, excepté au
bureau du chiffre.

J'ai, d'ailleurs, à faire au-dehors maintes visites. Indépendamment d'entretiens avec des ministres britanniques, de conférences d'état-major, de cérémonies auxquelles m'invite le Gouvernement anglais ou tel autre de
nos alliés, je me rends, à l'occasion, dans l'un des centres
de la vie française à Londres. L' « Institut français »,
rallié littéralement dès la première minute dans la personne de son directeur le professeur Saurat, procure à nos
compatriotes de précieux moyens d'enseignement et un
actif milieu intellectuel. L' « Alliance française » continue
son œuvre sous l'impulsion de Thémoin et de Mlle Sal-
mon. La « Maison de l'Institut de France », jusqu'au soir
où elle sera écrasée par les bombes avec son administrateur Robert Cru, tire de sa bibliothèque la documentation
dont nos services ont besoin. Les « Amis des volontaires
français », groupement dirigé par Lord Tyrrell, Lord de
la Warr, Lord Ivor Churchill, formé surtout de Britanniques, en Ecosse le « Comité de Coordination de la France
Combattante », sous l'amicale présidence de Lord Inver-
clyde, prodiguent à nos combattants une aide aussi
intelligente que généreuse. La « Chambre de commerce
française » joue son rôle dans les échanges entre la
Grande-Bretagne et les territoires ralliés. Le « Centre
d'accueil de la France Libre » reçoit ceux qui viennent de
France. L' « Hôpital français » soigne bon nombre de nos

blessés. En m'associant à ces diverses institutions, je vise à resserrer en Angleterre, comme je tâche de le faire ailleurs, la solidarité nationale.

L' « Association des Français de Grande-Bretagne » m'y aide activement. C'est par elle, en particulier, que sont organisées quelques grandes réunions où affluent civils et militaires et qui permettent, à moi-même de rencontrer la foule française, aux assistants de manifester et d'exalter leurs convictions, à la métropole de nous entendre grâce à la radio qui retransmet les discours et les mouvements de la salle. Déjà, le 1er mars 1941, au Kingsway Hall, devant des milliers d'auditeurs, j'ai défini notre mission et affirmé nos espérances. Le 15 novembre, au milieu de l'assemblée qui remplit le vaste vaisseau de l'Albert Hall, je formule solennellement les trois articles de notre politique.

« L'article 1er, dis-je, consiste à faire la guerre, c'est-à-dire à donner la plus grande extension et la plus grande puissance possibles à l'effort français dans le conflit... Mais cet effort, nous ne le faisons qu'à l'appel et au service de la France. » Puis, condamnant à la fois le régime d'avant-guerre et celui de Vichy, je déclare : « Nous tenons pour nécessaire qu'une vague grondante et salubre se lève du fond de la nation et balaie les causes du désastre pêle-mêle avec l'échafaudage bâti sur la capitulation. C'est pourquoi, l'article 2 de notre politique est de rendre la parole au peuple dès que les événements lui permettront de faire connaître librement ce qu'il veut et ce qu'il ne veut pas. » Enfin, par l'article 3, je trace les bases que nous souhaitons donner aux institutions renouvelées de la France : « Ces bases, dis-je, elles sont définies par les trois devises des Français Libres. Nous disons : « Honneur et Patrie », entendant par là que la nation ne pourra revivre que par la victoire et subsister que dans le culte de sa propre grandeur. Nous disons : « Liberté, Egalité, Fraternité », parce que notre volonté est de rester fidèles aux principes démocratiques. Nous disons : « Libération », car si notre effort ne saurait se terminer avant la défaite de l'ennemi, il doit avoir comme aboutissement, pour chacun des Français, une condition telle qu'il lui soit possible de vivre et de travailler dans la dignité et la sécurité. »

L'assistance, alors, par le spectacle de son émotion et l'ouragan de ses clameurs fournit une démonstration qui retentit loin au-delà de l'enceinte de l'Albert Hall.

De telles réunions sont rares. Au contraire, c'est fréquemment que je vais voir nos volontaires sous l'appareil d'une inspection militaire. Nos forces, terrestres, navales, aériennes, pour réduites et dispersées qu'elles soient et bien que nous ne puissions les faire que de pièces et de morceaux, forment maintenant un tout cohérent qui ne cesse de se consolider. Le plan d'organisation, que j'ai fixé pour 1942 aux commissaires à la Guerre, à la Marine et à l'Air, s'exécute comme prévu. Je m'en assure en visitant les unités basées en Grande-Bretagne. Alors, les hommes, voyant de près celui qu'ils appellent « le grand Charles », lui offrent, par leurs regards, leur attitude, leur ardeur dans la manœuvre, l'hommage d'un attachement qui ne composera jamais.

Pour notre petite armée, qui combat en Afrique et en Orient, seuls se trouvent sur le sol anglais des centres de formation. Mais ceux-ci instruisent une grande partie des cadres. Au camp de Camberley, le colonel Renouard me présente le bataillon de chasseurs, le groupe d'artillerie, l'escadron de blindés, le détachement du génie, l'unité de transmissions, d'où sortent, tous les six mois, gradés et spécialistes. Je passe au parc d'artillerie qui, sous les ordres du commandant Boutet, met en état le matériel français apporté, naguère, en Grande-Bretagne par les services de base de l'expédition de Norvège ou par les navires de guerre venus de France lors de l'invasion. Armes, munitions, véhicules, sont expédiés pour l'équipement des nouvelles formations, concurremment avec le matériel fourni, soit par les Anglais aux termes de l'accord du 7 août 1940, soit par les Américains au titre du « Lease and lend ». Les négociations et les mesures d'exécution qu'exige cette tâche capitale, incombent au Service de

l'armement. Il s'en acquitte, sous la direction du colonel
Morin, jusqu'au jour où cet excellent officier sera abattu
en avion au cours d'une mission lointaine. Le commandant Hirsch lui succédera. A Londres même, je salue
parfois la Compagnie des volontaires françaises, qui a
pour capitaine Mademoiselle Terré après Madame
Mathieu et qui forme de méritantes jeunes filles aux
emplois de conductrices, infirmières, secrétaires. De
temps en temps, je rends visite, à Malvern, puis à
Ribbersford, aux « cadets de la France Libre ». En 1940,
j'ai créé leur école, destinée aux étudiants et collégiens
passés en Angleterre. Bientôt, nous en avons fait une
pépinière d'aspirants. Le commandant Baudouin dirige
l'Ecole des cadets. Il en sortira 5 promotions, soit, au
total, 211 chefs de section ou de peloton ; 52 seront tués à
l'ennemi. Rien ne réconforte autant le chef des Français
Libres que le contact de cette jeunesse, fleuron d'espoir
ajouté à la gloire obscurcie de France.

Tandis que les unités des forces terrestres stationnées
en Grande-Bretagne font l'instruction d'éléments destinés
à combattre ailleurs, c'est à partir des ports anglais que la
plupart de nos forces navales prennent part, sur l'Atlantique, la Manche, la mer du Nord, l'Arctique, à la bataille
des communications. Pour le faire, tout nous commande
de profiter des bases alliées. Nous n'avons, en effet, nulle
part, aucun moyen qui nous soit propre de réparer,
d'entretenir, de ravitailler nos navires. A fortiori, ne
pouvons-nous pas les doter des moyens . nouveaux :
défense contre avions, asdic, radar, etc., qu'exige l'évolution de la lutte. Enfin, sur le vaste théâtre d'opérations
maritimes dont l'Angleterre est le centre, il faut l'unité
technique et tactique des efforts.

C'est pourquoi, si les navires que nous armons nous
appartiennent entièrement, quelle que soit leur origine,
s'ils n'ont de pavillon que le tricolore, s'il n'y a, pour les
états-majors et pour les équipages, d'autre discipline que
française, s'ils n'exécutent de missions que par ordre de
leurs chefs, bref si notre marine demeure purement

nationale, nous avons admis, qu'à moins d'épisodes qui
nous amènent à l'utiliser directement, elle fait partie, pour
l'emploi, de l'ensemble de l'action navale menée par les
Britanniques. Elle s'y trouve, au demeurant, dans un
système admirable de capacité, de discipline, d'activité,
qui réagit sur sa propre valeur. Les Anglais, de leur côté,
appréciant fort ce concours, prêtent aux forces navales
françaises libres un large appui matériel. Leurs arsenaux,
leurs services, s'ingénient à mettre en état et à pourvoir
nos navires, en dépit des différences des types et de
l'armement. Les matériels nouveaux qu'utilise la marine
britannique sont fournis sans retard à la nôtre. Des
bateaux neufs : corvettes et vedettes, plus tard frégates,
destroyers, sous-marins, nous sont offerts sitôt construits.
Si notre petite flotte réussit à jouer un rôle et à soutenir
sur les mers l'honneur des armes de la France, c'est grâce
à l'aide alliée comme aux mérites de nos marins.

Je le constate chaque fois que je vais voir quelqu'une
de ses fractions à Greenock, Portsmouth, Cowes, Dart-
mouth. Etant donné le caractère de la lutte, étant donné
aussi l'effectif réduit dont nous disposons, nous n'armons
que de petits bâtiments. Mais, à bord de ceux de la France
Libre, on pousse l'effort jusqu'à la limite du possible.

Ce sont, naturellement, des navires venus de France
que nous avons armés d'abord. Au printemps de 1942, de
nos cinq premiers sous-marins, il reste : *Rubis, Minerve* et
Junon, qui, dans les eaux norvégiennes, danoises, françaises, attaquent des navires, posent des mines, débarquent
des commandos ; *Narval* a disparu près de Malte en
décembre 1940 ; *Surcouf* a sombré corps et biens en février
1942. Les contre-torpilleurs *Triomphant* et *Léopard,* les
torpilleurs *Melpomène* et *Bouclier* ont, pendant des mois,
escorté des convois dans l'océan et dans la Manche. Puis,
Triomphant est parti pour le Pacifique. *Léopard* a gagné
l'Afrique du Sud ; plus tard, *il* assurera le ralliement de la
Réunion ; finalement, il fera naufrage devant Tobrouk.
Melpomène est passé en mer du Nord. *Bouclier* est devenu
un de nos navires-écoles. Parmi nos cinq avisos, trois :

Savorgnan-de-Brazza, Commandant-Duboc, Commandant-Dominé, croisent sur les côtes d'Afrique ; *Moqueuse* aide à la protection des cargos en mer d'Irlande ; *Chevreuil,* en Océanie, patrouille au large de Nouméa et rallie à la France Libre, le 27 mai 1942, les îles Wallis et Futuna. Deux dragueurs de mines : *Congre* et *Lucienne-Jeanne* font leur dur métier à l'entrée des ports de Grande-Bretagne. Dix chasseurs de sous-marins ont pris part à la couverture des cargos alliés entre la Cornouaille et le Pas de Calais. Ils ne sont plus que huit, car deux se trouvent maintenant par le fond. Six chalutiers-patrouilleurs furent mis en service : *Poulmic,* coulé devant Plymouth en novembre 1940 ; *Viking,* coulé au large de la Tripolitaine en avril 1942 ; *Vaillant, Président-Honduce, Reine-des-Flots,* qui continuent à « briquer » les mers ; *Léonille,* utilisé comme dépôt pour la marine marchande. Le croiseur auxiliaire *Cap-des-Palmes* fait la navette entre Sydney et Nouméa. Quatre bâtiments-bases : *Ouragan, Amiens, Arras, Diligente,* complètent l' « unité-marine » de Greenock et le dépôt des équipages *Bir-Hakeim* de Portsmouth où sont instruits nos marins. Le vieux cuirassé *Courbet* est un centre de passage pour les recrues, un groupe d'ateliers, un dépôt de munitions et d'approvisionnements ; ancré en rade de Portsmouth, il appuie de son artillerie la défense du grand port.

Nombre d'autres bâtiments, ceux-là fournis par les Anglais, font partie de notre petite flotte. Ce sont, d'abord, des corvettes, construites depuis le début de la guerre pour la protection des convois et qui tiennent la mer sans relâche entre l'Angleterre, l'Islande, Terre-Neuve et le Canada. Neuf nous ont été remises : *Alysse* coulée en combattant en mars 1942, *Mimosa* coulée trois mois plus tard avec, à son bord, le capitaine de frégate Birot commandant la petite division ; *Aconit, Lobelia, Roselys, Renoncule, Commandant-d'Estienne-d'Orves, Commandant-Drogou, Commandant-Détroyat.* Ce sont, aussi les huit vedettes lance-torpilles de la 28ᵉ Flottille, sillonnant la Manche à grande vitesse pour attaquer les cargos ennemis qui, la nuit, longent la côte de France et les navires de guerre qui les escortent. Ce sont, encore, huit « motor-launches » constituant la 20ᵉ Flottille et qui secondent, dans la Manche, nos chasseurs de construction française. Nous nous préparons, d'ailleurs, à assurer l'armement de bâtiments tout nouveaux. Parmi les frégates qui commencent à sortir des arsenaux britanniques, plusieurs, à peine à flot, nous sont offertes par nos alliés. Nous en avons retenu quatre : *La Découverte, l'Aventure, la Surprise, la Croix-de-Lorraine.* Nous nous sommes réservé, aussi, le torpilleur *la Combattante,* les sous-marins *Curie* et *Doris,* dont la construction s'achève. Nous en voudrions bien d'autres, qui augmenteraient le total des submersibles, des cargos, des escorteurs ennemis, que nos navires réussissent à couler, des avions qu'ils parviennent à descendre. Mais c'est le défaut de personnel, non, certes, le manque de bateaux, qui limite notre volume et notre rôle.

En juin 1942, 700 marins de la France Libre sont morts, déjà, pour la France. Nos forces navales comptent 3 600 marins embarqués. Il s'y ajoute le bataillon de fusiliers que commande Amyot d'Inville depuis que Détroyat est mort au champ d'honneur. Il s'y ajoute, également, des isolés de l'aéronautique navale qui, faute d'être en mesure de former une unité, servent dans l'aviation. Il s'y ajoute, enfin, le « commando » qui s'instruit en Grande-Bretagne sous les ordres du lieutenant de vaisseau Kieffer. Au mois de mai, j'ai réglé, avec l'animal Lord Mountbatten qui est chargé chez les Anglais des « opérations combinées », les conditions de l'emploi de cette troupe très résolue. Ainsi va-t-elle bientôt participer aux coups de main exécutés sur la côte française.

Ces effectifs ont, pour la moitié, été recrutés parmi les éléments de la marine qui, en 1940, se trouvaient en Angleterre. Au Gabon, au Levant, certains nous ont ralliés après nous avoir combattus. Il en fut de même de l'équipage du sous-marin *Ajax* coulé devant Dakar, du sous-marin *Poncelet* sabordé devant Port-Gentil, de l'aviso *Bougainville* que nous avons dû mettre hors de cause en rade de Libreville. Quelques éléments d'active nous rejoignent de temps en temps, à partir de la métropole, de l'Afrique du Nord, d'Alexandrie, des Antilles, d'Extrême-Orient. La marine engage tout ce qu'elle peut de jeunes Français en Angleterre, en Amérique, au Levant, en Egypte, à Saint-Pierre. Enfin, les navires marchands fournissent aux forces navales une large part de leur personnel.

Pour le commissariat à la Marine le plus difficile problème est de constituer les états-majors des navires. On doit les composer d'éléments très divers, sinon disparates, en bousculant les règles des spécialités. Nous avons peu d'officiers de l'active. Aussi en formons-nous de jeunes. Sous la direction des capitaines de frégate Wietzel et Gayral, commandants successifs de la « division des écoles », l'Ecole navale de la France Libre fonctionne activement à bord du *Président-Théodore-Tissier* et des goélettes *Etoile* et *Belle-Poule*. En quatre promotions, il en sortira 80 aspirants qui offriront à la marine française leur vocation trempée, dès le départ, par le chagrin, le combat, l'espérance. D'autre part, les officiers de réserve, que nous trouvons à bord des bateaux de commerce ou parmi le personnel du canal de Suez, forment une large part des cadres de nos forces navales. Deux cents aspirants, recrutés de cette manière, auront, à bord des frégates, corvettes, chasseurs, vedettes, chalutiers, été de quart, au total, pendant plus d'un million d'heures.

Malgré ces prélèvements, la fraction de la flotte marchande française qui sert dans le camp des alliés, prête à leurs convois une contribution appréciable. Sur les 2 700 000 tonnes, — soit 660 paquebots et cargos, — que possédait la France au début du conflit, 700 000 tonnes, en 170 navires, auront, après les « armistices », poursuivi l'effort de guerre. Notre service de la marine marchande, dirigé par Malglaive et Bingen, plus tard par Smeyers et

Andus-Farize, assure l'armement, par des équipages français, du plus grand nombre possible de bateaux. En outre, ils interviennent dans l'emploi des autres navires dont les Britanniques se chargent ; l'Union Jack flottant alors, à côté du tricolore à la poupe ou au haut de mât de ces vaisseaux exilés. Cependant, 67 bateaux marchands, totalisant 200 000 tonnes, ont été armés par nous. Vingt sont ou seront perdus ; 580 officiers et 4 300 marins auront assuré le service. Au printemps de 1942, déjà plus d'un quart a péri en mer.

Les paquebots transportent des troupes. C'est ainsi que l'*Ile-de-France*, le *Félix-Roussel*, le *Président-Paul-Doumer*, amènent en Orient les renforts britanniques venant d'Australie ou des Indes. Les cargos, portant, là où il faut, les matières premières, les armes, les munitions, naviguent d'ordinaire dans les convois. Quelquefois, l'un d'eux doit traverser seul l'océan. Dans la marine marchande, on n'arrive au port que pour en repartir. Encore, est-on bombardé pendant les escales. Au large, le service à bord est épuisant autant que dangereux. Il faut veiller nuit et jour, observer de rigoureuses consignes, courir sans cesse aux postes d'alerte. Souvent, on doit combattre, tirer le canon, manœuvrer en catastrophe pour éviter la torpille ou la bombe. Il arrive que le bateau coule et qu'on se trouve soi-même barbotant dans l'eau huileuse et glacée où, tout autour, se noient les camarades. Il arrive aussi qu'on ait la joie terrible d'assister à la chute du bombardier ou de contempler la nappe de mazout sous laquelle sombre le submersible ennemi. Il arrive même qu'on en soit cause, tout cargo que l'on soit, comme le *Fort-Binger*, qui, en mai 1942, au large de Terre-Neuve, envoie par le fond un sous-marin allemand.

Un jour, à Liverpool, l'amiral Sir Percy Noble, qui dirige, de ce poste, la navigation et le combat dans tout l'espace atlantique, me conduit à la salle des opérations installée sous terre dans le béton. Sur les murs, de grandes cartes marines indiquent la situation, heure par heure mise au point, de tous les convois alliés, de tous les navires de guerre, de tous les avions en mission, ainsi que la position repérée ou supposée des submersibles, des avions, des raiders allemands. Un central téléphonique, relié aux lignes extérieures, aux postes-radio, aux bureaux du chiffre, et servi par de tranquilles équipes féminines : standardistes, sténos, plantons, transmet en bruissant à peine les ordres, messages, renseignements, lancés par le commandement vers les lointains de la mer ou qui lui en sont parvenus. Le tout s'inscrit à mesure sur des tableaux lumineux. L'immense bataille des communications est ainsi, à chaque instant, dessinée et formulée dans toutes ses péripéties.

Après avoir considéré l'ensemble, je regarde sur les cartes où sont les nôtres. Je les vois aux bons endroits, c'est-à-dire aux plus méritoires. Le salut du chef de la France Libre va, par les ondes, les y rejoindre. Mais, ensuite, mesurant combien est numériquement petite la part qu'ils représentent et qui, de ce fait, s'absorbe dans un système étranger, imaginant là-bas, à Toulon, Casablanca, Alexandrie, Fort-de-France, Dakar, les navires perdus dans l'inaction, évoquant l'occasion historique que cette guerre offrait à la vocation maritime de la France, je me sens inondé de tristesse. C'est d'un pas lourd que je remonte l'escalier de l'abri souterrain.

Un sentiment analogue se mêle à ma fierté quand je prends contact avec nos aviateurs sur l'une ou l'autre des bases britanniques. En voyant ce qu'ils valent et, d'autre part, en songeant à tout ce qu'aurait pu faire, à partir de notre Afrique du Nord, du Levant, ou de l'Angleterre, l'armée de l'air française pour peu qu'on l'eût laissé combattre, j'ai l'impression d'une grande chance nationale gaspillée. Mais je ne m'en applique que mieux à faire en sorte que l'effort de ceux qui ont pu me rejoindre soit porté au compte de la France. Si j'ai, naturellement, admis que, dans nos forces, tout ce qui vole à partir des bases de Grande-Bretagne sur des avions fournis par les Anglais doit faire partie du système aérien britannique, j'ai voulu que nos combattants de l'air constituent, eux aussi, un élément national.

Cela n'a pas été sans peine. Au début, nos alliés ne se souciaient guère d'une aviation française libre. Allant au plus pratique et au plus pressé, ils accueillaient dans leurs unités quelques-uns de nos pilotes. Mais ils ne nous offraient rien que d'incorporer dans la Royal Air Force nos volontaires de l'aviation. Je n'y pouvais consentir. Aussi, la destination des nôtres, était-elle, pendant près d'un an, restée indéterminée. Certains, groupés en escadrilles françaises de fortune, avaient pu participer aux combats aériens d'Erythrée et de Libye. D'autres, provisoirement adoptés par des « squadrons » anglais, prenaient part à la bataille d'Angleterre. Mais la plupart, faute de matériel, d'organisation, d'entraînement, se morfondaient en marge des bases de Grande-Bretagne ou d'Egypte.

Le problème, cependant, recevait, à son tour, une solution. Au printemps de 1941, je pus régler les questions de principe avec Sir Archibald Sinclair, ministre de l'Air britannique. Compréhensif et généreux, celui-ci voulut bien reconnaître que l'existence d'une force aérienne française ne serait pas sans intérêt. Il accepta, comme je le demandais, que nous constituions des unités, dans l'espèce des groupes sur le modèle des « squadrons », les Britanniques nous prêtant ce qui nous manquait de personnel au sol et faisant, dans leurs écoles, l'instruction de nos engagés. Nos pilotes en excédent serviraient dans des unités anglaises. Mais ils y seraient dans la situation d'officiers français détachés, soumis à la discipline française, portant l'uniforme français. Du Caire, le 8 juin 1941, j'écrivis à Sir Archibald, pour consacrer l'accord qu'avait, sur ces bases, négocié le colonel Valin. Dès lors, celui-ci trouva, pour l'exécution, l'appui constant des Air-marshals : Portal, à Londres, Longmore, puis Tedder, en Orient.

C'est ainsi, qu'à la fin de 1941, nous créons en Angleterre le groupe de chasse « Ile-de-France ». Sciti-

vaux le commande. Descendu au-dessus de la France,
d'où il reviendra, d'ailleurs, il a pour successeur Dupé-
rier. Au lendemain de la campagne de Syrie, est formé, en
Egypte, le groupe de chasse « Alsace », qui combat
d'abord en Libye sous les ordres de Pouliguen et passe
ensuite en Grande-Bretagne où Mouchotte en prend la
tête pour être, l'année suivante, tué à l'ennemi. Le groupe
de bombardement « Lorraine » naît en Orient sous les
ordres de Pijeaud. Celui-ci, abattu quelques semaines plus
tard à l'intérieur des lignes adverses, parvient à regagner
les nôtres pour y mourir. Corniglion-Molinier le remplace. Le groupe mixte « Bretagne » est constitué au
Tchad, avec Saint-Péreuse comme chef, pour l'appui de
nos opérations sahariennes. Au printemps de 1942, sont
réunis, d'une part à Londres, d'autre part à Rayak, les
éléments qui vont, en Russie, constituer le groupe —
ensuite régiment — « Normandie ». A sa tête seront
successivement Tulasne et Littolf. Après leur mort, ce
sera Pouyade. Enfin, certains de nos pilotes sont mis, par
mon ordre, à la disposition de la Royal Air Force.
Morlaix, Fayolle, Guedj, y commandent des « squadrons ». Les deux derniers seront tués en action. La gloire
coûte cher dans les batailles du ciel. L'aviation française
libre a, au total, perdu un nombre de morts deux fois plus
grand que l'effectif qu'elle fait voler.

Cependant, si le caractère mondial de la guerre me
déterminait à faire en sorte que des forces françaises soient
engagées sur tous les théâtres d'opérations, c'est sur celui
qui intéressait le plus directement la France, à savoir
l'Afrique du Nord, que je m'appliquais à concentrer
l'effort principal. Une fois anéantie l'armée italienne
d'Ethiopie, interdit aux Allemands l'accès de la Syrie,
étouffées dans l'œuf, à Vichy, les velléités d'agir contre
l'Afrique française libre, c'est en Libye qu'il nous fallait
agir.

Au mois de novembre 1941, les Britanniques y avaient,
une fois de plus, pris l'offensive. S'ils réussissaient à
atteindre la frontière tunisienne, il serait essentiel que

nous y soyons avec eux, ayant, au préalable, aidé à battre
l'ennemi. Si, au contraire, celui-ci parvenait à les refouler,
nous devrions tout faire pour concourir à l'arrêter avant
qu'il ne submergeât l'Egypte. De toute façon, c'était le
moment de déployer tout l'effort dont nous étions capables, mais en jouant notre rôle à nous afin de remporter un
succès proprement français.

Nous avions deux moyens d'agir : pousser vers le
Fezzan, à partir du Tchad, la colonne saharienne longuement préparée par Leclerc, ou bien engager en Libye, aux
côtés des Anglais, les forces mobiles mises sur pied au
Levant par Larminat. Je décidai de faire l'un et l'autre,
mais de le faire dans des conditions telles que l'action de
nos soldats fût au profit direct de la France.

La conquête du Fezzan et, ensuite, la marche sur
Tripoli, constituaient une opération à ne risquer qu'une
fois pour toutes. Si l'affaire ne réussissait pas, on ne
pourrait, en effet, la renouveler de longtemps, étant
donné les difficultés inouïes qu'impliquaient la formation,
l'équipement, le ravitaillement, de la colonne du Tchad.
C'était donc seulement dans le cas où les Britanniques,
ayant repris la Cyrénaïque, entreraient en Tripolitaine
que cette colonne devrait agir à fond. Autrement, il
faudrait qu'elle se bornât à harceler les Italiens par des
raids profonds et rapides.

D'autre part, j'entendais que le « front du Tchad », —
si tant est qu'on pût donner ce nom à un ensemble
d'actions forcément discontinues, — demeurât un front
français. Sans doute, le déclenchement de notre entreprise
saharienne devrait-il être conjugué avec la marche de la
VIIIe Armée britannique. C'était là une affaire de liaison
avec Le Caire. Mais, pour le reste, Leclerc continuerait à
ne dépendre que de moi, jusqu'au jour où, ayant effectué
aux abords de la Méditerranée sa jonction avec nos alliés,
il deviendrait logique de le placer sous leur direction. Je
tenais d'autant plus à cette autonomie que la conquête du
Fezzan mettrait entre nos mains un gage pour le règlement ultérieur du destin de la Libye.

Au cours des mois de novembre et de décembre, les Britanniques, combattant bravement et durement, pénétraient en Cyrénaïque. En prévision de leur irruption en Tripolitaine, Leclerc, soutenu par le général Serres, alors commandant supérieur des troupes en Afrique française libre, prenait ses dispositions pour s'élancer vers le Fezzan. Pour moi, j'étais, à cet égard, d'un optimisme réservé. Sachant que Rommel avait pu se dégager de l'étreinte anglaise et que, Weygand ayant été rappelé d'Afrique du Nord, l'application de l'accord Hitler-Darlan permettait maintenant à l'adversaire de se ravitailler à partir de la Tunisie, je n'escomptais pas la progression rapide des alliés vers Tripoli. Au contraire, la contre-attaque de l'ennemi me paraissait plus probable. C'est pourquoi, tout en laissant préparer l'offensive, je me réservai d'en prescrire moi-même le déclenchement. Comme, d'autre part, la mission de liaison que Leclerc avait envoyée au Caire s'était laissé amener à accepter sa subordination au commandement britannique, je précisai au général Ismay qu'il n'en était rien et rectifiai, dans l'esprit des « Tchadiens », ce qui devait l'être à cet égard.

En fait, nos alliés n'entrèrent pas en Tripolitaine. Les premiers mois de 1942 furent, pour les deux adversaires, une période de stabilisation. Dès lors, pour nos troupes du Tchad, il convenait de n'exécuter que des raids de va-et-vient. Leclerc en brûlait d'envie. Le 4 février, je l'y autorisai. Il le fit, parcourant le Fezzan, dans le courant du mois de mars, avec ses patrouilles de combat appuyées par ses avions, détruisant plusieurs postes ennemis, enlevant de nombreux prisonniers, capturant du matériel. Il regagna ensuite sa base, n'ayant subi que des pertes minimes. Afin d'étendre la zone et les moyens d'action de ce chef d'exceptionnelle valeur, je lui donnai, en avril, le commandement de toutes les forces de l'Afrique française libre. Il me fallut, cette fois encore, surmonter les protestations de sa scrupuleuse modestie. Désormais, lui-même et ses troupes se sentirent certains d'enlever les oasis, dès que les événements de Libye tourneraient

décidément bien. Cependant, ils auraient à attendre
encore dix longs mois, sous une chaleur torride, dans les
cailloux et les sables, avant de saisir la victoire et d'aller
laver leur poussière dans la Méditerranée.

Mais, tandis qu'au Tchad il nous fallait différer le coup
décisif, au contraire nous allions trouver, en Cyrénaïque,
l'occasion tant attendue d'un fait d'armes éclatant. Pourtant, il nous avait fallu surmonter beaucoup d'obstacles
avant d'obtenir des alliés que de grandes unités françaises
fussent engagées sur ce terrain.

En effet, les deux divisions légères et le régiment
blindé, formés en Syrie sous les ordres de Larminat,
n'avaient pas été prévus par le commandement britannique pour participer à l'offensive déclenchée à la fin
d'octobre. Pourtant, les deux grandes unités étaient
solides et bien armées. Chacune d'elles, motorisée, comprenait cinq bataillons d'infanterie, un régiment d'artillerie, une compagnie de défense antichars, une compagnie
de défense aérienne, un groupe de reconnaissance, une
compagnie et un parc du génie, une compagnie de
transmissions, une compagnie de transport, une compagnie de quartier général, des services. Ces unités, comprenant toutes les armes et, de ce fait, susceptibles de jouer
un rôle tactique particulier, étaient bien des divisions.
Quoiqu'elles fussent, assurément, « légères », je tenais à
leur donner le titre qui leur revenait. Larminat, utilisant
les armes laissées par Dentz, ou bien reprises dans les
magasins où les avaient détenues les commissions d'armistice italiennes, dotait toutes les fractions d'un armement
redoutable que nos volontaires, ardents et dégourdis,
sauraient servir le mieux du monde. C'est ainsi, qu'indépendamment de l'artillerie de la division, chaque bataillon
disposait en propre de six canons de 75. Une très forte
dotation en mortiers et en armes automatiques lui était
également assurée. Le cas échéant, pour attaquer, il
faudrait alléger les troupes. Mais, s'il s'agissait de tenir le
terrain, celles-ci disposeraient d'une puissance de feu tout
à fait exceptionnelle.

Ayant, le 20 septembre, approuvé la composition des deux divisions légères, j'adressai à M. Churchill, le 7 octobre, une note pour le mettre au courant de nos désirs et de nos moyens. En même temps, j'écrivais au général Auchinleck, Commandant en chef en Orient, pour lui rappeler combien nous souhaitions que nos troupes combattent en Libye. Je précisais à M. Churchill et au général Auchinleck que, pour ces opérations, j'étais prêt à placer sous les ordres du commandement britannique, le groupement Larminat tout entier et que, d'autre part, Leclerc, quoique agissant d'une manière autonome, pourrait être lancé sur le Fezzan à la date qui nous serait demandée. Le 9 octobre, j'allai voir M. Margesson, ministre de la Guerre britannique, et le priai d'intervenir. Enfin, le 30 octobre, j'indiquai au général Catroux les conditions dans lesquelles il conviendrait que nos forces fussent engagées, c'est-à-dire par grandes unités.

C'est seulement le 27 novembre que je reçus la réponse britannique. Elle m'était adressée par le général Ismay, Chef d'état-major du Cabinet de guerre et de M. Churchill. Sa lettre équivalait à une fin de non-recevoir, aussi courtoise que formelle. Pour expliquer leur refus, nos alliés alléguaient « la dispersion des unités françaises en divers points de la Syrie », le fait « qu'elles n'étaient pas entraînées à agir en tant que divisions ou brigades », enfin « l'insuffisance de leur équipement ». Ils exprimaient, cependant, le souhait que l'avenir permît de reconsidérer la question.

Evidemment, le commandement anglais comptait achever la conquête de la Libye et venir à bout de Rommel sans le concours des Français. Il est vrai qu'il disposait sur place de forces terrestres et aériennes considérables et qu'il croyait l'amiral Andrew Cunningham, — chef et marin magnifique, — en mesure de faire plus qu'un miracle et d'interdire les communications de l'adversaire entre l'Italie et la Tripolitaine.

On imagine quelle déception me causa la réponse anglaise. Je ne pouvais admettre que nos troupes restas-

sent l'arme au pied, pour un temps indéterminé, tandis
que le sort du monde se jouait dans les batailles. Plutôt
que d'en venir là, je préférais prendre l'aléa d'un changement d'orientation. Je convoquai donc M. Bogomolov et
le priai de faire savoir à son gouvernement que le Comité
national souhaitait que des forces françaises participent
directement aux opérations alliées sur le front de l'Est
dans le cas où le théâtre d'Afrique du Nord leur serait
fermé. Bien entendu, je ne fis, à Londres, aucun mystère
de ma démarche. Mais, avant même que me parvînt la
réponse de Moscou, les intentions britanniques avaient
changé. Le 7 décembre, M. Churchill m'écrivait une
lettre chaleureuse pour me dire « qu'il venait d'apprendre
combien le général Auchinleck était anxieux d'engager
une brigade française libre dans les opérations de Cyrénaïque ». « Je sais, ajoutait le Premier ministre, que cette
intention s'accorde avec votre désir. Je sais aussi à quel
point vos hommes ont hâte d'en venir aux mains avec les
Allemands. »

Je répondis à M. Churchill que j'approuvais le projet et
que je donnais au général Catroux les ordres nécessaires.
De fait, les Anglais, indépendamment du désagrément
que pouvait leur causer le transfert des forces françaises
en Russie, commençaient à mesurer l'avantage militaire
que comporterait notre concours à la bataille de Cyrénaïque. Ils constataient, en effet, que l'adversaire n'y cédait
le terrain que pas à pas, que leurs propres troupes
subissaient de lourdes pertes, qu'il leur fallait réorganiser
sur place un commandement mal adapté aux opérations
mécaniques. Renonçant à pousser l'offensive en Tripolitaine, ils s'attendaient, maintenant, à ce que Rommel
reprît bientôt l'initiative. Cette perspective leur faisait
souhaiter que nous leur prêtions la main.

Au Caire, Catroux régla donc avec Auchinleck l'ache-
minement vers la Libye de la 1ʳᵉ Division légère et Kœnig,
chargé de négocier les détails, obtint de nos alliés un utile
complément en fait d'engins antichars, de pièces antiaé-
riennes et de moyens de transport. En janvier, cette

division eut quelques engagements brillants avec des éléments de Rommel cernés à Sollum et à Bardia et qui se rendirent bientôt. En voyant les cortèges de prisonniers allemands qu'elles avaient aidé à prendre, nos troupes étaient comme secouées d'une commotion électrique. C'est très allégrement, qu'elles prirent la direction de l'ouest. Dans le courant de février, comme les Anglais installaient leurs forces principales au cœur de la Cyrénaïque sur la position dite « de Gazala » formée de plusieurs zones de résistance, les nôtres se virent attribuer celle de Bir-Hakeim qui était le plus au sud. Tout en s'y organisant, ils entamèrent une lutte active d'escarmouches et de patrouilles dans le *no man's land* profond qui les séparait du gros de l'ennemi.

Mais, si la 1re Division légère se voyait ainsi donner sa chance, rien n'était fait pour la 2e qui se morfondait au Levant. Or, j'entendais qu'elle aussi prît part aux opérations. Justement, M. Bogomolov était venu me dire, le 10 décembre, que mon projet d'envoyer des troupes françaises en Russie recueillait l'accord chaleureux de son gouvernement et que celui-ci était disposé à fournir sur place à nos forces tout le matériel nécessaire. J'envisageai donc d'expédier vers l'Est, non seulement le groupe d'aviation « Normandie », mais aussi la 2e Division légère. Celle-ci, partant de Syrie et passant par Bagdad, traverserait la Perse en camions, puis, à partir de Tabriz, serait transportée par chemin de fer jusqu'au Caucase. C'était la voie suivie, depuis les ports iraniens, par les convois de matériel que les alliés envoyaient en Russie. Le 29 décembre, j'écrivis au général Ismay pour l'avertir de mes intentions et donnai au général Catroux les instructions voulues. La 2e Division partirait le 15 mars pour le Caucase si, auparavant, elle n'était pas admise en Libye.

Le commandement britannique opposa au projet de transfert de cette unité en Russie toutes les objections possibles. Mais, à Moscou, les Soviets en firent, au contraire, grand cas. Molotov parlant à Garreau, le général Panfilov à Petit, nous pressaient d'y donner suite,

M. Eden, mis au courant, entra en ligne de son côté et m'écrivit pour appuyer le point de vue des militaires anglais. Je ne pouvais que m'en tenir au mien et c'est à celui-ci que voulut bien se ranger, à la fin de février, le commandement allié. Ismay me le fit savoir. Auchinleck demanda à Catroux de mettre à sa disposition la 2ᵉ Division légère. Celle-ci, quittant la Syrie, arriva en Libye dans les derniers jours de mars.

Larminat avait, désormais, son groupement à pied d'œuvre : Kœnig en ligne à Bir-Hakeim avec la 1ʳᵉ Division ; Cazaud en réserve avec la 2ᵉ. Le régiment blindé, commandé par le colonel Rémy, recevait à l'arrière du matériel neuf. Une compagnie de parachutistes, que j'avais fait venir d'Angleterre, s'entraînait maintenant à Ismaïlia, prête à exécuter les coups de main qui lui seraient demandés. Au total, 12 000 combattants, soit environ le cinquième de l'effectif que les alliés faisaient opérer à la fois. Le groupe de chasse « Alsace » et le groupe de bombardement « Lorraine » combattaient depuis octobre dans le ciel de Cyrénaïque. Plusieurs de nos avisos et de nos chalutiers aidaient, le long de la côte, à l'escorte des convois. Ainsi, une importante force française se trouvait réunie à temps sur le théâtre principal. Dans sa justice, le Dieu des batailles allait offrir aux soldats de la France Libre un grand combat et une grande gloire. Le 27 mai, Rommel prend l'offensive. Bir-Hakeim est attaqué.

Dans les entreprises où l'on risque tout, un moment arrive, d'ordinaire, où celui qui mène la partie sent que le destin se fixe. Par un étrange concours, les mille épreuves où il se débat semblent s'épanouir soudain en un épisode décisif. Que celui-ci soit heureux et la fortune va se livrer. Mais, qu'il tourne à la confusion du chef, voilà toute l'affaire perdue. Tandis qu'autour du polygone de 16 kilomètres carrés tenu par Kœnig et ses hommes se joue le drame de Bir-Hakeim, moi-même, à Londres, lisant les télégrammes, entendant les commentaires, voyant dans les regards tantôt l'ombre et tantôt la lumière, je mesure quelles conséquences dépendent de ce qui se passe là-bas. Si ces 5 500 combattants, portant chacun sa peine et son espoir, volontairement venus de France, d'Afrique, du Levant, du Pacifique, rassemblés là où ils le sont à travers tant de difficultés, subissent un sombre revers, notre cause sera bien compromise. Au contraire, si en ce moment, sur ce terrain, ils réussissent quelque éclatant fait d'armes, alors l'avenir est à nous !

Les premiers engagements ne laissent rien à désirer. J'apprends que, le 27 mai, tandis que le corps principal de l'ennemi passait au sud de Bir-Hakeim pour tourner la position alliée, la division mécanique italienne « Ariete » a lancé sur les Français une centaine de ses chars et en a perdu 40 dont les épaves restent sur le glacis. Le 28 et le 29, nos détachements, rayonnant dans toutes les directions, détruisent encore une quinzaine d'engins et font 200 prisonniers. Le 30, le général Rommel, qui n'a pu, du premier coup, régler leur compte aux formations mécaniques anglaises, prend le parti de se retirer pour monter une nouvelle manœuvre. Deux jours après, une colonne française, commandée par le lieutenant-colonel Broche, se porte sur Rotonda Signali, à 50 kilomètres à l'ouest, et s'empare de cette position. Le 1er juin, Larminat inspecte nos troupes sur place. Son compte rendu est plein d'optimisme. Dans le monde, une ambiance se crée. Certains pressentent, en effet, que cette affaire pourrait bien dépasser le cadre de la tactique militaire. Avec réserve les propos, à mots couverts les radios, non sans prudence les journaux, commencent à faire l'éloge des troupes françaises et de leurs chefs.

Le lendemain, Rommel saisit l'initiative. Cette fois, il pousse droit au centre de la position du général Ritchie, chargé par Auchinleck de commander le front de combat. Les Allemands enlèvent à Got-el-Skarab une brigade britannique, traversent en ce point le grand champ de mines dont les alliés se couvrent de Gazala à Bir-Hakeim et, pour élargir la brèche, dirigent contre nos troupes une division de l'Afrika-Korps. Pour la première fois depuis juin 1940, le contact est largement pris entre Français et Allemands. Ce n'est, d'abord, que par escarmouches où nous faisons 150 prisonniers. Mais, très vite, le front s'établit en vue d'une bataille. Aux deux parlementaires ennemis qui demandent qu'on veuille bien se rendre Kœnig fait dire qu'il n'est pas venu pour cela.

Cependant, les jours suivants voient l'adversaire resserrer son étreinte. Des batteries de lourds calibres, y compris le 155 et le 220, ouvrent sur les nôtres un feu qui va s'intensifiant. Trois, quatre, cinq fois, chaque jour, les Stukas et les Junkers les bombardent par escadres d'une centaine d'appareils. Les ravitaillements n'arrivent plus que par faibles quantités. A Bir-Hakeim, on voit baisser les stocks de munitions, diminuer les rations de vivres, réduire les distributions d'eau. Sous le soleil brûlant, au milieu des tourbillons de sable, les défenseurs sont en perpétuelle alerte, vivent avec leurs blessés, enterrent leurs morts auprès d'eux. Le 3 juin, le général Rommel leur adresse la sommation, écrite de sa main, d'avoir à déposer les armes, « sous peine d'être anéantis comme les brigades anglaises de Got-el-Skarab ». Le 5 juin, un de ses officiers vient renouveler cette mise en demeure. C'est notre artillerie qui répond. Mais, en même temps, dans de nombreux pays, l'attention du public s'éveille. Les Français de Bir-Hakeim intéressent de plus en plus les gazettes parlées ou imprimées. L'opinion s'apprête à juger. Il s'agit de savoir si la gloire peut encore aimer nos soldats.

Le 7 juin, l'investissement de Bir-Hakeim est complet. La 90e Division allemande et la division italienne « Trieste », appuyées par une vingtaine de batteries et par des centaines de chars, sont prêtes à donner l'assaut. « Tenez six jours de plus ! » avait prescrit à Kœnig le commandement allié au soir du 1er juin. Les six jours ont passé. « Tenez encore quarante-huit heures ! » demande le général Ritchie. Il faut dire que les pertes et le trouble causés à la VIIIe Armée par les coups de boutoir de l'ennemi sont tels que toute opération de relève ou de secours est désormais impossible. Quant à Rommel,

pressé de courir vers l'Egypte en profitant du désarroi
qu'il discerne chez les Britanniques, il s'impatiente de
cette résistance qui se prolonge sur ses arrières et gêne ses
communications. Bir-Hakeim est devenu son souci dominant et son objectif principal. A maintes reprises, déjà, il
est venu sur le terrain. Il y viendra encore pour presser les
assaillants.

Le 8, se déclenchent de puissantes attaques. Plusieurs
fois, l'infanterie ennemie, à grands renforts d'artillerie et
de chars, tente, bravement mais en vain, d'enlever tel ou
tel secteur de nos lignes. La journée est très dure pour les
nôtres. La nuit aussi, que l'on passe à remettre en état les
positions bouleversées. Le 9, les assauts reprennent.
L'artillerie ennemie s'est encore renforcée en calibres
lourds que ne peuvent contrebattre les 75 du colonel
Laurent-Champrosay. Nos hommes ne reçoivent plus
qu'à peine deux litres d'eau par vingt-quatre heures, ce
qui, sous un pareil climat, est cruellement insuffisant. Il
faut, pourtant, tenir encore, car dans le désordre qui, de
proche en proche, gagne les éléments divers de l'armée
britannique, la résistance de Kœnig revêt maintenant une
importance capitale. « Défense héroïque des Français ! »
— « Magnifique fait d'armes ! » — « Les Allemands
battus devant Bir-Hakeim ! » annoncent avec éclat, à
Londres, à New York, à Montréal, au Caire, à Rio, à
Buenos Aires, toutes les trompettes de l'information.
Nous approchons du but que nous avons visé en assurant
aux troupes françaises libres, — si réduit que soit leur
effectif, — un grand rôle dans une grande occasion. Pour
le monde tout entier, le canon de Bir-Hakeim annonce le
début du redressement de la France.

Mais ce qui, désormais, me hante c'est le salut des
défenseurs. Je sais qu'ils ne pourront plus longtemps
briser des attaques appuyées de moyens écrasants. Sans
doute, suis-je certain qu'en tout cas la division ne se
rendra pas, que l'adversaire sera privé de la satisfaction de
voir défiler devant Rommel une longue colonne de
prisonniers français et que, si nos troupes restent sur

place, il lui faudra, pour en venir à bout, abattre les groupes l'un après l'autre. Mais il s'agit de les récupérer, non point de se résigner à leur glorieuse extermination. J'ai grand besoin, pour la suite, de ces centaines d'excellents officiers et sous-officiers, de ces milliers de très bons soldats. Leur exploit étant acquis, ils doivent, maintenant, en accomplir un autre, se frayer la route à travers les assaillants et les champs de mines, rejoindre le gros des forces alliées.

Bien que je me garde d'intervenir directement dans la conduite de la bataille, je ne laisse pas de faire savoir, de la manière la plus pressante, à l'état-major impérial britannique, le 8 et le 9 juin, combien il est important que Kœnig reçoive, avant qu'il soit trop tard, l'ordre de tenter la sortie. Je le répète, le 10 juin, à M. Churchill avec qui je traite la question de Madagascar. De toute façon, le dénouement approche et je télégraphie au commandant de la 1re Division légère : « Général Kœnig, sachez et dites à vos troupes que toute la France vous regarde et que vous êtes son orgueil ! » Or, à la fin du même jour, le général Sir Alan Brooke, chef d'état-major impérial, m'annonce que, depuis l'aurore, l'ennemi ne cesse pas de s'acharner sur Bir-Hakeim, mais que Ritchie a prescrit à Kœnig de gagner une position nouvelle s'il en trouve la possibilité. L'opération est prévue pour la nuit.

Le lendemain matin, 11 juin, les commentaires de la radio et de la presse sont dithyrambiques et funèbres. Faute de savoir que les Français essaient de se dégager, tout le monde, évidemment, s'attend à ce que leur résistance soit submergée d'un moment à l'autre. Mais voici que, dans la soirée, Brooke m'envoie dire : « Le général Kœnig et une grande partie de ses troupes sont parvenus à El Gobi hors de l'atteinte de l'ennemi. » Je remercie le messager, le congédie, ferme la porte. Je suis seul. Oh ! cœur battant d'émotion, sanglots d'orgueil, larmes de joie !

Des 5 500 hommes, environ, que la 1re Division légère comptait avant Bir-Hakeim, Kœnig, après quatorze jours

de combat, en ramenait près de 4 000 valides. Un certain
nombre de blessés avaient pu être transportés vers
l'arrière en même temps que les unités. Nos troupes
laissaient sur le terrain 1 109 officiers et soldats, morts,
blessés ou disparus. Parmi les tués, trois officiers supérieurs : le lieutenant-colonel Broche, les commandants
Savey et Bricogne. Parmi les blessés restés sur le carreau :
les commandants Puchois et Babonneau. Du matériel, soigneusement détruit au préalable, avait dû
être abandonné. Mais nous avions infligé à l'ennemi des
pertes trois fois supérieures à celles que nous avions
subies.

Le 12 juin, les Allemands annonçaient que, la veille, ils
avaient « pris d'assaut » Bir-Hakeim. Puis, la radio de
Berlin publiait un communiqué déclarant : « Les Français blancs et de couleur, faits prisonniers à Bir-Hakeim,
n'appartenant pas à une armée régulière, subiront les lois
de la guerre et seront exécutés. » Une heure après, je
faisais lancer dans toutes les langues la note suivante par
les ondes de la B.B.C. : « Si l'armée allemande se
déshonorait au point de tuer des soldats français faits
prisonniers en combattant pour leur patrie, le général
de Gaulle fait connaître, qu'à son profond regret, il se
verrait obligé d'infliger le même sort aux prisonniers
allemands tombés aux mains de ses troupes. » La journée
n'était pas finie que la radio de Berlin proclamait :
« A propos des militaires français qui viennent d'être
pris au cours des combats de Bir-Hakeim, aucun malentendu n'est possible. Les soldats du général de Gaulle
seront traités comme des soldats. » Ils le furent, effectivement.

Tandis que la 1re Division légère se regroupait à Sidi-
Barrani et que Catroux s'occupait aussitôt de la recomplé-
ter, notre groupe d'aviation « Alsace » continuait de
prendre part à l'action redoublée de la chasse anglaise et
notre groupe « Lorraine » multipliait, avec les bombardiers de la Royal Air Force, les attaques contre les
communications adverses. En même temps, nos parachu-

tistes exécutaient plusieurs raids brillants. C'est ainsi que, dans la nuit du 12 au 13 juin, leurs équipes détruisaient 12 avions sur des aérodromes ennemis en Libye et que le capitaine Bergé, jeté en Crète avec quelques hommes, incendiait, avant d'être pris, 21 bombardiers, 15 camions et un dépôt d'essence sur le terrain de Candie.

Cependant, la VIIIᵉ Armée, sous l'empire d'une soudaine lassitude morale, abandonnait la Cyrénaïque, laissant sur place un matériel considérable. Le général Auchinleck espérait, tout au moins, conserver Tobrouk, place solidement organisée et ravitaillée par mer. Mais, le 24 juin, la garnison, comptant 33 000 hommes, se rendit aux Allemands. C'est à grand-peine que les Britanniques parvenaient à se rétablir à hauteur d'El Alamein. Un secteur de la position était tenu par le général Cazaud et sa 2ᵉ Division légère, enfin mis en ligne à leur tour. Parmi les réserves, comptait le groupement blindé du colonel Rémy, hâtivement pourvu de matériel. La situation était grave. Tout l'Orient, secoué de frissons inquiétants, s'attendait à voir les Allemands et les Italiens entrer au Caire et à Alexandrie.

Cette dépression de nos alliés ne devait être que passagère. Un jour viendrait où, grâce à la maîtrise de la mer, à de nouveaux renforts, à une grande supériorité aérienne, enfin aux capacités du général Montgomery, ils l'emporteraient finalement. Rommel, d'ailleurs, à bout de ravitaillement, suspendait sa marche en avant. Toutefois, l'ensemble des événements faisait ressortir l'importance de notre action. Le général Auchinleck le reconnut noblement. Le 12 juin, il publia, en l'honneur de la 1ʳᵉ Division légère, un magnifique communiqué : « Les Nations Unies, déclarait-il, se doivent d'être remplies d'admiration et de reconnaissance, à l'égard de ces troupes françaises et de leur vaillant général. »

A Londres, six jours plus tard, 10 000 Français, militaires et civils, se réunissent pour célébrer le deuxième anniversaire de l'appel du 18 juin. Les quatre étages de l'Albert Hall sont bondés autant que le permettent les consignes de sécurité. Une grande draperie tricolore, marquée de la Croix de Lorraine, est tendue derrière la tribune et rassemble tous les regards. *La Marseillaise* et *la Marche lorraine* retentissent ; tous les cœurs leur font écho. Prenant place, entouré des membres du Comité national et des volontaires les plus récemment arrivés de France, j'entends toutes les bouches me crier la foi de cette foule enthousiaste. Mais, ce jour-là, en même temps que l'espoir, je sens planer l'allégresse. Je parle. Il le faut bien. L'action met les ardeurs en œuvre. Mais c'est la parole qui les suscite.

Citant le mot de Chamfort : « Les raisonnables ont duré. Les passionnés ont vécu », j'évoque les deux années que la France Libre vient de parcourir. « Nous avons beaucoup vécu, car nous sommes des passionnés. Mais aussi, nous avons duré. Ah ! que nous sommes raisonnables !... » Ce que nous disons, depuis le premier jour : « La France n'est pas sortie de la guerre, le pouvoir établi à la faveur de l'abdication n'est pas un pouvoir légitime, nos alliances continuent, nous le prouvons par des actes, qui sont les combats... Certes, il nous fallait croire que la Grande-Bretagne tiendrait bon, que la Russie et l'Amérique seraient poussées dans la lutte, que le peuple français n'accepterait pas la défaite. Eh bien ! nous n'avons pas eu tort... » Puis, je salue nos combattants partout dans le monde et nos mouvements de résistance en France. Je salue, aussi, l'Empire fidèle, base de départ pour le redressement du pays. Certes, il faudra qu'après la guerre soit transformée sa structure. Mais la France unanime entend en maintenir l'unité et l'intégrité. « Même le douloureux courage, apporté à la défense de telle ou telle partie contre la France Combattante et contre ses alliés par des troupes qu'abusent encore les mensonges de Vichy, est une preuve faussée, mais indubitable, de cette volonté des Français... » Je constate, qu'en dépit de tout, la France Combattante émerge de l'océan. « Quand, à Bir-Hakeim, un rayon de sa gloire renaissante est venu caresser le front sanglant de ses soldats, le monde a reconnu la France... »

La tempête des vivats, puis l'hymne national chanté avec une ferveur indicible, sont la réponse de l'assistance. Ils l'entendent aussi, ceux-là, qui, chez nous, derrière les portes, les volets, les rideaux, écoutent les ondes qui vont la leur porter.

Les acclamations se sont tues. La réunion a pris fin. Chacun retourne à sa tâche. Me voilà seul, en face de moi-même. Pour cette confrontation-là, il n'y a pas d'attitude à prendre, ni d'illusions à ménager. Je fais le bilan du passé. Il est positif, mais cruel. « Homme par homme, morceau par morceau », la France Combattante est, assurément, devenue solide et cohérente. Mais, pour payer ce résultat, combien a-t-il fallu de pertes, de chagrins, de déchirements ! La phase nouvelle, nous l'abordons avec des moyens appréciables : 70 000 hommes sous les armes, des chefs de haute qualité, des territoires en plein effort, une résistance intérieure qui va croissant, un gouvernement obéi, une autorité connue, sinon reconnue, dans le monde. Nul doute que la suite des événements doive faire lever d'autres forces. Pourtant, je ne me leurre pas sur les obstacles de la route : puissance de l'ennemi ; malveillance des Etats alliés ; parmi les Français, hostilité des officiels et des privilégiés, intrigues de certains, inertie d'un grand nombre et, pour finir, danger de subversion générale. Et moi, pauvre homme ! aurai-je assez de clairvoyance, de fermeté, d'habileté, pour maîtriser jusqu'au bout les épreuves ? Quand bien même, d'ailleurs, je réussirais à mener à la victoire un peuple à la fin rassemblé, que sera, ensuite, son avenir ? Entre-temps, combien de ruines se seront ajoutées à ses ruines, de divisions à ses divisions ? Alors, le péril passé, les lampions éteints, quels flots de boue déferleront sur la France ?

Trêve de doutes ! Penché sur le gouffre où la patrie a roulé, je suis son fils, qui l'appelle, lui tient la lumière, lui

montre la voie du salut. Beaucoup, déjà, m'ont rejoint.
D'autres viendront, j'en suis sûr ! Maintenant, j'entends
la France me répondre. Au fond de l'abîme, elle se relève,
elle marche, elle gravit la pente. Ah ! mère, tels que nous
sommes, nous voici pour vous servir.

DOCUMENTS

Les documents ci-après font partie de la collection des dépêches, notes, déclarations, que j'ai écrites comme chef de la France Libre et comme Président du Comité National Français (1940-1942).

La collection complète a été déposée par moi aux Archives Nationales.

Appel aux Français.

Le 18 juin 1940.

Les chefs qui, depuis de nombreuses années, sont à la tête des armées françaises ont formé un gouvernement.

Ce gouvernement, alléguant la défaite de nos armées, s'est mis en rapport avec l'ennemi pour cesser le combat.

Certes, nous avons été, nous sommes, submergés par la force mécanique, terrestre et aérienne, de l'ennemi.

Infiniment plus que leur nombre, ce sont les chars, les avions, la tactique des Allemands qui nous font reculer. Ce sont les chars, les avions, la tactique des Allemands qui ont surpris nos chefs au point de les amener là où ils en sont aujourd'hui.

Mais le dernier mot est-il dit ? L'espérance doit-elle disparaître ? La défaite est-elle définitive ? Non !

Croyez-moi, moi qui vous parle en connaissance de cause et vous dis que rien n'est perdu pour la France. Les mêmes moyens qui nous ont vaincus peuvent faire venir un jour la victoire.

Car la France n'est pas seule ! Elle n'est pas seule ! Elle n'est pas seule ! Elle a un vaste Empire derrière elle. Elle peut faire bloc avec l'Empire britannique qui tient la mer et continue la lutte. Elle peut, comme l'Angleterre, utiliser sans limites l'immense industrie des Etats-Unis.

Cette guerre n'est pas limitée au territoire malheureux de notre pays. Cette guerre n'est pas tranchée par la bataille de France. Cette guerre est une guerre mondiale. Toutes les fautes, tous les retards, toutes les souffrances, n'empêchent pas qu'il y a, dans l'univers, tous les moyens pour écraser un jour nos ennemis. Foudroyés aujourd'hui par la force mécanique, nous pourrons vaincre dans l'avenir par une force mécanique supérieure. Le destin du monde est là.

Moi, général de Gaulle, actuellement à Londres, j'invite les officiers et les soldats français qui se trouvent en territoire britannique ou qui viendraient à s'y trouver, avec leurs armes ou sans leurs armes, j'invite les ingénieurs et les ouvriers spécialistes des industries d'armement qui se trouvent en territoire britannique ou qui viendraient à s'y trouver, à se mettre en rapport avec moi.

Quoi qu'il arrive, la flamme de la résistance française ne doit pas s'éteindre et ne s'éteindra pas.

Demain, comme aujourd'hui, je parlerai à la radio de Londres.

Télégramme au général Noguès,
Commandant en chef sur le Théâtre d'opérations
de l'Afrique du Nord, à Alger.

Londres, 19 juin 1940.

Suis à Londres en contact officieux et direct avec gouvernement britannique. Me tiens à votre disposition, soit pour combattre sous vos ordres, soit pour toute démarche qui pourrait vous paraître utile.

Lettre au général Weygand (1).

Londres, le 20 juin 1940.

Mon Général,

J'ai reçu votre ordre de rentrer en France. Je me suis donc tout de suite enquis du moyen de le faire, car je n'ai, bien entendu, aucune autre résolution que celle de servir en combattant.

Je pense donc venir me présenter à vous dans les vingt-quatre heures si, d'ici là, la capitulation n'a pas été signée.

Au cas où elle le serait, je me joindrais à toute résistance française qui s'organiserait où que ce soit. A Londres, en particulier, il existe des éléments militaires, — et sans doute en viendra-t-il d'autres, — qui sont résolus à combattre, quoi qu'il arrive dans la Métropole.

Je crois devoir vous dire très simplement que je souhaite pour la France et pour vous, mon Général, que vous sachiez et puissiez échapper au désastre, gagner la France d'outre-mer et poursuivre la guerre. Il n'y a pas actuellement d'armistice possible dans l'honneur.

J'ajoute que mes rapports personnels avec le gouvernement britannique, — en particulier avec M. Churchill, — pourraient me permettre d'être utile à vous-même ou à toute autre haute personnalité française qui voudrait se mettre à la tête de la résistance française continuée.

Je vous prie de bien vouloir agréer, mon Général, l'expression de mes sentiments très respectueux et dévoués.

---

(1) Cette lettre, transmise au général Weygand par le général Lelong, attaché militaire à Londres, fut retournée de Vichy au général de Gaulle en septembre 1940, avec un papillon dactylographié ainsi rédigé :
" Si le colonel en retraite de Gaulle veut entrer en communication avec le général Weygand, il doit le faire par la voie régulière. "

*Télégramme au général Noguès, Commandant en chef
sur le Théâtre d'opérations de l'Afrique du Nord.*

Londres, 24 juin 1940.

Vous rendons compte de la constitution en cours d'un Comité National français pour relier tous éléments français de résistance entre eux et avec alliés. Vous demandons entrer personnellement dans composition de ce Comité. Tous ici vous considèrent comme devant être le grand chef de la résistance française. Agréez l'expression de notre respect et de notre espérance.

Pour le Comité national français en formation :

GÉNÉRAL DE GAULLE.

Télégramme

— *au général Mittelhauser, Commandant en chef sur le Théâtre d'opérations de la Méditerranée orientale ;*
— *à M. G. Puaux, Haut Commissaire de France en Syrie et au Liban ;*
— *au général Catroux, Gouverneur général de l'Indochine.*

Londres, 24 juin 1940.

Entièrement unis avec vous dans volonté continuer la guerre.

Constituons un Comité national français pour relier éléments français de résistance.

Vous demandons entrer personnellement dans composition de ce Comité.

Recevez expression de notre respect et de notre espérance.

Pour le Comité national français :

GÉNÉRAL DE GAULLE.

Mémorandum remis à MM. Churchill et Halifax.

Londres, 26 juin 1940.

I. — Sans attendre la formation d'un Comité national
proprement dit, je suis en mesure de constituer immédiatement un Comité français ayant pour but :

a) de réunir en territoire britannique tous les éléments
français de résistance qui s'y trouvent ou qui viendraient à
s'y trouver ;

b) de se mettre à la disposition de toutes les résistances
françaises qui se révéleraient dans l'Empire et, peut-être,
dans la Métropole, pour les relier entre elles, les relier
avec les alliés, leur fournir du matériel, etc.

II. — Le Comité français peut organiser :

a) une force militaire française, terrestre, aérienne et
navale, composée de volontaires, petite pour le moment,
mais qui s'augmentera certainement.

Cette force serait séparée des éléments militaires français non volontaires et réunie d'urgence à proximité de
Londres ;

b) un élément (ingénieurs et ouvriers) constituant une
organisation pour des fabrications de guerre. Cette organisation pourrait travailler dans des usines anglaises dans
des conditions à fixer ;

c) une organisation d'études et d'achat de matériel de
guerre, pouvant traiter directement avec l'Armement
anglais et l'industrie américaine ;

d) une organisation de transport et d'approvisionne-
ment ;

e) une organisation d'information et de propagande.

III. — Pour le faire, il m'est indispensable d'obtenir l'accord du Gouvernement britannique sur les points suivants :

a) toutes les activités des Français en territoire britannique, notamment s'il s'agit de fournir des services
militaires, ou industriels, ou scientifiques, ou économiques, à des organisations anglaises, doivent être réglées,
non point directement entre ces organisations et ces

individualités, mais par l'intermédiaire et avec l'accord du Comité Français ;

b) le Gouvernement britannique ouvre au Comité Français les crédits nécessaires à son activité propre ainsi qu'au règlement de tous traitements, soldes et salaires des militaires et civils qui lui sont rattachés ;

c) toutes les questions qui étaient réglées jusqu'à présent avec les autorités britanniques, soit par les missions militaires françaises, soit par des missions d'études ou de coordination, le seront directement par le Comité Français avec les autorités britanniques ;

d) le Comité Français sera en liaison directe avec toutes les administrations ministérielles britanniques ;

e) ces dispositions pourraient prendre effet à partir du 28 juin. Le Gouvernement britannique ferait publier son accord de principe.

IV. — Un accord précis et réglant les détails serait ensuite négocié entre le Comité et les administrations ministérielles britanniques.

Télégramme
— *au général Mittelhauser, Commandant en chef sur le Théâtre d'opérations de la Méditerranée orientale ;*
— *à M. G. Puaux, Haut Commissaire de France en Syrie et au Liban ;*
— *à M. Peyrouton, Résident général en Tunisie.*

Londres, 27 juin 1940.

Je vous suggère de faire partie du Conseil de défense de la France d'outre-mer qui a pour but d'organiser et de relier tous les éléments de résistance français dans l'Empire et en Angleterre.

Je suis en mesure d'expédier sur votre territoire du matériel américain déjà chargé et en route ou tel autre matériel que vous pourriez demander.

En présence du fait que le Gouvernement de Bordeaux

a perdu son indépendance, c'est notre devoir de défendre l'honneur et l'intégrité de l'Empire et de la France.

Respectueux dévouement.

*Réponse au chargé d'affaires à Londres,
qui a notifié au général de Gaulle l'ordre du Gouvernement
de Bordeaux de se constituer prisonnier à Toulouse.*

Londres, le 3 juillet 1940.

Monsieur,

Je vous retourne ci-joint le texte du document que vous m'avez adressé. Je vous serais obligé de faire savoir à ceux qui vous ont chargé de me le transmettre que leur communication ne présente à mes yeux aucune espèce d'intérêt.

Veuillez croire, Monsieur, à mes sentiments distingués.

Allocution prononcée à la Radio de Londres.

Le 8 juillet 1940.

Dans la liquidation momentanée de la force française qui fait suite à la capitulation, un épisode particulièrement cruel a eu lieu le 3 juillet. Je veux parler, on le comprend, de l'affreuse canonnade d'Oran.

J'en parlerai nettement, sans détour, car, dans un drame où chaque peuple joue sa vie, il faut que les hommes de cœur aient le courage de voir les choses en face et de les dire avec franchise.

Je dirai, d'abord, ceci : il n'est pas un Français qui n'ait appris avec douleur et avec colère que des navires de la flotte française avaient été coulés par nos alliés. Cette douleur, cette colère, viennent du plus profond de nous-mêmes. Il n'y a aucune raison de composer avec elles et, quant à moi, je les exprime ouvertement. Aussi, m'adressant aux Anglais, je les invite à nous épargner et à s'épargner à eux-mêmes toute représentation de cette odieuse tragédie comme un succès naval direct. Ce serait injuste et déplacé.

Les navires d'Oran étaient, en réalité, hors d'état de se battre. Ils se trouvaient au mouillage, sans aucune possibilité de manœuvre ou de dispersion, avec des chefs et des équipages rongés depuis quinze jours par les pires épreuves morales. Ils ont laissé aux navires anglais les premières salves qui, chacun le sait, sont décisives sur mer à de telles distances. Leur destruction n'est pas le résultat d'un combat glorieux. Voilà ce qu'un soldat français déclare aux alliés anglais, avec d'autant plus de netteté qu'il éprouve à leur égard plus d'estime en matière navale.

Ensuite, m'adressant aux Français, je leur demande de considérer le fond des choses du seul point de vue qui doive finalement compter, c'est-à-dire du point de vue de la victoire et de la délivrance. En vertu d'un engagement déshonorant, le gouvernement qui fut à Bordeaux avait consenti à livrer nos navires à la discrétion de l'ennemi. Il n'y a pas le moindre doute que, par principe et par nécessité, l'ennemi les aurait un jour employés, soit contre l'Angleterre, soit contre notre propre Empire. Eh bien ! je dis sans ambages qu'il vaut mieux qu'ils aient été détruits !

J'aime mieux savoir, même le *Dunkerque,* notre beau, notre cher, notre puissant *Dunkerque,* échoué devant Mers-el-Kébir, que de le voir un jour, monté par des Allemands, bombarder les ports anglais ou bien Alger, Casablanca, Dakar.

En amenant cette canonnade fratricide, puis en cherchant à détourner contre des alliés trahis l'irritation des Français, le gouvernement qui fut à Bordeaux est dans son rôle, dans son rôle de servitude.

En exploitant l'événement pour exciter l'un contre l'autre le peuple anglais et le peuple français, l'ennemi est dans son rôle, dans son rôle de conquérant.

En tenant le drame pour ce qu'il est, je veux dire pour déplorable et détestable, mais en empêchant qu'il ait pour conséquence l'opposition morale des Anglais et des Français, tous les hommes clairvoyants des deux peuples sont dans leur rôle, dans leur rôle de patriotes.

Les Anglais qui réfléchissent ne peuvent ignorer qu'il n'y aurait, pour eux, aucune victoire possible si jamais l'âme de la France passait à l'ennemi.

Les Français dignes de ce nom ne peuvent méconnaître que la défaite anglaise scellerait pour toujours leur asservissement.

Quoi qu'il arrive, même si l'un d'eux est, pour un temps, tombé sous le joug de l'ennemi commun, nos deux peuples, nos deux grands peuples, demeurent liés l'un à l'autre. Ils succomberont tous les deux ou bien ils gagneront ensemble.

Quant à ceux des Français qui demeurent encore libres d'agir suivant l'honneur et l'intérêt de la France, je déclare en leur nom qu'ils ont, une fois pour toutes, pris leur dure résolution.

Ils ont pris, une fois pour toutes, la résolution de combattre.

Télégramme
au général Wavell, Commandant en chef au Moyen-Orient.

Londres, 14 juillet 1940.

Reçu votre télégramme du 12 juillet dont je vous remercie sincèrement. Suis entièrement d'accord avec vous sur points suivants :

1) Grouper en unités constituées tous éléments français qui viendraient à se trouver dans votre zone d'action.

2) Renforcer par ces éléments la défense du territoire de Djibouti sous les ordres du général Legentilhomme.

3) Utiliser, en particulier, pour ce but le bataillon français de Chypre, qui s'est placé sous mes ordres. Je prescris à ce bataillon d'être à votre commandement par télégramme adressé aujourd'hui sous couvert du gouverneur de Chypre.

Vous serais reconnaissant de faire transmettre au général Legentilhomme un télégramme que je lui adresse aujourd'hui sous votre couvert.

Télégramme à Félix Eboué,
Gouverneur du Tchad.

Londres, le 16 juillet 1940.

Je suis informé de votre attitude que j'approuve entièrement. Le devoir consiste à tenir chaque point de l'Empire, pour la France, contre les Allemands et les Italiens. Je vous demande de me renseigner sur votre situation pour autant que vous jugerez opportun de le faire. Je suis à votre disposition pour le concours que je pourrais vous apporter. Je vous demande de vous tenir en liaison avec moi.

Cordiale sympathie.

Instructions remises aux délégués du général de Gaulle
dans les colonies françaises d'Afrique.

Londres, 5 août 1940.

I. — La mission de la délégation consiste à :

1º Représenter le général de Gaulle dans toute négociation qu'il pourrait y avoir lieu d'engager ou d'accepter, dans toute déclaration qu'il pourrait y avoir lieu de faire, dans toute initiative qu'il pourrait y avoir lieu de prendre, en vue d'amener tout ou partie des colonies françaises d'Afrique occidentale et équatoriale et le Cameroun à se joindre au général de Gaulle pour repousser l'exécution des armistices et continuer la guerre contre les Allemands et les Italiens.

2º Prendre contact aussi complètement que possible

avec les personnalités françaises de ces colonies, qu'elles aient ou non un mandat officiel.

3° Etablir et maintenir la liaison avec les autorités britanniques de Gambie, Sierra-Leone, Gold-Coast, Nigeria et, éventuellement, avec d'autres autorités étrangères.

4° Renseigner le général de Gaulle sur la situation où se trouvent à tous points de vue les colonies françaises d'Afrique occidentale et équatoriale et sur les meilleures possibilités d'action dans ces colonies.

II. — Dans l'exécution de cette mission commune, le commandant Leclerc est spécialement chargé de représenter le général de Gaulle auprès du général commandant les troupes britanniques de l'Atlantique sud et de l'amiral commandant les forces navales britanniques de l'Atlantique sud.

Le commandant Leclerc aura donc sa résidence principale à Accra. M. Pleven et le capitaine de Boislambert constituent la partie « mobile » de la délégation, se portant aux points qui leur paraîtront les mieux appropriés pour les contacts qu'ils auront à prendre.

III. — Les renseignements télégraphiques, fournis par la délégation au général de Gaulle, lui seront transmis par l'intermédiaire des autorités britanniques.

Les communications télégraphiques du général de Gaulle à la délégation seront acheminées, en principe, à celle-ci par l'intermédiaire du Gouverneur britannique de Gold-Coast ou par le général commandant les troupes britanniques de l'Atlantique sud, ou par ces deux autorités en même temps.

Lettre à M. Winston Churchill.

Londres, le 7 août 1940.

Monsieur le Premier Ministre,

Vous avez bien voulu m'envoyer un mémorandum, relatif à l'organisation, à l'utilisation et aux conditions de service de la force de volontaires français actuellement en cours de constitution sous mon commandement.

En ma qualité, reconnue par le Gouvernement de Sa Majesté dans le Royaume-Uni, de Chef de tous les Français libres où qu'ils soient, qui se rallient à moi pour défendre la cause alliée, je viens vous faire connaître que j'accepte ce mémorandum. Il sera considéré comme constituant un accord conclu entre nous, relativement à ces questions.

Je suis heureux qu'à cette occasion le Gouvernement britannique ait tenu à affirmer qu'il est résolu, lorsque les armes alliées auront remporté la victoire, à assurer la restauration intégrale de l'indépendance et de la grandeur de la France.

De mon côté, je vous confirme que la force française en voie de constitution est destinée à participer aux opérations contre les ennemis communs (Allemagne, Italie ou toute autre puissance étrangère hostile), y compris la défense des territoires français et des territoires sous mandat français et la défense des territoires britanniques, de leurs communications et des territoires sous mandat britannique.

Veuillez agréer, Monsieur le Premier Ministre, les assurances de ma haute considération.

Citation du Tchad à l'ordre de l'Empire.

27 août 1940.

Aujourd'hui, 27 août 1940, 360e jour de la guerre mondiale, je cite à l'ordre de l'Empire le territoire du Tchad pour le motif suivant :

« Sous l'impulsion de ses chefs, le gouverneur Eboué, Gouverneur, et le colonel Marchand, Commandant militaire du territoire, le Tchad a montré qu'il demeurait, par excellence, une terre de Français vaillants.

« En dépit d'une situation militaire et économique particulièrement dangereuse, le territoire du Tchad a refusé de souscrire à une capitulation honteuse et a décidé de poursuivre la guerre jusqu'à la victoire. Par son admirable résolution, il a montré le chemin du devoir et donné le signal du redressement à l'Empire français tout entier.

« GENERAL DE GAULLE. »

Lettre au général Catroux.

Le 29 août 1940.

Mon Général,

Vous ne sauriez croire avec quelle joie j'ai appris votre arrivée prochaine. Il y a tant à faire pour sortir la France de l'abîme et un homme et un chef comme vous peut jouer un tel rôle dans le redressement ! Depuis longtemps, vous le savez, j'ai pour vous une estime très particulière et une sincère et respectueuse amitié. L'attitude que vous avez eue en Indochine n'a fait que me confirmer dans ces sentiments. A présent, il faut bâtir !

Vous serez vite au courant de ce qui s'est passé ici et ailleurs. Pour ce qui me concerne, me trouvant au gouvernement dans les derniers jours de la bataille, j'ai pu voir quelle avait été l'habileté profonde du travail de l'ennemi dans l'entourage des dirigeants et dans l'esprit de ces dirigeants eux-mêmes. Je ne pouvais douter un seul instant que la chute de notre ami commun, Paul Reynaud, et l'arrivée au pouvoir du pauvre vieux Maréchal signifiaient la capitulation. Refusant, quant à moi, de m'y soumettre, j'ai gagné Londres pour y recréer, de là, une France combattante. J'ai pu, par appel aux Français, constituer un commencement de force militaire, navale et aérienne et des bases de services : Affaires extérieures et coloniales, Finances, Information, etc. De multiples contacts ont été pris avec beaucoup de points du monde. Il y a d'excellentes dispositions latentes en France et dans l'Empire. Déjà, les Nouvelles-Hébrides, le Tchad, le Cameroun, la Haute Côte-d'Ivoire, se sont ralliés. Quand vous recevrez cette lettre, je serai parti pour Dakar avec des troupes, des navires, des avions et... l'appui des Anglais.

Si cette entreprise réussit, la question capitale de l'Afrique du Nord va se poser aussitôt. D'autant plus que la menace allemande, italienne et espagnole est, à mon avis, imminente. Il ne me paraît pas possible que les hommes qui y sont en fonctions et qui sont disqualifiés par leur soumission aux armistices puissent jamais être des « hommes de guerre ». Je vise principalement, en vous le disant, le général Noguès, qui multiplie depuis le premier jour ses tristes astuces pour garder sa place. Dès que nous pourrons prendre à bras-le-corps l'Afrique du Nord, il faudra que « quelqu'un » s'en charge. Ce quelqu'un, ce sera vous, mon Général, si vous le voulez bien.

Vous savez que le Gouvernement britannique, après m'avoir reconnu comme « Chef des Français Libres », a, par avance, accepté de traiter de toutes les questions concernant la défense et la vie économique de notre Empire avec un « Conseil de défense de la France d'outre-mer », au cas où j'en constituerais un. Telle est, en effet, mon intention. Je vous demande, mon Général, d'accepter de prendre dans ce Conseil la place « Afrique du Nord ». En attendant que ce Conseil soit institué, vous seriez bien placé ici, pour préparer votre action. Dès que les circonstances le permettraient, c'est-à-dire, pratiquement, dès que nous aurions pris pied au Maroc ou en Algérie, peut-être pourriez-vous, au moment que vous jugeriez bon, vous rendre sur place pour exercer l'administration et le commandement de l'ensemble : Maroc, Algérie, Tunisie ?

L'amiral Muselier et Antoine (qui a pris nom de Fontaine), que j'ai chargés d'exercer par intérim en mon absence respectivement : le commandement des forces militaires, navales et aériennes en Angleterre et la direction des services civils, vous diront où nous en sommes au point de vue de nos forces et de nos services. Une grosse affaire, en ce moment, c'est le réarmement d'un certain nombre de nos navires de guerre.

Vous vous ferez une opinion sur l'amiral Muselier. Il a été critiqué. Il a des défauts, mais aussi des qualités. Au fond, c'est un brave homme. Evidemment, j'aurais préféré que Darlan vînt avec sa flotte, mais Darlan n'est pas venu...

Quant au point de vue général, j'ai pleine confiance dans la victoire finale. Les Anglais s'y sont mis à fond et, heureusement pour eux et pour nous, M. Winston Churchill est intégralement « l'homme de la guerre ». La partie se joue entre Hitler et lui.

En attendant l'honneur de vous revoir, je vous prie, mon Général, d'agréer l'expression de mes sentiments respectueux et très dévoués.

Lettre (1) *à M. Boisson,*
Gouverneur général de l'Afrique occidentale française.

En mer, devant Dakar,
le 18 septembre 1940.

Monsieur le Gouverneur général,

Dans le vaste mouvement de redressement français qui entraîne notre Empire, vous avez un grand rôle à jouer. Votre heure est venue.

Je vous demande de vous joindre à moi pour poursuivre la guerre afin de libérer la Patrie.

Je me trouve tout près de vous avec une force importante, militaire, navale et aérienne. Cette force vient à Dakar pour renforcer la garnison, mettre la place à l'abri

(1) Cette lettre ne put être remise à son destinataire par les parlementaires. On sait pourquoi.

de tout coup de main de l'ennemi et ravitailler la colonie...

Je compte faire débarquer d'un instant à l'autre cette force et ce ravitaillement et ne puis imaginer qu'il y ait d'opposition. S'il devait, par impossible, s'en produire une, je suis certain que vous feriez en sorte que soient évités des incidents lamentables.

D'autant plus lamentables, d'ailleurs, que ces incidents auraient pour conséquence l'intervention des forces alliées qui m'accompagnent et qui ont pour mission d'empêcher, par tous les moyens, que la base de Dakar soit exposée à tomber aux mains de l'ennemi.

J'attends votre réponse avec confiance, Monsieur le Gouverneur général, et vous prie d'agréer l'expression de mes sentiments très distingués.

Télégramme à M. Winston Churchill, à Londres.

Freetown, 21 septembre 1940.

Il me faut protester auprès de vous au sujet de la façon dont le Gouvernement britannique a procédé en envoyant le général Catroux en Egypte sans avoir obtenu, au préalable, mon accord. Je considère que cette manière de faire contrevient aux engagements conclus entre le Gouvernement britannique et moi-même, engagements auxquels, pour ma part, je me conforme entièrement et entends continuer à me conformer.

D'autre part, un élément de discordance a été ainsi créé. Le général Catroux est certainement la personnalité la plus hautement qualifiée pour représenter la France Libre en Orient et je n'aurais pas hésité à lui demander de s'y rendre si j'avais été informé, à temps, de la situation en Syrie. Mais, bien que je sois arrivé ici le 16 septembre et que je m'y sois, depuis, trouvé en mesure de recevoir vos informations et vos suggestions, je n'en ai reçu aucune en la matière et je me trouve placé, aujourd'hui, devant un fait accompli.

Le général Catroux ne peut agir sur les territoires du Levant sous mandat français qu'en qualité de représentant des Français Libres dont je suis le chef que vous avez d'ailleurs reconnu. Il ne peut y agir qu'en vertu d'un ordre de mission donné par moi-même. S'il devait en être autrement, je serais amené à désavouer toute action qu'il pourrait entreprendre. Je tiens à être informé dans le plus bref délai possible des dispositions que le Gouvernement britannique compte prendre en conséquence des présentes observations.

Pour le redressement progressif de la France dans cette guerre aux côtés de ses alliés, il est d'un intérêt vital que le Gouvernement britannique aide à la concentration des efforts et se garde, au contraire, de contribuer à leur dispersion.

Télégramme au général Catroux, au Caire.

En mer, 22 septembre 1940.

J'approuve votre départ pour le Levant où vous pouvez aider puissamment au succès de notre entreprise. J'ai dû protester auprès du Gouvernement britannique quant à la façon dont il a procédé à cet égard. Mais ma réaction ne vous concernait pas vous-même. J'ai, en effet, autant de confiance en vous que je vous porte d'amitié et de considération. Vous êtes, d'ailleurs, aussi qualifié que possible pour prendre en main nos affaires d'Orient.

Télégramme à M. W. Churchill,
qui a mis le général de Gaulle
au courant des négociations engagées à Madrid par
l'Ambassade de Vichy avec l'Ambassade d'Angleterre.

Lagos, 3 octobre 1940.

I. — Le général de Gaulle a noté avec le plus grand intérêt que, pour la première fois, dans une communication officielle, le Gouvernement de Vichy avait envisagé telles circonstances dans lesquelles la France officielle pourrait reprendre la guerre aux côtés de la Grande-Bretagne.

II. — Etant donné les faits accomplis et la politique suivie par le Gouvernement de Vichy, une telle démarche doit être considérée comme l'indice d'un désarroi politique confinant au désespoir plutôt que comme une franche reconnaissance d'une erreur nationale et internationale démesúrée.

III. — En tout .cas, il est nécessaire de souligner le point suivant :

Même si le Gouvernement de Vichy se transportait un jour en tout ou en partie en Afrique du Nord et proclamait qu'il veut reprendre la lutte, il ne pourrait avoir assez d'autorité et d'efficacité pour diriger la guerre. Après avoir subi aussi complètement la loi de l'ennemi et désarmé l'Empire, il ne lui resterait pas le prestige nécessaire pour conduire et entraîner ceux qu'il appellerait aux armes.

IV. — Quels que soient les arrangements que le Gouvernement britannique pourrait être amené à consentir au Gouvernement de Vichy en ce qui concerne les relations économiques de la France non occupée avec l'Empire français, il ne faut pas se dissimuler que ces arrangements entraîneraient un redressement, au moins momentané, de l'influence de Vichy sur les colonies, influence qui, actuellement, est en liquidation. Il serait, semble-t-il, préférable de proposer au Gouvernement de Vichy un ravitaillement direct par des œuvres d'assistance des Etats-Unis, moyennant un contrôle à établir. Dans ce cas, et conformément à une proposition antérieure du général de Gaulle, il serait utile que les arrangements de ravitaillement fussent réputés avoir été consentis à la demande du général de Gaulle.

V. — Le général de Gaulle note avec satisfaction que le Gouvernement britannique a notifié au Gouvernement de Vichy :

a) sa résolution de continuer à soutenir le mouvement du général de Gaulle dans celles des colonies qui se sont ralliées ou se rallieraient à son autorité ;

b) son intention formelle de contribuer à restaurer après la guerre l'indépendance et la grandeur de la France, notamment pour lesdites colonies.

Réponse à l'Inspecteur général des Colonies Cazaux,
Directeur des Finances en Indochine,
qui a télégraphié au général de Gaulle,
au sujet de la situation de l'Indochine
et des sentiments de la population.

Douala, 8 octobre 1940.

I. — Je vous remercie des sentiments de loyalisme que m'exprime votre message, notamment dans les paragraphes I et III. Nous comprenons parfaitement les difficultés que vous rencontrez et il est actuellement impossible aux Forces Françaises Libres de vous prêter une aide efficace. En attendant qu'elles puissent le faire un jour, nous sommes assurés que vous agirez toujours au mieux des intérêts français en Extrême-Orient et que vous collaborerez activement avec nous quand le moment viendra d'assurer la victoire. Sans doute pourriez-vous nous faire connaître, dès à présent, quels seraient ceux de vos besoins qu'il serait le plus urgent de satisfaire, dès que les circonstances deviendraient favorables à l'action. Quoi qu'il en soit, nous serons toujours heureux de recevoir de vous des informations qui nous sont précieuses et nous vous faisons entièrement confiance pour maintenir et développer chez nos amis l'esprit de résistance.

II. — Le général Catroux, qui m'a rallié, m'a mis au courant de la situation telle qu'elle était au cours des semaines qui ont suivi l'armistice. Je vous envoie l'expression de mon amicale confiance.

Manifeste lancé de Brazzaville.

Le 27 octobre 1940.

La France traverse la plus terrible crise de son histoire. Ses frontières, son empire, son indépendance et jusqu'à son âme sont menacés de destruction.

Cédant à une panique inexcusable, des dirigeants de rencontre ont accepté et subissent la loi de l'ennemi. Cependant, d'innombrables preuves montrent que le peuple et l'Empire n'acceptent pas l'horrible servitude. Des millions de Français ou de sujets français ont décidé de continuer la guerre jusqu'à la libération. Des millions et des millions d'autres n'attendent pour le faire que de trouver des chefs dignes de ce nom.

Or, il n'existe plus de gouvernement proprement français. En effet, l'organisme sis à Vichy, et qui prétend porter ce nom, est inconstitutionnel et soumis à l'envahisseur. Dans son état de servitude, cet organisme ne peut être, et n'est en effet, qu'un instrument utilisé par les ennemis de la France contre l'honneur et l'intérêt du pays. Il faut donc qu'un pouvoir nouveau assume la charge de diriger l'effort français dans la guerre. Les événements m'imposent ce devoir sacré. Je n'y faillirai pas.

J'exercerai mes pouvoirs au nom de la France et uniquement pour la défendre et je prends l'engagement solennel de rendre compte de mes actes aux représentants du peuple français dès qu'il lui aura été possible d'en désigner librement.

J'appelle à la guerre, c'est-à-dire au combat ou au sacrifice, tous les hommes et toutes les femmes des territoires français qui sont ralliés à moi. En union étroite avec nos alliés, qui proclament leur volonté de contribuer à restaurer l'indépendance et la grandeur de la France, il s'agit de défendre contre l'ennemi ou contre ses auxiliaires la partie du patrimoine national que nous détenons, d'attaquer l'ennemi partout où cela sera possible, de mettre en œuvre toutes nos ressources, militaires, économiques, morales, de maintenir l'ordre public et de faire régner la justice.

Cette grande tâche, nous l'accomplirons, pour la France, dans la conscience de la bien servir et dans la certitude de vaincre.

Ordonnance n° 1
créant le Conseil de Défense de l'Empire.

Au nom du Peuple et de l'Empire français,
Nous, Général de Gaulle, Chef des Français Libres,

Ordonnons :

Article Premier. — Aussi longtemps qu'il n'aura pu être constitué un gouvernement français et une représentation du peuple français réguliers et indépendants de l'ennemi, les pouvoirs publics, dans toutes les parties de l'Empire libérées du contrôle de l'ennemi, seront exercés, sur la base de la législation française antérieure au 23 juin 1940, dans les conditions qui suivent :

Art. 2. — Il est institué un Conseil de Défense de l'Empire, qui a pour mission de maintenir la fidélité à la France, de veiller à la sécurité extérieure et à la sûreté intérieure, de diriger l'activité économique et de soutenir la cohésion morale des populations des territoires de l'Empire.

Ce Conseil exerce, dans tous les domaines, la conduite générale de la guerre en vue de la libération de la patrie et traite avec les puissances étrangères des questions relatives à la défense des possessions françaises et aux intérêts français.

Art. 3. — Les décisions sont prises par le Chef des Français Libres, après consultation, s'il y a lieu, du Conseil de Défense.

Fait à Brazzaville,
le 27 octobre 1940.

C. DE GAULLE.

Télégramme au colonel Leclerc, à Douala.

Brazzaville, 31 octobre 1940.

Dans l'état actuel des choses, ma décision est d'en finir, d'abord, avec Lambaréné...

Si l'affaire de Lambaréné est réglée favorablement, et sauf renforcement de Libreville par Vichy, je suis disposé à envisager l'opération aérienne, navale, terrestre sur Libreville sans intervention directe des Britanniques.

Je vous autorise en conséquence à préparer cette opération pour laquelle je compte mettre à votre disposition tous avions et navires disponibles ainsi que les moyens terrestres déjà fixés.

Télégramme au président Métaxas,
Premier Ministre de Grèce.

Brazzaville, 2 novembre 1940.

Au nom de tous les Français, de ceux qui poursuivent la guerre comme de ceux que l'ennemi tient provisoirement en servitude, j'adresse à Votre Excellence, ainsi qu'au gouvernement et au peuple hellènes, l'hommage de notre admiration et de notre foi.

En se dressant, une fois de plus, pour sauvegarder leur indépendance, les Hellènes donnent au monde un exemple digne de leurs traditions antiques.

Ensemble, avec nos alliés, nous vaincrons nos ennemis communs.

Télégramme au général Catroux, au Caire.

Brazzaville, 6 novembre 1940.

Reçu votre télégramme du 3 novembre. C'est pour moi l'occasion de vous répéter que j'approuve en tout point votre plan et votre action. Si les événements se précipitaient, et amenaient les Britanniques et les Turcs à occuper la Syrie, il serait tout à fait essentiel, dans l'intérêt national supérieur, qu'un détachement de Forces Françaises Libres participât à l'opération, quand même ce détachement serait surtout symbolique. Dans ce cas, vous jugeriez certainement nécessaire d'y participer vous-même afin qu'un grand nom militaire français soit associé à cette affaire. Cela est, à mon avis comme au vôtre, de la plus haute importance. Il échappera, d'autre part, à vous moins qu'à personne, que l'entrée des Turcs en Syrie compromettrait gravement l'avenir. Il vaudrait infiniment mieux, si cela était possible, que seuls les Britanniques et les Français Libres procèdent à l'opération.

Télégramme au lieutenant-colonel Parant, à Lambaréné.

Brazzaville, 6 novembre 1940.

Je vous embrasse et je vous félicite, lieutenant-colonel Parant, Gouverneur du Gabon. Félicitations de ma part à tous ceux qui sont sous vos ordres, en particulier au commandant Dio. Dites à vos troupes qu'elles ont bien servi. C'est pour la France qu'elles ont combattu et vaincu à Sindara, à Mitzic, à N'Djole, à Lambaréné. Il faut maintenant achever le succès.

Télégramme au colonel Leclerc, à Libreville.

Brazzaville, 10 novembre 1940.

Je vous félicite, colonel Leclerc, et je félicite les troupes sous vos ordres de la brillante réussite de la libération de Libreville.

J'invite par radio Port-Gentil à envoyer immédiatement des parlementaires à la colonne française libre qui descend l'Ogooué. Je vous prie de faire survoler Port-Gentil par des avions annonçant par tracts la reddition du Général Têtu à Libreville et demandant qu'on se soumette. Je vous prie également d'y envoyer une force navale qui devra se tenir en liaison radio avec moi.

Ordonnance créant l'Ordre de la Libération.

Au nom du Peuple et de l'Empire français,
Nous, Général de Gaulle,
Chef des Français Libres,

Vu notre Ordonnance n° 1 du 27 octobre 1940, organisant les pouvoirs publics durant la guerre et instituant un Conseil de Défense de l'Empire,

Vu notre Ordonnance n° 5 du 12 novembre 1940, précisant les conditions dans lesquelles seront prises les décisions du Chef des Français Libres ;

Ordonnons :

Article premier. — Il est créé un Ordre dit « Ordre de la Libération », dont les membres porteront le titre de « Compagnons de la Libération ».

Cet Ordre est destiné à récompenser les personnes ou les collectivités militaires et civiles qui se seront signalées dans l'œuvre de la libération de la France et de son Empire.

Fait à Bazzaville,
le 16 novembre 1940.
C. DE GAULLE.

Télégramme au général de Larminat,
Haut Commissaire à Brazzaville.

Londres, 11 décembre 1940.

L'influence croissante de notre mouvement sur la France elle-même autant que les nécessités générales de la guerre nous imposent de développer dans toute la mesure et dans le moindre délai possibles notre action militaire contre l'ennemi.

J'ai décidé de donner une notable ampleur à notre effort dans le Middle East en y envoyant immédiatement :

la légion étrangère,
un détachement de fusiliers marins,
un bataillon sénégalais,
la compagnie de chars,
une section d'artillerie de 75,
un détachement radio,
une compagnie de transport,
des éléments de services ;

tous ces éléments étant placés sous les ordres du colonel Magrin-Verneret.

Les diverses négociations que j'ai menées à ce sujet avec le Gouvernement britannique en ce qui concerne le transport des troupes et du matériel viennent d'aboutir à un accord. Mais, dès à présent, je vous prie de prendre toutes dispositions pour que tous ces éléments sans exception soient prêts à s'embarquer dans un délai maximum de vingt jours à partir d'aujourd'hui.

Télégramme au général Catroux, au Caire.

Londres, 18 décembre 1940.

Notre effort principal au point de vue militaire doit se porter maintenant dans le Middle East contre les Italiens.

Notre 1re Brigade d'Orient, comprenant le bataillon de légion à six compagnies, le détachement des fusiliers marins, un bataillon de Sénégalais à six compagnies, une compagnie de chars Hotchkiss modèle 1939, une section d'artillerie de 75, un détachement des transmissions, des éléments des services notamment une ambulance, le tout sous commandement Magrin-Verneret dit Monclar, va faire mouvement vers le Middle East. Départ dans le courant de ce même mois. La plus grande partie par voie de mer. Le bataillon de Sénégalais, venant du Tchad, par voie de terre vers Khartoum. Cette brigade, comme vous le savez, est destinée à opérer au Soudan, d'après entente avec le général Wavel.

D'autre part, Sautot organise un régiment du Pacifique mixte européen et autochtone. Je destine ce régiment à l'Egypte comme vous l'avez demandé. Un premier bataillon de 700 hommes est actuellement prêt à Nouméa et je fais ici les arrangements pour son transport très prochain.

Je suis en train de faire rassembler tout ce qui reste d'armes françaises en Angleterre et je vous ferai un envoi incessamment. Je pense pouvoir vous fournir ce qu'il faut pour armer convenablement le régiment du Pacifique et aussi le 2e Bataillon d'Egypte que vous commencez à constituer. En même temps que les armes et munitions, je vous enverrai des officiers pour compléter l'encadrement. Enfin, je désire beaucoup que vos aviateurs du Middle East reprennent leur caractère français, même s'ils doivent pour le moment être employés dans les escadrilles anglaises.

Bien entendu, tous ces éléments sont ou seront sous votre autorité du moment où ils se trouvent ou se trouveront au Middle East, l'emploi étant à régler par accord entre vous et le général Wavel, à moins que cet emploi n'ait été décidé à Londres entre le Gouvernement britannique et moi.

Message aux membres du Conseil de Défense de l'Empire.

Londres, 18 janvier 1941.

Je suppose que vous êtes au courant de la position que j'ai prise dans mes allocutions récentes à la radio et dans le discours que j'ai prononcé en présence du Cardinal Hinsley sur l'attitude de la France Libre à l'égard des alliés du Gouvernement de Vichy. Je souhaite avoir votre avis en vue des trois éventualités suivantes :

1) Dans la situation actuelle, c'est-à-dire tant que Vichy acceptera de vivre sous le régime de l'armistice et de la collaboration, même mitigée, avec l'ennemi, estimez-vous que nous devons, en ce qui nous concerne, exclure toute espèce de relation avec Vichy ?

2) Si Vichy cesse d'accepter le régime de l'armistice et la collaboration et décide de se transporter hors du contrôle de l'ennemi, non pour y reprendre la guerre, mais pour y observer la neutralité, estimez-vous qu'en ce cas nous devrions continuer à ne pas reconnaître son autorité, quitte à entretenir avec lui certaines relations en vue de l'avenir ?

3) A supposer que le Gouvernement de Vichy décide de se transporter en Afrique du Nord et reprenne la guerre, quelles sont les conditions d'ordre extérieur ou intérieur que nous devrions poser pour nous joindre à lui ?

*Mémorandum remis au gouvernement britannique
au sujet de la situation en Indochine.*

20 janvier 1941.

1) En présence du fait que l'Indochine française se
trouve envahie par les forces armées du Japon et du
Thaïland, le Conseil de Défense de l'Empire français doit
constater qu'il ne dispose pas actuellement des moyens
matériels nécessaires pour prendre, de l'extérieur, la
charge de défendre l'Indochine. Mais cette situation peut
se modifier dans l'avenir. En tout état de cause, le Conseil
de Défense de l'Empire français considère qu'il lui
appartient de faire valoir les droits de la France partout où
ils sont menacés.

2) Le déclenchement à l'intérieur de l'Indochine d'un
mouvement tendant à remplacer les autorités nommées
par Vichy par des autorités nommées par le Conseil de
Défense de l'Empire français, risquerait d'entraîner, de la
part du Japon, une extension immédiate de l'invasion,
extension à laquelle l'Indochine ne paraît pas, en ce
moment, susceptible de s'opposer par ses propres forces.
En conséquence, le Conseil de Défense de l'Empire
français ne se propose pas de provoquer le déclenchement
d'un tel mouvement. Le Conseil de Défense de l'Empire
français a pris note du fait que les autorités de Vichy, en
Indochine, semblent promettre de n'entreprendre aucune
action pour troubler l'ordre dans les territoires français du
Pacifique, action que, d'ailleurs, lesdites autorités n'auraient pas, apparemment, la possibilité d'exécuter, même
si elles voulaient le faire.

3) En dehors de cette question d'opportunité, nous
considérons que, de toute façon, les droits de la France en
Extrême-Orient demeurent solidaires des droits d'autres
puissances. En particulier, l'expansion en Indochine du
Japon et du Thaïland, — surtout si, comme on peut le
supposer, cette expansion est continuée ou doit l'être

ultérieurement, — ne peut manquer d'avoir certaines répercussions sur la situation actuelle de l'Empire britannique, des Etats-Unis et de la Hollande dans cette extrémité de l'Asie.

4) Si une tentative de médiation d'une seule de ces puissances pourrait risquer de ne pas aboutir, soit du fait des autorités actuelles en Indochine, soit du fait du Japon et du Thaïland, une médiation collective des trois puissances, tendant tout au moins à faire cesser les hostilités, aurait, sans doute, des chances de réussir. La situation militaire des Japonais, notamment dans le Kouang-Si, et l'étendue de leurs communications avec l'Indochine, paraissent de nature à limiter les exigences du Japon et, par contrecoup, celles du Thaïland, en présence d'une telle proposition de médiation collective, si elle se produisait en ce moment. Au contraire, tout affaiblissement de la capacité de résistance de l'Indochine pousserait le Japon et le Thaïland à l'intransigeance.

5) En tout cas, et aussi longtemps que les autorités actuelles en Indochine montreront l'intention de s'opposer dans la mesure du possible aux empiétements du Japon et du Thaïland, le Conseil de Défense de l'Empire français ne fait aucune objection à ce que certaines facilités soient données à ces autorités pour les aider à maintenir l'ordre dans le pays et à défendre les droits de la France. Ceci s'entend aussi bien de la reprise de quelques rapports économiques avec les puissances alliées que de la latitude qui serait donnée à l'Indochine pour se renforcer en armement.

A ce point de vue, le transfert en Indochine des avions du *Béarn,* bien qu'il paraisse comporter beaucoup de difficultés pratiques, pourrait être, à notre avis, accepté, à condition, cependant, que les autorités d'Indochine s'engagent à ne jamais laisser utiliser ces avions contre les forces françaises ni contre les alliés.

Télégramme à Henri Sautot,
Gouverneur de la Nouvelle-Calédonie, à Nouméa.

Londres, 28 janvier 1941.

I. — Etant donné situation générale, notamment du côté Japon, il est nécessaire que vous assuriez et complétiez la défense de la Nouvelle-Calédonie et celle de Tahiti.

II. — En conséquence, toutes les troupes existant actuellement en Nouvelle-Calédonie et à Tahiti et toutes celles que vous recruterez doivent être affectées, jusqu'à nouvel ordre de moi, à la défense de la Nouvelle-Calédonie et de Tahiti, à l'exception des 300 hommes de la Nouvelle-Calédonie et du détachement de 300 hommes de Tahiti qui doivent être embarqués pour le Middle East, quand ils seront prêts à combattre, c'est-à-dire commandés, encadrés, armés, équipés et instruits.

III. — Etant donné que la préparation et le transport des volontaires de Nouvelle-Calédonie pour le Middle East se font avec le concours du Gouvernement d'Australie, étant donné aussi que la défense éventuelle de la Nouvelle-Calédonie pourrait être appuyée par le Gouvernement d'Australie, j'ai demandé au Gouvernement d'Australie d'envoyer auprès de vous des officiers de liaison pour régler toute la question du concours pratique de ce Gouvernement.

Télégramme au général Catroux, au Caire.

Londres, 30 janvier 1941.

Je reçois votre télégramme concernant les contacts avec le général Weygand.

Vos renseignements complètent et recoupent des indications reçues d'autres sources. Il est clair que Weygand voit maintenant la situation générale autrement qu'il la voyait en juin. Il est également établi que son entourage le pousse dans le bon sens. Il est connu, enfin, que l'inimitié personnelle très vive entre Darlan et Weygand contribue à porter Weygand vers le bon côté. Cependant, tout en reconnaissant l'intérêt que présente ce commencement d'évolution de Weygand, je ne suis pas enclin à lui attribuer actuellement beaucoup d'importance pratique pour les raisons suivantes :

1) Bien que Weygand se trouve en Afrique par ordre du maréchal Pétain et agisse d'accord avec lui, sa situation n'est pas solide, car Pétain, surtout aujourd'hui, ne peut passer pour un homme constant. D'autant plus que, comme vous le savez, Pétain a au fond peu de sympathie personnelle pour Weygand et que Weygand a perdu beaucoup de son prestige en France et dans l'armée. Il suffirait d'une pression sérieuse des Allemands sur Vichy pour que Weygand soit rappelé ou obligé de fuir.

2) Weygand a soixante-quatorze ans. Il n'a jamais eu le goût du risque. Il se sent au surplus d'avance discrédité pour redevenir l'homme de la guerre après avoir été l'homme de l'armistice.

3) Quand bien même Weygand voudrait reprendre la guerre en Afrique, il ne le pourrait pas sans Darlan. Car c'est Darlan qui tient les ports, Casablanca, Oran, Dakar, par où viendraient les armes et les approvisionnements d'Amérique et d'Angleterre. Or, Darlan ne veut pas faire la guerre. Il tient à remplacer un jour Pétain et ne le peut sans le soutien allemand. Il faut ajouter que l'autorité de Weygand en Afrique est plus théorique que réelle. Le Maroc est à Noguès qui ne peut souffrir Weygand. L'Algérie est à Abrial, la Tunisie à Esteva qui, tous deux, obéissent à Darlan. L'Afrique occidentale est à Boisson, qui est l'homme de Dakar.

Je note la semi-promesse de Weygand de ne pas nous attaquer en Afrique équatoriale. Je crois, d'ailleurs, que s'il voulait le faire les troupes ne le suivraient guère ou pas du tout. Bien que ce soit évidemment notre plan de porter l'effort actuellement contre les Italiens, je ne consens nullement à promettre de ne rien faire pour rallier d'autres territoires de Vichy. Nous ne devons jamais accepter d'être mis sur le même plan que les gens qui ne combattent pas pour la France. Nous avons des droits et des devoirs et nous ferons toujours ce qui nous paraîtra nécessaire, sans restrictions autres que celles que nous imposent nos moyens.

Pour conclure, j'approuve que vous poursuiviez les contacts avec le général Weygand qui, en toute hypothèse, peuvent être utiles. Il est naturellement entendu que ces contacts doivent être donnés comme personnels et n'engagent pas notre Conseil de Défense ni moi-même, bien que je tienne à être tenu au courant comme vous venez de le faire très justement.

Télégramme au général Catroux,
Délégué général au Caire.

Londres, le 13 février 1941.

Le moment est venu de vous préciser mes intentions en ce qui concerne l'action militaire que nous devons mener en Abyssinie au cours de la prochaine période, en liaison avec nos alliés britanniques.

Comme vous le savez, j'ai décidé, d'accord avec le gouvernement et les états-majors généraux britanniques, que cette action devrait être menée de préférence à partir du territoire français de Somalie. Ce plan exige évidemment que nous mettions d'abord la main sur Djibouti par une opération préliminaire, dite opération « Marie », si cela est possible sans bataille contre la garnison actuelle de notre colonie.

L'opération « Marie » elle-même ne peut et ne doit avoir lieu qu'après l'arrivée à pied d'œuvre, non seulement de la légion étrangère, — qui est sur le point d'atteindre Port-Soudan, — mais encore des fusiliers marins, du bataillon sénégalais, de la compagnie de chars et de l'artillerie qui, en raison du retard des transports, ne parviendront à Port-Soudan qu'au milieu du mois d'avril.

Si donc, dans le courant d'avril, les renseignements recueillis sur Djibouti et la situation militaire générale permettent de conclure à la possibilité de l'opération « Marie » sans bataille entre Français, cette opération devra être exécutée et les troupes françaises participeront ensuite à l'offensive alliée en partant du territoire français.

Le général Legentilhomme est particulièrement qualifié pour prendre les contacts préliminaires · avec ses anciens subordonnés de Djibouti et recueillir les renseignements. Il est également qualifié pour commander nos opérations en Abyssinie. C'est pourquoi je lui ai confié le commandement de toutes les troupes que j'envoie, à partir de l'Afrique équatoriale, sur ce théâtre d'opérations et de celles que nous pourrions éventuellement récupérer à Djibouti même. J'ajoute que le général Legentilhomme est personnellement très désireux de ne pas rester sur ce qui s'est passé à Djibouti au moment de son départ. J'approuve sa résolution et je lui donne sa chance.

Mais, que l'opération « Marie » ait finalement lieu, ou non, nous devons sans délai et avec tous nos moyens disponibles prendre part aux opérations déjà engagées en Erythrée par nos alliés et auxquelles participent déjà nos spahis.

Nos troupes y seront engagées sous le commandement du général Legentilhomme. J'ai demandé au général Wavell qu'elles combattent toutes sur le même terrain et j'ai lieu de penser que le général Wavell est d'accord.

Comme je vous en ai déjà avisé, le général Legentilhomme et ses troupes sont, naturellement, sous les ordres du général Wavell pour les opérations militaires. Elles sont sous votre autorité pour tout le reste. Je suis persuadé que votre haute personnalité, agissant en qualité de Haut Commissaire de la France Libre et de mon délégué général, saura tirer, pour le service de la France, tout le parti possible des efforts de nos braves troupes.

Télégramme au général de Larminat,
Haut Commissaire à Brazzaville.

Londres, 17 février 1941.

La progression des Britanniques vers Tripoli doit nous faire prévoir l'effondrement de toute résistance italienne en Libye. L'occasion peut donc s'offrir prochainement de nous installer dans le Fezzan et, à partir de là, de gagner Ghât et même Ghadamès.

Je vous demande, en conséquence, de préparer sans délai les moyens nécessaires à cette opération. Le fait que le Fezzan et les oasis de la Libye ouest seraient conquis et occupés par les troupes françaises revêtirait à tous points de vue une importance qui ne vous échappera pas.

D'autre part, je vous prie de me faire connaître vers quelle date le bataillon d'Archambault et le bataillon du Cameroun seront en mesure de faire mouvement vers le Middle East.

Je vous confirme l'envoi prochain sur l'Afrique équatoriale de 80 jeunes sous-officiers formés ici depuis sept mois et de 80 jeunes aspirants. Tous sont d'excellente qualité.

Communiqué du général de Gaulle
et du Conseil de Défense de l'Empire.

Londres, 22 février 1941.

1) Le désastre momentané de la France ne saurait justifier en aucune manière une atteinte quelconque qui serait portée par les puissances étrangères, soit à l'intégrité des territoires de l'Empire, soit aux droits de la France en n'importe quel point du monde.

2) Tout abandon qui serait consenti par le Gouvernement de Vichy ou par ses représentants serait tenu pour nul et mon avenu par le Conseil de Défense de l'Empire français.

3) Cette déclaration et cette résolution s'appliquent au cas particulier de l'Indochine.

Le Conseil de Défense de l'Empire français ne méconnaît nullement l'utilité d'accords harmonisant les intérêts de l'Indochine française avec ceux des puissances étrangères, mais la France Libre ne saurait tenir pour justifiées, ni pour définitives, les concessions qui auraient été arrachées, ni les atteintes qui auraient été portées par la force ou la menace, au statut territorial et politique de l'Indochine tel qu'il existait avant le 23 juin, date d'entrée en vigueur des « armistices ».

Le Conseil de Défense de l'Empire français déclare approuver, par avance, l'attitude de l'Indochine en tant qu'elle s'opposerait à de tels empiétements.

Lettre au général Weygand, à Alger.

Londres, le 24 février 1941.

Mon Général,

Nous n'avons pas été d'accord. Mais, dans le malheur de la France, il faut partir du point où en sont les choses.

Il n'y a plus de doute possible sur la tournure que va prendre la collaboration avec les Allemands, ni sur les gens qui vont la faire. Or, la victoire d'Hitler c'est la fin de l'indépendance. Pour quelques jours encore vous êtes en mesure de jouer un grand rôle national. Ensuite, il sera trop tard.

Je vous propose de nous unir. Déclarons ensemble que nous faisons la guerre pour libérer la Patrie. Appelons-en à l'Empire ! Vous connaissez les sentiments de l'armée et des populations. Vous savez que notre entente provoquerait chez tous les Français un immense enthousiasme et entraînerait le concours immédiat des Alliés.

Si votre réponse est : oui, je vous assure de mes respects.

Note pour le Conseil de Défense de l'Empire.

Londres, 3 mars 1941.

Le général de Gaulle souhaite avoir l'avis des membres du Conseil de Défense au sujet de l'attitude à prendre par la France Libre dans le cas où l'Angleterre et la Turquie seraient amenées à occuper par la force tout ou partie des territoires du mandat français du Levant, en vue d'assurer la sécurité et la continuité de leurs communications dans leurs opérations contre l'Allemagne.

Devrions-nous, dans ce cas, publier une protestation condamnant cette action ?

Devrions-nous laisser faire, en nous bornant à réserver sous une forme écrite les droits de la France sur ces territoires ?

Ne devrions-nous pas, plutôt, nous associer, au nom de la France, à une action qui, en ce qui nous concerne, répondrait à un triple but.

Primo : rétablir dans une des parties de l'Empire français les conditions nécessaires à la reprise du combat contre les ennemis communs.

Secundo : préserver nos droits par notre présence.

Tertio : aider nos alliés.

Lettre au commandant Luizet, à Tanger.

Londres, le 6 mars 1941.

Mon cher ami,

L'affaire d'Afrique du Nord est à préparer d'urgence et en grand.

Une condition essentielle est la formation préalable de comités secrets, mais sérieux, capables de prendre sur place, à l'intérieur, l'autorité au nom de la France Libre, dès que l'action serait engagée de l'extérieur.

Il faudrait, me semble-t-il, un comité marocain, un comité tunisien, un comité algérien et des comités locaux rattachés à ceux-là. Il faudrait les composer du minimum de personnes. L'ardeur vaut mieux que la situation acquise.

Puis-je compter sur vous pour mettre cela en train et établir des liaisons entre les comités et nous ?

Télégramme à Henri Sautot,
Gouverneur de la Nouvelle-Calédonie à Nouméa.

Londres, 7 mars 1941.

J'ai vu aujourd'hui le Premier Ministre d'Australie avec qui j'ai discuté des points suivants :

Primo : Embarquement des volontaires. Le Premier Ministre va s'efforcer d'assurer leur transport vers Port-Soudan où ils trouveraient leurs armes et rejoindraient les troupes françaises.

Secundo : Le Premier Ministre est d'accord pour ouvrir confidentiellement des conversations militaires sur la défense des colonies. Le Premier Ministre est d'accord pour que, comme vous êtes en charge de tous nos intérêts dans le Pacifique, vous utilisiez l'administration australienne pour discuter les questions qui intéressent la Nouvelle-Zélande de façon que vous n'ayez qu'un seul canal de communications.

Tertio : Le Premier Ministre comprend l'importance politique d'éviter tout ce qui peut donner l'impression d'un contrôle britannique ou australien sur les colonies françaises du Pacifique.

J'ai été profondément touché par la sympathie exprimée à la France Libre et aux intérêts français par M. Menzies, qui m'a dit que la Nouvelle-Calédonie et les Hébrides pouvaient compter sur l'appui économique le plus libéral de la part de l'Australie.

Télégramme au général de Larminat,
Haut Commissaire à Brazzaville.

10 mars 1941

Je ne discute pas l'attribution future de Koufra mais il n'est pas opportun de prendre dès maintenant des engagements au sujet de Koufra alors que, par exemple, nous ignorons quelle sera l'attitude britannique si nous avions un jour à poser la question du Fezzan. Des accords de cette nature sont des affaires générales au sujet desquelles il doit m'être référé.

Télégramme à Délégation France Libre à Londres.

Khartoum, 16 avril 1941.

Quittant l'Egypte et le Soudan pour Brazzaville, je vous communique le résumé des observations que j'ai faites et des mesures que j'ai prises sur place.

Nous nous sommes battus en Erythrée avec la légion étrangère, deux bataillons sénégalais, une compagnie d'infanterie de marine et un escadron de spahis. Ces troupes, en dehors des spahis qui opéraient à part, ont toujours été à la gauche du dispositif allié sur l'axe Kub-Kub, Keren, Massaouah. Elles se sont bien battues, faisant 450 prisonniers à Kub-Kub, 900 à Keren, 700 aux abords de Massaouah et plusieurs milliers dans la ville. Nos pertes sont légères et, depuis le début, ne dépassent pas 150 dont beaucoup sont des blessés. Les bataillons Delange, Bouillon, Roux, les fusiliers marins, les chars, l'artillerie, en route ou en mer, n'ont pas eu l'occasion de combattre.

La division Legentilhomme, constituée à la date du 15 avril, va se rassembler au sud du Caire.

L'escadrille Villatte, dotée de Blenheims, a exécuté de

nombreuses missions de bombardement et de reconnaissance pendant les combats de Keren et de Massaouah et vers Gondar. Elle s'est bien battue.

En Egypte où, à mon avis, la situation va se stabiliser pour quelque temps, le bataillon d'infanterie de marine s'est parfaitement conduit. Il va rejoindre maintenant la division.

Nos chasseurs sur Hurricanes ont combattu, ces derniers jours, en Cyrénaïque et ont eu de grands succès. Je vous ai communiqué les dispositions que j'ai prises, d'accord avec l'Air-marshal Longmore, pour l'organisation de l'aviation française en Orient. Il est important, maintenant, que nos navires de guerre se montrent en Méditerranée.

Au total, la contribution militaire française a été glorieuse et appréciable.

L'enthousiasme montré pour notre mouvement par la majorité des Français, dans nos réunions du Caire, d'Alexandrie, d'Ismaïlia, a été magnifique. Tous les journaux de langue française sont avec nous et l'A.F.I. fait du bon travail. Cependant, les radios du Caire et de Jérusalem sont gênées par les conditions politiques locales. Mais la radio « Levant-France Libre » est excellente et écoutée partout, quoique brouillée par Beyrouth. Certains Français se tiennent à l'écart, comme honteux, et pour des raisons matérielles. La plupart des œuvres françaises seraient à annexer, si nous pouvions leur donner les subsides qu'elles reçoivent de Vichy, environ 100 000 livres sterling par an.

La flotte française d'Alexandrie, bien payée et, d'ailleurs, bien tenue, fait bande à part, mais sans incidents.

Au point de vue général, je crois que les mois prochains seront durs pour les alliés, à la fois dans les Balkans, en Egypte et en Asie Mineure. L'offensive ennemie va se déployer sur les deux rives de la Méditerranée en liaison avec la rébellion arabe. Il ne faut pas hésiter à voir les choses en face. J'estime que le redressement aura lieu vers septembre.

En ce qui concerne Vichy, j'estime que l'équivoque nationale et internationale est en train de prendre fin, que les Allemands vont jeter le masque en raison de leurs succès, que Vichy va passer à la collaboration ouverte et perdre, en même temps, ce qui lui reste de l'opinion nationale. Les attaques par radio contre nous en sont un indice. Nous devons donc parler plus haut et plus ferme que jamais, car il est évident que nous sommes le seul recours de l'indépendance française.

Je vais à Brazzaville qui sera mon centre pendant quelques semaines.

Marchons droit et bien d'accord.

Lettre au général Catroux,
Haut Commissaire de la France Libre pour l'Orient.

Brazzaville, le 25 avril 1941.

J'ai l'honneur de vous adresser, ci-joint, le plan de l'opération éventuelle en Syrie.

Il vous appartient d'obtenir l'accord des autorités britanniques intéressées au sujet de ce plan, pour autant qu'il implique leur concours.

Je suis, bien entendu, disposé à examiner toute modification que vous jugeriez utile de me suggérer, soit de votre initiative, soit de celle de nos alliés. Toutefois, la préparation devant exiger d'assez longs délais et l'occasion pouvant se présenter bientôt, je vous prie d'insister auprès des autorités britanniques d'Orient pour que leur réponse sur le principe de l'opération soit donnée au plus tôt et pour que, si l'on est d'accord, les moyens nécessaires vous soient délivrés de toute urgence.

(Suit le détail de l'opération prévue.)

Télégramme à Délégation France Libre à Londres.

Brazzaville, 12 mai 1941.

En raison de la politique négative adoptée à notre égard par les Britanniques au sujet de la Syrie et de Djibouti, j'ai décidé que le général Catroux devait quitter Le Caire où la présence d'un Haut Commissaire ne se justifie plus actuellement.

J'ai désigné Palewski comme représentant politique en Orient et le général Legentilhomme comme commandant supérieur des troupes. Tulasne reste chef d'état-major de l'Air en Orient. Veuillez aviser de ceci le gouvernement britannique.

J'ai prévenu directement le général Catroux, qui doit quitter Le Caire dès que possible et venir me voir à Brazzaville où nous fixerons sa nouvelle destination.

J'ai convoqué le consul général britannique hier et je lui ai fait part de certaines considérations générales au sujet de la politique récente britannique à notre égard et des risques qu'elle comporte pour ce qui concerne la situation morale en France et, par conséquent, la collaboration de Vichy avec les Allemands. Plus l'Angleterre nous négligera et plus l'opinion française se refroidira et plus Vichy collaborera. Parr a envoyé un télégramme à son gouvernement à la suite de cette conversation. Faites-vous-en montrer le texte au Foreign Office.

Télégramme à Délégation France Libre à Londres.

Brazzaville, 16 mai 1941.

En raison du changement d'attitude satisfaisant de nos alliés anglais en ce qui concerne la Syrie et Djibouti, j'ai différé le rappel du général Catroux. Je me rendrai bientôt au Caire.

Télégramme à René Pleven, à Londres.

Brazzaville, 19 mai 1941.

Etant donné l'attitude presque belligérante des Etats-Unis, la collaboration de plus en plus apparente de Vichy avec l'Allemagne, enfin les conditions économiques particulières à nos colonies libres d'Afrique et d'Océanie, le moment est venu pour nous d'organiser nos relations avec l'Amérique. Je compte vous confier personnellement cette mission.

Vous partirez à bref délai. Vous séjournerez aux Etats-Unis autant de semaines qu'il le faudra pour mettre notre affaire sur pied, c'est-à-dire, essentiellement :

1° Régler le rétablissement de nos relations permanentes et directes avec le Département d'Etat ; ces relations devant être ensuite entretenues par un représentant politique qualifié de la France Libre.

2° Organiser les rapports économiques et financiers de l'Afrique française libre et de l'Océanie française avec l'Amérique.

3° Organiser, si possible, des achats directs de matériel de guerre, ou utile pour la guerre, d'après le système employé par les Belges

4° Créer ou recréer nos comités.

5° Mettre sur pied notre information et notre propagande aux Etats-Unis.

6° Organiser le concours des bonnes volontés privées américaines.

Je vous prie de préparer, dès maintenant, cette mission, qui doit être évidemment discrète au départ, notamment vis-à-vis des Britanniques, mais cependant complète et poussée à fond.

Télégramme à Délégation France Libre à Londres.

Le Caire, 31 mai 1941.

Après beaucoup de retards et d'hésitations, qui ne sont pas de notre fait, l'heure de l'action en Syrie est proche. Je compte rester au Caire jusque-là. Ensuite, j'irai en Syrie pour quelque temps si les choses marchent bien. Dans le cas contraire, je retournerai à Brazzaville et, probablement, à Londres.

Notre position politique en Syrie sera la suivante : Nous proclamerons l'indépendance. Mais nous ne déclarerons pas le mandat aboli purement et simplement. D'abord, cela serait fâcheux au point de vue juridique et au point de vue de tous ceux qui ne renoncent pas à la S.D.N. Ensuite, il faut une transition dans la transmission des pouvoirs. Enfin, la Syrie est un territoire dans la zone de combat et il est impossible, en pleine bataille, d'y bouleverser la nature de l'autorité. Nous dirons seulement que nous venons pour mettre un terme au régime du mandat et pour conclure un traité garantissant l'indépendance et la souveraineté.

Notre position militaire sera la suivante : Nous reformerons les forces terrestres, navales et aériennes françaises, syriennes et libanaises du Levant et je placerai ces forces, pour l'emploi, sous les ordres des commandants en chef britanniques de terre, de mer et de l'air en Middle-East.

Télégramme à Henri Sautot,
Gouverneur de la Nouvelle-Calédonie.

Le Caire, 2 juin 1941.

J'approuve, aux conditions suivantes, le projet d'accord militaire, entre le Gouvernement australien et nous, concernant la Nouvelle-Calédonie. Nous devons obtenir que l'emploi de l'aviation et des hydravions australiens basés en Nouvelle-Calédonie soit à la disposition du commandant supérieur français, puisqu'il s'agit de la défense de l'île. Nous devons limiter le nombre d'officiers et autres Australiens employés à la liaison. Ceux-ci ne doivent intervenir en rien dans l'organisation de nos forces, ni dans l'emploi de nos forces, ni dans la répartition de l'armement remis à nos forces. Ils doivent être attachés directement au commandant supérieur français, à l'exclusion de tous ses subordonnés. Réciproquement, nous devons avoir un officier de liaison en Australie.

Le gouverneur Sautot doit conclure l'accord, non pas au nom de la Nouvelle Calédonie, mais au nom du Général de Gaulle et du Conseil de Défense de l'Empire français.

Télégramme à René Pleven, à Londres.

Le Caire, 3 juin 1941.

Dans vos conversations prochaines avec les autorités américaines, je vous demande de faire des propositions, résumées comme suit, mais que vous leur développerez.

Si les Etats-Unis sont amenés ultérieurement à agir par les armes, la question du déploiement de leurs forces sera naturellement essentielle. La force s'entend, avant tout, de la force aérienne dans la guerre moderne. C'est une question de bases et de communications.

A cet égard, le territoire de la Grande-Bretagne est peu favorable en raison de son exiguïté et de l'insécurité de ses communications avec l'Amérique. Au contraire, l'Afrique est désignée par sa proximité comme base principale d'action progressive des Etats-Unis vers les centres vitaux ennemis en Europe. Mais l'installation d'une telle base doit être préparée. D'ailleurs, une telle installation préalable ne serait pas un acte de guerre. L'Afrique du Nord française offrirait des bases idéales, mais la collaboration de Vichy avec l'Allemagne ne permet pas d'y compter.

Nous offrons aux Etats-Unis toutes les facilités qu'ils voudront pour installer des bases aériennes américaines en

Afrique française libre, spécialement au Cameroun, au Tchad, dans l'Oubangui. Débarquement possible du matériel et des ravitaillements à Douala et à Pointe-Noire. Il est facile d'y établir des ateliers de montage d'avions.

L'Afrique française libre sera bientôt le centre géographique de la zone de guerre en Afrique.

Télégramme à M. Winston Churchill, à Londres.

Le Caire, 7 juin 1941.

Je reçois à l'instant votre message du 6 juin. Je me sens en plein accord avec vous pour que notre politique commune à l'égard des Arabes, comme à tous égards, soit mutuellement confiante. Je vous remercie profondément de votre pensée pour mes troupes. Quoi qu'il arrive, les Français Libres sont décidés à combattre pour vaincre avec vous en alliés fidèles et résolus.

Lettre à Sir Archibald Sinclair,
Ministre de l'Air britannique.

Le Caire, le 8 juin 1941.

Cher Sir Archibald,

Le colonel Valin m'a rendu compte, en détail, des mesures qui ont été prises récemment pour l'instruction et le groupement des jeunes aviateurs français en Angleterre. Je tiens à vous dire que ces mesures me paraissent excellentes et je vous en remercie personnellement. Je crois pouvoir en conclure que nous sommes, maintenant, réellement d'accord pour la formation progressive et rapide d'une petite aviation française dans laquelle les Français seront groupés dans les mêmes formations et constitueront, autant que possible, des unités françaises.

L'importance politique extrême d'une telle réalisation

374 MÉMOIRES DE GUERRE – L'APPEL

ne vous échappe certainement pas. J'ajoute que des dispositions de ce genre sont, maintenant, adoptées en Middle-East et j'ai la satisfaction de constater que la valeur militaire des éléments français d'aviation en est devenue meilleure.

Je saisis cette occasion pour vous dire mon admiration et celle des Français Libres pour la valeur et l'efficacité de la Royal Air Force dans la bataille d'Orient et pour vous adresser mes sincères compliments personnels.

Sincèrement à vous.

Lettre à M. Djemil Mardam Bey,
ancien président du Conseil des ministres de Syrie.

Le Caire, 8 juin 1941.

Mon cher Président,

En entrant en Syrie avec les Forces de la France Libre, le général Catroux adressera aux populations une proclamation.

Cette proclamation, dont j'ai approuvé l'esprit et les termes, sera faite en mon nom et au nom de la France Libre, c'est-à-dire de la France.

Elle apportera aux patriotes, dont vous êtes, la satisfaction de leurs plus chères aspirations, en reconnaissant aux peuples du Levant le statut, garanti par traité, de peuples souverains et indépendants.

Ainsi sera consacré le succès d'une cause à laquelle vous vous êtes si ardemment et généreusement consacré.

Je suis heureux de vous en faire part et j'exprime l'espoir que vous trouverez, dans cet événement important, un puissant encouragement à collaborer avec la France Libre et avec son représentant le général Catroux.

Veuillez agréer, mon cher Président, l'assurance de ma considération très distinguée.

Déclaration remise à la presse et à la radio des pays libres.

Le Caire, 10 juin 1941.

La France Libre fait la guerre. Or, avec le consentement de Vichy, les Allemands ont commencé à prendre pied au Levant. Militairement, c'est un immense danger. Politiquement, c'est livrer au tyran des peuples que nous nous sommes engagés de tout temps à conduire à l'indépendance. Moralement, c'est, pour la France, perdre tout ce qui lui reste de prestige en Orient.

Voilà pourquoi nous sommes entrés en Syrie et au Liban avec nos alliés britanniques.

Il est malheureusement vrai que notre marche peut rencontrer des résistances de la part de nos camarades des troupes du Levant. Certains d'entre eux, mal éclairés, estiment à contrecœur devoir nous opposer la force. Contre ceux-là, jamais nous ne tirerons les premiers. Mais, s'il se produit de leur fait quelques engagements, nous ferons notre devoir.

D'ailleurs, combien d'autres viennent se joindre à nous ! Je puis révéler que, dans celles des Forces Françaises Libres qui se trouvent en Orient, servent, à l'heure qu'il est, 63 officiers venus de Syrie, malgré les sanctions, les menaces et les représailles. Vichy en a renvoyé sur Marseille ou mis en prison plus de 200 autres.

La France ne veut pas de la victoire allemande. La France veut être délivrée. Nous exécuterons la volonté de la France.

Note remise à l'ambassadeur et aux commandants en chef britanniques lors de la conférence tenue au Caire, le 19 juin 1941.

Le général de Gaulle est d'avis de conclure un arrangement avec le Haut Commissaire au Levant.

Cet arrangement doit avoir pour bases :

1) Un traitement honorable pour tous les militaires et tous les fonctionnaires.

2) La garantie donnée par la Grande-Bretagne que les droits et les intérêts de la France au Levant seront maintenus de son fait. La représentation de la France au Levant sera assurée par les autorités françaises libres dans le cadre de l'indépendance qu'elles ont promise aux Etats du Levant et que la Grande-Bretagne a garantie.

3) En ce qui concerne les militaires et les fonctionnaires, tous ceux qui voudront servir avec les alliés pourront rester librement, ainsi que leur famille. Tous ceux qui ne le voudront pas seront rapatriés, quand les circonstances le permettront, avec leur famille. Toutefois, les alliés se réservent de prendre des dispositions pour que le choix de chacun soit réellement libre.

4) Tout le matériel de guerre doit être remis aux alliés.

5) Pour les navires d'accord.

6) Le général de Gaulle, qui n'a jamais traduit en jugement ceux de ses camarades de l'armée qui l'ont combattu en exécutant les ordres reçus, n'a aucunement l'intention de le faire dans le cas présent.

7) Le général de Gaulle considère comme nécessaire que son représentant participe aux négociations et que la réponse à Beyrouth soit donnée en son nom comme au nom des autorités britanniques.

Télégramme à M. Eden, à Londres.

Le Caire, 20 juin 1941.

J'ai eu connaissance, aujourd'hui à 10 heures, du télégramme que Votre Excellence a adressé le 19 juin à Washington au sujet des conditions que le Gouvernement britannique se déclare prêt à accepter comme base d'une négociation avec les autorités de Vichy.

Je ne puis cacher à Votre Excellence l'étonnement que me cause cette réponse unilatérale et explicite de sa part, dans une affaire où la France Libre est engagée comme l'Angleterre et la vie des soldats français libres comme celle des soldats britanniques, et au sujet de questions qui concernent essentiellement la destination d'un personnel militaire et civil français et le sort de territoires sur lesquels s'exerce l'autorité de la France.

Je remarque que le porte-parole du Haut Commissaire de Vichy à Beyrouth, qui apprécie sans doute l'intérêt que présente, pour le présent et pour l'avenir, le point de vue de la France Libre, a demandé à connaître, non seulement les conditions du Gouvernement britannique, mais encore celles de la France Libre, et que Votre Excellence a télégraphié à Washington comme si son gouvernement était seul qualifié pour répondre, ce que je considère comme injustifié.

Votre Excellence comprendra certainement que, dans une telle occurrence, je ne me sente lié d'aucune manière par les considérations et les conclusions incluses dans son télégramme adressé à Washington et que je m'en tienne exclusivement aux termes du télégramme dont j'ai accepté le texte le 19 juin au soir, d'accord avec l'ambassadeur de Grande-Bretagne et les commandants en chef britanniques.

Lettre au général Catroux.

Damas, le 24 juin 1941.

Mon Général,

Par décrets, en date de ce jour, je vous ai nommé Délégué général et plénipotentiaire et Commandant en chef au Levant

Vous exercerez vos pouvoirs et attributions en mon nom et au nom du Conseil de Défense de l'Empire français. Votre mission consistera essentiellement à diriger le rétablissement au Levant d'une situation intérieure et économique aussi proche de la normale que le permettront les circonstances de la guerre ; à négocier avec les représentants qualifiés des populations des traités instituant l'indépendance et la souveraineté des Etats du Levant, ainsi que l'alliance de ces Etats avec la France, et sauvegardant les droits et intérêts de la France ; à assurer la défense de tout le territoire contre l'ennemi ; à coopérer avec les alliés aux opérations de guerre en Orient.

En attendant que le régime nouveau, issu des futurs traités, puisse être appliqué, ce qui devra être fait aussitôt que possible, vous assumerez tous les pouvoirs que détenait jusqu'ici le Haut Commissaire de France au Levant et toutes les responsabilités qui lui incombaient. Par la suite, vos attributions seront celles du représentant de la France dans le cadre des traités et de commandant en chef de nos forces.

Il vous appartiendra de provoquer, dès que possible, la réunion d'assemblées réellement représentatives de l'ensemble des populations et la formation de gouvernements approuvés par ces assemblées avec lesquels vous entamerez aussitôt des négociations tendant à la conclusion des traités d'alliance. Les traités devront être conclus entre ces gouvernements et moi-même.

Malgré les déchirements et les vicissitudes résultant des revers momentanés des armées françaises et des intrigues de l'envahisseur de notre pays, le mandat confié à la France au Levant par la Société des Nations, en 1923, doit être conduit à son terme et l'œuvre de la France doit être continuée. C'est pourquoi vous prendrez comme point de départ des négociations avec les Etats du Levant les traités d'alliance conclus en 1936 avec ces Etats. Vous proposerez aux gouvernements des Etats du Levant que les dispositions temporaires à prendre en commun, pour répondre aux nécessités de notre défense commune dans la guerre actuelle, fassent l'objet de conventions particulières.

Je me réserve de faire part, le moment voulu, à la Société des Nations, du remplacement au Levant du régime du mandat par un régime nouveau et répondant aux fins pour lesquelles le mandat avait été institué.

Croyez, mon cher Général, à mes sentiments cordialement dévoués.

*Télégramme à René Cassin Délégation France Libre,
à Londres.*

Jérusalem, 24 juin 1941.

1° En ce qui concerne le conflit Allemagne-Russie, nous devons prendre une attitude déterminée. Sans accepter de discuter actuellement les vices et même les crimes du régime soviétique, nous devons proclamer, comme M. Churchill, que nous sommes très franchement avec les Russes puisqu'ils combattent les Allemands. Ce ne sont pas les Russes qui écrasent la France, occupent Paris, Reims, Bordeaux, Strasbourg, pillent et démoralisent notre pays, utilisent Vichy pour faire combattre en Syrie des Français contre des Français. Les avions, les chars et les soldats allemands que les Russes détruisent et détruiront ne seront plus là pour nous empêcher de libérer la France.

Je vous prie de donner immédiatement ce ton à notre propagande.

2° Faites vous-même auprès de M. Maisky une démarche discrète mais nette lui exprimant en mon nom que le peuple français est avec les Russes contre l'Allemagne et que nous souhaitons, en conséquence, organiser avec Moscou des relations militaires. Mettez le Foreign Office au courant.

Télégramme à M. Winston Churchill, à Londres.

Le Caire, 28 juin 1941.

Au moment où, grâce à notre effort commun, il va sans doute être possible à la France Libre de se substituer à

Vichy en Syrie et au Liban, je tiens à vous exprimer mon point de vue en ce qui concerne les incidents de cette affaire et l'organisation locale des rapports franco-britanniques en Orient.

La manière dont procédera la politique britannique à propos de la Syrie sera un critérium d'une très grande importance. C'est la première fois que les forces britanniques, unies à celles de la France Libre, pénètrent sur un territoire soumis à l'autorité de la France. Il se trouve, en outre, que les tendances de la politique britannique y ont rarement coïncidé avec les tendances de la politique française. Pour cette double raison, l'opinion française et l'opinion internationale seront très attentives à la façon dont se comportera la Grande-Bretagne à l'égard de la situation de la France dans cette région.

Si, à la satisfaction de Vichy, de Berlin et de Rome, notre action commune en Syrie et au Liban semblait avoir pour résultat d'y diminuer la position de la France et d'y introduire des tendances et une action proprement britanniques, je suis convaincu que l'effet sur l'opinion de mon pays serait désastreux. Je dois ajouter que mon propre effort, qui consiste à maintenir moralement et matériellement la résistance française aux côtés de l'Angleterre contre nos ennemis, en serait gravement compromis.

Je suis assuré que telle est bien votre manière de voir. Mais je souhaite que toutes les autorités britanniques locales n'agissent que dans ce sens. Je souhaite aussi que leurs activités de sécurité, d'information, d'économie, etc... soient suffisamment concentrées et limitées pour ne pas donner l'impression que l'occupation de la Syrie par des troupes en partie britanniques sous un commandement britannique entraîne, soit un déplacement d'autorité au détriment de la France, soit une sorte de contrôle de l'autorité de la France.

Télégramme à Délégation France Libre à Londres.

Le Caire, 9 juillet 1941.

Il est temps de rétablir définitivement et sans demi-mesures l'autorité de la France Libre dans le Pacifique, de mettre en œuvre, pour la guerre, toutes les ressources qui s'y trouvent et d'y assurer, contre les dangers possibles et, peut-être, prochains, la défense des territoires français, en union avec nos alliés.

Je désigne pour cette mission le capitaine de vaisseau d'Argenlieu que je nomme, par décret d'aujourd'hui, Haut Commissaire de France au Pacifique et qui exercera, en mon nom, tous les pouvoirs civils et militaires.

Le Haut Commissaire se rendra à son poste immédiatement. Il prendra sur place toutes mesures qu'il jugera nécessaires à l'égard des personnes...

D'autre part, je répète l'ordre d'envoyer au Pacifique un ou plusieurs de nos navires de guerre.

Veuillez rendre compte du départ du Haut Commissaire et du mouvement du (ou des) navire (s) intéressé (s).

Télégramme à Délégation France Libre à Londres.

Brazzaville, 11 juillet 1941.

J'ai reçu votre télégramme concernant le « parti de la Libération ». J'ai reçu aussi sur cette question, de la part du gouvernement de Londres, un aide-mémoire qui m'a fait réfléchir.

Je n'approuve pas ce parti de la Libération, qui serait créé sur l'initiative anglaise, qui ne se confondrait pas avec la France Libre et qui mettrait dans les mains anglaises des fils qui ne doivent être que dans les nôtres.

Le parti français de la Libération existe depuis le 18 juin 1940. C'est la France Libre. Il n'y a aucune raison d'en créer un autre. D'autre part, je vous invite à vous tenir en garde contre les conceptions de politique fran-

çaise et les idées de propagande française élaborées par le
Foreign Office et le Ministry of Information. Ces organismes ont toujours cherché à agir en dehors de nous en
jouant de l'équivoque, à savoir qu'ils affectent d'agir pour
notre compte en utilisant ainsi ce que nous avons de crédit
pour des fins qui ne sont pas toujours, loin de là, les
nôtres.

Tenez compte, également, du fait que certains personnages français, qui cherchent à exister politiquement en
dehors de nous, inspirent souvent le Foreign Office et le
Ministry of Information.

Télégramme à Délégation France Libre à Londres.

Brazzaville, 13 juillet 1941.

Je n'apprécie pas le paragraphe n° 1 de votre mémorandum du 7 juillet au sujet de l'autorité en Syrie. L'autorité
suprême en Syrie appartient à la France et n'appartient
aucunement, à aucun degré, à un commandant en chef
étranger. Les troupes britanniques en Syrie n'occupent
pas un pays conquis ; elles collaborent à la bataille sur un
territoire allié. Quand le maréchal Haig combattait en
France, l'autorité dans les départements où se trouvaient
ses troupes continuait d'appartenir entièrement au Gouvernement de la République.

Il est entendu que, dans la zone des armées, le
commandement militaire français ou allié a qualité pour
prendre les mesures nécessaires à la sécurité, au ravitaillement, à l'usage des voies de communication, des ports,
des moyens de transmissions, au fonctionnement des
services publics. Mais il ne peut le faire que par délégation
de l'autorité suprême ou d'accord avec cette autorité et
dans la mesure seulement où cela intéresse les opérations.
En outre, il doit le faire par l'intermédiaire des autorités
locales.

Dans le cas particulier de la Syrie, c'est au général
Catroux qu'il appartiendra de prendre, à ces divers

égards, les dispositions qui lui seront demandées par le commandement militaire. D'autre part, il n'est nullement obligatoire que le commandement militaire en Syrie soit exercé par un Britannique. Par l'accord du 7 août 1940, j'ai accepté, en ce qui concerne la conduite militaire de la guerre, les directives générales du commandement britannique, mais je n'ai nullement accepté que nos troupes soient nécessairement sous les ordres des Britanniques. D'ailleurs, l'accord du 7 août, qui n'est que partiellement appliqué par les Britanniques, notamment pour l'armement, a été conclu à une époque où nous n'avions pas encore la responsabilité de territoires où s'exerce la souveraineté de la France. Nous avons maintenant cette responsabilité, laquelle peut devenir incompatible avec les directives du commandement britannique. Dans ce cas, je me réserve de refuser ces directives, spécialement en Syrie et même en ce qui concerne les opérations.

Comme conclusion : Je ferai avec Lyttelton un arrangement qui devra laisser intactes la souveraineté et l'autorité suprême de la France en Syrie, qui donnera au commandement britannique les facilités nécessaires pour ses opérations et qui organisera en Orient le commandement interallié dans la mesure où cette organisation laissera entière notre responsabilité nationale et internationale en ce qui concerne la Syrie. Tout autre régime serait inacceptable et je ne l'accepterais pas.

Telles sont les directives auxquelles je vous prie de vous conformer dans vos échanges de vues sur la matière avec les départements britanniques.

Télégramme adressé au général Catroux au Caire et communiqué au général Spears, à l'ambassadeur britannique au Caire et au commandant en chef britannique.

Brazzaville, 15 juillet 1941.

J'espère que vous n'avez pas été amené à signer cette convention d'armistice qui est contraire à mes intentions et instructions. Laisser les troupes de Vichy sous les ordres de leurs officiers avec la promesse d'un prochain rapatriement sur les bateaux de Vichy rend impossible le ralliement d'un nombre d'hommes important. C'est la même méthode que les Anglais ont employée pour les soldats et marins en Angleterre.

Ceci fait peut-être l'affaire des Anglais, qui sont toujours sous l'empire de leurs illusions sur Vichy et dont le désir est avant tout de se débarrasser des éléments français dont ils ne comprennent pas le parti que nous pouvons en tirer. Mais le résultat en est très fâcheux pour la France, puisque cela gêne notre redressement militaire.

En fait, le résultat de ces conditions sera de ramener en Afrique du Nord et en A.O.F. des troupes constituées, aguerries à nos dépens, excitées par la bataille, et que nous retrouverons contre nous au Tchad ou même en Afrique du Nord dès qu'Hitler en donnera l'ordre à Darlan.

Je n'approuve donc pas ces conditions, au sujet desquelles on ne m'a du reste jamais consulté durant les négociations qui, pourtant, ont duré trois jours. En conséquence, je me vois obligé de prendre des mesures pour en faire retomber uniquement la responsabilité sur les Anglais aussitôt que je serai en possession des détails de l'accord. J'étudie également dans quelle mesure vous avez résolu les questions qui étaient vitales pour nous. J'arriverai au Caire vendredi.

Télégramme à Délégation France Libre à Londres.

Le Caire, 21 juillet 1941.

J'ai reçu le texte de votre mémorandum du 17 juillet, concernant l'armistice anglo-Vichy. J'approuve ce mémorandum. J'ai notifié ce matin oralement et par écrit à Lyttelton :

1) Que nous refusions convention et protocole et que nous nous réservions d'agir comme il nous

semblera bon. En particulier, nous prendrons directement avec les troupes de Vichy tout contact que nous
voudrons et nous reconstituerons nous-mêmes les « troupes spéciales du Levant ».

2) Qu'à la date du 24 juillet, midi, nous n'acceptions
plus le commandement britannique sur nos troupes au
Levant.

Entrevue de deux heures, assez calme de ton, très
catégorique de fond. J'ai dit, notamment, à Lyttelton que
la conduite des Britanniques dans cette affaire était
incompatible avec l'honneur et les intérêts de la France et
avec notre dignité. J'ai ajouté que nous envisagions même
la rupture de notre alliance, avec chagrin mais sans
hésitation, car nous combattions pour la France et non
pour l'Angleterre.

Sous une apparence de sang-froid, mais avec une visible
émotion, Lyttelton me parut très gêné et très inquiet... Je
suis ici avec le général de Larminat. Nous irons à
Beyrouth le 25 juillet et nous y trouverons Sicé.

Je demande à chaque membre du Conseil de Défense de
l'Empire français de me soutenir à fond dans mes
négociations décisives, dont je pense, d'ailleurs, qu'elles
finiront par notre succès.

Télégramme à Délégation France Libre à Londres.

Le Caire, 24 juillet 1941.

Après de dures péripéties, j'ai conclu ce matin avec
Lyttelton un arrangement concernant l'interprétation de
la convention d'armistice. Les termes de cet arrangement
vous sont télégraphiés d'autre part. Nous avons ainsi le
moyen d'agir effectivement sur les troupes de Vichy et de
prendre possession du matériel. Je pars aujourd'hui pour
Beyrouth afin d'appliquer cela et de mettre en route notre
régime politique et administratif au Levant. Lyttelton

m'écrit une lettre reconnaissant notre entière souveraineté sur les Etats du Levant. Tout cela est une sérieuse satisfaction.

Il faut maintenant empêcher le rapatriement des troupes. J'ai télégraphié aujourd'hui à M. Winston Churchill à ce sujet. La conduite de Vichy concernant l'Indochine et l'attitude actuelle de Dentz en Syrie nous donnent toutes justifications. D'autre part, je crois que la solution de Djibouti est imminente par reddition. J'ai obtenu des Britanniques l'envoi à leurs autorités locales d'instructions satisfaisantes. Au total, le changement d'orientation britannique est maintenant favorable. La crise a été chaude et elle n'est pas tout à fait terminée.

Lettre à M. O. Lyttelton
Ministre d'Etat britannique, au Caire.

Beyrouth, le 27 juillet 1941.

Cher captain Lyttelton,

Je reçois votre lettre du 24 juillet 1941 et le texte de l'accord que nos représentants respectifs ont établi comme interprétation de la convention d'armistice en Syrie. Je me fais un plaisir de vous dire que j'approuve ce texte qui, dès à présent, engage les autorités militaires et civiles françaises qu'il concerne.

D'autre part, je prends acte de votre accord sur la sanction à prendre à l'égard des éléments français dissidents, dits « de Vichy », s'il est établi que ces éléments ont, comme je le pense, effectivement violé la convention.

Il est entendu que, ni votre lettre du 24 juillet, ni ma réponse, ne seront publiées sans que nous y consentions tous les deux.

Bien sincèrement à vous.

Lettre à M. O. Lyttelton, au Caire.

Beyrouth, le 27 juillet 1941.

Mon cher captain Lyttelton,

Je reçois votre lettre du 25 juillet. Je suis heureux de prendre note des assurances que vous voulez bien m'y donner concernant le désintéressement de la Grande-Bretagne en Syrie et au Liban et le fait que la Grande-Bretagne reconnaît par avance la position dominante et privilégiée de la France au Levant lorsque ces Etats se trouveront indépendants.

Le texte de l'accord et du supplément à cet accord que je trouve annexé à votre lettre et que nous avons arrêté ensemble au Caire, le 25 juillet, sera mis immédiatement en application par les autorités militaires françaises qu'il concerne.

Bien sincèrement à vous.

Télégramme à Délégation France Libre à Londres.

Beyrouth, 1er août 1941.

Le captain Lyttelton vient d'écrire une lettre au général Catroux pour lui demander, comme une chose allant de soi, que le général Spears soit présent aux négociations des traités franco-syrien et franco-libanais.

Naturellement, le général Catroux a répondu par un refus pur et simple.

Si cette demande de Lyttelton correspond à la politique de son gouvernement, il est évident que cette politique est inconciliable avec les droits souverains de la France. Il est également évident que nous ne pouvons pas accepter de prêter la main à aucune atteinte à ces droits.

Je suis convaincu que l'immixtion de l'Angleterre dans les affaires politiques françaises en Syrie et au Liban nous conduira à de très graves complications. Tous les Français Libres qui sont ici sont d'accord sur ce point, sans parler naturellement des autres Français dont l'attitude vis-à-vis de l'Angleterre est bien connue. Il me paraît que les avantages douteux que la politique anglaise pourrait tirer de cet oubli des droits de la France seraient bien médiocres en comparaison des inconvénients majeurs qui résulteraient d'une brouille entre la France Libre et l'Angleterre.

Veuillez demander audience à M. Eden et lui faire, de ma part, une communication très nette dans ce sens.

Télégramme à René Cassin, Délégation France Libre à Londres.

Beyrouth, 2 août 1941.

Je désirerais que vous abordiez avec l'ambassadeur de Russie à Londres des conversations officieuses, absolument secrètes, portant sur les points suivants :

Primo : La Russie serait-elle disposée à entretenir des relations directes avec nous ? Dans l'affirmative, sous quelle forme pourraient-elles être établies ?

Secundo : La Russie envisagerait-elle, maintenant ou plus tard, de nous adresser une déclaration au sujet de son intention d'aider à restaurer l'indépendance et la grandeur de la France, soit dans les mêmes termes que la déclaration Churchill, soit dans d'autres termes ? Nous aimerions, naturellement, que la Russie ajoute « intégrité » à « indépendance » et à « grandeur ».

Tertio : En échange de telles déclarations, quel engagement la Russie souhaiterait-elle recevoir de notre part ?

Télégramme à René Pleven, à Washington.

Alep, 9 août 1941.

Je reçois seulement aujourd'hui votre dépêche du 26 juillet. J'apprécie votre action et suis convaincu qu'elle portera ses fruits. D'une manière générale, vous avez bien compris que nous ne demandons aux Etats-Unis aucune aumône mais uniquement des moyens de combat. Or, je vois que, pour le moment, le Département d'Etat propose des médicaments mais pas des armes. Nous refusons les médicaments sans les armes. Les illusions du conformisme sévissent, évidemment, à Washington et favorisent Vichy, c'est-à-dire Hitler qui a créé Vichy.

Je n'accepte pas que vous, représentant de la France, assistiez seulement comme expert à une conférence tripartite. Vous y assisterez avec droits égaux aux autres conférents ou bien vous n'y assisterez pas. Je maintiens, cependant, mon offre de recevoir à Brazzaville un officier ou plusieurs officiers américains.

Télégramme à Délégation France Libre à Londres.

Beyrouth, 13 août 1941.

J'ai reçu vos télégrammes du 25 juillet et du 10 août. J'ai mesuré, mieux que personne, les graves conséquences nationales et internationales qu'entraînerait la rupture de la France Libre avec l'Angleterre. C'est justement pour cela que j'ai dû mettre l'Angleterre en présence de ces conséquences, dans le cas où elle agirait envers nous de manière inadmissible. Je qualifie d'inadmissibles une politique et une attitude qui utiliseraient notre concours pour nuire aux intérêts ou à la position de la France sur le terrain même où ce concours s'est déployé. C'est exactement ce qui était en train de se passer en Syrie. Nous perdrions à la fois l'honneur et notre autorité en France si nous consentions à cela. Je n'y ai pas consenti et tous nos compagnons, ici et en Afrique, ont fait bloc avec moi à ce sujet.

C'est ainsi que j'ai pu redresser la situation et sauver l'essentiel. Je comprends que les Britanniques en aient éprouvé de l'irritation, mais cette irritation pèse peu en comparaison de nos devoirs envers la France. J'estime même que la crise aura été salutaire quant à nos rapports avec l'Angleterre. M. Churchill comprendra certainement qu'on ne s'appuie que sur ce qui résiste.

Contrairement à ce que vous pensez, je crois que la nouvelle capitulation de Vichy pour l'Afrique aura pour conséquence de faire grandir la France Libre dans la nation et à l'étranger, spécialement du point de vue américain.

En ce qui concerne la garantie donnée par la Grande-Bretagne à l'indépendance de la Syrie et du Liban, je ne l'ai jamais reconnue. Contrairement à ce que vous pensez, elle ne figure aucunement dans la proclamation du général Catroux, dont j'avais modifié, dès mon arrivée au Caire, le projet primitif. J'avais, d'ailleurs, avisé par lettre, le 3 juin, l'ambassadeur britannique au Caire que, sans être en mesure de nous opposer à la publication par les Anglais de la garantie, je la désapprouvais et n'en tiendrais pas compte. La parole de la France n'a pas à être garantie par une puissance étrangère. De même, la participation de Spears aux pourparlers de Damas et de Beyrouth ne saurait être acceptée. Je prétends que la présence d'une tierce puissance dans une négociation de la France avec un Etat placé sous son mandat serait une ingérence inadmissible et je ne l'admettrai pas.

En conclusion, je vous invite à vous affermir et à ne pas donner l'impression que ma représentation ne suit pas exactement ma politique. Notre grandeur et notre force consistent uniquement dans l'intransigeance pour ce qui concerne les droits de la France. Nous aurons besoin de cette intransigeance jusqu'au Rhin inclusivement.

Télégramme à Délégation France Libre à Londres.

Brazzaville, 25 août 1941.

En ce qui concerne notre position par rapport à la déclaration Churchill-Roosevelt, intitulée « Charte de l'Atlantique », nous devons être, dans le fond et dans la forme, de la plus grande prudence sur l'article premier en ce qui concerne les « agrandissements ». Sans parler actuellement du Rhin, nous devons nous ménager la possibilité d'une extension de notre position dans les pays rhénans en cas d'écroulement du Reich. Car, dans ce cas, étant donné les destructions matérielles et morales commencées en pays rhénans, des choses imprévues pourraient se produire.

Dire : Nous ne recherchons aucune extension de territoire mais nous ne renonçons pas expressément à tout agrandissement d'autre sorte.

Quant à l'article 4, il doit comporter, de notre part, des réserves formelles. Nous ne pouvons pas accepter, après la guerre, l'accession de l'Allemagne et de l'Italie aux matières premières sur le même pied que la France qu'elles ont atrocement dépouillée.

D'une manière générale, nous devons répandre l'idée que la guerre actuelle n'est qu'un épisode de la guerre mondiale commencée en 1914. Le concours de la France à la cause commune de la liberté dans la guerre mondiale se mesure à partir de 1914. Il en est de même de ses sacrifices et, par suite, des réparations de toutes sortes auxquelles elle aurait droit.

Télégramme au général Catroux, Délégué général et plénipotentiaire à Beyrouth, et au médecin général Sicé, Haut Commissaire à Brazzaville.

Londres, 16 septembre 1941.

Les sérieuses difficultés, auxquelles l'affaire de Syrie a donné lieu entre nos alliés britanniques et nous, paraissent en voie de s'aplanir. Bien que le récent discours de Churchill manifeste une tendance inquiétante, il semble

que le *modus vivendi* établi par les accords Lyttelton-de
Gaulle doive être maintenu. S'il en est ainsi, nous pouvons
considérer que l'essentiel est assuré et que la position de la
France au Levant est, en somme, maintenue dans des
conditions acceptables.

A Londres même, après une période de tension systématique du côté anglais, période qui a suivi mon retour,
les relations paraissent se rétablir normalement, en attendant qu'elles le soient amicalement. J'ai vu longuement
Churchill. Le Premier Ministre m'a confirmé que la
politique britannique, relativement à la Syrie, était et
demeurait telle qu'elle est définie dans nos accords du
Caire. Il m'a assuré, d'autre part, que le mouvement de la
France Libre, à présent prépondérant en France même,
était, plus que jamais, un élément capital de la politique
britannique et que le Gouvernement de Sa Majesté était
décidé à le soutenir au maximum.

Télégramme à René Pleven, à Washington.

Londres, 22 septembre 1941.

Dans vos conversations éventuelles avec Sumner Welles
et Cordell Hull, je vous demande de mettre en lumière les
points suivants :

1) Sans vouloir épiloguer sur les sentiments qui peuvent animer les hommes de Vichy, il est de fait que la
situation dans laquelle ils se sont placés par rapport à
l'ennemi les met hors d'état d'exercer la souveraineté de la
France et de défendre ses intérêts à l'extérieur. Les
événements de Syrie et d'Indochine en sont des preuves
manifestes. Il s'ensuit que la France n'est plus réellement
représentée dans le monde.

2) Les conditions dans lesquelles Vichy a pris le
pouvoir en France, la nature des pouvoirs qu'il s'est
attribués, la façon dont il les exerce, sont contradictoires

avec la souveraineté de la nation française. Il y a là une simple usurpation.

3) Malgré l'oppression sanglante que l'envahisseur et Vichy font peser sur le peuple français et l'interdiction imposée à ce peuple d'exprimer librement ses opinions de quelque manière que ce soit, il n'est plus douteux aujourd'hui que la politique de collaboration avec l'ennemi et de dictature intérieure, suivie par Vichy, est absolument opposée au vœu de l'immense majorité des citoyens français.

4) Il est de fait que d'importants territoires coloniaux en Afrique et au Pacifique et des forces armées non négligeables se sont ralliés à la France Libre pour demeurer belligérants aux côtés des alliés, et spécialement de l'Empire britannique, contre l'envahisseur de la patrie. Ce fait impose au général de Gaulle et aux autorités de la France Libre d'exercer sur ces territoires et sur ces forces les attributions d'un gouvernement. Mais le général de Gaulle a toujours proclamé solennellement qu'il n'exercerait ces attributions qu'à titre essentiellement provisoire, comme gérant du patrimoine français, et qu'il se soumet par avance à la représentation nationale dès que celle-ci pourra être réunie librement.

5) En attendant, le général de Gaulle constitue, en ce moment même, d'une part un Comité national exécutif destiné à l'assister dans l'exercice de ses pouvoirs, d'autre part une Assemblée consultative ayant pour objet de donner à l'opinion française une expression aussi large que possible.

6) Pour ce qui concerne les territoires actuellement soumis à notre autorité ou à notre contrôle ou ceux qui viendraient à y être soumis, nous sommes prêts à donner toutes facilités en notre pouvoir aux Etats-Unis d'Amérique pour y installer, publiquement ou secrètement, tous moyens militaires, navals ou aériens qui paraîtraient nécessaires pour contribuer directement ou indirectement à la défaite des envahisseurs de la France.

Télégramme à René Pleven, à Washington.

Londres, 23 septembre 1941.

Je reçois votre télégramme du 20 septembre. Il est très judicieux et tout à fait dans mes vues. En ce qui concerne le chef de notre délégation, je choisis Tixier. Il est réputé être un homme loyal et solide. En outre, les syndicats français, aussi bien ceux de l'ancienne C.G.T. que les chrétiens, ont une excellente attitude en France. Enfin, l'affaire sociale est la grande affaire pour demain.

Ordonnance créant le Comité National Français.

Au nom du Peuple et de l'Empire français,
Nous, Général de Gaulle,
Chef des Français Libres,

Vu nos ordonnances des 27 octobre et 12 novembre 1940, ensemble notre déclaration organique du 16 novembre 1940 ;

Considérant que la situation résultant de l'état de guerre continue à empêcher toute réunion et toute expression libre de la représentation nationale ;

Considérant que la Constitution et les lois de la République française ont été et demeurent violées sur tout le territoire métropolitain et dans l'Empire, tant par l'action de l'ennemi que par l'usurpation des autorités qui collaborent avec lui ;

Considérant que de multiples preuves établissent que l'immense majorité de la Nation française, loin d'accepter un régime imposé par la violence et la trahison, voit dans l'autorité de la France Libre l'expression de ses vœux et de ses volontés ;

Considérant qu'en raison de l'importance croissante des territoires de l'Empire français et des territoires sous mandat français ainsi que des forces armées françaises qui se sont ralliés à nous pour continuer la guerre aux côtés des alliés contre l'envahisseur de la Patrie, il importe que les autorités de la France Libre soient mises en mesure d'exercer, en fait et à titre provisoire, les attributions normales des pouvoirs publics ;

Ordonnons :

Article premier. — En raison des circonstances de la guerre et jusqu'à ce qu'ait pu être constituée une représentation du peuple français en mesure d'exprimer la volonté nationale d'une manière indépendante de l'ennemi, l'exercice provisoire des pouvoirs publics sera assuré dans les conditions fixées par la présente ordonnance.

Art. 2. — Il est institué un Comité national composé de commissaires nommés par décret.

Le Général de Gaulle, Chef des Français Libres, est Président du Comité national.

Art. 3. — A partir de la première réunion du Comité national, l'exercice des pouvoirs publics sera soumis aux règles suivantes :

Les dispositions de nature législative feront l'objet d'ordonnances délibérées en Comité national, signées et promulguées par le Chef des Français Libres, Président du Comité national, contresignées et certifiées conformes par l'un ou plusieurs des commissaires nationaux. Ces ordonnances seront obligatoirement, et dès que possible, soumises à la ratification de la représentation nationale.

Les dispositions de nature réglementaire feront l'objet de décrets rendus par le Chef des Français Libres, Président du Comité national, sur la proposition ou le rapport de l'un ou de plusieurs des commissaires nationaux et contresignés par ce ou ces commissaires nationaux.

Art. 4. — Les traités internationaux et conventions internationales, normalement soumis en vertu de la Constitution à l'approbation des Chambres, entreront en vigueur dès ratification par ordonnance rendue dans les conditions visées à l'article précédent.

Art. 5. — Les commissaires nationaux, membres du Comité national, exercent toutes les attributions, individuelles ou collégiales, normalement dévolues aux ministres français.

La compétence et les limites de chaque département administratif sont déterminées par décret.

Fait à Londres,
le 24 septembre 1941.

C. DE GAULLE.

*Lettre à M. Maisky, Ambassadeur de l'Union
des républiques socialistes soviétiques à Londres.*

Londres, le 26 septembre 1941.

Monsieur l'Ambassadeur,

J'ai l'honneur d'accuser réception de la communication par laquelle Votre Excellence veut bien me faire savoir que son Gouvernement me reconnaît comme le chef de tous les Français Libres, où qu'ils soient, qui se rallient à moi pour défendre la cause alliée, et qu'il est prêt à entrer en relations avec le Conseil de Défense de l'Empire français établi par Ordonnance du 27 octobre 1940, pour toutes les questions relatives à la collaboration avec les territoires français d'outre-mer qui se placent sous mon autorité.

J'accepte avec gratitude la promesse de votre Gouvernement de prêter aux Français Libres aide et assistance dans la lutte commune contre l'Allemagne hitlérienne et ses alliés. Je suis également très heureux que le Gouvernement de l'U.R.S.S. ait jugé opportun de souligner sa ferme résolution d'assurer la pleine et entière restauration de l'indépendance et de la grandeur de la France lorsque nous aurons remporté ensemble la victoire sur l'ennemi commun.

Pour ma part, au nom des Français Libres, je m'engage à combattre aux côtés de l'U.R.S.S. et de ses alliés jusqu'à la victoire finale sur l'ennemi commun et à prêter à l'U.R.S.S. aide et assistance dans cette lutte par tous moyens dont je dispose.

Veuillez agréer, Monsieur l'Ambassadeur, les assurances de ma haute considération.

Note remise au général Ismay, pour M. Churchill, au sujet de la participation des forces françaises à une éventuelle offensive en Libye.

Londres, 7 octobre 1941.

I. — La situation générale de la guerre doit porter les alliés à entreprendre, dans le plus bref délai possible, un effort militaire puissant sur la Libye.

Le grand intérêt que présenterait la liquidation de cette tête de pont de l'Axe en Afrique avant que l'ennemi soit en mesure d'attaquer au Moyen-Orient, la nécessité matérielle et morale de soulager au plus tôt les Russes, les perspectives politiques qu'ouvriraient, en ce qui concerne l'Italie, la perte totale de son empire et la présence des alliés à proximité immédiate de la Sicile, enfin les possibilités de pression et d'action sur l'Afrique du Nord française que comporterait le contact établi avec la Tunisie et les régions sahariennes, ne permettent évidemment pas de différer davantage cette opération capitale. Les conditions climatériques s'y prêteront, d'ailleurs, à partir de la fin d'octobre.

II. — Le général de Gaulle demande, de la manière la plus instante, que les Forces Françaises Libres participent à l'offensive en Libye aussi largement que possible. (Suit le détail des forces françaises de terre, de mer, et de l'air, qui peuvent être engagées en Libye.)

Lettre au général Auchinleck,
Commandant en chef britannique au Moyen-Orient.

Londres, le 7 octobre 1941.

Mon cher Général,

Dans la conversation que j'ai eu l'honneur d'avoir avec vous avant mon départ du Caire, je vous ai dit à quel point les Français Libres désireraient participer à une offensive britannique en Libye, au cas où vous auriez décidé de la faire.

Vous savez certainement que le général Catroux a fait organiser en Syrie un groupement de manœuvre, vraiment important, bien armé et outillé, sous les ordres du général de Larminat. Vous savez également, qu'au Tchad, le général Leclerc a les moyens d'entreprendre une action importante sur le Fezzan.

Personnellement, pour beaucoup de raisons militaires et politiques, je souhaite, autant qu'un homme peut souhaiter quelque chose, que les troupes françaises, côte à côte avec les troupes britanniques attaquent en Libye les Allemands et les Italiens.

Si cela se faisait, Larminat et son groupement seraient entièrement sous les ordres de votre commandement en Libye et Leclerc pourrait déclencher son opération sur le Fezzan à la date que vous lui fixeriez (avec préavis d'une quinzaine de jours).

Les conditions de l'engagement du groupement Larminat dépendraient, bien entendu, de vous. Cependant, il me semble que le mieux serait de l'engager une fois réglée la question de Cyrénaïque.

Je souhaite à vous-même et à vos armées, mon cher Général, la plus grande gloire possible.

Note remise à M. Hugh Dalton,
Ministre britannique de l' « Economic Warfare »
(Services secrets).

Londres, 8 octobre 1941.

L'esprit de résistance du peuple français s'est affirmé, au cours des dernières semaines, par des faits tangibles.

D'autre part, il semble certain que la France Libre symbolise pour le peuple français la résistance nationale.

Le Général de Gaulle et le Comité national français pensent qu'il leur appartient de prendre effectivement la direction de cette résistance en territoire français occupé par l'ennemi ou contrôlé par lui.

L'action proprement militaire (renseignements d'ordre militaire, coups de main, préparation d'une organisation militaire sur place) est actuellement en bonne voie par les services spéciaux de la France Libre en liaison avec les services spéciaux britanniques. Mais il y a lieu, maintenant, d'entreprendre l'action politique, qui est et doit être distincte de l'action militaire et comporter des hommes et des moyens différents.

Le Général de Gaulle et le Comité national français désirent passer à l'action politique en France. La coopération des services du ministère britannique de l'« Economic Warfare » leur est indispensable.

Le plan comporte :

1) L'organisation de liaisons nombreuses, rapides et sûres avec les territoires non ralliés.

Postes d'émission et de réception clandestins ; mise en place d'opérateurs pour le service de ces postes ; passage fréquent, dans les deux sens, d'agents bien préparés ; transport clandestin de matériel de propagande, etc.

2) L'organisation d'un réseau de renseignements politiques, en plaçant, aux points essentiels, un petit nombre d'observateurs de qualité.

3) L'organisation d'un réseau secret de propagande. Les émissions radiophoniques secrètes ont un grand

retentissement. Elles doivent être doublées d'un service de distribution de tracts, de journaux, d'objets divers, ce service couvrant la France et l'Empire français.

Parallèlement à la propagande générale, doivent être menées des propagandes particulières, dirigées sur certaines classes ou milieux spéciaux (syndicats, organisations ouvrières, fonctionnaires, partis politiques, clergé, etc.)

4) Recrutement de certaines personnalités importantes sur place.

Un tel plan, qui dépasse par son ampleur tous ceux qui ont été jusqu'à maintenant envisagés, comporte des moyens importants, notamment en matière de liaisons, de postes d'émission clandestins, de recrutement et de formation d'agents, de transport de matériel spécial. Mais il semble que le terrain soit maintenant propice et que les résultats possibles vaillent un effort considérable.

Télégramme au général Catroux, à Beyrouth.

Londres, 31 octobre 1941.

J'ai eu, cette semaine, un entretien avec M. Eden, au sujet de notre politique concernant les Etats du Levant. M. Eden m'a confirmé ses propos par diverses notes qu'il m'a remises.

Il en résulte, en premier lieu, que le gouvernement britannique reconnaît que le mandat de la France est intact, que le mandat est exercé par la France Libre et que le mandat ne pourrait être modifié ou supprimé sans négociations et accord de la France Libre avec le Conseil de la Société des Nations et le gouvernement des Etats-Unis. A ce sujet, j'ai répondu à M. Eden que c'était exactement notre propre position et qu'en raison des circonstances nous n'envisagions pas d'entamer de telles négociations avec la Société des Nations, ni avec les Etats-Unis, avant la fin de la guerre. J'ai ajouté que, de toute façon, nous ne concevions pas la fin du mandat sans

traités en bonne et due forme, à conclure entre la France
Libre et les gouvernements de la Syrie et du Liban.

M. Eden m'a communiqué le texte du message que le
roi d'Angleterre se disposait à envoyer au Cheik Tageddine. J'ai dit que je n'y faisais pas d'objection et Spears a
reçu mission de le porter.

M. Eden m'a demandé si nous avions l'intention de
provoquer une démarche du même ordre de la part des
gouvernements alliés. Je lui ai répondu que nous étudie-
rions la question.

M. Eden m'a demandé si nous ne jugions pas à propos
de notifier au Conseil de la Société des Nations et au
gouvernement des Etats-Unis, d'abord que la France
Libre assumait le mandat, ensuite que nous avions décidé
de prendre au Levant certaines dispositions pratiques
concernant l'indépendance et la souveraineté des Etats.
J'ai répondu que nous le ferions certainement quand la
question aurait été tranchée au Liban, après l'avoir été en
Syrie, et que nous déclarerions à la Société des Nations
ainsi qu'aux Etats-Unis, qu'il s'agit là de mesures de
circonstances qui n'entament pas les droits et des devoirs
de la puissance mandataire.

D'une manière générale, il semble que l'attitude plus
satisfaisante du gouvernement britannique soit due à des
communications qui lui ont été faites par le gouvernement
de Washington, à son désir actuel de nous ménager et à la
situation générale au Levant qui témoigne de l'attachement des populations à la France.

*Conclusion du discours prononcé
à l'Université d'Oxford le 25 novembre 1941.*

Les vainqueurs provisoires du continent européen
s'efforcent de construire ce qu'ils appellent un ordre
nouveau. C'est par là que la guerre actuelle a pour enjeu la
vie ou la mort de la civilisation occidentale. Or, ce

mouvement est d'autant plus redoutable qu'il résulte, lui aussi, de l'évolution générale.

Il faut convenir, en effet, que dans l'époque moderne, la transformation des conditions de la vie par la machine, l'agrégation croissante des masses et le gigantesque conformisme collectif qui en sont les conséquences battent en brèche les libertés de chacun. Dès lors que les humains se trouvent soumis, pour leur travail, leurs plaisirs, leurs pensées, leurs intérêts, à une sorte de rassemblement perpétuel ; dès lors que leur logement, leurs habits, leur nourriture, sont progressivement amenés à des types identiques ; dès lors que tous lisent en même temps la même chose dans les mêmes journaux, voient, d'un bout à l'autre du monde, passer sous leurs yeux les mêmes films, entendent simultanément les mêmes informations, les mêmes suggestions, la même musique, radiodiffusées ; dès lors qu'aux mêmes heures, les mêmes moyens de transport mènent aux mêmes ateliers ou bureaux, aux mêmes restaurants ou cantines, aux mêmes terrains de sport ou salles de spectacle, aux mêmes buildings, blocks ou courts, pour y travailler, s'y nourrir, s'y distraire ou s'y reposer, des hommes et des femmes pareillement instruits, informés, pressés, préoccupés, vêtus, la personnalité propre à chacun, le quant-à-soi, le libre choix, n'y trouvent plus du tout leur compte. Il se produit une sorte de mécanisation générale, dans laquelle, sans un grand effort de sauvegarde, l'individu ne peut manquer d'être écrasé.

Et d'autant plus que les masses, loin de répugner à une telle uniformisation, ne laissent pas, au contraire, d'y pousser et d'y prendre goût. Les hommes de mon âge sont nés depuis assez longtemps pour avoir vu se répandre, non point seulement l'obligation, mais encore la satisfaction de l'existence agglomérée.

Porter le même uniforme, marcher au pas, chanter en chœur, saluer d'un geste identique, s'émouvoir collectivement du spectacle que se donne à elle-même la foule dont on fait partie, cela tend à devenir une sorte de besoin chez nos contemporains. Or, c'est dans ces tendances nouvelles que les dictateurs ont cherché et trouvé le succès de leurs doctrines et de leurs rites. Assurément, ils ont réussi d'abord parmi les peuples qui, dans l'espoir de saisir la domination sur les autres, ont adopté d'enthousiasme l'organisation des termitières. Mais il ne faut pas se dissimuler que l'évolution elle-même offre à l'ordre dit nouveau d'extraordinaires facilités et à ses champions de chroniques tentations.

Si complète que puisse être, un jour, la victoire des armées, des flottes, des escadrilles des nations démocratiques, si habile et prévoyante que se révèle ensuite leur politique vis-à-vis de ceux qu'elles auraient, cette fois encore, abattus, rien n'empêchera la menace de renaître plus redoutable que jamais, rien ne garantira la paix, rien ne sauvera l'ordre du monde, si le parti de la libération, au milieu de l'évolution imposée aux sociétés par le progrès mécanique moderne, ne parvient pas à construire un ordre tel que la liberté, la sécurité, la dignité de chacun y soient exaltées et garanties, au point de lui paraître plus désirables que n'importe quels avantages offerts par son effacement. On ne voit pas d'autre moyen d'assurer en définitive le triomphe de l'esprit sur la matière. Car, en dernier ressort, c'est bien de cela qu'il s'agit.

Mais comment pourrait-on concevoir un pareil effort de rénovation, spirituelle, sociale, morale, autant que politique, dans la division de nos deux peuples ? Depuis des siècles, la France et l'Angleterre sont les foyers et les champions de la liberté des hommes. La liberté périra si ces foyers ne se conjuguent et si ces champions ne s'unissent. Toutes les ressources d'intelligence et de volonté, qui, depuis si longtemps, jaillissent séparément de votre pays et du mien en faveur de la même cause, celle de la civilisation, faudra-t-il pas les mettre en commun puisque les adversaires de notre idéal sont unis pour le renverser ? Or, cette collaboration ardente et franche des intelligences et des volontés de tous ceux qui, chez vous et chez nous, marchent vers la même lumière ne peut, désormais, s'imaginer sans l'accord des deux nations.

Je devrais m'excuser d'avoir si longtemps retenu notre attention sur de telles considérations. Mais la jeunesse d'élite qui veut bien m'écouter sait que les idées mènent le monde. C'est pourquoi, j'ai cru utile de soumettre celles-là à vos réflexions. Peut-être, en les examinant, penserez-vous avec moi que, pour embrasser l'ensemble des faits terribles et quotidiens de cette guerre — la plus grande de l'Histoire — et pour en tirer les leçons sans lesquelles elle serait perdue, même après vingt batailles gagnées, il est bon d'en considérer les données principales. Le poète met en scène le campagnard montant la pente abrupte :

« — Homme de la plaine, pourquoi gravis-tu la colline ?

« — C'est pour mieux regarder la plaine. Je n'ai compris la plaine qu'en la voyant du haut des sommets. »

Lettre au général Ismay,
Chef d'état-major du Cabinet de Guerre et de M. Churchill.

Londres, le 28 novembre 1941.

Mon cher Général,

J'ai reçu, hier, votre lettre du 27 novembre répondant à ma lettre du 7 octobre. Vous voulez bien m'indiquer que ma proposition de faire participer des troupes françaises d'Orient aux opérations de Libye n'a pas trouvé l'accord du Gouvernement de Sa Majesté, sauf pour ce qui concerne un groupe d'aviation de bombardement.

Dans ces conditions, je ne puis que retirer l'ensemble des propositions que j'avais formulées, au sujet de la participation des forces françaises d'Orient et d'Afrique aux opérations des forces britanniques, soit actuellement en Libye, soit éventuellement en Afrique occidentale. Ainsi que j'ai eu l'honneur de l'exposer dans la note jointe à ma lettre du 7 octobre, ces opérations, pour ce qui concerne les Français, constituent en effet un tout, tant du point de vue politique que du point de vue moral.

Je maintiens, toutefois, mon projet d'une opération des éléments du Tchad contre Mourzouk et me réserve de faire déclencher moi-même cette opération, le cas échéant.

Il me reste à souhaiter, au nom des forces françaises, la meilleure chance aux forces alliées britanniques dans l'offensive qu'elles ont entreprise en Afrique du Nord contre les ennemis communs.

Sincèrement à vous.

Télégramme au général Catroux, à Beyrouth.

Londres, 9 décembre 1941.

M. Churchill m'a écrit pour me demander l'engagement en Libye d'une grande unité française. Je lui ai répondu que je donnais volontiers les ordres nécessaires.

Je sais que vous êtes en rapport avec Auchinleck à ce sujet.

Il faut que nous engagions une grande unité groupée, ou bien rien. D'autre part, vous devez avoir, à l'avance, l'indication de la mission générale de cette grande unité. Je vous prie de me faire connaître, dès que possible, cette mission générale, ainsi que la composition des éléments désignés.

Enfin, il y aurait lieu d'obtenir que notre groupe d'aviation de bombardement soit employé de préférence à des missions ayant une relation avec la mission de nos troupes.

Lettre à M. Winston Churchill.

Londres, le 10 décembre 1941.

Mon cher Premier Ministre,

Comme vous le savez, la population des îles françaises de Saint-Pierre et Miquelon, près de Terre-Neuve, est extrêmement favorable à la France Libre.

L'amiral Muselier se trouve actuellement en route, de Terre-Neuve vers Halifax avec trois corvettes françaises : *Mimosa, Alysse, Aconit.* Il propose de procéder immédiatement au ralliement de Saint-Pierre et Miquelon, opération qui ne semble pas comporter de difficultés. J'approuve entièrement ce projet.

Je vous serais reconnaissant de me faire connaître aussitôt que possible si le Gouvernement de Sa Majesté voit une objection à ce petit coup de main.

Bien sincèrement à vous.

Télégramme à l'amiral Muselier à Halifax.

Londres, 13 décembre 1941.

J'ai demandé aux Britanniques leur accord pour le ralliement des deux îles. Mais je ne compte pas sur une réponse positive puisqu'ils considèrent que les Etats-Unis et le Canada sont principalement intéressés. D'autre part, le délai est trop court pour recueillir les réponses par négociations. Comme je vous l'ai dit avant votre départ, je m'en remets à vous pour le résultat à obtenir par vos propres moyens. En tout cas, je couvre toute initiative que vous jugerez possible de prendre à cet égard.

Télégramme à l'amiral Muselier à Halifax.

Londres, 17 décembre 1941.

Nos négociations ici nous ont montré que nous ne pourrons rien entreprendre à Saint-Pierre et Miquelon si nous attendons la permission de tous ceux qui se disent intéressés. Cela était à prévoir. La seule solution est une action à notre propre initiative. Je vous répète que je vous couvre entièrement à ce sujet.

Télégramme à l'amiral Muselier à Halifax.

Londres, 18 décembre 1941.

Nous avons, comme vous le demandiez, consulté les gouvernements britannique et américain. Nous savons, de source certaine, que les Canadiens ont l'intention de faire eux-mêmes la destruction du poste radio de Saint-Pierre. Dans ces conditions, je vous prescris de procéder au ralliement de Saint-Pierre et Miquelon par vos propres moyens et sans rien dire aux étrangers. Je prends l'entière responsabilité de cette opération, devenue indispensable pour conserver à la France ces possessions françaises.

Télégramme au général Leclerc à Fort-Lamy.

Londres, 20 décembre 1941.

Vous exécuterez votre mise en place pour l'opération du Fezzan à votre initiative et en accord avec Auchinleck.

Vous me rendrez compte dès que cette mise en place sera décidée par vous.

Je vous donnerai, alors, l'ordre général d'exécution de l'opération que vous déclencherez quand vous voudrez, en tenant compte des suggestions du commandement britannique. Vous devez comprendre ce que je veux dire.

J'ai confiance en vous et en vos troupes et je vous aime bien.

Lettre à M. Eden, à Londres.

Londres, le 22 décembre 1941.

Cher monsieur Eden,

Comme vous le savez, le Comité national français cherche à réaliser la formation, en France et en Afrique du Nord, d'une organisation destinée à rassembler le plus grand nombre possible de Français dans la résistance contre l'ennemi et ses collaborateurs. Les circonstances paraissent favorables au Comité national en raison de l'adhésion publique ou secrète qu'il a maintenant obtenue de la part de la très grande majorité des citoyens français.

J'avais demandé que le Gouvernement de Sa Majesté voulût bien apporter son concours à cette action du Comité national, en mettant largement à sa disposition les moyens matériels indispensables. Votre Excellence avait bien voulu me donner, par sa lettre du 22 novembre 1941, une réponse qui paraissait, en principe, favorable.

Malheureusement, il ne semble pas qu'il ait été possible de réaliser, entre les services français et les services britanniques intéressés, la collaboration que souhaiterait le Comité national. Je prie Votre Excellence de trouver à ce sujet, en annexe à cette lettre, l'exposé de trois faits récents.

D'autre part, il est porté à la connaissance du Comité national que les services secrets britanniques ont envoyé et envoient en France un certain nombre de citoyens français, soit pour y recueillir des renseignements d'ordre militaire, soit pour y prendre des contacts d'ordre politique, sans que le Comité national soit même consulté et sans que les Français intéressés aient reçu son autorisation.

Le fonctionnement des services secrets français, tant pour les renseignements et l'action proprement militaires que pour l'organisation de la résistance en France, exige un personnel relativement nombreux et comporte de grands risques, ainsi que de lourdes pertes, pour ceux qui y participent. Le Comité national français ne peut, ni y consacrer ce personnel, ni lui imposer ces risques et pertes, si le résultat ne correspond pas aux buts que lui-même poursuit.

Je me vois par conséquent obligé de demander à Votre Excellence de bien vouloir me faire connaître si le Gouvernement de Sa Majesté voit la possibilité de modifier le régime actuel de collaboration à ce point de vue, pour ce qui concerne, d'une part, les moyens matériels nécessaires, d'autre part, les actions menées en France par les services secrets britanniques indépendamment de celles qui sont entreprises par le Comité national.

Bien sincèrement à vous.

ANNEXE

1º M. Mercier (1), personnalité importante venue de France par Lisbonne depuis plus de trois mois pour demander les directives du général de Gaulle de la part d'organisations existantes et actives en territoire français et qui devait rentrer d'urgence en France avec ces directives, n'a pu encore quitter l'Angleterre. Sa présence a fini par y être décelée et l'exécution de sa mission est, désormais, de ce fait, très difficile.

2º Le commandant Servais, à qui le général de Gaulle a donné mission de se rendre à Gibraltar et à Malte pour prendre des contacts essentiels et urgents avec des organisations existant en Afrique du Nord, ne peut trouver le moyen de gagner sa destination.

3º M. Mounier, chef d'une importante organisation française libre existant en Tunisie, étant venu à Malte, le général de Gaulle a prié les services britanniques de lui dire de venir à Beyrouth pour y prendre ses instructions. Malgré cela, M. Mounier fut invité par les services britanniques à regagner la Tunisie et fut tué pendant le voyage dans un accident d'hydravion.

(1) Il s'agit de Jean Moulin.

Ordre de mission donné à Jean Moulin.

Londres, 24 décembre 1941.

Je désigne M. J. Moulin, préfet, comme mon représentant et comme délégué du Comité national, pour la zone non directement occupée de la métropole.

M. Moulin a pour mission de réaliser dans cette zone l'unité d'action de tous les éléments qui résistent à l'ennemi et à ses collaborateurs.

M. Moulin me rendra compte directement de l'exécution de sa mission.

Télégramme à l'amiral Muselier, à Saint-Pierre.

Londres, 25 décembre 1941.

Veuillez dire à la population des îles Saint-Pierre et Miquelon, si chères et si fidèles à la France, toute la joie que la nation ressent à les voir libérées. Saint-Pierre et Miquelon reprennent vaillamment avec nous et avec nos braves alliés le combat pour la libération de la Patrie et pour la liberté du monde.

A vous personnellement, j'adresse, en mon nom et au nom du Comité national, mes vives félicitations pour la façon dont vous avez réalisé ce ralliement dans l'ordre et dans la dignité.

Vive la France !

Télégramme à Délégation France Libre à Washington.

Londres, 26 décembre 1941.

Au sujet de Saint-Pierre et Miquelon, vous adopterez l'attitude suivante :

1º Le Comité national français avait appris d'une façon

certaine que la population de Saint-Pierre et Miquelon désirait rallier la France Libre afin de reprendre la lutte pour la libération de la mère patrie et pour le triomphe de la cause alliée.

2° Le fait que l'amiral Muselier ait pris le contrôle des deux îles, non seulement sans incident, mais au milieu des acclamations, prouve bien qu'il n'a fait que se conformer aux vœux de la population, heureuse d'être délivrée des servitudes infamantes de l'armistice. Une preuve surabondante a été fournie par le résultat du plébiscite qui, à Saint-Pierre, a donné 98 % en faveur de la France Libre. C'est à Saint-Pierre qu'est concentrée la presque totalité de la population (4 200 habitants sur 4 500).

3° Il était établi que, sous le régime de Vichy, le poste radio de Saint-Pierre donnait des renseignements météorologiques utiles à l'ennemi. En outre, les deux îles pouvaient être utilisées comme bases pour sous-marins allemands. Ces dangers sont, désormais, éliminés. Saint-Pierre sera mis au service de la navigation alliée.

4° Saint-Pierre et Miquelon sont, depuis plusieurs siècles, territoires français, et sont habités exclusivement par des Français. La prise de possession de ces îles est une affaire entre Français. On imagine difficilement que des tiers puissent refuser à des Français le droit de secouer les chaînes de l'armistice et de reprendre leur poste de combat.

Télégramme à M. Winston Churchill, à Québec.

Londres, 27 décembre 1941.

J'ai toutes raisons de craindre que l'attitude actuelle du State Department à Washington, à l'égard, respectivement, des Français Libres et de Vichy, ne fasse beaucoup de tort à l'esprit de lutte en France et ailleurs.

Je redoute l'impression fâcheuse que va produire sur l'opinion, dans les forces et dans les territoires français libres, comme en France non encore libérée, cette sorte de préférence accordée publiquement par le Gouvernement des Etats-Unis aux responsables de la capitulation et aux coupables de la collaboration.

Il ne me paraît pas bon que, dans la guerre, le prix soit remis aux apôtres du déshonneur.

Je vous dis cela à vous parce que je sais que vous le sentez et que vous êtes le seul à pouvoir le dire comme il faut.

Télégramme au général Catroux, à Beyrouth.

Londres, 12 janvier 1942.

Pour le cas où l'offensive alliée en Libye ne pourrait avoir de suites en Afrique du Nord française et à supposer que l'ennemi ne passât pas prochainement à l'offensive en Orient, j'envisage l'envoi en Russie du Sud, à partir du 15 mars, d'une force française importante. Cette force prendrait part aux opérations alliées prévues pour le printemps sur ce théâtre d'opérations. Le Comité national s'est mis d'accord, à ce sujet, avec le Gouvernement des Soviets, lequel est extrêmement désireux d'obtenir notre participation. L'importance politique et militaire de notre action en Europe orientale ne vous échappera certainement pas. D'autre part, le Gouvernement britannique a donné son accord de principe pour autant que l'affaire le concerne.

Le corps expéditionnaire français en Russie comprendrait :

a) Une division légère composée de :
— un groupe de reconnaissance,
— trois ou quatre bataillons d'infanterie dont un européen et un africain,
— un groupe d'artillerie à deux batteries,
— un détachement du génie,
— un détachement de transmissions,
— des services ;

le tout aussi mécanisé et motorisé que possible. Cette division légère serait celle qui se trouve actuellement en Syrie et au Liban.

b) un détachement de quarante pilotes de chasse français, fourni par les forces aériennes actuellement en Angleterre.

Les éléments fournis par les troupes sous vos ordres feraient mouvement par Tabriz, à partir du 15 mars.

Télégramme à l'amiral Muselier, à Saint-Pierre.

Londres, 15 janvier 1942.

J'ai eu hier deux conversations avec Eden au sujet de nos îles. Eden me pressait d'accepter les termes d'un projet de communiqué établi à Washington par les trois gouvernements, anglais, canadien et américain. D'après ce communiqué unilatéral, les îles seraient neutralisées et démilitarisées ; l'administration serait confiée au Conseil consultatif, lequel serait indépendant de la France Libre comme de Vichy ; des fonctionnaires canadiens et américains coopéreraient à l'administration et au contrôle de la radio. Eden, voulant m'intimider, a évoqué la possibilité d'une action des Etats-Unis à Saint-Pierre. J'ai, naturellement, refusé la neutralisation, la démilitarisation et la séparation des îles. J'ai refusé, également, le contrôle étranger sur la radio, acceptant seulement une liaison à ce dernier point de vue. J'ai dit à Eden qu'une action des Etats-Unis sur les îles aurait les conséquences les plus graves possibles. Ce matin, le Foreign Office m'a fait connaître que les trois gouvernements renonçaient à tout communiqué pour le moment.

Je crois que c'était là le dernier assaut du State Department et que, maintenant, le plus fort est fait. Toutefois, il y a lieu de vous montrer vigilant, quoique naturellement sans attitude provocante. J'ajoute que l'état de l'opinion américaine et anglaise, qui nous est favorable, rend assez invraisemblable un coup de force de nos alliés, sauf, peut-être, par surprise. De toute façon, la crise approche de son terme et je crois que le terme sera bon. Amitiés.

Allocution prononcée à la radio de Londres le 20 janvier 1942.

Il n'est pas un bon Français qui n'acclame la victoire de la Russie.

L'Armée allemande, lancée presque entière à l'attaque, depuis juin dernier, d'un bout à l'autre de ce front gigantesque, pourvue d'un matériel énorme, rompue au combat et au succès, renforcée d'auxiliaires enchaînés au destin du Reich par l'ambition ou par la terreur, recule maintenant, décimée par les armes russes, rongée par le froid, la faim, la maladie...

Tandis que chancellent la force et le prestige allemands, on voit monter au zénith l'astre de la puissance russe. Le monde constate que ce peuple de 175 millions d'hommes est digne d'être grand parce qu'il sait combattre, c'est-à-dire souffrir et frapper...

C'est avec enthousiasme que le peuple français salue les succès et l'ascension du peuple russe. Car la libération et la vengeance, deviennent de ce coup pour la France de douces probabilités. La mort de chaque soldat allemand tué ou gelé en Russie, la destruction de chaque canon, de chaque avion, de chaque tank allemand, au grand large de Leningrad, de Moscou, ou de Sébastopol, donnent à la France une chance de plus de se redresser et de vaincre...

Mais si, dans l'ordre stratégique, rien ne s'est encore produit de plus fructueux que l'échec infligé à Hitler par Staline sur le front européen de l'Est, dans l'ordre politique l'apparition certaine de la Russie au premier rang des vainqueurs de demain apporte à l'Europe et au monde une garantie d'équilibre dont aucune puissance n'a, autant que la France, de bonnes raisons de se féliciter. Pour le malheur général, trop souvent depuis des siècles l'alliance franco-russe fut empêchée ou contrecarrée par l'intrigue ou l'incompréhension. Elle n'en demeure pas moins une nécessité que l'on voit apparaître à chaque tournant de l'Histoire...

La France qui souffre est avec la Russie qui souffre. La France qui combat est avec la Russie qui combat. La France, sombrée au désespoir, est avec la Russie qui sut remonter des ténèbres de l'abîme jusqu'au soleil de la grandeur.

Télégramme au Haut Commissaire d'Argenlieu, à Nouméa.

Londres, 27 janvier 1942.

Le développement de l'offensive ennemie fait évidemment peser sur les possessions françaises sous votre autorité une menace grave et, peut-être, imminente. Je sais que vos moyens sont faibles et je discerne que l'atmosphère doit laisser à désirer autour de vous. Je fais tout mon possible pour vous renforcer. Comme vous le savez, le *Surcouf* est en route pour vous rejoindre. Plusieurs officiers de terre également. Je vous envoie, de Douala, un très bon et solide officier supérieur de l'active : le lieutenant-colonel Lanusse, venu du Maroc.

D'après mes informations, il faut s'attendre à une amélioration prochaine de la situation générale dans le Pacifique sur la base de l'Australie, en raison des renforts navals et aériens envoyés par les alliés.

Pour la situation intérieure, vos pouvoirs sont pratiquement discrétionnaires. La proclamation de l'état de siège ne dépend que de vous et peut rendre plus expéditif l'exercice de vos pouvoirs. De toute manière, je sais que vous vous défendrez bien. On peut dire que l'honneur du drapeau français et celui de la Chrétienté sont, là-bas, entre vos mains. Je vous embrasse.

Ci-après un ordre de moi pour les forces sous vos ordres et les populations sous votre autorité :

« Les Nouvelles-Hébrides, la Nouvelle-Calédonie, les Etablissements français d'Océanie, sont maintenant aux avant-postes de la guerre. Votre mission à tous est de les défendre. Sous les ordres d'un chef éprouvé, l'amiral d'Argenlieu, vous saurez l'accomplir avec courage, habileté, discipline. Nos braves alliés, qui se renforcent rapidement, vous y aideront. La France et l'Empire ont confiance en vous.

Général DE GAULLE. »

Lettre à M. Winston Churchill.

Londres, le 11 février 1942.

Mon cher Premier Ministre,

Dans la situation générale créée par l'entrée en guerre du Japon, l'importance stratégique de la colonie française de Madagascar, et spécialement de la base de Diégo-Suarez, est devenue considérable pour ce qui concerne l'océan Indien.

Or, une très grande partie de la population de Madagascar, fidèle à la France, est en même temps, et par le fait même, désireuse de servir la cause des alliés. Mais là, comme dans d'autres parties de l'Empire français, l'action oppressive des autorités de Vichy soumises au contrôle de l'ennemi s'oppose au vœu de la population.

Le Comité national français est résolu à procéder au ralliement de Madagascar en y consacrant une partie des forces dont il dispose, afin d'assumer la défense de cette colonie française contre les ennemis communs et de faire participer ses ressources à l'effort de guerre des alliés.

Cette opération pourrait comporter une protection navale et un appui aérien par les forces de l'Empire britannique. Le Comité national français a l'honneur de proposer au Gouvernement de Sa Majesté qu'un plan d'action en commun soit établi et exécuté dans le plus bref délai possible.

Veuillez agréer, mon cher Premier Ministre, mes sentiments les meilleurs et les plus distingués.

(Suit le détail du plan d'opérations proposé.)

Télégramme au Haut Commissaire d'Argenlieu, à Nouméa.

Londres, 25 février 1942.

Je suis avisé par Washington que le général Patch, commandant les forces terrestres de l'armée américaine dans le Pacifique, a reçu l'ordre d'aller vous voir. Il a pour instruction de s'entendre avec vous, directement et dans l'esprit le plus amical, pour l'organisation du commandement.

D'autre part, le consul des Etats-Unis à Nouméa a reçu l'ordre de déclarer publiquement que son Gouvernement ne reconnaît, dans les îles françaises du Pacifique, d'autre autorité que celle du Comité national français.

Dans ces conditions, qui sont satisfaisantes, nous n'avons aucune objection au débarquement de forces américaines sur notre territoire. Si ce débarquement se produit, il y aura même lieu de lui donner le plus grand relief possible.

Cependant, dans l'arrangement à conclure par vous avec le général Patch, vous devez faire tout pour obtenir que le commandement de la défense directe de nos colonies vous appartienne. Par contre, si Patch doit avoir une zone d'action définie et s'il dispose de réserves, je ne vois pas d'inconvénient à ce que vous acceptiez de dépendre de lui pour l'ensemble de l'action interalliée sur ce théâtre d'opérations.

Lettre à M. Eden.

Londres, 8 mars 1942.

Cher monsieur Eden,

Après nos entretiens des 5 et 6 mars, il me semble nécessaire de vous préciser certains points dont Votre Excellence voudra bien, j'espère, apprécier l'importance.

Il s'est produit un incident à l'intérieur de la France Libre. L'amiral Muselier, commissaire national à la Marine, a donné sa démission de membre du Comité national. Cette démission a été acceptée et le Comité national a nommé commissaire à la Marine l'amiral Auboyneau. L'amiral Muselier, devenu disponible, a reçu, en conséquence, une affectation militaire.

Le Gouvernement de Sa Majesté britannique a jugé pouvoir intervenir dans cette matière. Vous avez bien voulu me faire connaître que ce Gouvernement, tout en ne voulant pas interférer dans la composition du Comité national français, entendait voir maintenir l'amiral Muselier au poste de commandant en chef des forces navales françaises libres. Vous avez ajouté que vous m'indiqueriez, à bref délai, quelles mesures le Gouvernement britannique avait décidé de prendre au cas où le Comité national français n'accepterait pas cette condition.

Avant que l'affaire en vienne là, je sens que je dois formuler les raisons pour lesquelles une telle acceptation de notre part est impossible.

Il n'est pas besoin, je pense, d'insister sur notre volonté d'être et de demeurer des alliés résolus et loyaux de la Grande-Bretagne. Nous en avons donné et nous en donnons les preuves les plus évidentes et, même, les plus pénibles que des hommes puissent donner.

Mais ce que nous avons entrepris de faire, pour le service de la France, est construit en dehors de toute voie normale (chef d'Etat, gouvernement, Parlement, corps de l'Etat, possibilités législatives). Le Comité national français lui-même et une partie de ses forces et de ses services sont obligés de résider en territoire étranger. Nous le déplorons, évidemment, et nous espérons que ces conditions anormales pourront être un jour changées. Mais nous devons prendre les choses telles qu'elles sont. Il en résulte que tout l'édifice repose, essentiellement, sur trois éléments exceptionnels.

Le premier est, — je m'excuse d'avoir à l'écrire, — l'action personnelle et symbolique du général de Gaulle dans la guerre et l'autorité du Comité national français qu'il a créé.

Le second est l'adhésion libre et généreuse des Français Libres et la sympathie ardente d'un très grand nombre de ceux qui ne le sont pas.

Le troisième est le maintien de ce qui reste d'indépendance et de souveraineté françaises et dont le général de Gaulle et le Comité national français sont comptables vis-à-vis de leur pays.

Ce sont ces trois éléments qui ont permis aux Français Libres de remettre dans la guerre des territoires français importants et des forces françaises non négligeables, de susciter dans leur propre pays une espérance et, même, une fierté qui tiennent en échec la trahison et la collaboration avec l'ennemi.

Or, l'exigence formulée par le Gouvernement britannique, en ce qui concerne le poste à attribuer par le Comité national français à un officier général français, constituerait, si elle était maintenue, une atteinte directe à ces trois éléments à la fois. Le Comité national se refuserait à y consentir.

D'autre part, il est évident que l'organisation et l'action de la France Libre ne peuvent actuellement, pour des raisons matérielles et politiques, se développer, ni même subsister, sans l'appui du Gouvernement britannique. D'ailleurs, c'est sur la base de la fidélité à l'alliance, coûte que coûte, avec la Grande-Bretagne, dans le but d'une victoire commune, que le général de Gaulle a construit toute son entreprise. Les Français Libres considèrent que ce qu'ils font, aux côtés des Britanniques et pour la même cause, implique qu'ils doivent être tenus et traités comme des alliés et que l'appui des Britanniques ne doit pas être l'objet de perpétuelles révisions et restrictions ou donné à des conditions incompatibles avec leur propre raison d'être.

Le général de Gaulle, en particulier, qui porte, en fait et en droit, vis-à-vis de son pays et des puissances étrangères, la responsabilité de la France Libre, ne pourrait soutenir son action si l'appui matériel et moral du Gouvernement britannique lui était contesté en tout ou en détail et, à fortiori, si ce Gouvernement adoptait, à l'égard des Français Libres, une attitude contraire aux dispositions que le général de Gaulle et le Comité national français auraient prises.

Si une telle hypothèse devait, néanmoins, se réaliser, le général de Gaulle et le Comité national français cesseraient de s'acharner à une tâche qui serait impossible. Ils tiennent, en effet, pour absolument essentiel, en ce qui concerne l'avenir de la France aussi bien que le présent, de demeurer fidèles au but qu'ils se sont fixé. Ce but consiste à redresser la France et à reconstituer l'unité nationale dans la guerre aux côtés des alliés, mais sans rien sacrifier de l'indépendance, de la souveraineté et des institutions françaises.

Bien sincèrement à vous.

Télégramme à Gaston Palewski,
Délégué France Libre en Afrique orientale.

Londres, 12 mars 1942.

J'ai suivi et approuvé vos efforts pour atteindre les deux buts que nous poursuivons dans votre zone d'action et de représentation :

1) Remettre dans la guerre, contre l'ennemi, la Côte française des Somalis, en imposant, par le blocus, un terme à l'opposition antinationale des autorités de Vichy.

2) Rétablir les droits et la représentation de la France

dans l'Empire d'Ethiopie, libéré avec le concours de nos armes.

Nous n'avons pu, jusqu'à présent, atteindre le premier but, qui dépasse de beaucoup l'affaire même de Djibouti. Une des raisons en est la politique de quasi-protection accordée à Vichy par le State Department de Washington et le fait que nos alliés britanniques considèrent actuellement comme impossible de séparer leur politique de celle de Washington dans aucune matière grave.

Il y a là, à notre avis, un élément néfaste à tous égards, mais nous n'avons pas encore la possibilité de le faire disparaître. Toutefois, l'affaire de Saint-Pierre et Miquelon fut un bon coup de bistouri dans l'abcès.

Quant à restaurer la présence de la France en Ethiopie, je considère que votre mission y a réussi dans une mesure aussi large que le permettaient les circonstances. Nous ne pouvions empêcher les Britanniques de traiter seuls avec le Négus. Mais ils ont dû le faire dans des conditions qui laissent la porte ouverte à la France pour l'avenir. En ce qui concerne l'immédiat, nous avons obtenu, grâce à nos efforts, d'abord une existence sur place, ensuite la possibilité de rétablir nos nationaux aux institutions, c'est-à-dire notre influence. Enfin, la présence de nos troupes n'a pas été sans importance.

Conclusion du discours prononcé à Londres le 1er avril 1942, devant le « National Defense Public Interest Committee ».

Comment pourrait-on croire qu'en ménageant le régime établi à Vichy pour le bénéfice d'Hitler on empêcherait ce régime de pousser aux dernières conséquences sa collaboration avec l'ennemi ? Qui pourrait sérieusement se figurer qu'en pareille matière les désirs et les ordres d'Hitler soient balancés par autre chose que par la résistance de la nation française galvanisée par la France Combattante ? Si, demain, par impossible, la France cessait de combattre, quel ambassadeur pourrait, même une minute, empê-

cher Hitler de l'utiliser à son gré ? Nous ne pensons certes
pas que le parti de la liberté veuille jamais risquer de
perdre la France en cédant à de telles illusions.

Comment, ensuite, attribuer quelque portée à certaines
suggestions, suivant lesquelles les démocraties devraient
reconnaître la France dans la personne des gens de Vichy
plutôt que dans celle des chefs de la France Combattante,
sous prétexte que ces derniers n'auraient pas pris assez
nettement position en faveur de la liberté ? Il y a, dans de
pareilles allégations, un véritable outrage aux démocraties
elles-mêmes. C'est leur prêter, en premier lieu, l'intention
d'intervenir dans ce qui appartient uniquement à la
souveraineté du peuple français. Mais c'est aussi leur
imputer un aveuglement comique. Car, pencher vers des
gens qui ont détruit toutes les libertés françaises et tâchent
de modeler leur régime sur le fascisme ou sa caricature,
plutôt que de faire confiance à de bons Français qui
persistent à appliquer les lois de la République, luttent,
jusqu'à la mort comprise, contre l'ennemi totalitaire et
font hautement profession de délivrer le peuple enchaîné
pour le refaire souverain, ce serait, en vérité, introduire
dans la politique les principes du pauvre Gribouille qui se
jetait dans la mer de crainte d'avoir à se mouiller.

Comment, enfin, pourrait-on admettre que, dans leur
attitude vis-à-vis de la France Combattante, les démocraties céderaient à un snobisme dérisoire et se laisseraient
influencer par leur regret de n'y pas voir beaucoup de
noms naguère consacrés ? Il y aurait là, d'abord, une
cruelle injustice à l'égard de tant d'hommes illustres qui,
en France et hors de France, ne vivent que pour notre
victoire. Il y aurait là, aussi, l'oubli de la captivité
complète dans laquelle l'ennemi et les traîtres ont placé
mon malheureux pays. Mais il y aurait là, surtout, la
méconnaissance grave d'un fait qui domine aujourd'hui
toute la question française et qui s'appelle « la révolution ». Car, c'est une révolution, la plus grande de son
Histoire, que la France, trahie par ses élites dirigeantes et
par ses privilégiés, a commencé d'accomplir. Et je dois

dire, à ce sujet, que les gens qui, dans le monde, se figureraient pouvoir retrouver, après le dernier coup de canon, une France politiquement, socialement, moralement pareille à celle qu'ils ont jadis connue commettraient une insigne erreur. Dans le secret de ses douleurs, il se crée, en ce moment même, une France entièrement nouvelle, dont les guides seront des hommes nouveaux. Les gens qui s'étonnent de ne pas trouver parmi nous des politiciens usés, des académiciens somnolents, des hommes d'affaires manégés par les combinaisons, des généraux épuìsés de grades, font penser à ces attardés des petites cours d'Europe qui, pendant la grande révolution française, s'offusquaient de ne pas voir siéger Turgot, Necker et Loménie de Brienne au Comité de Salut public. Que voulez-vous ! Une France en révolution préfère toujours gagner la guerre avec le général Hoche plutôt que de la perdre avec le maréchal de Soubise. Pour proclamer et imposer la Déclaration des Droits de l'Homme une France en révolution préfère toujours écouter Danton plutôt que de s'endormir aux ronrons des formules d'autrefois.

Messieurs, Clemenceau disait de la Révolution : « C'est un bloc ! » On peut dire la même chose de cette guerre invisible. Au pire moment d'un conflit, qui est rigoureusement un conflit moral, il n'est pas permis aux démocraties de ruser avec leurs devoirs. Il ne serait pas tolérable que le soi-disant réalisme qui, de Munich en Munich, a conduit la liberté jusqu'au bord même de l'abîme continuât à tromper les ardeurs et à trahir les sacrifices. Nous nous battons contre le mal et nous avons tous engagé dans la partie le même enjeu terrible, le destin de nos patries. Nul n'a, vis-à-vis des autres comme vis-à-vis de lui-même, le droit de faire au mal aucune de ces lâches concessions qui mettraient en danger la cause commune à tous. A cet égard, la France Combattante prétend donner l'exemple dans toute la mesure de ses moyens. Elle a pleinement confiance que ses alliés la paieront de retour.

Télégramme au général Leclerc, à Fort-Lamy.

Londres, 2 avril 1942.

J'ai reçu et pesé votre télégramme du 28 mars, par lequel vous répondez à votre nomination de commandant supérieur des forces d'Afrique française libre.

Ayant ainsi recueilli votre avis, je maintiens les ordres que je vous ai donnés, compte tenu des intérêts supérieurs dont je suis responsable... Ne vous intimidez pas de votre élévation rapide. Il ne s'agit nullement pour moi de vous faire plaisir, malgré mon amitié pour vous. Il s'agit de nécessités supérieures qui m'imposent d'utiliser chacun au maximum et suivant ses aptitudes. Nous sommes en révolution. C'est uniquement la capacité qui justifie la fonction et je suis juge de la capacité.

Lettre à M. Anthony Eden

Londres, le 9 avril 1942.

Cher monsieur Eden,

Le 16 décembre 1941, j'ai attiré l'attention du Premier Ministre sur la question de Madagascar.

Deux mois plus tard, le 11 février 1942, j'ai fait parvenir à M. Winston Churchill un projet d'opération, en vue de soustraire cette colonie française à la menace japonaise et de la mettre au service de la guerre pour la cause alliée. Copie de ce projet a été transmise au Haut Commissaire de l'Union sud-africaine, ainsi qu'à vous-même.

De nouveau, le 19 février 1942, j'ai adressé une lettre au Premier Ministre pour lui souligner l'importance et l'urgence de l'affaire, en présence du développement de la situation en Extrême-Orient.

Depuis lors, il est vrai, le Gouvernement des Etats-Unis

a obtenu de Vichy de nouvelles assurances concernant Madagascar. Mais je doute que, même à Washington, on puisse attacher à ces assurances une valeur quelconque.

Il me revient, au contraire, que, dans certains milieux politiques américains, on commence à éprouver des inquiétudes sérieuses sur les plans que pourraient nourrir les Japonais contre une île dont l'importance stratégique n'a pas besoin d'être soulignée.

Dans ces conditions, je crois devoir rappeler que nous tenons essentiellement à une participation des Forces Françaises Libres à toute opération qui pourrait être entreprise du côté allié. En outre, à l'issue d'une telle opération, le Comité national entend bien assumer l'administration de cette colonie française au même titre que celle des autres territoires français qui continuent la lutte aux côtés des alliés.

Je vous serais obligé de bien vouloir me faire connaître le sentiment du Gouvernement de Sa Majesté sur ces diverses questions.

Bien sincèrement à vous.

Note relative à l'organisation d'un commando français, remise à l'amiral Lord Louis Mountbatten, Chef des opérations combinées.

Londres, 25 avril 1942.

Le général de Gaulle considère comme essentiel que des éléments français participent aux actions des commandos britanniques, surtout si ces actions ont lieu en territoire français.

Bien qu'il ne puisse engager à cet effet que des effectifs réduits, il estime que des actions de guerre franco-britanniques en territoire français feront sur la population un effet très considérable.

Mais il tient à ce qu'une telle participation ne consiste

pas dans l'absorption pure et simple d'un petit groupe de soldats français dans un commando britannique.

Le général de Gaulle veut constituer un commando français de 400 hommes en mettant sur pied immédiatement l'élément de 60 hommes que demande Lord Louis Mountbatten et en faisant venir le complément d'Orient où existent des unités françaises excellentes et très déterminées.

D'autre part, il dispose en Orient d'une compagnie de parachutistes et en Angleterre d'une section. En rassemblant ces éléments en Angleterre, il pourra les faire participer à toute opération en France comportant l'emploi de parachutistes.

Enfin, sont en service à Portsmouth et à Cowes :

4 motor-launches,

8 chasseurs de sous-marins,

dont les équipages sont particulièrement qualifiés pour prendre part aux opérations combinées.

Il est nécessaire d'ajouter que le général de Gaulle considère comme élémentaire que toute opération en France soit portée à sa connaissance. Si les éléments français doivent y participer, c'est lui-même qui leur en donnera l'ordre.

Si le Commandement britannique est d'accord, le général de Gaulle donnera ses instructions en conséquence.

Télégramme au Haut Commissaire d'Argenlieu, à Nouméa.

Londres, 9 mai 1942.

Veuillez remettre, de ma part, au général Patch, le message personnel suivant :

« Au moment où la bataille se rapproche de la Nouvelle-Calédonie, je tiens à vous dire que moi-même et tous les Français Libres nous tournons avec confiance vers vous et vers les braves troupes américaines sous vos ordres. Je connais les difficultés supplémentaires que peuvent occasionner pour vous, aussi bien que pour d'Argenlieu, les émotions d'une population loyale mais un peu troublée par les événements. Je suis convaincu que ces difficultés disparaîtront aussitôt si vous faites voir que vous marchez la main dans la main avec d'Argenlieu qui a toute ma confiance et qui est responsable de la souveraineté et de l'autorité de la France en Nouvelle-Calédonie. De mon côté, j'invite d'Argenlieu à se tenir en franc accord avec vous. Je vous adresse mon salut le plus cordial. »

Télégramme au général Catroux, à Beyrouth.

Londres, 26 mai 1942.

Je réponds à votre télégramme du 20 mai, que nous avons examiné en Comité national.

Dans cette affaire des élections en Syrie et au Liban, vous nous placez devant une question qui n'est plus entière, puisque vous vous êtes déjà engagé vis-à-vis de Casey et que la presse américaine a annoncé la nouvelle comme acquise. Je persiste à croire qu'il aurait été préférable de rétablir nous-mêmes, tout au moins en Syrie, au mois d'août dernier, le régime constitutionnel en rappelant Hachem Bey Atassi. Nous aurions ainsi évité à la fois le reproche d'insincérité et l'épreuve d'une consultation électorale en pleine guerre...

Peut-être les populations syriennes ont-elles tiré quelques bénéfices du savoir-faire du Cheik Tageddine ; toutefois, il était à prévoir que le système ne pourrait tenir à la longue, ni vis-à-vis de l'extérieur, ni vis-à-vis de l'intérieur. Nous voici donc amenés à agir, dans une matière qui concerne notre mandat, sur l'invitation de nos concurrents britanniques...

Quoi qu'il en soit, le Comité national ne peut repousser

votre proposition concernant les élections en Syrie et au Liban dans les conditions où vous la présentez.

Mais nous ne saurions accepter qu'en invitant les populations à voter, vous disiez agir au nom des alliés. Les Britanniques n'ont absolument aucun droit politique, ni juridique, à apparaître dans cette matière. Nous sommes seuls mandataires au Levant.

J'attache à ce point précis une importance extrême. Je vous prie d'en tenir compte et de le faire comprendre catégoriquement à M. Casey.

Télégramme au général Catroux, à Beyrouth ; au général de Larminat, à Beyrouth ; au gouverneur général Eboué, à Brazzaville ; au général Leclerc, à Brazzaville ; au Haut Commissaire d'Argenlieu, à Nouméa.

Londres, 6 juin 1942.

Malgré la précaution de forme que le Gouvernement britannique a prise à notre égard dans l'affaire de Madagascar, il apparaît que la politique de l'Angleterre aurait des visées propres sur cette colonie française.

J'ai des raisons de penser qu'une opération du même ordre, montée peut-être en commun par les Etats-Unis et l'Angleterre, pourrait se préparer sur Dakar et sur la boucle du Niger. Nous en serions exclus, comme nous le sommes pour Madagascar et pour les mêmes raisons. Mais nous servirions à couvrir la chose vis-à-vis de l'opinion française qui manifeste, à notre égard, une confiance maintenant presque générale.

A vous, qui êtes mon compagnon au service de la France, j'ai le devoir de dire que, si mes soupçons se réalisaient, je n'accepterais pas de rester associé aux puissances anglo-saxonnes. A partir de ce point, j'estimerais que ce serait une forfaiture que de leur continuer notre concours direct.

J'en ai donc averti, aujourd'hui, le Gouvernement britannique, tout en ajoutant, naturellement, que je tenais une telle hypothèse pour presque invraisemblable.

La chance de la France, dans cette éventualité redoutable, serait que nous restions unis dans un bloc sans fissure. Je vous demande de marquer nettement, dès à présent, aux représentants anglo-saxons qui vous approchent que telle est notre résolution. Cependant, dans le cas où nous nous trouverions contraints de renoncer à une association devenue inacceptable, je vous donnerais comme consigne ceci :

Nous rassembler, comme nous pourrions, dans les territoires que nous avons libérés. Tenir ces territoires. N'entretenir avec les Anglo-Saxons aucune relation, quoi qu'il puisse nous en coûter. Avertir le peuple français et l'opinion mondiale, par tous moyens en notre pouvoir, notamment par radio, des raisons de notre attitude. Ce serait, je crois, le moyen suprême à tenter, le cas échéant, pour faire reculer l'impérialisme. Dans tous les cas, ce serait la seule attitude convenable.

Je vous indique, qu'ayant voulu me rendre à Beyrouth et à Brazzaville au début de mai, le Gouvernement britannique m'en a détourné sous des prétextes fallacieux. Quelques jours après, avait lieu l'affaire de Diégo-Suarez. Or, comme je voulais aller vous voir à présent, le Gouvernement britannique vient de me demander de différer, en alléguant de soi-disant possibilités d'opération à l'Ouest, dont je sais, par ailleurs, qu'elles sont inimaginables actuellement. Or, je n'ai pas ici de moyens propres pour me déplacer sans l'accord des Anglais.

Je termine en disant, qu'au fond, je crois que nous en sortirons d'une manière satisfaisante. Mais cela ne tiendra qu'à notre propre fermeté et à notre union. Amitiés.

Télégramme à Délégation France Libre à Washington.

Londres, 10 juin 1942.

Bernard (alias : d'Astier de la Vigerie), chef du mouvement « Libération », est depuis quelques jours à Londres. J'ai vu avec faveur son projet de voyage aux Etats-Unis ; voyage qui a pour but d'exposer au gouvernement américain l'état réel de l'opinion française. Il arrivera incessamment. Donnez-lui tout l'appui possible, tout en lui laissant liberté et initiative pour des raisons que vous comprenez. En raison du caractère très secret de son voyage, ne le faites connaître, — dans notre délégation, — qu'à Chevigné.

Message au général Kœnig, à Bir-Hakeim.

Londres, 10 juin 1942.

Général Kœnig ! sachez et dites à vos troupes que toute la France vous regarde et que vous êtes son orgueil.

Télégramme au général Catroux, à Beyrouth ; au général de Larminat, à Beyrouth ; au gouverneur général Eboué, à Brazzaville ; au général Leclerc, à Brazzaville ; au Haut-Commissaire d'Argenlieu, à Nouméa.

Londres, 14 juin 1942.

Après mon entretien du 10 juin avec M. Churchill, j'ai vu longuement hier M. Eden. Les communications que vous aviez faites, sur mes instructions, aux représentants britanniques sur place ont produit leur effet. M. Eden, après M. Churchill, m'a donné l'assurance formelle que son gouvernement n'avait aucune visée sur aucun territoire de l'Empire français. En particulier, il ne projetait aucune action sur Dakar, ni sur la boucle du Niger, et il était sûr que les Américains avaient le même point de vue. J'ai pris volontiers acte de ces assurances. Toutefois, j'ai fait remarquer à M. Eden que les difficultés que nous suscite au Levant la politique britannique, le retard apporté à l'envoi de Pechkoff à Diégo-Suarez, la politique de division et de neutralisation de l'Empire français suivie par les Etats-Unis, leur attitude pour ce qui concernait Saint-Pierre et Miquelon, les Antilles françaises, la Guyane, la Nouvelle-Calédonie, le travail de la mission Frank vers nos territoires du Niger, demeuraient pour nous des éléments d'inquiétude. Le Secrétaire d'Etat britannique m'a alors répété ses déclarations rassurantes.

Dans ces conditions, je vous prie de faire connaître aux représentants britanniques qui ont accès auprès de vous (et, pour le général Catroux, à M. Casey) que je vous ai mis au courant de mes entretiens récents avec M. Churchill et M. Eden. Vous leur direz, qu'à la suite de ces entretiens, les alarmes que nous avaient données divers indices troublants pouvaient être considérées comme écartées pour ce qui concerne le côté britannique. Vous ajouterez que, dans votre zone d'autorité, vous êtes disposé, en conséquence, à recréer une impression de détente.

Au fond, je crois que le récent voyage de Molotov, à Londres et à Washington, a été pour nous un appui efficient et que les exigences russes, quant à l'ouverture du front ouest cette année, ont suspendu d'autres projets qui étaient antérieurement caressés.

Conclusion du discours prononcé le 18 juin 1942 à l'Albert Hall
de Londres devant les « Français de Grande-Bretagne ».

Depuis deux années, la vague n'a pas cessé de battre en brèche la France qui combat. A l'intérieur du territoire, l'oppression, la propagande, la misère, se sont liguées pour la réduire. A l'extérieur, elle a dû surmonter, moralement et matériellement, d'innombrables difficultés. Mais, invinciblement, la France Combattante émerge de l'océan. Quand, à Bir-Hakeim, un rayon de sa gloire renaissante est venu caresser le front sanglant de ses soldats, le monde a reconnu la France.

Ah ! certes, nous ne croyons pas que l'épreuve soit à son terme. Nous savons tout ce qui reste de force et d'astuce à l'ennemi. Nous n'ignorons pas quels délais sont encore nécessaires au parti de la liberté pour déployer toute sa puissance. Mais, puisque la France a fait entendre sa volonté de triompher, il n'y aura jamais pour nous ni doute, ni lassitude, ni renoncement. Unis pour combattre, nous irons jusqu'au bout de la libération nationale. Alors, notre tâche finie, notre rôle effacé, après tous ceux qui l'ont servie depuis l'aurore de son Histoire, avant tous ceux qui la serviront dans son éternel avenir, nous dirons à la France, simplement, comme Péguy :

« Mère, voici vos fils, qui se sont tant battus ! »

Déclaration publiée en France dans les journaux clandestins, le 23 juin 1942.

Les derniers voiles, sous lesquels l'ennemi et la trahison opéraient contre la France, sont désormais déchirés. L'enjeu de cette guerre est clair pour tous les Français : c'est l'indépendance ou l'esclavage. Chacun a le devoir sacré de faire tout pour contribuer à libérer la patrie par l'écrasement de l'envahisseur. Il n'y a d'issue et d'avenir que par la victoire.

Mais cette épreuve gigantesque a révélé à la nation que le danger qui menace son existence n'est pas venu seulement du dehors et qu'une victoire qui n'entraînerait pas un courageux et profond renouvellement intérieur ne serait pas la victoire.

Un régime, moral, social, politique, économique, a abdiqué dans la défaite, après s'être lui-même paralysé dans la licence. Un autre, sorti d'une criminelle capitulation, s'exalte en pouvoir personnel. Le peuple français les condamne tous les deux. Tandis qu'il s'unit pour la victoire, il s'assemble pour une révolution.

Malgré les chaînes et le bâillon qui tiennent la nation en servitude, mille témoignages, venus du plus profond d'elle-même, font apercevoir son désir et entendre son espérance. Nous les proclamons en son nom. Nous affirmons les buts de guerre du peuple français.

Nous voulons que tout ce qui appartient à la nation française revienne en sa possession. Le terme de la guerre est, pour nous, à la fois la restauration de la complète intégrité du territoire, de l'Empire, du patrimoine français et celle de la souveraineté complète de la nation sur elle-même. Toute usurpation, qu'elle vienne du dedans ou qu'elle vienne du dehors, doit être détruite et balayée. De même que nous prétendons rendre la France seule et unique maîtresse chez elle, ainsi ferons-nous en sorte que le peuple français soit seul et unique maître chez lui. En même temps que les Français seront libérés de l'oppression ennemie, toutes leurs libertés intérieures devront leur être rendues. Une fois l'ennemi chassé du territoire, tous les hommes et toutes les femmes de chez nous éliront l'Assemblée nationale qui décidera souverainement des destinées du pays.

Nous voulons que tout ce qui a porté et tout ce qui porte atteinte aux droits, aux intérêts, à l'honneur de la nation française soit châtié et aboli. Cela signifie, d'abord, que les chefs ennemis qui abusent des droits de la guerre au détriment des personnes et des propriétés françaises, aussi bien que les traîtres qui coopèrent avec eux, devront être punis. Cela signifie, ensuite, que le système totalitaire qui a soulevé, armé, poussé nos ennemis contre nous, aussi bien que le système de coalition des intérêts particuliers qui a, chez nous, joué contre l'intérêt national, devront être simultanément et à tout jamais renversés.

Nous voulons que les Français puissent vivre dans la sécurité. A l'extérieur, il faudra que soient obtenues, contre l'envahisseur séculaire, les garanties matérielles qui le rendront incapable d'agression et d'oppression. A l'intérieur, il faudra que soient réalisées, contre la tyrannie du perpétuel abus, les garanties pratiques qui assureront à chacun la liberté et la dignité dans son travail et dans son existence. La sécurité nationale et la sécurité sociale sont, pour nous, des buts impératifs et conjugués.

Nous voulons que l'organisation mécanique des masses humaines, que l'ennemi a réalisée au mépris de toute religion, de toute morale, de toute charité, sous prétexte d'être assez fort pour pouvoir opprimer les autres, soit définitivement abolie. Et nous voulons en même temps que, dans un puissant renouveau des ressources de la nation et de l'Empire par une technique dirigée, l'idéal séculaire français de liberté, d'égalité, de fraternité soit désormais mis en pratique chez nous, de telle sorte que chacun soit libre de sa pensée, de ses croyances, de ses actions, que chacun ait, au départ de son activité sociale, des chances égales à celles de tous les autres, que chacun soit respecté par tous et aidé s'il en a besoin.

Nous voulons que cette guerre, qui affecte au même titre le destin de tous les peuples et qui unit les démocraties dans un seul et même effort, ait pour conséquence une organisation du monde établissant, d'une manière durable, la solidarité et l'aide mutuelle des nations dans tous les domaines. Et nous entendons que la France occupe, dans ce système international, la place éminente qui lui est assignée par sa valeur et par son génie.

La France et le monde luttent et souffrent pour la liberté, la justice, le droit des gens à disposer d'eux-mêmes. Il faut que le droit des gens à disposer d'eux-mêmes, la justice et la liberté gagnent cette guerre, en fait comme en droit, au profit de chaque homme, comme au profit de chaque Etat.

Une telle victoire française et humaine est la seule qui puisse compenser les épreuves sans exemple que traverse notre patrie, la seule qui puisse lui ouvrir de nouveau la route de la grandeur. Une telle victoire vaut tous les efforts et tous les sacrifices. Nous vaincrons !

CARTES

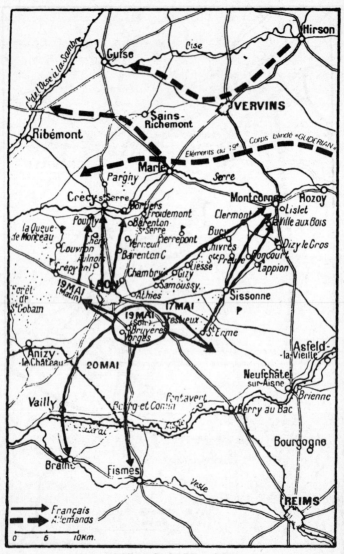

OPERATIONS DE LAON

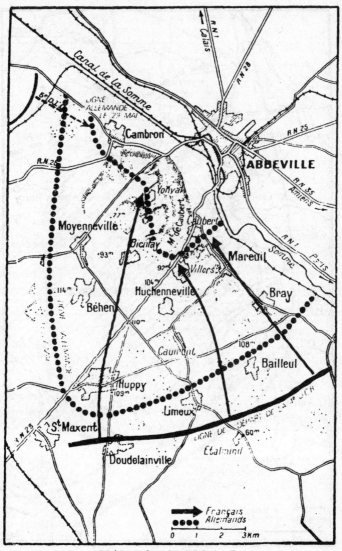

OPÉRATION D'ABBEVILLE

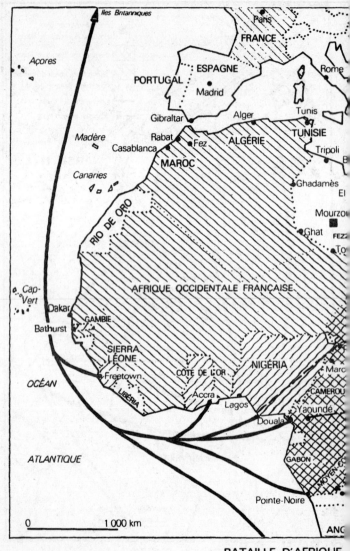

BATAILLE D'AFRIQUE

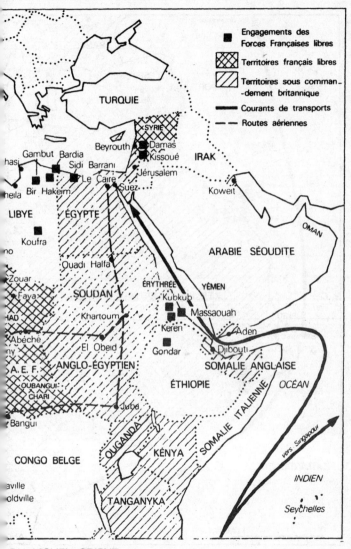

Engagements des
Forces Françaises libres

Territoires français libres

Territoires sous comman_
-dement britannique

Courants de transports

Routes aériennes

TURQUIE

SYRIE

Beyrouth   Damas

Kissoué   IRAK

hasi   Gambut Bardia
Sidi Barrani   Jérusalem

heila   Bir Hakeim   Le Caire
Suez   Koweit

LIBYE   ÉGYPTE   OMAN

Koufra   ARABIE SÉOUDITE

no   Ouadi Halfa

Zouar   ÉRYTHRÉE   YÉMEN
Faya   Kubkub

HAD   Khartoum   Massaouah

Abéché   Keren   Aden

ny   El Obeid   Djibouti

A.E.F.   ANGLO-ÉGYPTIEN   Gondar   SOMALIE ANGLAISE

OUBANGUI-
CHARI   ÉTHIOPIE   OCÉAN

Bangui   Juba

OUGANDA   SOMALIE ITALIENNE

CONGO BELGE   vers Singapour

aville   KÉNYA   INDIEN
oldville

TANGANYKA   Seychelles

DU MOYEN-ORIENT

TABLE DES MATIÈRES

Reproduction photographique

IMPRIMÉ EN FRANCE PAR BRODARD ET TAUPIN
La Flèche (Sarthe), le 29-09-1999

N° d'Imp. : 6727W
Dépôt légal : septembre 1999

POCKET – 12, avenue d'Italie - 75627 Paris cedex 13
Tél. : 01.44.16.05.00